Sean mis Discípulos

Be My Disciples

Peter M. Esposito
Presidente/President

Jo Rotunno, MA
Editora/Publisher

Francisco Castillo, DMin
Redactor Principal y Especialista Multicultural
Senior Editor and Multicultural Specialist

Asesores del Programa/Program Advisors
Michael P. Horan, PhD
Elizabeth Nagel, SSD

Edición Bilingüe

Bilingual Edition

El Subcomité para el Catecismo de la Conferencia de Obispos Católicos de los Estados Unidos consideró que este texto catequético, copyright 2014, está en conformidad con el *Catecismo de la Iglesia Católica.*

NÍHIL ÓBSTAT
Rvdo. Mons. Robert Coerver
Censor Librorum

IMPRIMÁTUR
† Reverendísimo Kevin J. Farrell DD
Obispo de Dallas
22 de agosto de 2011

El *Níhil Óbstat* y el *Imprimátur* son declaraciones oficiales de que el material revisado no contiene ningún error doctrinal ni moral. Dichas declaraciones no implican que quienes han otorgado el *Níhil Óbstat* y el *Imprimátur* estén de acuerdo con el contenido, las opiniones o los enunciados expresados.

Agradecimientos

Los fragmentos son tomados o adaptados de *La Biblia Latinoamérica* © 1972, Sociedad Bíblica Católica Internacional (SOBICAIN), Madrid, España, y son usados con permiso. Todos los derechos reservados. No se permite la reproducción de ninguna parte de *La Biblia Latinoamérica* sin el permiso por escrito del propietario del copyright.

Los fragmentos son tomados o adaptados de la traducción al español del *Misal Romano* (14.ª Edición), ©2005, Obra Nacional de la Buena Prensa, A.C. México, D.F. Todos los derechos reservados. No se permite la reproducción de ninguna parte del *Misal Romano* sin el permiso por escrito del propietario del copyright.

Los fragmentos son tomados o adaptados de la traducción al español del *Ritual para el Bautismo de los Niños* (Cuarta Edición), ©2005; *Ritual para la Confirmación* (Segunda Edición), ©1999, Obra Nacional de la Buena Prensa, A.C. México, D.F. Todos los derechos reservados.

Los fragmentos y adaptaciones de las oraciones fueron tomados de la traducción al español del libro *Compendio: Catecismo de la Iglesia Católica*, © 2006, United States Conference of Catholic Bishops, Washington, D.C.– Liberia Editrice Vaticana. Todos los derechos reservados. No se permite la reproducción o transmisión de ninguna parte de *Compendio: Catecismo de la Iglesia Católica* por ningún método, ya sea electrónico o mecánico, incluyendo fotocopiado, grabado o cualquier sistema de recuperación y almacenamiento de información, sin el permiso por escrito del propietario del copyright.

 Para solicitar información, diríjase a RCL Benziger, 8805 Governor's Hill Drive, Suite 400, Cincinnati, OH 45249.

Teléfono gratuito	877-275-4725
Fax	800-688-8356

Visítenos en RCLBenziger.com
y seanmisdiscipulos.com

20803 ISBN 978-0-7829-1611-9 (Libro del estudiante)
20813 ISBN 978-0-7829-1668-3 (Guía del catequista)

The Subcommittee on the Catechism, United States Conference of Catholic Bishops, has found this catechetical series, copyright 2014, to be in conformity with the Catechism of the Catholic Church.

NIHIL OBSTAT
Rev. Msgr. Robert Coerver
Censor Librorum

IMPRIMATUR
† Most Reverend Kevin J. Farrell DD
Bishop of Dallas
August 22, 2011

The *Nihil Obstat* and *Imprimatur* are official declarations that the material reviewed is free of doctrinal or moral error. No implication is contained therein that those granting the *Nihil Obstat* and *Imprimatur* agree with the contents, opinions, or statements expressed.

Acknowledgments

Excerpts are taken and adapted from the *New American Bible* with Revised New Testament and Revised Psalms, © 1991, 1986, 1970, Confraternity of Christian Doctrine, Washington, D.C., and are used by permission of the copyright owner. All Rights Reserved. No part of the *New American Bible* may be reproduced in any form without permission in writing from the copyright owner.

Excerpts are taken and adapted from the English translation of the *Roman Missal*, © 2010, International Commission on English in the Liturgy, Inc. (ICEL). All rights reserved. No part of the *Roman Missal* may be reproduced in any form without permission in writing from the copyright owner.

Excerpts are taken or adapted from the English translation of the *Rite of Baptism*, © 1969; *Rite of Confirmation* (Second Edition), © 1975, International Commission on English in the Liturgy, Inc. (ICEL). All rights reserved.

Excerpts and adaptations of prayers were taken from the book of *Catholic Household Blessings & Prayers*, © 2007, United States Conference of Catholic Bishops, Washington, D.C. All rights reserved. No part of the book of *Catholic Household Blessings & Prayers* may be reproduced or transmitted in any form or by any means, electronic or mechanical, including photocopying, recording, or by any information storage and retrieval system, without permission in writing from the copyright holder.

Toll Free 877-275-4725
Fax 800-688-8356

Visit us at RCLBenziger.com
and BeMyDisciples.com

20803 ISBN 978-0-7829-1611-9 (Bilingual Student Edition)
20813 ISBN 978-0-7829-1668-3 (Bilingual Catechist Edition)

Contenido

Contents

UNIDAD 6

Bienvenidos a *Sean mis* Discípulos

Una instantánea de mí

Mi nombre es ______________________________.

Mi relato preferido es ______________________________.

Lo que me gusta
más de mi iglesia es ______________________________.

Un juego que me gusta jugar
con mis amigos es ______________________________.

Aprender acerca de la Iglesia Católica

La Iglesia es como una casa de fe. En cada una de las habitaciones podemos aprender más acerca de las creencias de los católicos, de cómo celebramos, de cómo Jesús nos llama a vivir y de cómo rezamos. Haz la actividad de estas páginas para descubrir algunas cosas que aprenderemos este año.

Unidad 1: Creemos, Parte Uno

Escribe tres palabras que describan lo que Dios hizo (consulta la página 40).

Ejemplos:

________________ ________________ ________________

Welcome to

Be My Disciples

A Snapshot of Me

My name is ______________________________.

My favorite story is ______________________________.

The thing I like best
about my church is ______________________________.

A game I like to play
with my friends is ______________________________.

Learning About the Catholic Church

The Church is like a house of faith. In each of the rooms we can learn more about what Catholics believe, how we celebrate, how Jesus calls us to live, and how we pray. Do the activity on these pages to discover some things we will learn about this year.

Unit 1: We Believe, Part One

Write three words that describe what God made (see page 41).

Examples:

______________ ______________ ______________

Unidad 2: Creemos, Parte Dos

Busca la frase Misterio Pascual en la página 102. Completa la oración para decir qué es el Misterio Pascual.

El Misterio Pascual es la ______________,

______________ y ______________ de Jesucristo.

Unidad 3: Celebramos, Parte Uno

¿Cuáles son los tres Sacramentos de la Iniciación Cristiana? (Consulta la página 206.)

______________ ______________ ______________

Unidad 4: Celebramos, Parte Dos

¿A través de qué dos Sacramentos muchos hombres y mujeres sirven a toda la Iglesia? (Consulta la página 280.)

______________ ______________

Unidad 5: Vivimos, Parte Uno

¿Qué Mandamientos nos enseñan a respetar a los demás y a respetarnos a nosotros mismos? (Consulta la página 352.)

____

Unidad 6: Vivimos, Parte Dos

Mira la página 394. Busca el nombre de una mujer que recobró su fe en Dios y se convirtió en Santa.

____

Unit 2: We Believe, Part Two

Find the phrase Paschal Mystery on page 103. Complete the sentence to tell what the Paschal Mystery is.

The Paschal Mystery is the ______________,

______________, and ______________ of Jesus Christ.

Unit 3: We Worship, Part One

What are the three Sacraments of Christian Initiation? (See page 207.)

______________ ______________ ______________

Unit 4: We Worship, Part Two

Through which two Sacraments do many men and women serve the whole Church? (See page 281.)

______________ ______________

Unit 5: We Live, Part One

Which Commandments teach us to respect others and ourselves? (See page 353.)

____

Unit 6: We Live, Part Two

Look on page 395. Find the name of a woman who regained her faith in God and become a Saint.

____

"Hagan como he hecho yo"

Líder Señor, nos hemos reunido para escuchar tu Palabra. Ayúdanos a recordar la manera de servir a los demás como Tú lo hiciste.

Todos **Haremos lo que nos pidas.**

Líder Durante la cena, Jesús se levantó de la mesa. Echó agua en un recipiente y empezó a lavarles los pies a los discípulos. Les secó los pies con una toalla. Cuando Jesús terminó, dijo: "Les he dado un ejemplo. Hagan como he hecho yo".

BASADO EN JUAN 13:4–5, 15

Palabra del Señor.

Todos **Gloria a ti, Señor Jesús.**

Pasen al frente en fila y reverencien la Biblia inclinándose ante ella.

"Do What I Have Done"

Leader Lord, we gather to listen to your word. Help us remember how to serve others as you did.

All **We will do as you ask.**

Leader During the meal Jesus got up from the table. He poured water into a bowl and began to wash his disciples' feet. He dried their feet with a towel. When Jesus finished, he said, "I have given you an example. Do what I have done."

BASED ON JOHN 13:4–5, 15

The Gospel of the Lord.

Praise to you, Lord Jesus Christ.

Come forward and reverence the Bible by bowing before it.

UNIDAD 1

Creemos

Parte Uno

Calmar el mar

Jesús y sus discípulos estaban en una barca en el mar de Galilea. De repente, se levantó una tormenta violenta. Los discípulos tenían miedo de ahogarse.

¡Jesús estaba dormido! Los discípulos lo despertaron y gritaron: "¡Señor, sálvanos! ¡Vamos a morir!"

Jesús les dijo: "¿Por qué tienen tanto miedo? ¿Dónde está su fe?"

Entonces Jesús se levantó y les dijo al viento y al mar: "¡Silencio! ¡Cálmense!" La tormenta se detuvo inmediatamente.

Los discípulos estaban asombrados. Se preguntaban unos a otros: "¿Quién puede hacer que los vientos y el mar lo obedezcan?"

Basado en Mateo 8:23–27

We Believe

Part One

UNIT 1

Calming the Sea

Jesus and his disciples were in a boat on the Sea of Galilee. All of a sudden, a violent storm blew in. The disciples were afraid they were going to drown.

Jesus was asleep! The disciples woke him up and yelled, "Lord, save us! We are going to die!"

Jesus said to them, "Why are you so afraid? Where is your faith?"

Then Jesus stood up and said to the winds and the sea, "Quiet! Be still!" At once the storm was over.

The disciples were amazed. They asked each other: "Who can make the winds and sea obey?"

Based on Matthew 8:23–27

Lo que he aprendido

¿Qué es lo que ya sabes acerca de estos dos términos de fe?

El Reino de Dios

____

____

Mesías

____

____

Vocabulario de fe para aprender

Escribe **X** junto a las palabras de fe que sabes. Escribe **?** junto a las palabras de fe que necesitas aprender mejor.

Palabras de fe

_____ Santísima Trinidad

_____ Divina Providencia

_____ Encarnación

_____ Anunciación

_____ Mesías

_____ Creador

Tengo preguntas

¿Qué te gustaría preguntar acerca de María, Madre de Dios?

____

____

What I Have Learned

What is something you already know about these two faith terms?

The Kingdom of God

____

____

Messiah

____

____

Faith Words to Know

Put an **X** next to the faith terms you know. Put a **?** next to faith terms you need to learn more about.

Faith Words

____ Holy Trinity

____ Divine Providence

____ Incarnation

____ Annunciation

____ Messiah

____ Creator

Questions I Have

What questions would you like to ask about Mary, the Mother of God?

____

____

CAPÍTULO 1

Lo que vendrá

En este capítulo el Espíritu Santo te invita a ▶

INVESTIGAR la historia de San Francisco de Asís.

DESCUBRIR las diferentes maneras en que Dios se revela a sí mismo.

DECIDIR cómo llegarás a conocer mejor a Dios.

Dios nos habla

? Cuando alguien te habla, ¿por qué es importante escuchar atentamente?

Escucha estas palabras del Evangelio de Marcos.

Un día, Jesús llevo a Santiago, a Pedro y a Juan a un monte alto. Mientras estuvieron allí, las ropas de Jesús se volvieron de un blanco resplandeciente. Una nube cubrió el lugar y, desde la nube, una voz dijo: "Este es mi Hijo amado. Escúchenlo".

BASADO EN MARCOS 9:2–7

? ¿Quién les hablaba a los discípulos desde la nube?

Looking Ahead

In this chapter the Holy Spirit invites you to ▶

EXPLORE the story of Saint Francis of Assisi.

DISCOVER the different ways that God reveals himself to us.

DECIDE how you will come to know God better.

CHAPTER 1

God Speaks to Us

When someone speaks to you, why is it important to listen carefully?

Listen to these words from Mark's Gospel.

One day, Jesus took James, Peter, and John up on a high mountain. While they were there, Jesus' clothes turned bright white. A cloud covered the place, and a voice from a cloud said, "This is my beloved Son. Listen to him."

Based on Mark 9:2–7

Who was speaking to the disciples from the cloud?

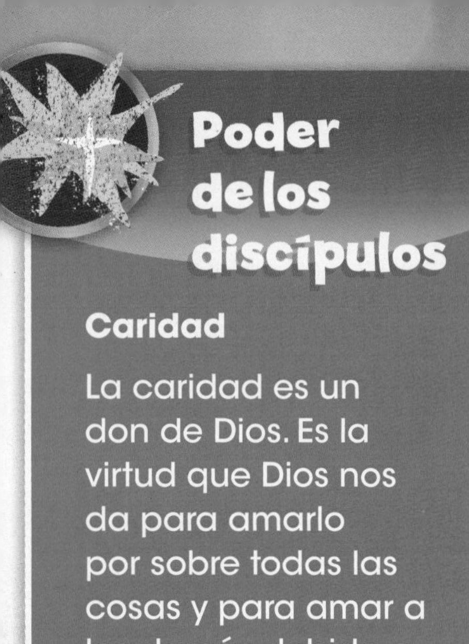

Poder de los discípulos

Caridad

La caridad es un don de Dios. Es la virtud que Dios nos da para amarlo por sobre todas las cosas y para amar a los demás debido a nuestro amor por Él.

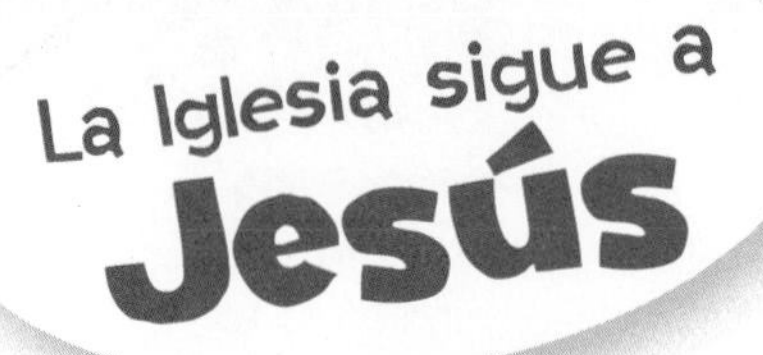

San Francisco de Asís

San Francisco de Asís escuchaba a Dios. Quería vivir como un discípulo de Jesús.

La familia de Francisco era rica. Su padre vendía telas que las personas usaban para hacer ropa, cortinas y otras cosas. Pero a Francisco el dinero no lo hacía feliz.

Un día, Francisco estaba rezando. Le pedía a Dios que le mostrara cómo podía amar a Dios por sobre todas las personas y todas las cosas. Francisco abrió una Biblia y leyó estas palabras de Jesús.

> *"Vete, vende todo lo que tienes y reparte el dinero entre los pobres, y tendrás un tesoro en el Cielo. Después, ven y sígueme."*
>
> Marcos 10:21

Francisco creía que, cuando leía la Biblia, Dios le estaba hablando. Francisco escuchó e hizo lo que Jesús dijo.

Actividad

¿Qué lo llevó a hacer a Francisco la lectura de la Biblia? ¿Qué crees que tuvo que sacrificar para seguir a Jesús?

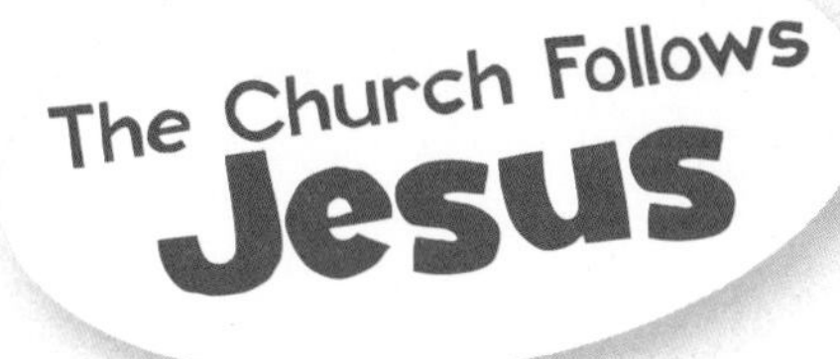

Disciple Power

Love

Love is a gift from God. It is the virtue that God gives us to love him above all else and to love other people because of our love for him.

Saint Francis of Assisi

Saint Francis of Assisi listened to God. He wanted to live as a disciple of Jesus.

Francis' family was wealthy. His father sold fabric that people used to make clothes, curtains, and other things. But having money did not make Francis happy.

One day Francis was praying. He asked God to show him how he could love God above everyone and everything. Francis opened a Bible and read these words from Jesus.

"Go, sell what you have, and give to [the] poor and you will have treasure in heaven; then come, follow me."

MARK 10:21

Francis believed that when he read the Bible, God was speaking to him. Francis listened and did what Jesus said.

Activity

What did reading the Bible lead Francis to do? What do you think he had to sacrifice to follow Jesus?

Enfoque en la fe
¿Qué nos ha dicho Dios acerca de sí mismo?

Vocabulario de fe

fe
La fe es un don de Dios. Nos ayuda a creer en Dios y en todo lo que Él nos ha revelado.

Santísima Trinidad
La Santísima Trinidad es el misterio de Un Dios en Tres Personas Divinas: Dios Padre, Dios Hijo y Dios Espíritu Santo.

Dios nos habla

Dios ha demostrado su amor por nosotros hablándonos de sí mismo. En realidad, jamás hubiésemos llegado a conocer quién es Dios por nosotros mismos. La mayoría de lo que sabemos sobre Él, Dios lo ha revelado o nos lo ha dado a conocer.

Dios nos da el don de la **fe**. La fe nos ayuda a conocer a Dios y a creer en Él. Él nos ayuda a conocer y creer lo que ha revelado. La fe nos ayuda a escuchar lo que Dios nos dice acerca de sí mismo. La fe nos ayuda a llegar a conocer quién es Dios.

Dios nos ha dicho que Él es la **Santísima Trinidad**. Es Un Dios en Tres Personas Divinas. Hay un solo Dios, que es Dios Padre, Dios Hijo y Dios Espíritu Santo.

Esto nos lo reveló Jesús, el Hijo de Dios. Llamamos a esto el misterio de la Santísima Trinidad. Es un gran misterio de fe. Nunca hubiésemos sabido esto acerca de Dios, a menos que Él nos lo contara.

Actividad

Completa esta oración a la Santísima Trinidad.

Querido Dios, Santísima Trinidad, te alabo por

_______________________________________.

Dios Padre, te pido que ____________________

_______________________________________.

Dios Hijo, te doy gracias por _______________

_______________________________________.

Dios Espíritu Santo, ayúdame a _____________

_______________________________________.

Amén.

God Speaks to Us

God has shown his love for us by telling us about himself. We really could never come to know who God is on our own. Most of what we know about him, God has revealed, or made known to us.

God gives us the gift of **faith**. Faith helps us know and believe in God. He helps us know and believe in what he has revealed. Faith helps us listen to what God tells us about himself. Faith helps us come to know who God is.

God has told us that he is the **Holy Trinity**. He is One God in Three Divine Persons. There is one God who is God the Father, God the Son, and God the Holy Spirit.

Jesus, the Son of God, revealed this to us. We call this the mystery of the Holy Trinity. It is a great mystery of faith. We could never know this about God unless he told us.

Faith Focus
What has God told us about himself?

Faith Vocabulary

faith
Faith is a gift from God. It helps us believe in God and all that he has revealed.

Holy Trinity
The Holy Trinity is the mystery of One God in Three Divine Persons—God the Father, God the Son, and God the Holy Spirit.

Activity

Complete this prayer to the Holy Trinity.

Dear God, the Holy Trinity, I praise you for

______________________________.

God the Father, I ask you to ______________

______________________________.

God the Son, I thank you for ______________

______________________________.

God the Holy Spirit, help me to ____________

______________________________.

Amen.

Personas de fe

Los Evangelistas

Los cuatro Evangelios representan el testimonio acerca de Jesucristo de San Mateo, San Marcos, San Lucas y San Juan. Se los llama los cuatro Evangelistas. La palabra evangelista significa "el que anuncia la buena nueva". Mateo, Marcos, Lucas y Juan anunciaron el Evangelio, o "Buena Nueva", de Jesucristo.

La Palabra de Dios escrita

La Biblia es la Palabra de Dios escrita de Dios. Dios Espíritu Santo inspiró al pueblo de Dios para que escribiera la Biblia. Escribieron lo que Dios quería que su pueblo supiera.

La Biblia también se llama Sagrada Escritura. Sagrada Escritura significa "escritos santos". En la Biblia, leemos:

> *Recuerda siempre que las Sagradas Escrituras vienen a nosotros de Dios.* BASADO EN 2.ª TIMOTEO 3:15–16

La Biblia tiene dos partes principales. Son el Antiguo Testamento y el Nuevo Testamento. El Antiguo Testamento nos dice que Dios creó el mundo. Él ama todas las cosas y a todas las personas que creó. El Antiguo Testamento nos habla también acerca de las promesas muy especiales que Dios y su pueblo del Antiguo Testamento se hicieron unos a otros. Aprendemos acerca de las promesas hechas a Noé, a Abrahán, a Moisés y los israelitas, y a los profetas.

Dios prometió que siempre amaría a su pueblo y cuidaría de él. El pueblo de Dios prometió que Dios estaría en el centro de su vida. Llamamos Alianza a las promesas que Dios y su pueblo se hicieron mutuamente.

Dibuja o escribe acerca de tu persona preferida de la Biblia. ¿Qué aprendiste acerca de Dios gracias a esta persona? Escribe tus ideas y luego comparte tus pensamientos.

The Written Word of God

The Bible is the written Word of God. God the Holy Spirit inspired God's people to write the Bible. They wrote what God wanted his people to know.

The Bible is also called Sacred Scripture. Sacred Scripture means "holy writings." In the Bible we read,

> *Always remember that the holy writings come to us from God.* Based on 2 Timothy 3:15–16

The Bible has two main parts. They are the Old Testament and the New Testament. The Old Testament tells us that God created the world. He loves everything and everyone he created. The Old Testament also tells us about the very special promises God and his people in the Old Testament made with each other. We learn about the promises made to Noah, Abraham, Moses and the Israelites, and to the Prophets.

God promised to always love his people and to take care of them. God's people promised that God would be the center of their lives. We call the promises that God and his people made to each other the Covenant.

Faith-Filled People

The Evangelists

The four Gospels represent the testimony of Saint Matthew, Saint Mark, Saint Luke, and Saint John about Jesus Christ. They are called the four Evangelists. The word *evangelist* means "announcer of good news." Matthew, Mark, Luke and John announced the Gospel, or the "Good News," of Jesus Christ."

Draw or write about your favorite person in the Bible. What have you learned about God from this person? Write your ideas, and then share your thoughts.

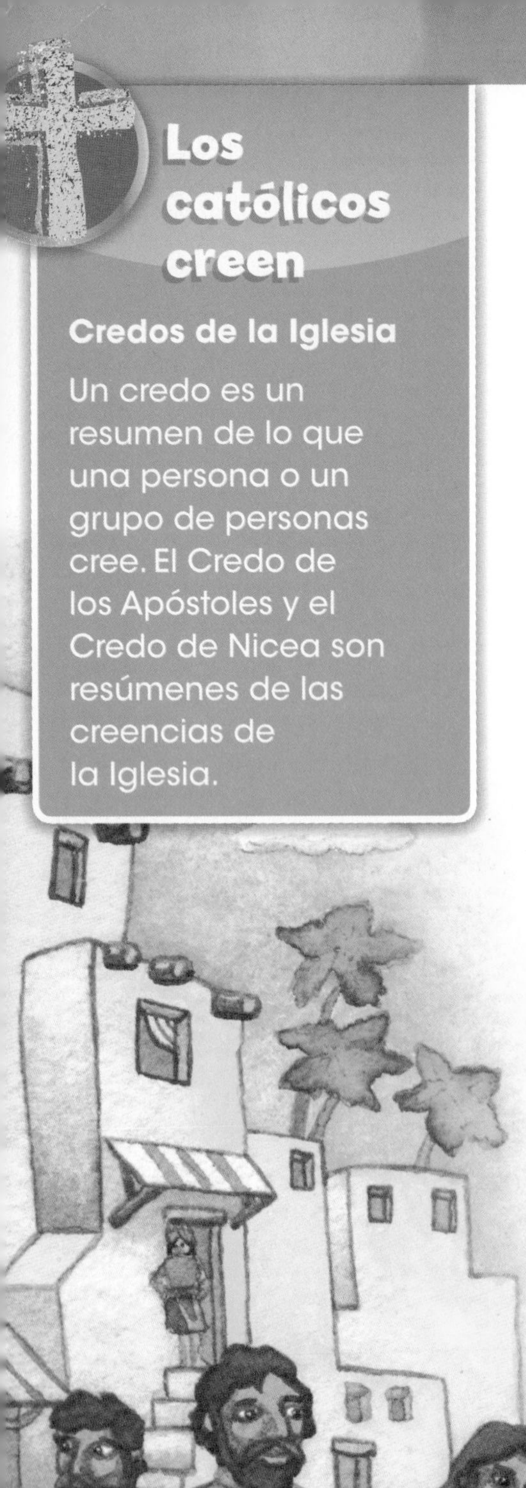

Los católicos creen

Credos de la Iglesia

Un credo es un resumen de lo que una persona o un grupo de personas cree. El Credo de los Apóstoles y el Credo de Nicea son resúmenes de las creencias de la Iglesia.

Jesús nos habla acerca de Dios

El Nuevo Testamento nos cuenta acerca de Jesús y sus enseñanzas. Jesús nos contó la mayoría de las cosas acerca de Dios. Todo lo que Jesús dijo e hizo les demuestra a las personas cuánto las ama Dios.

Muchos años después de que Jesús regresara al Cielo, San Mateo, San Juan, San Marcos y San Lucas les contaron a los demás lo que ellos recordaban acerca de Jesús. La Iglesia ha reunido estos escritos, llamados Evangelios, en el Nuevo Testamento.

La Iglesia primitiva

El Nuevo Testamento nos cuenta que muchas personas escucharon a Jesús y vieron lo que hizo. A los que siguieron y creyeron en Jesús se los llamó discípulos. Ellos fueron los primeros miembros de la Iglesia. Algunos de los discípulos más cercanos de Jesús, llamados Apóstoles, fueron los primeros líderes de la Iglesia.

Después de que Jesús resucitó de entre los muertos y regresó al Cielo, los seguidores de Jesús se reunieron.

> *Escuchaban las enseñanzas de los Apóstoles. Se cuidaban unos a otros. Partían el pan y alababan a Dios.*
>
> Basado en Hechos de los Apóstoles 2:42, 45–47

Hoy la Iglesia nos sigue hablando acerca de Jesús.

? ¿Qué nos enseñan los Evangelios?

Jesus Tells Us About God

The New Testament tells us about Jesus and his teachings. Jesus told us the most about God. Everything that Jesus said and did shows people how much God loves them.

Many years after Jesus returned to Heaven, Saint Matthew, Saint John, Saint Mark, and Saint Luke told others what they remembered about Jesus. The Church has gathered together these writings, called Gospels, in the New Testament.

Catholics Believe

Creeds of the Church

A creed is a summary of what a person or a group of people believes. The Apostles' Creed and the Nicene Creed are summaries of the beliefs of the Church.

The Early Church

The New Testament tells us that many people listened to Jesus and saw what he did. Those who followed Jesus and came to believe in him were called his disciples. They were the first members of the Church. Some of Jesus' closest disciples, called the Apostles, were the first leaders of the Church.

After Jesus rose from the dead and returned to Heaven, the followers of Jesus gathered together.

> *They listened to the teachings of the Apostles. They cared for one another. They prayed together. They broke bread together and praised God.*
>
> BASED ON ACTS OF THE APOSTLES 2:42, 45–47

Today the Church still tells us about Jesus.

? What do the Gospels teach us?

Yo sigo a Jesús

El Espíritu Santo nos ayuda a tomar buenas decisiones y a vivir como discípulos de Jesús. Vivimos como discípulos de Jesús cuando escuchamos la Palabra de Dios.

Actividad

Vivir como un discípulo de Jesús

Piensa acerca de algunas de las maneras en que hoy esos discípulos de Jesús demuestran su amor por los demás en la casa, la escuela o con amigos. Dibuja un dibujo de tres escenas para un relato acerca de ellos, en los espacios de abajo.

Los discípulos de Jesús leen la Biblia frecuentemente y escuchan lo que Dios quiere que hagan. ¿Cuándo leerás la Biblia? Esta semana yo voy a

____

____

____.

Reza: "Espíritu Santo, ayúdame a vivir cada día como un discípulo de Jesús. Amén".

The Holy Spirit helps us make good choices and live as disciples of Jesus. We live as disciples of Jesus when we listen to God's Word.

Activity

Living as a Disciple of Jesus

Think about some of the ways today that disciples of Jesus show their love for others at home, at school, or with friends. Draw three scenes for a story about them in the spaces below.

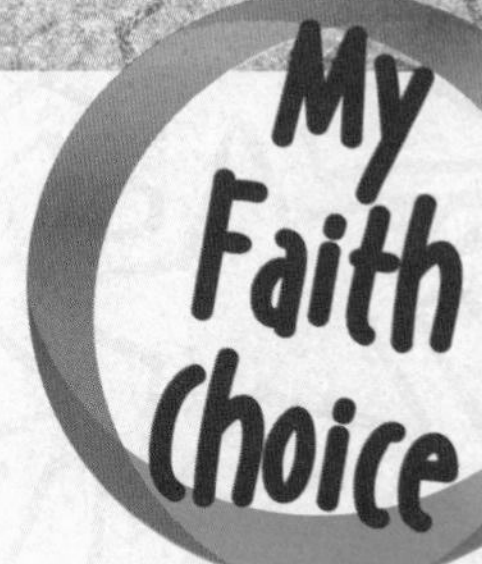

Disciples of Jesus read the Bible often and listen to what God wants them to do. When will you read the Bible? This week I will

____

____

____.

Pray, "Holy Spirit, help me to live each day as a disciple of Jesus. Amen."

PARA RECORDAR

1. Dios nos da el don de la fe para ayudarnos a conocerlo y a creer en Él.
2. Dios nos habla a través de la Biblia.
3. Dios nos habla a través de la Iglesia.

Repaso del capítulo

Identifica y escribe el nombre de una de las Tres Personas de la Santísima Trinidad en cada lado del triángulo. En el renglón que está a la izquierda del triángulo, escribe el nombre de la persona que nos reveló la Santísima Trinidad.

Personas de la Santísima Trinidad

____

Gloria a Dios

Reza en voz alta con tu clase esta oración a la Santísima Trinidad, en español o en inglés. Rézala en casa con tu familia y solo, en silencio.

Gloria al Padre y al Hijo
Glory be to the Father and to the Son

y al Espíritu Santo.
and to the Holy Spirit,

Como era en el principio,
as it was in the beginning,

ahora y siempre,
is now and ever shall be,

por los siglos de los siglos. Amén.
world without end. Amen.

Chapter Review

Identify and write the name of one of the Three Persons of the Holy Trinity on each side of the triangle. On the line to the left of the triangle, write the name of the person who revealed the Holy Trinity to us.

Persons of the Holy Trinity

____

TO HELP YOU REMEMBER

1. God gives us the gift of faith to help us know and believe in him.
2. God speaks to us through the Bible.
3. God speaks to us through the Church.

Glory to God

Pray this prayer to the Holy Trinity aloud with your class in Spanish or in English. Pray it at home with your family and alone in silence.

Glory be to the Father and to the Son
Gloria al Padre y al Hijo

and to the Holy Spirit,
y al Espíritu Santo.

as it was in the beginning
Como era en el principio

is now, and ever shall be
ahora y siempre, y por los

world without end. Amen.
siglos de los siglos. Amén.

Con mi familia

Esta semana...

En el capítulo 1, "Dios nos habla", su niño aprendió que:

- Dios se nos ha revelado o se dio a conocer a sí mismo.
- Dios es un misterio. No podríamos haber sabido quién es Dios a menos que Él mismo nos lo revelara.
- Jesús reveló que hay un solo Dios en Tres Personas: Dios Padre, Hijo y Espíritu Santo. Llamamos a este misterio de Dios la Santísima Trinidad. Esta es la creencia principal de los cristianos.
- Dios nos da el don de la caridad. Este don nos da el poder de amar a Dios por sobre todas las personas y sobre todas las cosas, y de amar a los demás por nuestro amor a Dios.

Para saber más sobre otras enseñanzas de la Iglesia, consulten el *Catecismo de la Iglesia Católica*, 232–260, y el *Catecismo Católico de los Estados Unidos para los Adultos*, páginas 53–69.

Compartir la Palabra de Dios

Lean juntos en la Biblia, Hechos de los Apóstoles 2:42–47 acerca de los primeros miembros de la Iglesia. O lean la adaptación del relato de la página 28. Enfaticen que los primeros cristianos se cuidaban unos a otros y rezaban juntos.

Vivimos como discípulos

El hogar cristiano con la familia es una escuela de discipulado. Elijan una de las siguientes actividades para hacer en familia, o creen una actividad similar ustedes mismos.

- Creen una insignia o un botón que diga: "Soy un discípulo de Jesús". Cada vez que un miembro de la familia actúe de una manera especial como discípulo de Jesús, denle la insignia para que la use por un día.
- Hablen acerca de cómo los miembros de la familia se ayudan unos a otros para conocer a Dios y su amor por ustedes. Pida a cada miembro de la familia que elija una cosa que pueda hacer esta semana para demostrarse unos a otros el amor de Dios.

Nuestro viaje espiritual

La Iglesia nos da credos para profesar nuestra fe. Aprender de memoria el Credo de los Apóstoles puede servir de guía para nuestro viaje en la Tierra. En familia, aprendan de memoria el Credo de los Apóstoles. Recen juntos el Credo de los Apóstoles, que pueden encontrar en la página 526.

Para hallar más ideas sobre las maneras en que su familia puede vivir como discípulos de Jesús, visiten **seanmisdiscipulos.com**

With My Family

This Week...

In chapter 1, "God Speaks to Us," your child learned:

- God has revealed, or made himself known, to us.
- God is a mystery. We could not know who God is unless he revealed himself to us.
- Jesus revealed that there is One God in Three Persons—God the Father, Son, and Holy Spirit. We call this mystery of God the Holy Trinity. This is the central belief of Christians.
- God gives us the gift of love. This gift gives us the power to love God above everyone and everything else and to love other people because of our love for God.

For more about related teachings of the Church, see the *Catechism of the Catholic Church*, 232–260; and the *United States Catholic Catechism for Adults*, pages 49–63.

Sharing God's Word

Read together in the Bible Acts of the Apostles 2:42–47 about the first members of the Church. Or read the adaptation of the story on page 29. Emphasize that the first Christians cared about one another and prayed together.

We Live as Disciples

The Christian home and family is a school of discipleship. Choose one of the following activities to do as a family or create a similar activity of your own.

- Create a badge or button that reads, "I am a disciple of Jesus." Each time a family member acts in a special way as a disciple of Jesus, give them the badge to wear for a day.
- Talk about how your family members help one another know God and his love for you. Ask each family member to choose one thing they can do this week to show God's love to one another.

Our Spiritual Journey

The Church gives us creeds to profess our faith. Knowing the Apostles' Creed by heart can provide guidance for our journey on Earth. Learn the Apostles' Creed by heart as a family. Pray together the Apostles' Creed, which can found on page 527.

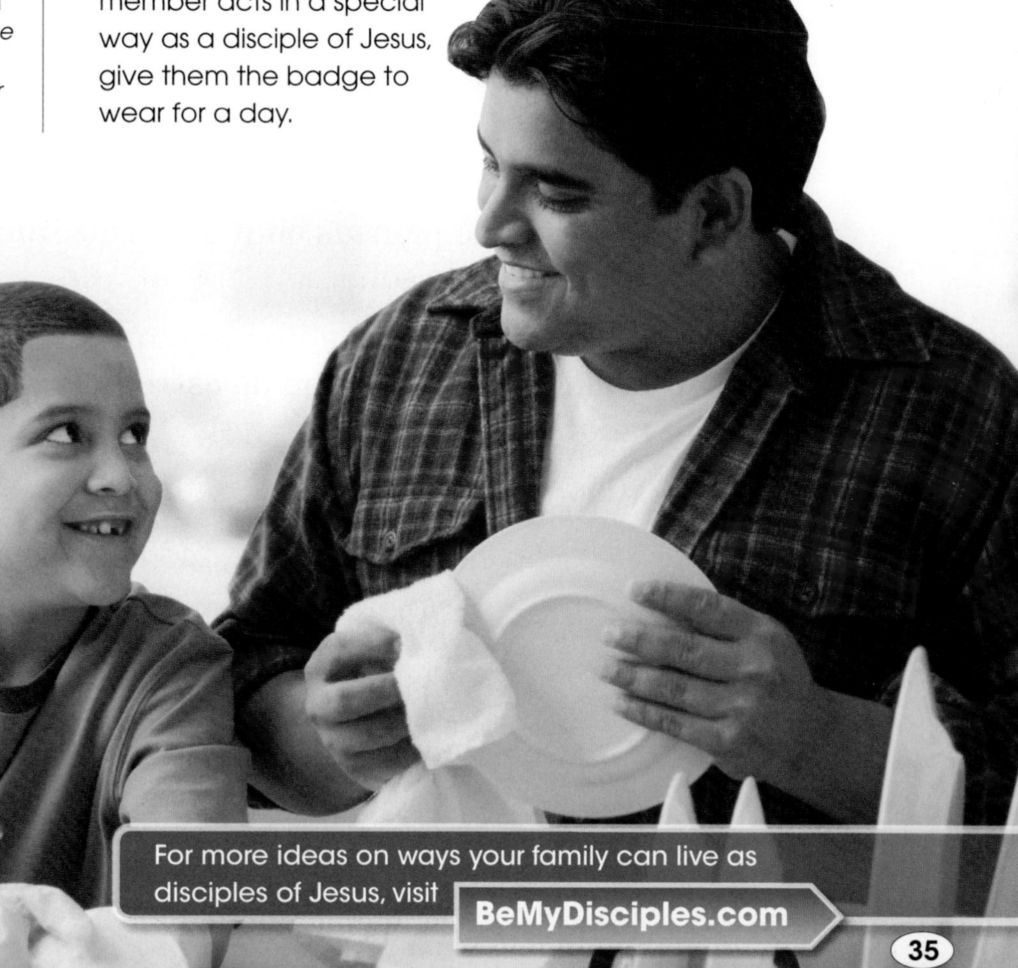

For more ideas on ways your family can live as disciples of Jesus, visit **BeMyDisciples.com**

CAPÍTULO
2

Lo que vendrá

En este capítulo el Espíritu Santo te invita a ▶

INVESTIGAR los dones de las Hermanas del Buen Pastor.

DESCUBRIR lo que significa que Dios es el Creador.

DECIDIR cómo puedes ayudar a cuidar de la Creación de Dios.

Dios Creador

¿En qué piensas cuando miras una hermosa puesta de sol?

Cierra los ojos e imagina que estás mirando el cielo nocturno lleno de estrellas. Escucha estas palabras de la Biblia.

Todo lo que hay en el cielo declara la gloria de Dios; el sol y la luna y las estrellas nos cuentan con orgullo acerca de Aquel que los creó.

BASADO EN EL SALMO 19:2

¿Qué te dice el escritor de estas palabras?

Looking Ahead

In this chapter the Holy Spirit invites you to ▶

EXPLORE the gifts of the Sisters of the Good Shepherd.

DISCOVER what it means that God is the Creator.

DECIDE how you can help care for God's Creation.

CHAPTER 2

God the Creator

? What do you think of when you look at a beautiful sunset?

Close your eyes and imagine you are looking at the night sky filled with stars. Listen to these words from the Bible.

Everything in the sky declares the glory of God; the sun and moon and stars proudly tell us about the One who made them.

Based on Psalm 19:2

? What is the writer of these words telling you?

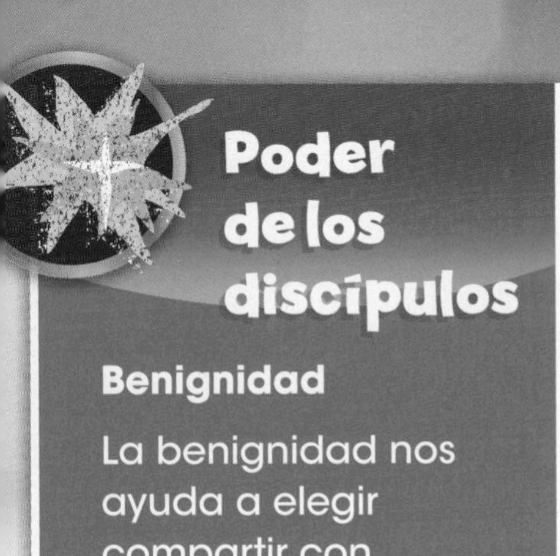

Poder de los discípulos

Benignidad

La benignidad nos ayuda a elegir compartir con los demás. Los seguidores de Jesús ofrecen libremente su tiempo y sus talentos por el bien de los demás.

¡Deja que brille tu luz!

Las Hermanas del Buen Pastor viven en todo el mundo. Su fundadora, Santa María Eufrasia Pelletier, decía siempre: "¡Deja que brille tu luz!". Las Hermanas usan sus dones para hacer cosas que enseñan acerca del amor de Dios. Es así como ellas dejan que brille su luz.

Las Hermanas del Buen Pastor usan los dones de la creación para honrar a Dios. Preparan hostias con trigo para que las usemos en la Misa. Tejen telas a partir de plantas para preparar la vestimenta que los sacerdotes usan en la Misa.

La próxima vez que veas cosas en la iglesia hechas a partir de la creación, piensa en Dios, que nos dio todos esos dones. Piensa en las personas que fueron generosas con sus dones. Ellas nos ayudan a acercarnos más a Dios cuando celebramos los Sacramentos.

? ¿De qué manera las Hermanas del Buen Pastor usan los dones de la creación para honrar a Dios?

Disciple Power

Generosity

Generosity helps you choose to share with others. Followers of Jesus offer their time and talents freely for the good of others.

Let Your Light Shine!

The Sisters of the Good Shepherd live all over the world. Their founder, Saint Mary Euphrasia Pelletier, always said, "Let your light shine!" The Sisters use their gifts to make things that teach about God's love. This is how they let their light shine.

The Sisters of the Good Shepherd use the gifts of creation to honor God. They make altar bread from wheat for us to use at Mass. They weave cloth from plants to make the clothes priests wear at Mass.

The next time you see things in church made from creation, think about God who gave us those gifts. Think about the people who were generous with their gifts. They help us to come closer to God when we celebrate the Sacraments.

? How do the Sisters of the Good Shepherd use the gifts of creation to honor God?

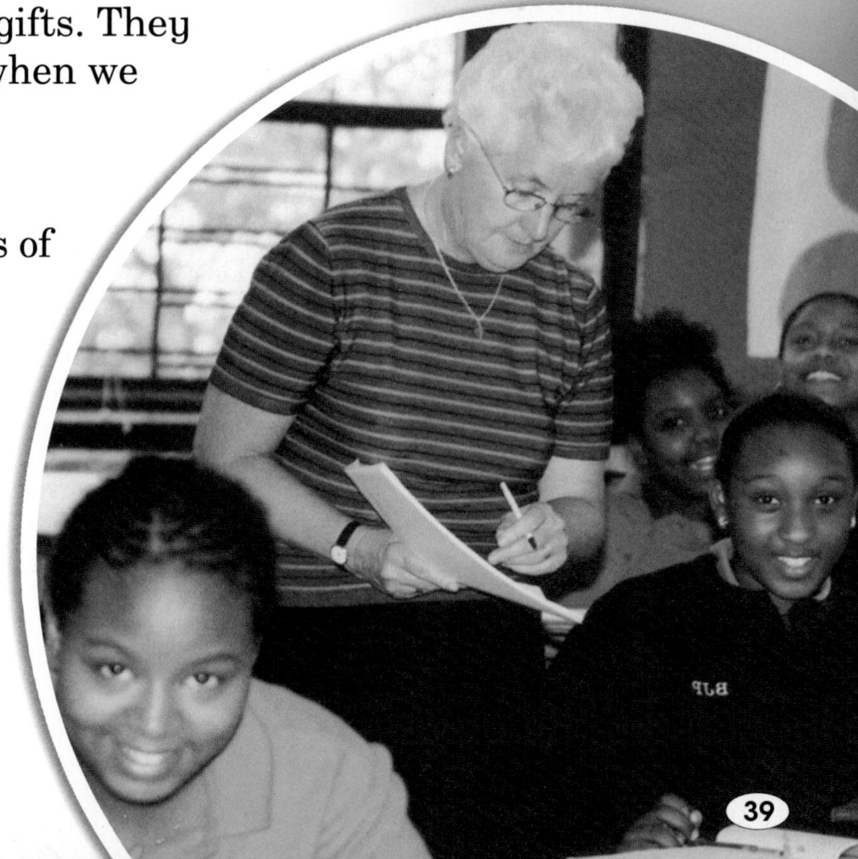

Enfoque en la fe
¿Qué nos dice la creación acerca de Dios?

Vocabulario de fe

Creación
La creación es todo lo que Dios creó por amor y sin ninguna ayuda.

Divina Providencia
La Divina Providencia es el cuidado amoroso de Dios por toda su creación.

La Creación de Dios

Solo Dios es el Creador. Él creó todas las cosas y a todas las personas por amor y sin ninguna ayuda. El Libro del Génesis cuenta el relato de la **creación**.

Dios hizo la tierra y los cielos y el mar. Dios llenó la tierra de plantas. Dios hizo el sol y la luna y las estrellas. Dios hizo a los pájaros del cielo y los peces del agua. Dios hizo animales para la tierra. Luego Dios creó a las personas. Dios vio que todo lo que había creado era muy bueno.

BASADO EN GÉNESIS 1:3–27, 31

Dios nos dio el don de nuestros cinco sentidos. Usamos los cinco sentidos para llegar a saber que Dios es maravilloso y bueno. Todo lo que hay en la creación de Dios nos ayuda a conocer su amor por nosotros.

Actividad

Mira las imágenes de esta página. ¿Qué te dicen acerca de Dios? Ahora cierra los ojos. Imagina que estás al aire libre. ¿Qué cosas ves, oyes o tocas que Dios ha hecho? Escribe una oración acerca de lo que observas.

____

____

____

God's Creation

God alone is the Creator. He created everything and everyone out of love and without any help. The Book of Genesis tells the story of **creation**.

God made the earth and sky and sea. God filled the earth with plants. God made the sun and the moon and the stars. God made birds for the sky and fish for the water. God made animals for the land. Then God created people. God saw that everything he created was very good.

BASED ON GENESIS 1:3–27, 31

God gave us the gift of our five senses. We use our five senses to come to know that God is wonderful and good. All of God's creation helps us know his love for us.

Faith Focus
What does creation tell us about God?

Faith Vocabulary

Creation
Creation is all that God has made out of love and without any help.

Divine Providence
Divine Providence is God's caring love for all of his creation.

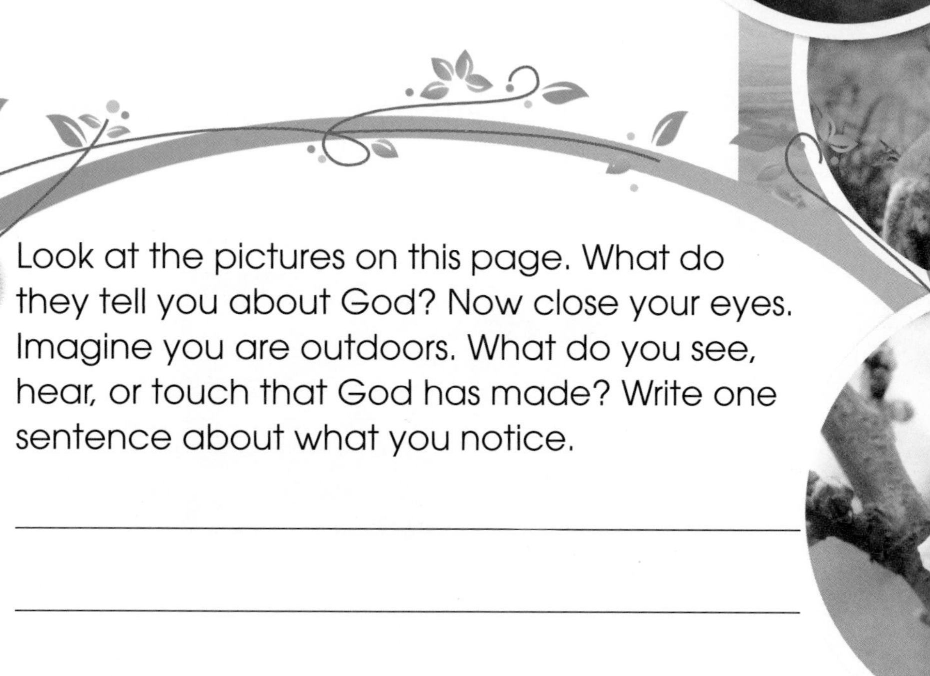

Activity

Look at the pictures on this page. What do they tell you about God? Now close your eyes. Imagine you are outdoors. What do you see, hear, or touch that God has made? Write one sentence about what you notice.

____

____

____

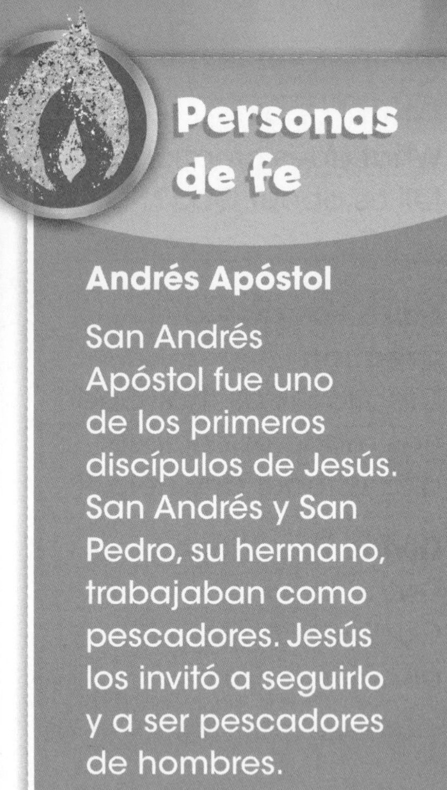

Personas de fe

Andrés Apóstol

San Andrés Apóstol fue uno de los primeros discípulos de Jesús. San Andrés y San Pedro, su hermano, trabajaban como pescadores. Jesús los invitó a seguirlo y a ser pescadores de hombres.

Las personas son imágenes de Dios

Dios creó a todas las personas a su imagen. Creó a las personas con un cuerpo y un alma. El alma es la parte de nosotros que vive para siempre. Nos da el poder de conocer, amar y servir a Dios.

Dios creó a cada persona para que fuera igual y diferente. Hay diferencias en la manera en que nos vemos y nuestros talentos. Sin embargo, somos iguales de una manera muy importante. Cada uno de nosotros está creado a imagen de Dios. Todas las personas son hijos e hijas de Dios. Todas nuestras diferencias nos hacen especiales. Lo que nos hace especiales es nuestro don de Dios.

Dios da a todas las personas una importante responsabilidad.

Dios creó a las personas a su imagen. Los hizo hombre y mujer. Dios los bendijo. Dios les dio el mundo para que lo cuidaran.

Basado en Génesis 1:26-30

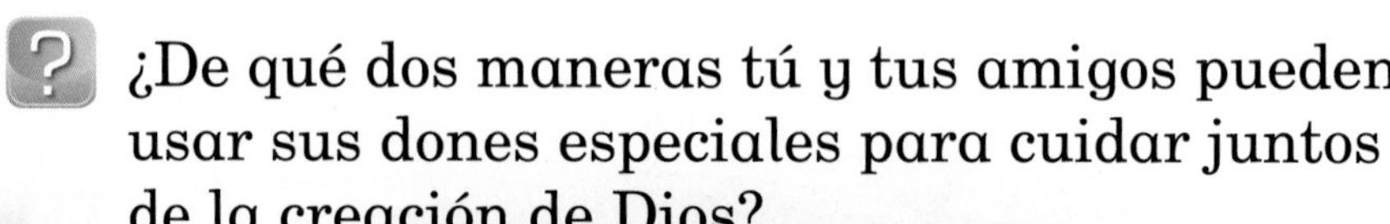

¿De qué dos maneras tú y tus amigos pueden usar sus dones especiales para cuidar juntos de la creación de Dios?

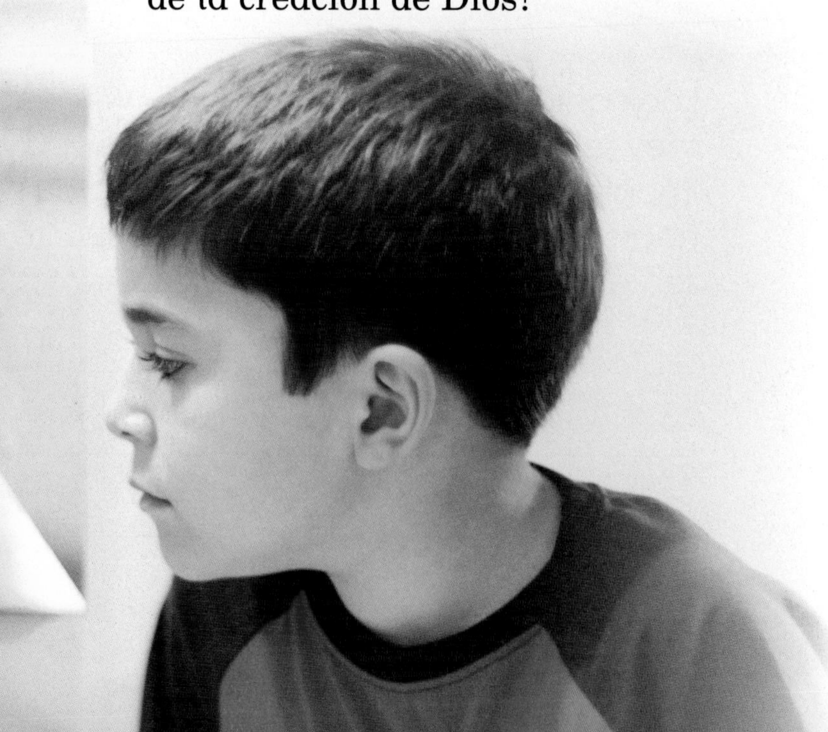

People Are Images of God

God created every person in his own image. He created people with a body and a soul. The soul is that part of us that lives forever. It gives us the power to know, love, and serve God.

God created each person to be the same and different. There are differences in our looks and talents. Yet we are the same in one very important way. Each of us is created in the image of God. Every person is a child of God. All our differences make us special. Our specialness is our gift from God.

God gives all people an important responsibility.

God created people in his image. He made them man and woman. God blessed them. God gave them the world to care for.

BASED ON GENESIS 1:26-30.

? What are two ways you and your friends can use your special gifts to care for God's creation together?

Faith-Filled People

Andrew the Apostle

Saint Andrew the Apostle was one of the first disciples of Jesus. Saint Andrew and his brother Saint Peter worked as fishermen. Jesus invited them to follow him and become fishers of men.

Los católicos creen

Oraciones de bendición

La Iglesia reza oraciones de bendición. Las oraciones de bendición honran a Dios como la fuente de todas nuestras bendiciones.

Dios cuida de su creación

Dios Creador está siempre con nosotros. Él cuida de su creación. Al cuidado amoroso de Dios por toda su creación lo llamamos **Divina Providencia**.

Jesús nos dijo que Dios cuida de nosotros.

Dijo:

> *"Miren los prados cubiertos de pasto. Dios viste a los campos con hermosas flores silvestres. Su Padre del Cielo sabe todo lo que ustedes necesitan."*

BASADO EN MATEO 6:30–32

Dios cuida de las partes más pequeñas y de las partes más grandes de la creación. Se preocupa por todo lo que sucede en el mundo. Nunca tenemos que manejar solos nuestros problemas. Dios está siempre con nosotros.

Actividad

Cuidado amoroso de Dios

Decora la caja del "Cuidado amoroso de Dios" con signos de la Creación de Dios. Escribe tres cosas que te gustaría confiar al cuidado amoroso de Dios.

1. ______________________

2. ______________________

3. ______________________

God Cares for His Creation

God the Creator is always with us. He takes care of his creation. We call God's caring love for his creation **Divine Providence**.

Jesus told us that God cares for us.

He said:

> *"Look at the fields covered with grass. God clothes the fields with beautiful wild flowers. Your Father in heaven knows everything you need."*
>
> BASED ON MATTHEW 6:30–32

God cares for the smallest parts and the greatest parts of creation. He cares about everything that happens in the world. We never have to handle our problems alone. God is always there with us.

Catholics Believe

Prayers of Blessing

The Church prays prayers of blessing. Prayers of blessing honor God as the source of all our blessings.

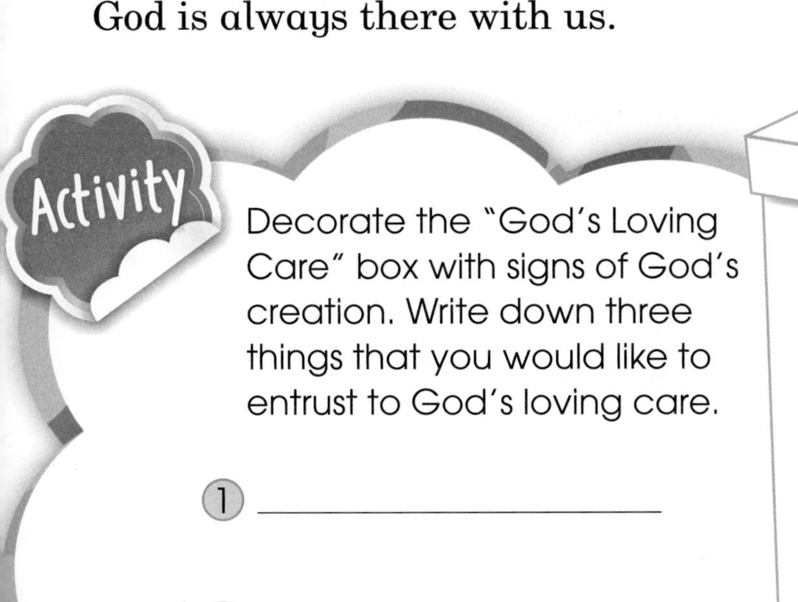

Activity

Decorate the "God's Loving Care" box with signs of God's creation. Write down three things that you would like to entrust to God's loving care.

1. ______________________

2. ______________________

3. ______________________

God's Loving Care

Yo sigo a Jesús

Dios te creó a ti y a todas las personas por amor. Creó a todo el mundo por amor. Él siempre está contigo. Te ayuda a cuidar de la creación. Nos ayuda a vivir con benignidad como discípulos de Jesús.

Cuidar de la creación de Dios

En la columna izquierda, dibuja uno de los dones de la creación de Dios. En la columna derecha, escribe lo que puedes hacer para cuidar de él.

Don de Dios	Cómo puedo cuidarlo
	______________________
	______________________
	______________________
	______________________
	______________________

Mi elección de fe

Seré generoso con mis dones y mis talentos. Cuidaré de la creación de Dios. Yo voy a

____

____

____

______________________________________.

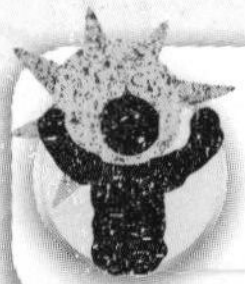

Reza: "Ven, Espíritu Santo, enséñame y ayúdame a cuidar del maravilloso don de la creación. Amén".

God created you and all people out of love. He created the whole world out of love. He is always with you. He helps you to care for creation. He helps us to live with generosity as disciples of Jesus.

Caring for God's Creation

Activity

In the left column, draw one of God's gifts of creation. In the right column, write what you can do to care for it.

God's gift	How I can care for it
	_______________
	_______________
	_______________
	_______________
	_______________

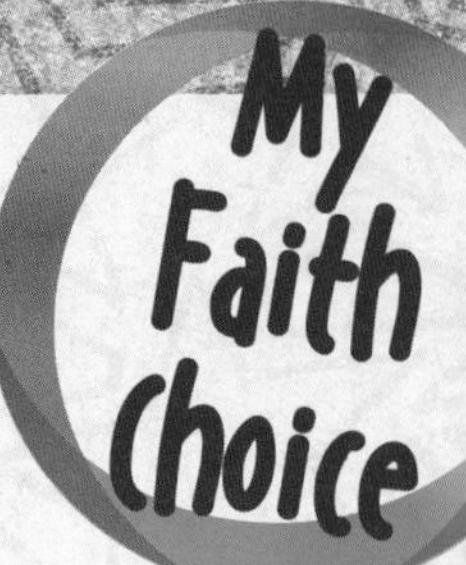

I will be generous with my gifts and talents. I will care for God's creation. I will

____

____

____

____.

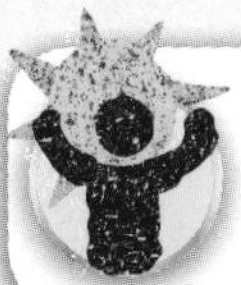

Pray, "Come, Holy Spirit, teach me and help me take care of the wonderful gift of creation. Amen."

PARA RECORDAR

1. Dios creó a todas las personas y todas las cosas por amor y sin ninguna ayuda.
2. Dios creó a todas las personas a su imagen y semejanza.
3. Dios siempre cuida de nosotros y de todo lo que hay en su creación.

Repaso del capítulo

Usa las siguientes palabras para completar las oraciones de fe.

benignidad	alma	Providencia	Creador

1. La Biblia nos dice que Dios es el ________________.
2. La Divina ____________________ es el cuidado amoroso de Dios por toda su creación.
3. Dios creó a las personas con un cuerpo y un ________.
4. La____________________________ te ayuda a usar tus talentos para ayudar a los demás.

¡Dios, Tú eres grande!

Los salmos son canciones para rezar que están en la Biblia. La Iglesia reza los Salmos todos los días.

Líder Cierren los ojos y piensen en todas las cosas hermosas de la creación. (Pausa.) Ahora, bendigamos a Dios por el don de la creación.

Todos **¡Eres muy grande, oh Señor, mi Dios!**

Grupo 1 Tú creaste a todas las criaturas de la tierra, los océanos y los cielos.

Todos **¡Eres muy grande, oh Señor, mi Dios!**

Grupo 2 La Tierra está llena de tus criaturas.

Todos **¡Eres muy grande, oh Señor, mi Dios!**

Basado en el Salmo 104: 1, 24, 25

Chapter Review

Use the words below to complete the faith sentences.

Generosity	soul	Providence	Creator

1. The Bible tells us that God is the ____________.
2. Divine ____________ is God's caring love for all of his creation.
3. God created people with a body and a ________.
4. ____________ helps you use your talents to help others.

TO HELP YOU REMEMBER

1. God created everyone and everything out of love and without any help.
2. God created every person in his image and likeness.
3. God always cares for us and for all of his creation.

God, You Are Great!

The Psalms are prayer songs in the Bible. The Church prays the Psalms every day.

Leader Close your eyes and think of all the beautiful things in creation. (Pause.) Now let us bless God for the gift of creation.

All **Our God, you are great!**

Group 1 You created all the creatures on the land, in the oceans, and in the sky.

All **Our God, you are great!**

Group 2 The Earth is full of your creatures.

All **Our God, you are great!**

Based on Psalm 104:1, 24, 25

Con mi familia

Esta semana...

En el capítulo 2, "Dios Creador", su niño aprendió que:

- Solo Dios es el Creador. Él creó a todas las personas y todas las cosas por amor y sin ninguna ayuda. Todo lo que Dios crea es bueno.
- Dios crea a todas las personas a su imagen. Dios crea a todas las personas con un cuerpo y un alma.
- Dios crea a todos para que sean un individuo único y los bendice con dones especiales que tienen que usar para cuidar de la creación de Dios.
- El cuidado amoroso de Dios se conoce como Divina Providencia.
- La benignidad es una cualidad de un discípulo de Jesús.

Para saber más sobre otras enseñanzas de la Iglesia, consulten el *Catecismo de la Iglesia Católica*, 279–314, 325–349 y 355–379, y el *Catecismo Católico de los Estados Unidos para los Adultos*, páginas 57–69.

Compartir la Palabra de Dios

Lean juntos el relato bíblico de la Creación en el Génesis, capítulos 1 y 2. O lean la adaptación de la página 40. Comenten y enfaticen que la diversidad que hay en la creación nos ayuda a conocer que Dios es maravilloso y bueno. Hablen acerca de lo que tiene de único cada miembro de la familia.

Vivimos como discípulos

El hogar cristiano con la familia es una escuela de discipulado. Elijan una de las siguientes actividades o creen una actividad ustedes mismos para hacer en familia.

- ¡Disfruten de una aventura de la diversidad! Aprendan acerca de la diversidad que forma su parroquia o comunidad. Investiguen las diferentes nacionalidades.
- Observen todas las veces que su niño sea generoso. Elógienlo. No se olviden de reconocer los pequeños actos de benignidad.

Nuestro viaje espiritual

Rezar los Salmos ha sido siempre parte de la tradición de la Iglesia. Recen salmos en la oración cotidiana de su familia. Memoricen un versículo de un salmo cada semana y récenlo diariamente. Consulte la página 48 para ver un ejemplo.

Para hallar más ideas sobre las maneras en que su familia puede vivir como discípulos de Jesús, visiten **seanmisdiscipulos.com**

With My Family

This Week...

In chapter 2, "God the Creator," your child learned:

- God alone is the Creator. He created everyone and everything out of love and without any help. All that God creates is good.
- God creates every person in his image. God creates every person with a body and a soul.
- God creates everyone to be a unique individual and blesses them with special gifts that they are to use to care for God's creation.
- God's caring love is known as Divine Providence.
- Generosity is a quality of a disciple of Jesus.

For more about related teachings of the Church, see the *Catechism of the Catholic Church*, 279–314, 325–349, and 355–379; and the *United States Catholic Catechism for Adults*, pages 53–63.

Sharing God's Word

Read together the biblical account of Creation in Genesis, chapters 1 and 2. Or read the adaptation on page 41. Discuss and emphasize that the diversity within creation helps us come to know that God is wonderful and good. Talk about what is unique about each family member.

We Live as Disciples

The Christian home and family is a school of discipleship. Choose one of the following activities or design an activity of your own to do together as a family.

- Enjoy a diversity adventure! Learn about the diversity that makes up your parish or community. Explore different nationalities.
- Take notice of all the times your child is generous. Praise him or her. Don't forget to acknowledge small acts of generosity.

Our Spiritual Journey

Praying the Psalms has always been part of the Church's tradition. Pray psalms in the daily prayer of your family. Memorize a psalm verse each week and pray it daily. See page 49 for an example.

For more ideas on ways your family can live as disciples of Jesus, visit **BeMyDisciples.com**

CAPÍTULO 3

Lo que vendrá

En este capítulo el Espíritu Santo te invita a ▶

INVESTIGAR de qué manera los católicos honran a María.

DESCUBRIR que Jesús es a la vez, Dios y hombre, divino y humano.

DECIDIR de qué manera honrarás a María.

María confió en Dios

¿Cuándo pusiste tu confianza en alguien?

El escritor de las siguientes palabras ayudó a las personas a ver claramente lo que Dios quería que hicieran. Escucha lo que dijo:

Confía en Dios con todo tu corazón. Él te guiará.
Te ayudará a saber y ver claramente lo que
Él quiere que hagas.

BASADO EN PROVERBIOS 3:5–6

¿De qué manera te ayudan estas palabras cuando tienes miedo?

Looking Ahead

In this chapter the Holy Spirit invites you to ▶

EXPLORE how Catholics honor Mary.

DISCOVER that Jesus is both God and man, divine and human.

DECIDE how you will honor Mary.

CHAPTER 3

Mary Trusted God

? When have you placed your trust in someone?

The writer of the words below helped people clearly see what God wanted them to do. Listen to what he had to say:

Trust in God with all your heart. He will guide you. He will help you know and see clearly what he wants you to do.

BASED ON PROVERBS 3:5–6

? How would remembering these words help you when you are afraid?

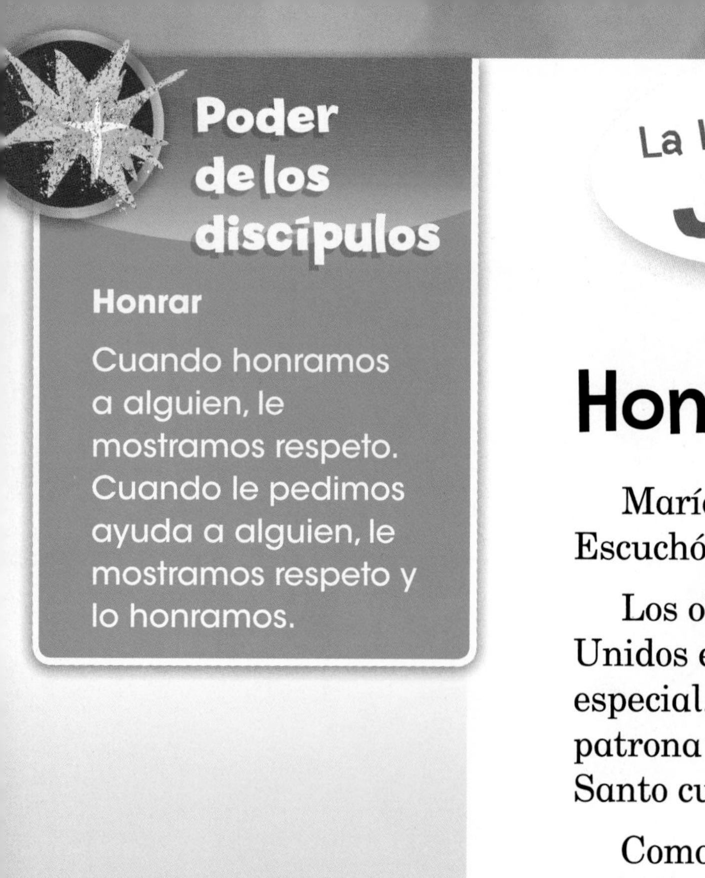

Poder de los discípulos

Honrar

Cuando honramos a alguien, le mostramos respeto. Cuando le pedimos ayuda a alguien, le mostramos respeto y lo honramos.

La Iglesia sigue a **Jesús**

Honramos a María

María confió en Dios con todo su corazón. Escuchó y supo lo que Dios quería que hiciera.

Los obispos de la Iglesia Católica de Estados Unidos eligieron honrar a María de una manera especial. Eligieron a María para que fuera la Santa patrona de Estados Unidos. Un Santo patrón es un Santo cuyo buen ejemplo podemos seguir.

Como Santa patrona de Estados Unidos, a María se la llama María, la Inmaculada Concepción. Los obispos construyeron una basílica llamada Inmaculada Concepción para honrar a María. Es una de las iglesias más grandes de todo el mundo. Una basílica es un tipo especial de iglesia.

También honramos a María cuando le rezamos. Honramos a María cuando colocamos estatuas e imágenes de ella en nuestra casa. Estas son maneras que nos ayudan a recordar la confianza y la fe de María en Dios. María nos ayuda a ver y a saber más claramente cómo vivir como discípulos de Jesús.

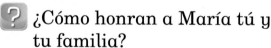

? ¿Cómo honran a María tú y tu familia?

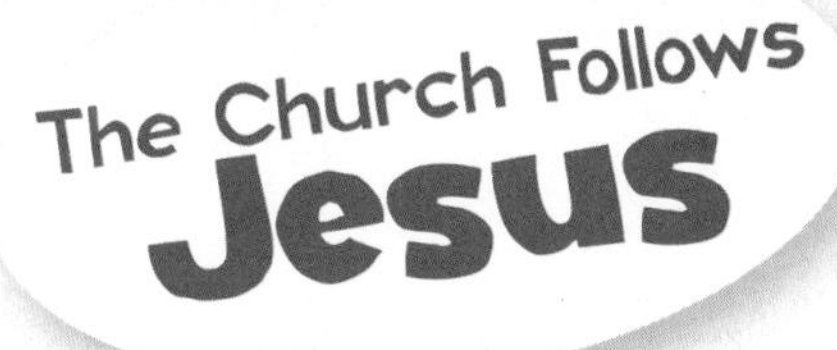

We Honor Mary

Mary trusted in God with all her heart. She listened and knew what God wanted her to do.

The bishops of the Catholic Church in the United States chose to honor Mary in a special way. They chose Mary to be the patron Saint of the United States. A patron Saint is a Saint whose good example we can follow.

As the patron Saint of the United States, Mary is called Mary, the Immaculate Conception. The bishops built a basilica named the Immaculate Conception to honor Mary. It is one of largest churches in the whole world. A basilica is a special type of church.

We also honor Mary when we pray to her. We honor Mary when we place statues and images of Mary in our homes. These are ways that help us to remember Mary's trust and faith in God. Mary helps us see and know more clearly how to live as disciples of Jesus.

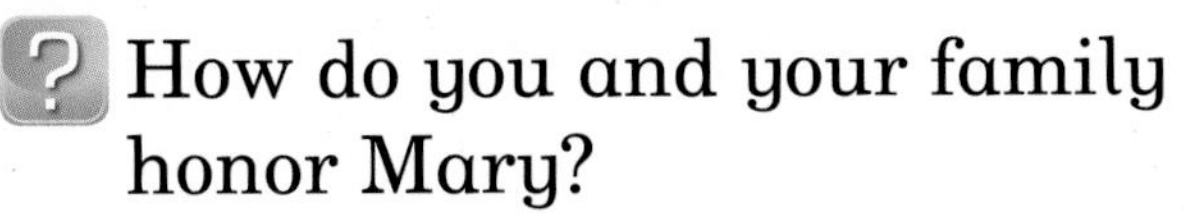
How do you and your family honor Mary?

Disciple Power

Honor

When we honor someone, we show them respect. When we ask someone to help us, we show respect and honor for her or him.

Enfoque en la fe
¿De qué manera demostró María su fe en Dios?

Vocabulario de fe

Anunciación
La Anunciación es el anuncio que el ángel Gabriel le dio a la Santísima Virgen María. El ángel le dijo a María que Dios la había elegido para ser la madre de Jesús, el Hijo de Dios.

Encarnación
La Encarnación es el hecho de que el Hijo de Dios se hace hombre sin dejar de ser Dios.

La fe de María

La mejor noticia que oiremos en la vida es que Dios Padre envió a su Hijo, Jesús, a nuestro mundo. El ángel Gabriel anunció esta buena nueva a la Santísima Virgen María. Gabriel dijo:

"Alégrate, María. El Señor está contigo. El Espíritu Santo vendrá a ti. Darás a luz a un hijo y lo llamarás Jesús. Tu hijo será el Hijo mismo de Dios."

BASADO EN LUCAS 1:28, 31, 35

La Iglesia llama al anuncio de que María daría a luz a Jesús la **Anunciación**. María confió en Dios. Tenía una gran fe en el amor de Él por ella. Ella respondió:

"Que estas cosas pasen como tú dices."

BASADO EN LUCAS 1:38

Actividad

Escribe acerca de una oportunidad en que dijiste "sí" a algo que uno de tus padres o un maestro te pidió, aun cuando querías decir "no".

____

____

____

____

____

____

The Faith of Mary

The best news that we will ever hear is that God the Father sent his Son, Jesus, into our world. The angel Gabriel announced this good news to the Blessed Virgin Mary. Gabriel said,

> *"Hail, Mary. The Lord is with you. The Holy Spirit will come to you. You shall give birth to a son and you shall name him Jesus. Your son will be God's own Son."*
>
> BASED ON LUKE 1:28, 31, 35

The Church calls the announcement that Jesus would be born to Mary the **Annunciation**. Mary trusted God. She had great faith in his love for her. She responded,

> *"May these things happen as you say."*
>
> BASED ON LUKE 1:38

Faith Focus

How did Mary show her faith in God?

Faith Vocabulary

Annunciation
The Annunciation is the announcement the angel Gabriel made to the Blessed Virgin Mary. The angel told Mary that God had chosen her to be the mother of Jesus, the Son of God.

Incarnation
The Incarnation is the Son of God becoming a man and still being God.

Activity

Write about a time you said "yes" to something a parent or teacher asked of you, even if you wanted to say, "no."

____

____

____

____

____

____

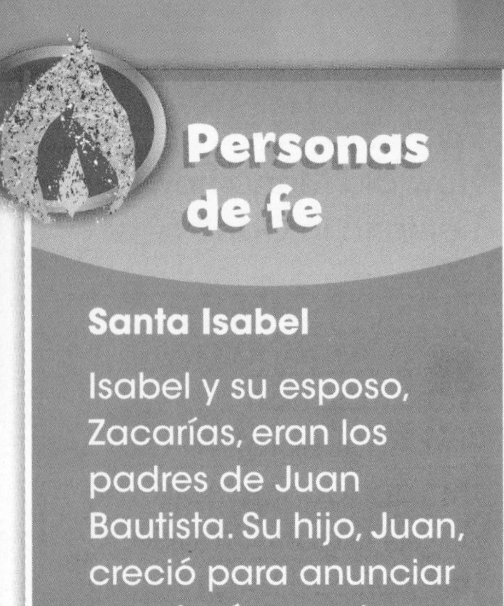

Personas de fe

Santa Isabel

Isabel y su esposo, Zacarías, eran los padres de Juan Bautista. Su hijo, Juan, creció para anunciar que Jesús era el Salvador que Dios prometió enviar a su pueblo.

María alaba a Dios

Después de que el ángel Gabriel le anunció la buena nueva, María fue a visitar a su prima Isabel. Isabel también iba a tener un bebé.

La visita de María a Isabel se conoce como la Visitación. La palabra "visitación" es otra manera de decir visita. La Biblia nos cuenta que Isabel saludó a María cuando la vio. Isabel dijo:

> *"¡Bendita tú eres, María!" María respondió a Isabel alabando a Dios. María dijo: "Mi alma proclama la bondad de Dios! ¡Dios ha hecho grandes cosas por mí!"*
>
> Basado en Lucas 1:46, 49

La oración de alabanza de María a Dios se llama Magníficat. María creía que todas sus bendiciones provenían de Dios.

María es nuestro modelo de fe. Ella nos ayuda a ver claramente que todas nuestras bendiciones vienen de Dios. Nos muestra cómo alabar a Dios.

? ¿Por qué visitó María a Isabel?

Mary Praises God

After the angel Gabriel announced the good news to her, Mary went to visit her cousin Elizabeth. Elizabeth was also going to have a baby.

Mary's visit to Elizabeth is known as the Visitation. The word "visitation" is another word for a visit. The Bible tells us that Elizabeth greeted Mary when she saw her. Elizabeth said:

> *"Blessed are you, Mary!" Mary answered Elizabeth by praising God. Mary said, "My soul praises the great goodness of God! God has done great things for me!"*
>
> Based on Luke 1:46, 49

Mary's prayer of praise to God is called the Magnificat. Mary believed that all her blessings came from God.

Mary is our model of faith. She helps us see clearly that all of our blessings come from God. She shows us how to praise God.

? Why did Mary visit Elizabeth?

Faith-Filled People

Saint Elizabeth

Elizabeth and her husband, Zechariah, were the parents of John the Baptist. Their son, John, grew up to announce that Jesus was the Savior that God promised to send to his people.

Los católicos creen

Días festivos de María

La Iglesia Católica tiene muchos días festivos para honrar a María. Tres de estos días son también días de precepto. Estos son: 1 de enero, María, Madre de Dios; 15 de agosto, la Asunción de María al Cielo, y 8 de diciembre, Inmaculada Concepción. En estos días, tenemos la responsabilidad de ir a Misa.

Nace Jesús

Dios Padre eligió a María para que fuera la madre de su Hijo, Jesús, el Salvador. El Espíritu Santo ayudó a María a creer en Dios. El Espíritu Santo ayudó a María a confiar en el plan que tenía para ella y para su Hijo.

Jesús es el Hijo de Dios y el Hijo de María. Cuando el Hijo de Dios se hace hombre sin dejar de ser Dios se llama **Encarnación**.

La Iglesia llama al relato del nacimiento de Jesús la Natividad. Podemos leer acerca del nacimiento de Jesús en los capítulos 1 y 2 de los Evangelios de San Mateo y San Lucas, en el Nuevo Testamento.

Mira la ilustración de la Natividad e imagínate en el relato. Cuenta a tu clase lo que ves, oyes y sientes.

Jesus Is Born

God the Father chose Mary to be the mother of his Son, Jesus the Savior. The Holy Spirit helped Mary believe in God. The Holy Spirit helped Mary trust his plan for her and for her Son.

Jesus is the Son of God and the Son of Mary. The Son of God becoming a man and still being God is called the **Incarnation**.

The Church calls the story of the birth of Jesus the Nativity. We can read about Jesus' birth in chapters 1 and 2 of the Gospels of Saint Matthew and Saint Luke in the New Testament.

Catholics Believe

Feast Days of Mary

The Catholic Church has many feast days to honor Mary. Three of these days are also holy days of obligation. They are: January 1, Mary, the Holy Mother of God; August 15, the Assumption of Mary the Blessed Virgen; and December 8, Immaculate Conception. On these days, we have the responsibility to go to Mass.

Activity

Look at the picture of the Nativity and picture yourself in the story. Tell your class what you see, hear, and feel.

Yo sigo a Jesús

María es la Madre de Dios y la Madre de Jesús. Honramos a María cuando le rezamos. Le pedimos a María que nos ayude a vivir como discípulos de su Hijo, Jesús.

Actividad

El pasaporte de un discípulo

Es difícil entrar a un país sin pasaporte. Es difícil ser un discípulo de Jesús si no sirves a los demás. Crea una entrada para tu Pasaporte de discípulo. Haz un dibujo de cómo has servido a los demás. Escribe un título debajo de tu dibujo.

Esta semana, honraré a María pidiéndole que me ayude. Yo voy a

____

____.

Reza: "María, Madre de Jesús, ayúdame a seguir a tu Hijo cada día. Amén".

Mary is the Mother of God and the Mother of Jesus. We honor Mary when we pray to her. We ask Mary to help us live as disciples of her Son, Jesus.

Activity

A Disciple's Passport

It is hard to enter a country without a passport. It is hard to be a disciple of Jesus if you do not serve others. Create an entry for your Disciple's Passport. Draw a picture of how you have served others. Write a title beneath your picture.

This week I will honor Mary by asking her to help me.
I will

____

____.

Pray, "Mary, Mother of Jesus, help me to follow your Son each day. Amen."

PARA RECORDAR

1. Dios Padre eligió a María para que fuera la madre de su Hijo, Jesús.
2. Jesús es el Hijo de Dios y el Hijo de María. Es verdadero Dios y verdadero hombre.
3. María nos muestra lo que significa decir "Sí" a Dios.

Repaso del capítulo

Ordena las letras en negrita para hallar las palabras que completan las oraciones. Escribe las palabras en los renglones.

1. Cuando el Hijo de Dios se convierte en hombre sin dejar de ser Dios se llama **CANRAÓNINEC**.

___

2. El anuncio del nacimiento de Jesús a la Virgen María se llama **NUANIÓCIACN**.

___

3. La visita de María a Isabel se llama **ITÓVSIACNI**.

___

Hail Mary!

Los católicos de todo el mundo rezan el Ave María en su propio idioma. Podemos honrar a María rezando las palabras iniciales del Ave María en inglés.

Hail Mary

Líder	Honremos a María y alabemos a Dios.
Todos	**Hail Mary! Blessed are you.** (jeil) (me ri) (blésd) (ar) (iú)
Grupo 1	María, tú eres la madre de Jesús.
Todos	**Hail Mary! Blessed are you.**
Grupo 2	María, tú eres la madre de Jesús.
Todos	**Hail Mary! Blessed are you.**

Chapter Review

Unscramble the bolded letters to find the words that complete the sentences. Write the words on the lines.

1. The Son of God becoming man without giving up being God is called the **CANRAONINIT**.

____

2. The announcement of the birth of Jesus to the Virgin Mary is called the **NNUANIOTIACN**.

____

3. Mary's visit to Elizabeth is called the **ITOVSIATNI**.

____

TO HELP YOU REMEMBER

1. God the Father chose Mary to be the mother of his Son, Jesus.
2. Jesus is the Son of God and the Son of Mary. He is true God and true man.
3. Mary shows us what it means to say "Yes" to God.

¡Ave María!

Catholics all over the world pray the Hail Mary in their own language. We can honor Mary by praying the opening words from the Hail Mary in Spanish.

¡Ave María!

Leader Let us honor Mary and praise God.

All **¡Dios te salve, María! Bendita Tú eres.**
(dee yos) (tay) (sal veh) (ma ree ya)!
(behn dee tah) (too) (air-es)

Group 1 Mary, you are the mother of Jesus.

All **¡Dios te salve María! Bendita Tú eres.**

Group 2 Mary you are the mother of Jesus.

All **¡Dios te salve María! Bendita Tú eres.**

Con mi familia

Esta semana...

En el capítulo 3, "María confió en Dios", su niño aprendió que:

- Dios eligió a María para que tuviera una parte de honor en su plan para cumplir la promesa de enviar al mundo al Salvador.
- María creyó y confió en Dios.
- María es la madre de Jesús, el Salvador del mundo.
- Jesús es el Hijo de Dios y el Hijo de María. María es la Madre de Dios.
- La encarnación significa que el Hijo de Dios se hizo hombre sin dejar de ser Dios. Es verdadero Dios y verdadero hombre.
- La Iglesia honra a María. Cuando honramos a María, honramos a Dios.

Para saber más sobre otras enseñanzas de la Iglesia, consulten el *Catecismo de la Iglesia Católica*, 456–478 y 484–507, y el *Catecismo Católico de los Estados Unidos para los Adultos*, páginas 151-160.

Compartir la Palabra de Dios

Lean juntos Lucas 1:26–38, el anuncio del ángel Gabriel a María. O lean la adaptación del relato de la página 56. Enfaticen y hablen acerca de la fe y la confianza de María en Dios y su amor por Él.

Vivimos como discípulos

El hogar cristiano con la familia es una escuela de discipulado. Elijan una de las siguientes actividades para hacer en familia, o creen una actividad similar ustedes mismos.

- Elijan una manera de honrar a María en familia. Comenten juntos ideas antes de hacer su elección.
- Nombren maneras en que los miembros de su familia se honran unos a otros. ¿Cómo podrían ser más consistentes en la manera en que se honran unos a otros? Cuando ustedes se muestran honor y respeto unos a otros, honran a Dios.

Nuestro viaje espiritual

La devoción a María es fundamental para las prácticas de oración de la Iglesia Católica. Lean Juan 19:26–27. María es la Madre de la Iglesia. Ella es nuestra compañera constante en nuestro viaje espiritual. Rezar el Ave María nos recuerda nuestra identidad como católicos. Recen esta oración diariamente con su familia.

Para hallar más ideas sobre las maneras en que su familia puede vivir como discípulos de Jesús, visiten

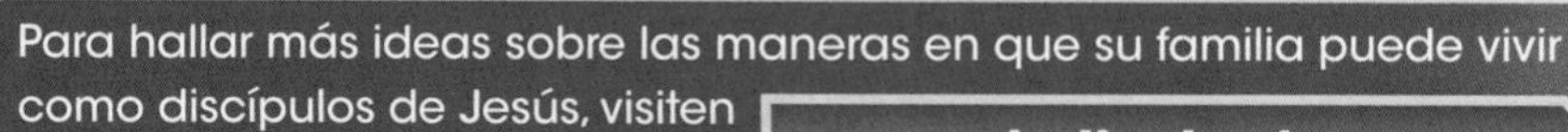

seanmisdiscipulos.com

With My Family

This Week...

In chapter 3, "Mary Trusted God," your child learned:

- God chose Mary to have an honored part in his plan to fulfill his promise to send the world the Savior.
- Mary believed and trusted God.
- Mary is the mother of Jesus, the Savior of the world.
- Jesus is the Son of God and the Son of Mary. Mary is the Mother of God.
- The incarnation means that the Son of God became man without giving up being God. He is true God and true man.
- The Church honors Mary. When we honor Mary, we honor God.

For more about related teachings of the Church, see the *Catechism of the Catholic Church,* 456–478 and 484–507; and the *United States Catholic Catechism for Adults,* pages 141–149.

Sharing God's Word

Read together Luke 1:26–38, the angel Gabriel's announcement to Mary. Or read the adaptation of the story on page 57. Emphasize and talk about Mary's faith and trust in God and her love for him.

We Live as Disciples

The Christian home and family is a school of discipleship. Choose one of the following activities to do as a family or design a similar activity of your own.

- Choose a way to honor Mary as a family. Discuss ideas together before making your choice.
- Name ways the members of your family honor one another. How might you be more consistent in the way you honor one another? When you show honor and respect for one another, you honor God.

Our Spiritual Journey

Devotion to Mary is central to the prayer practices of the Catholic Church. Read John 19:26–27. Mary is the Mother of the Church. She is our constant companion on our spiritual journey. Praying the Hail Mary reminds us of our identity as Catholics. Pray this prayer daily with your family.

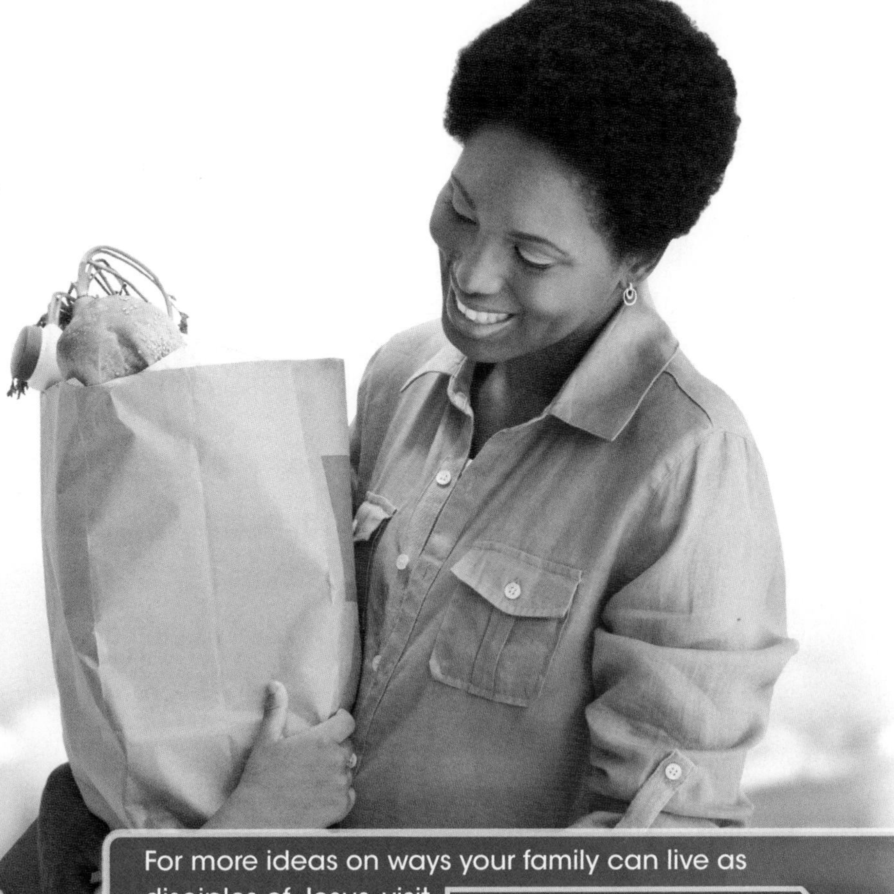

For more ideas on ways your family can live as disciples of Jesus, visit **BeMyDisciples.com**

CAPÍTULO 4

Lo que vendrá

En este capítulo el Espíritu Santo te invita a ▶

INVESTIGAR la manera en que Martín de Porres trataba a las personas con misericordia y justicia.

DESCUBRIR que Jesús, el Hijo de Dios, es el Mesías.

DECIDIR tratar a las personas con justicia, como Jesús encomendó.

Jesús, Hijo de Dios

¿Quiénes te cuidan cuando estás enfermo? ¿Qué hacen?

Imagina que estás con Jesús y sus discípulos. Jesús dice:

> *"El Reino de Dios ha sido preparado para ustedes desde la creación del mundo. Ustedes entrarán en el reino porque cuando tuve hambre, me dieron de comer. Tuve sed y ustedes me dieron agua para beber... Estuve enfermo y ustedes me cuidaron."*
>
> Basado en Mateo 25:34–36

¿Cómo ayudas a los demás?

Looking Ahead

In this chapter the Holy Spirit invites you to ▶

EXPLORE how Martin de Porres treated people with mercy and justice.

DISCOVER that Jesus, the Son of God, is the Messiah.

DECIDE to treat people justly, as Jesus commanded.

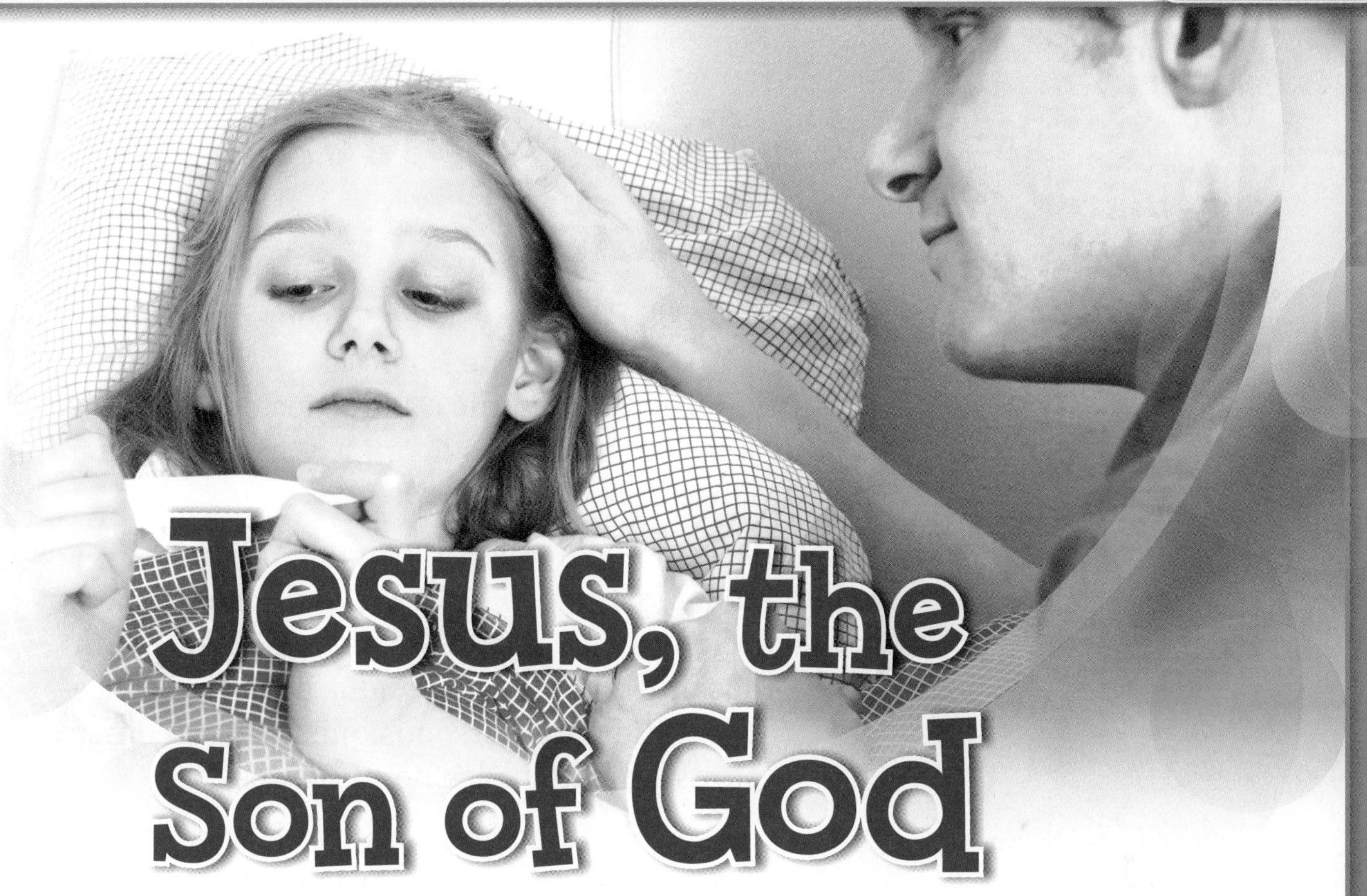

CHAPTER 4

Jesus, the Son of God

Who takes care of you when you are sick? What do they do?

Imagine you are with Jesus and his disciples. Jesus says:

> "The kingdom of God has been prepared for you from the creation of the world. You will enter the kingdom because when I was hungry you gave me food. I was thirsty and you gave me water to drink . . . I was ill and you cared for me."
>
> BASED ON MATTHEW 25:34–36

How do you help others?

Justicia

La justicia es la virtud, o buen hábito, de tratar a todos imparcialmente con amor, cuidado y respeto.

La Buena Nueva en acción

Martín de Porres creció en la pobreza en Lima, Perú. Perú es un país de América del Sur. Cuando Martín era joven, se unió a un grupo de religiosos llamados dominicos. Los dominicos siguen el buen ejemplo de Santo Domingo.

A Martín lo llamaban Hermano Martín. El Hermano Martín hizo las cosas que Jesús dijo a sus discípulos que hicieran. Estaba a cargo de un hospital y ayudaba a cuidar de los enfermos. Les pedía a las personas que le dieran dinero para alimentar a los hambrientos.

La Iglesia nombró santo al Hermano Martín. Él es un buen ejemplo para nosotros. Él hizo lo que Jesús pidió a sus seguidores que hicieran.

Actividad

Usa cada letra del nombre de San Martín para decir de qué manera era un discípulo de Jesús.

Pedía **M**onedas para comprar alimentos.

A ______________________

R ______________________

T ______________________

Í ______________________

N ______________________

Disciple Power

Justice

Justice is the virtue, or good habit, of treating everyone fairly with love, care, and respect.

Good News in Action

Martin de Porres grew up in poverty in Lima, Peru. Peru is a country in South America. When Martin was a young man, he joined a group of religious men called Dominicans. The Dominicans follow the good example of Saint Dominic.

Martin was called Brother Martin. Brother Martin did the things Jesus told his disciples to do. He was in charge of a hospital and helped care for people who were sick. He asked people to give him money to feed people who were hungry.

The Church named Brother Martin a Saint. He is a good example for us. He did what Jesus asked his followers to do.

Activity

Use each letter in Saint Martin's name to tell how he was a disciple of Jesus.

Used **M**oney to buy food. ____________

A ____________

R ____________

T ____________

I ____________

N ____________

Enfoque en la fe
¿Cuál es la Buena Nueva de Jesucristo?

Vocabulario de fe

Mesías
La palabra *mesías* significa "el ungido". Jesús es el Mesías. Él es el Ungido de Dios, el Salvador que Dios prometió enviar.

Reino de Dios
El momento en el que todas las personas vivirán en paz y justicia con Dios y con los demás, y con toda la creación. El Reino de Dios vendrá cuando Cristo regrese en su gloria al final de los tiempos.

Jesús es el Salvador

El ángel Gabriel le dijo a María que llamara Jesús a su Hijo. El nombre Jesús significa "Dios salva". Jesús es el **Mesías**, el Salvador que Dios prometió enviar a su pueblo.

Poco después del nacimiento de Jesús, María y José llevaron al bebé Jesús al Templo de Jerusalén. Lo presentaron o dedicaron a Dios. La Iglesia llama a este acontecimiento la Presentación del Señor.

Simeón y Ana

Cuando María y José llegaron al Templo, se encontraron con Simeón y Ana. Estaban esperando al Mesías que Dios prometió enviar.

Así es cómo describe el Evangelio lo que sucedió.

Simeón tomó a Jesús en sus brazos, bendijo a Dios y dijo: "Oh, Dios, mis ojos ahora han visto tu salvación." Él reconoció que Jesús era el Mesías. Ana, que era viuda, vio a Jesús y le dio gracias a Dios. Después les contó a los demás acerca de Jesús.

BASADO EN LUCAS 2:30, 38

? ¿Cómo crees que se sintieron Simeón y Ana cuando vieron a Jesús?

Jesus Is the Savior

The angel Gabriel told Mary to name her Son, Jesus. The name Jesus means "God saves." Jesus is the **Messiah**, the Savior whom God promised to send his People.

Soon after Jesus was born, Mary and Joseph took the baby Jesus to the Temple in Jerusalem. They presented, or dedicated, him to God. The Church calls this event the Presentation of the Lord.

Simeon and Anna

When Mary and Joseph arrived at the Temple, they met Simeon and Anna. They were waiting for the Messiah whom God promised to send.

Here is how the Gospel describes what happened.

> *Simeon took Jesus in his arms, blessed God, and said, "O God, my eyes have now seen your salvation." He recognized that Jesus was the Messiah. Anna, who was a widow, saw Jesus and gave thanks to God. Then she told others about Jesus.*
>
> BASED ON LUKE 2:30, 38

? How do you think Simeon and Anna felt when they saw Jesus?

Faith Focus
What is the Good News of Jesus Christ?

Faith Vocabulary

Messiah
The word *messiah* means "anointed one." Jesus is the Messiah. He is the Anointed One of God, the Savior God promised to send.

Kingdom of God
The time when all people will live in peace and justice with God and with one another and with all creation. God's kingdom will come about when Christ returns in glory at the end of time.

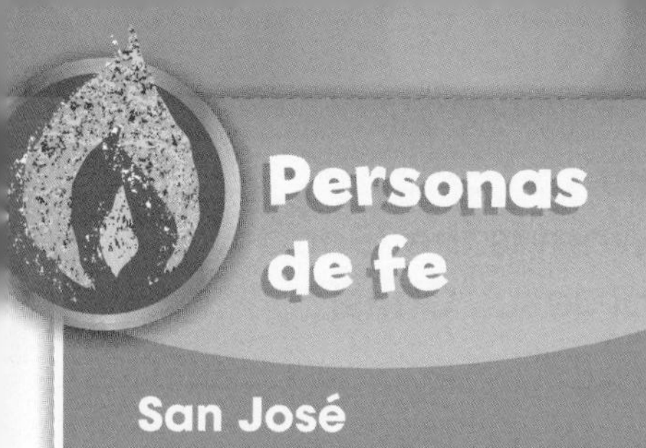

Personas de fe

San José

José es el marido de María. José tal vez haya sido carpintero. Es el Santo patrón de los trabajadores. El día de José, Esposo de María, es el 19 de marzo. El día de San José Obrero es el 1 de mayo.

El hallazgo de Jesús en el Templo

Cuando Jesús tenía doce años, fue con José y María a celebrar la Pascua judía en Jerusalén. La Pascua judía celebra la misericordia y el amor de Dios por su pueblo. Celebra especialmente cuando Dios liberó a su pueblo de la esclavitud en Egipto.

Cuando terminó la celebración de la Pascua judía, María y José regresaron a su casa. Pero no podían encontrar a Jesús. Entonces regresaron y buscaron en la ciudad de Jerusalén durante tres días.

María y José encontraron a Jesús en el Templo. Estaba sentado allí con los maestros. Los escuchaba y les hacía preguntas. Después se fue del Templo con María y José. Regresaron a su hogar en Nazaret. Jesús era obediente con María y José. Él crecía en sabiduría, en edad y en gracia.

Basado en Lucas 2:46–47, 51–52

? ¿Por qué piensas que Jesús quería escuchar a los maestros de la Ley en el Templo?

Finding Jesus in the Temple

When Jesus was twelve years old, he went with Joseph and Mary to celebrate Passover in Jerusalem. Passover celebrates God's mercy and love for his people. It especially celebrates God freeing his people from slavery in Egypt.

When the celebration of Passover ended, Mary and Joseph left for home. But they could not find Jesus. So they went back and searched the city of Jerusalem for three days.

Mary and Joseph found Jesus in the Temple. He was sitting there with the teachers. He was listening to them and asking them questions. Then he left the Temple with Mary and Joseph. They returned home to Nazareth. Jesus was obedient to Mary and Joseph. He grew in wisdom, age, and grace.

BASED ON LUKE 2:46–47, 51–52

? Why do you think Jesus wanted to listen to the teachers in the Temple?

Faith-Filled People

Saint Joseph

Joseph is Mary's husband. Joseph may have been a carpenter. He is the patron Saint of workers. The feast day of Joseph, Husband of Mary, is on March 19. The feast day of Saint Joseph the Worker is on May 1.

Los católicos creen

Asociación de la Santa Infancia

La Asociación de la Santa Infancia ayuda a los niños de tercer grado a hacer lo que hizo San Martín de Porres. Los niños reúnen dinero que se usa para ayudar a niños en más de cien países. El dinero ayuda a brindar agua potable, alimentos, medicinas, educación y techo.

El Reino de Dios

Jesús dejó su casa en Nazaret para empezar la obra que el Padre lo había enviado a hacer. Tenía unos treinta años. Jesús viajaba de un lugar a otro. La mayor parte del tiempo, caminaba.

Jesús enseñaba a las personas la Buena Nueva del **Reino de Dios**. El Reino de Dios es el momento de paz y justicia para todos.

Muchas personas escuchaban a Jesús, y algunas se convertían en sus discípulos. Un discípulo aprende de alguien y sigue las enseñanzas de esa persona. Los discípulos de Jesús le tenían un gran respeto. Demostraban este respeto llamándolo *Rabbí*, o maestro.

Los discípulos llegaron a creer que Jesucristo era el Hijo de Dios y el Mesías.

Actividad

¿Qué pregunta querrías hacerle a tu párroco o a tu catequista acerca de Jesús? Escribe tu pregunta aquí. Compártela con tu clase.

____

____

____

____

The Kingdom of God

Jesus left his home in Nazareth to begin the work his Father sent him to do. He was about thirty years old. Jesus traveled from place to place. Most of the time he walked.

Jesus taught people the Good News of the **Kingdom of God**. The Kingdom of God is the time of peace and justice for all.

Many people listened to Jesus, and some became his disciples. A disciple learns from someone and follows that person's teachings. The disciples of Jesus had great respect for him. They showed this respect by calling him *Rabbi*, or Teacher.

The disciples came to believe that Jesus Christ was the Son of God and the Messiah.

Catholics Believe

Holy Childhood Association

The Holy Childhood Association helps third graders do what Saint Martin de Porres did. Children collect money that is used to help children in over one hundred countries. The money helps provide clean water, food, medicine, education, and places to live.

What question do you want to ask your parish priest or your catechist about Jesus? Write your question here. Share it with your class.

____

____

____

____

Yo sigo a Jesús

Cada vez que haces lo que Jesús enseñó a hacer a sus discípulos, estás viviendo el Evangelio. Cuando tratas a los demás con justicia y respeto, vives como un discípulo de Jesús. Ayudas a preparar la venida del Reino de Dios.

Construir el Reino de Dios

Mira estos titulares de noticias. Encierra en un círculo los acontecimientos que ayudan a construir el Reino de Dios. Luego escribe un titular que diga cómo estás ayudando a construir el Reino de Dios.

1. **Muchos hambrientos en las grandes ciudades**
2. **Escuelas locales colectan abrigos para niños**
3. **Estalla una ola de crímenes**
4. **Aumenta la adopción de mascotas**
5. **Niños organizan una colecta para reciclaje**

____

____

____

Mi elección de fe

Esta semana trataré a las personas con justicia, así como hizo Jesús. Yo voy a

____

____.

Cierra los ojos y reza: "Venga a nosotros tu Reino" varias veces. Haz una pausa cada vez que la reces.

Every time you do what Jesus taught his disciples to do, you are living the Gospel. When you treat others with justice and respect, you live as a disciple of Jesus. You help prepare for the coming of the Kingdom of God.

Building God's Kingdom

Activity

Look at these news headlines. Circle the events that are helping to build the Kingdom of God. Then write a headline telling how you are helping to build the Kingdom of God.

1. **Many Go Hungry in Big Cities**
2. **Local Schools Collect Coats for Kids**
3. **Crime Wave Breaks Out**
4. **Pet Adoptions on the Rise**
5. **Kids Organize Recycling Drive**

____

____

____

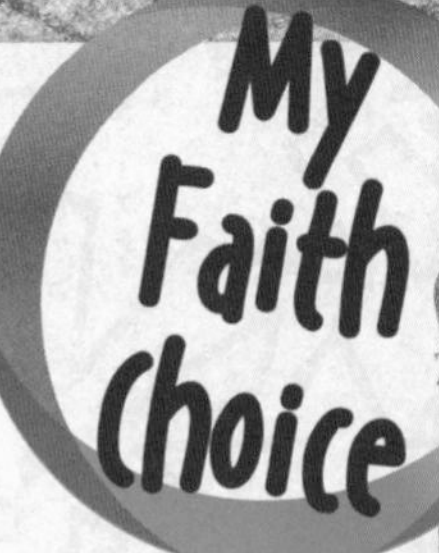

This week I will treat people justly, as Jesus did. I will

____

____.

Close your eyes and pray, "Thy kingdom come" several times. Pause after each time you pray it.

PARA RECORDAR

1. Jesucristo es el Mesías, el Salvador que Dios prometió enviar.
2. Jesús obedecía a María y a José, y crecía en sabiduría, en edad y en gracia.
3. Jesús anunció la Buena Nueva del Reino de Dios.

Repaso del capítulo

Une las personas y lugares de la columna izquierda con los significados de la columna derecha.

	Personas y lugares	Significados
___	**1.** Ana y Simeón	**a.** personas que son seguidoras de Jesús
___	**2.** discípulos	**b.** la ciudad santa del pueblo judío
___	**3.** justicia	**c.** tratar a todos imparcialmente con cuidado y respeto
___	**4.** Jerusalén	**d.** personas que reconocieron que el niño Jesús era el Mesías

Señor, ten piedad

En una oración de petición, le pedimos ayuda a Dios para hacer mejor las cosas. Pedimos la misericordia o el perdón de Dios cuando no actuamos como deberíamos.

Líder Señor Jesús, Tú que viniste para reunir a todas las personas en la paz del reino de Dios:

Todos **Señor, ten piedad.**

Líder Señor Jesús, Tú que anunciaste la Buena Nueva de la venida de tu Reino:

Todos **Cristo, ten piedad.**

Líder Tú que vendrás en gloria con la Salvación para todo tu pueblo:

Todos **Señor, ten piedad. Amén.**

BASADO EN EL MISAL ROMANO

Chapter Review

Match the people and places in the left column with the meanings in the right column.

People and Places	Meanings
___ **1.** Anna and Simeon	**a.** people who are followers of Jesus
___ **2.** disciples	**b.** the holy city of the Jewish people
___ **3.** justice	**c.** treating everyone fairly with care and respect
___ **4.** Jerusalem	**d.** people who recognized the infant Jesus to be the Messiah

TO HELP YOU REMEMBER

1. Jesus Christ is the Messiah, the Savior God promised to send.
2. Jesus obeyed Mary and Joseph and grew in wisdom, age, and grace.
3. Jesus announced the Good News of the Kingdom of God.

Lord, Have Mercy

In a prayer of petition, we ask God's help to do better. We ask for God's mercy or forgiveness when we do not act as we should.

Leader Lord Jesus, you came to gather all people into the peace of God's kingdom.

All **Lord, have mercy.**

Leader Lord, Jesus, you announced the Good News of the coming of your kingdom.

All **Christ, have mercy.**

Leader You will come in glory with Salvation for all your people.

All **Lord, have mercy. Amen.**

BASED ON THE ROMAN MISSAL

Con mi familia

Esta semana...

En el capítulo 4, "Jesús, Hijo de Dios", su niño aprendió que:

- Dios Padre envió a su Hijo, Jesucristo, como el Mesías.
- Jesús es el Ungido, o el Mesías y el Cristo. Él es el Salvador del mundo.
- Simeón y Ana reconocieron que el niño Jesús era el Mesías cuando María y José lo presentaron en el Templo de Jerusalén.
- Jesús creció en Nazaret. Dejó su casa cuando tenía unos treinta años y viajó anunciando la venida del Reino de Dios.
- La práctica de la virtud de la justicia nos ayuda a prepararnos para la venida del Reino de Dios.

Para saber más sobre otras enseñanzas de la Iglesia, consulten el *Catecismo de la Iglesia Católica*, 512–560, y el *Catecismo Católico de los Estados Unidos para los Adultos*, páginas 85–93.

Compartir la Palabra de Dios

Lean juntos Lucas 2:22, 33–38, la Presentación o dedicación de Jesús en el Templo. O lean la adaptación del relato de la página 72. Hablen con su niño y describan que, en el Bautismo, ustedes lo presentaron a la Iglesia y que se convirtió en un hijo adoptivo de Dios.

Vivimos como discípulos

El hogar cristiano con la familia es una escuela de discipulado. Elijan una de las siguientes actividades para hacer en familia, o creen una actividad similar ustedes mismos.

- Establezca un "Círculo de cuidado" en su familia. Reúnanse con regularidad y siéntense en círculo alrededor de una mesa o en el piso. Cada persona nombra una manera en que está actuando con imparcialidad y demostrando respeto. Ninguna persona del círculo puede acusar a otra, pero cada una puede elogiar el éxito de los demás.
- Hagan un cartel de perdón para recordar a los miembros de la familia la importancia del perdón. Recuerden que la obra de Jesús, el Mesías, es una obra de perdón. Crezcan como una 'familia que perdona'. Incluyan la oración "Señor, ten piedad" como parte de su oración diaria.

Nuestro viaje espiritual

La conversión a Cristo es un proceso que dura toda la vida. Los actos de penitencia son parte de la disciplina espiritual de profundización de nuestra relación con Jesucristo y con los demás. Los emblemas de la verdadera penitencia son los pequeños actos de penitencia que nadie nota ni ve. Consulten Mateo 6:16–18.

Para hallar más ideas sobre las maneras en que su familia puede vivir como discípulos de Jesús, visiten **seanmisdiscipulos.com**

With My Family

This Week...

In chapter 4, "Jesus, the Son of God," your child learned:

- ▶ God the Father sent his Son, Jesus Christ, as the Messiah.
- ▶ Jesus is the Anointed One, or the Messiah and the Christ. He is the Savior of the world.
- ▶ Simeon and Anna recognized the infant Jesus to be the Messiah when Mary and Joseph presented him in the Temple in Jerusalem.
- ▶ Jesus grew up in Nazareth. He left his home when he was about thirty years old and he traveled about announcing the coming of the Kingdom of God.
- ▶ Practicing the virtue of justice helps us prepare for the coming of God's kingdom.

For more about related teachings of the Church, see the *Catechism of the Catholic Church,* 512–560; and the *United States Catholic Catechism for Adults,* pages 79–87.

Sharing God's Word

Read together Luke 2: 22, 33–38, the Presentation, or dedication, of Jesus in the Temple. Or read the adaptation of the story on page 73. Talk with your child and describe that at Baptism you presented him or her to the Church and she or he became an adopted daughter or son of God.

We Live as Disciples

The Christian home and family is a school of discipleship. Choose one of the following activities to do as a family or design a similar activity of your own.

- ▶ Establish a "Circle of Care" in your family. Come together at a regular time and sit in a circle around a table or on the floor. Each person names a way he or she is acting with fairness and showing respect. No one in the circle can accuse another, but each can praise another's success.
- ▶ Make a forgiveness poster to remind family members of the importance of forgiveness. Remember that the work of Jesus the Messiah is a work of forgiveness. Grow as a 'forgiving family.' Include the prayer "Lord, have mercy" as part of your daily prayer.

Our Spiritual Journey

Conversion to Christ is a life-long process. Acts of penance are part of the spiritual discipline of deepening our relationship with Jesus Christ and with one another. Small acts of penance no one notices or sees are the hallmark of true penance. See Matthew 6:16–18.

For more ideas on ways your family can live as disciples of Jesus, visit **BeMyDisciples.com**

Unidad 1: **Repaso**

Nombre ____________________

A. Elije la mejor palabra

Completa los espacios en blanco con la mejor opción de la lista.

fe	Encarnación	Divina Providencia
Santísima Trinidad	Reino de Dios	

1. El don de la ________________ nos ayuda a creer en Dios.

2. La ______________________ es el misterio de un solo Dios en Tres Personas Divinas.

3. El amor y el cuidado de Dios por la creación se llama

______________________.

4. Cuando el Hijo de Dios se hace hombre sin dejar de ser

Dios se llama ______________________.

5. El ______________________ es el momento en el que todas las personas vivirán en paz y justicia con Dios, con todos los demás y con toda la Creación.

B. Muestra lo que sabes

Une las palabras o frases de la Columna A con las palabras o frases de la Columna B.

Columna A	**Columna B**
1. El Mesías	_____ **a.** resúmenes de las creencias de la Iglesia
2. Creación	_____ **b.** el Salvador que Dios prometió enviar
3. Credos	_____ **c.** todo lo que Dios creó por amor y sin ayuda

Unit 1 Review

Name ________________________________

A. Choose the Best Word

Fill in the blanks, using the best choice from the Word Bank.

faith	Incarnation	Divine Providence
Holy Trinity	Kingdom of God	

1. The gift of ______________ helps us believe in God.

2. The ______________ is the mystery of One God in Three Divine Persons.

3. God's love and care for creation is called

   ______________.

4. The Son of God becoming man and still being

   God is called the ______________.

5. The ______________ is the time when all people will live in peace and justice with God, with one another, and with all creation.

B. Show What You Know

Match the words or phrases in Column A with the words or phrases in Column B.

Column A

1. The Messiah
2. Creation
3. Creeds

Column B

____ **a.** summaries of the beliefs of the Church

____ **b.** the savior God promised to send

____ **c.** all that God made out of love and without any help

C. La Escritura y tú

¿Cuál fue tu relato preferido acerca de Jesús en esta unidad? Dibuja algo que sucedió en el relato. Junto a tu dibujo, escribe el título del relato y cuenta algo que ocurrió en él. Compártelo con tu clase.

D. Sé un discípulo

1. *¿Acerca de qué Santo o persona virtuosa disfrutaste aprender más en esta unidad? Escribe el nombre aquí. Escribe algo acerca de la persona que admiras. Cuenta a tu clase lo que esta persona hizo para seguir a Jesús.*

2. *Recuerda las virtudes y dones que aprendiste en Poder de los discípulos de esta unidad. Escribe sobre uno que estás poniendo en práctica para ser un buen discípulo de Jesús. Di cómo lo usas para seguir a Jesús. Comparte tu respuesta con un compañero.*

C. Connect with Scripture

What was your favorite story about Jesus in this unit? Draw something that happened in the story. Next to your drawing, write the name of the story and tell one thing that happened in it. Share with your class.

D. Be a Disciple

1. *What Saint or holy person did you enjoy hearing about in this unit? Write the name here. Write something about the person that you admire. Tell your class what this person did to follow Jesus.*

2. *Recall the virtues and gifts that you learned about in Disciple Power in this unit. Write about one that you are practicing so you can be a good disciple of Jesus. Tell how you are using it to follow Jesus. Share your answer with a partner.*

Devociones populares

Guatemala y México: La presentación de un niño

En Guatemala y en México, los padres llevan a sus bebés a la iglesia enseguida después de que nacen. Quieren que el sacerdote dé a sus niños una bendición especial. Generalmente, los padres atan un moño alrededor de la muñeca del bebé antes de salir de la casa para mantenerlo a salvo. Después de la bendición, le quitan el moño porque ahora al bebé lo protege Dios.

También María y José llevaron a Jesús al Templo enseguida después de nacido. El pueblo judío hacía esto para ofrecer sus bebés a Dios y para ponerlos bajo el cuidado amoroso de Dios. Las familias católicas de Guatemala y de México quieren agradecer a Dios por el don de haber tenido un bebé. Quieren también pedirle a Dios que proteja al niño de todo mal.

En la ceremonia de la iglesia, el sacerdote lee de la Biblia. Unge al bebé con óleo y le da una bendición. Les pregunta a los padres si ayudarán a que su bebé ame a Dios y si le enseñarán la fe católica. Ellos dicen: “Lo haremos”. Si hay otras personas presentes, le dan al bebé la bienvenida a su comunidad.

? ¿Qué podrías hacer tú para ayudar a que un niño pequeño aprenda acerca de Jesús y la Iglesia?

La presentación de un niño, del Hermano Michael McGrath, O.S.F.S.

Popular Devotions

Guatemala and Mexico: The Presentation of a Child

In Guatemala and Mexico, parents bring their new baby to church soon after he or she is born. They want the priest to give their child a special blessing. The parents usually tie a ribbon around the baby's wrist before they leave the house to keep the baby safe. After the blessing, they remove the ribbon because the baby is now protected by God.

Mary and Joseph took the baby Jesus to the temple soon after he was born too. Jewish people did so to offer their baby to God and to place the baby under God's loving care. Catholic families in Guatemala and Mexico want to say thank you to God for the gift of their child. They also want to ask God to protect the child from all harm.

In the church ceremony, the priest reads from the Bible. He anoints the baby with oil and gives him or her a blessing. He asks the parents if they will help their baby to love God and teach their child about the Catholic faith. They say, "We will." If others are present, they welcome the baby to their community!

? What could you do to help a small child learn about Jesus and the Church?

The Presentation of a Child, by Brother Michael McGrath, O.S.F.S.

UNIDAD **2**

Creemos

Parte Dos

El trigo y la hierba mala

Jesús contó esta parábola acerca del Reino de Dios.

"El Reino de Dios es como un granjero que siembra buenas semillas de trigo en su campo. Una noche, su enemigo entra a escondidas en el campo y siembra semillas de hierba mala por todas partes. El sol brilla y la lluvia cae. El trigo y la hierba mala crecen juntos. El granjero dice: 'Si trato de sacar la hierba mala, también arrancaré el trigo'. Cuando el trigo está maduro, el granjero corta el trigo y la hierba mala. Pone el trigo en su granero. Arroja la hierba mala al fuego para que se queme."

Basado en Mateo 13:24–30

We Believe UNIT 2
Part Two

Wheat and Weeds

Jesus told this parable about the Kingdom of God.

"The Kingdom of God is like a farmer who sows good wheat seed in his field. One night his enemy sneaks into the field and sows weeds all over the field. The sun shines and the rain falls. The wheat and the weeds grow together. The farmer says, 'If I try to pull the weeds, the wheat will be pulled up, too.' When the wheat is ripe, the farmer cuts down the wheat and the weeds. He puts the wheat into his barn. He throws the weeds onto a fire to be burned."

Based on Matthew 13:24–30

Lo que he aprendido

¿Qué es lo que ya sabes acerca de estos dos términos de fe?

Misterio Pascual

____

____

La Resurrección

____

____

Vocabulario de fe para aprender

Escribe **X** junto a las palabras de fe que sabes. Escribe **?** junto a las palabras de fe que necesitas aprender mejor.

Palabras de fe

____ Apóstoles

____ Frutos del Espíritu Santo

____ Pentecostés

____ Ascensión

____ Santos

____ Comunión de los Santos

Tengo preguntas

¿Qué te gustaría preguntar acerca de la Comunión de los Santos?

____

____

What I Have Learned

What is something you already know about these two faith terms?

Paschal Mystery

____

____

The Resurrection

____

____

Faith Words to Know

Put an **X** next to the faith terms you know. Put a **?** next to faith terms you need to learn more about.

Faith Words

____ Apostles

____ Fruits of the Holy Spirit

____ Pentecost

____ Ascension

____ Saints

____ Communion of Saints

Questions I Have

What questions would you like to ask about the Communion of Saints?

____

____

CAPÍTULO 5

Lo que vendrá

En este capítulo el Espíritu Santo te invita a ▶

INVESTIGAR acerca de dos personas que ayudaron a Jesús antes de que lo crucificaran.

DESCUBRIR el significado del Misterio Pascual.

DECIDIR vivir como una persona de esperanza.

¡Jesús ha resucitado!

¿Qué haces cuando las cosas no van tan bien?

Este versículo de la Biblia te ayuda a saber qué hacer.

Señor, bendícenos con tu bondad. Tenemos confianza en ti. Basado en el Salmo 33:22

¿Por qué podemos tener esperanza en Dios?

Looking Ahead

In this chapter the Holy Spirit invites you to ▶

EXPLORE how two people helped Jesus before he was crucified.

DISCOVER the meaning of the Paschal Mystery.

DECIDE to live as a person of hope.

CHAPTER 5

Jesus Is Risen!

When things are not going so well, what do you do?

This Bible verse helps you know what to do.

Lord, bless us with your kindness. We hope in you.

Based on Psalm 33:22

Why can we place our hope in God?

Poder de los discípulos

Esperanza

Cuando tenemos esperanza, ponemos nuestra confianza en Dios. Sabemos que Dios mantiene siempre su palabra. Dios cumple siempre sus promesas.

Verónica y Simón

¿Recuerdas el relato de cuando Jesús cargaba su Cruz? El relato se vuelve a contar con devoción en las Estaciones de la Cruz. Puedes encontrar las Estaciones de la Cruz en tu iglesia parroquial. Esta es una parte de ese relato.

Mientras Jesús caminaba por las inclinadas calles de Jerusalén, se tropezó y cayó al suelo tres veces. Entre la multitud que vio caer a Jesús, había un hombre llamado Simón. Simón se agachó, levantó la cruz y ayudó a Jesús a llevarla. Había ido a Jerusalén para celebrar la Pascua judía.

También estaban allí Verónica y las otras discípulas de Jesús. Cuando Jesús pasó junto a ella, Verónica le ofreció una tela para que se secara el sudor y la sangre del rostro. Jesús vio que ella y las otras mujeres estaban preocupadas por él. Les dijo que no se preocuparan. Las palabras de Jesús a las mujeres les dieron esperanza.

Con tus compañeros, haz una dramatización de la Quinta y Sexta Estación de la Cruz. Luego cuenta cómo podrías haber ayudado a Jesús.

Disciple Power

Hope

When we hope, we place our trust in God. We know that God always keeps his word. God always keeps his promises.

Veronica and Simon

Do you remember the story of Jesus carrying his Cross? The story is retold prayerfully in the Stations of the Cross. You can find the Stations of the Cross in your parish church. Here is part of that story.

As Jesus walked up the hilly streets of Jerusalem, he stumbled and fell to the ground three times. There was a man named Simon in the crowd who saw Jesus fall. Simon reached down, picked up the cross, and helped Jesus carry it. He had come to Jerusalem to celebrate Passover.

Veronica and other women disciples of Jesus were there too. As Jesus walked by, Veronica offered Jesus a cloth to wipe the sweat and blood from his face. Jesus saw that she and the other women were worried about him. He told them not to worry. Jesus' words to the women gave them hope.

With your classmates, act out the Fifth and Sixth Stations of the Cross. Then share how you might have helped Jesus.

Enfoque en la fe
¿Qué nos dice el Misterio Pascual de Jesús acerca del amor de Dios?

Vocabulario de fe

sacrificio
Dar a Dios, por amor, algo que valoramos.

Misterio Pascual
El sufrimiento, Muerte, Resurrección y Ascensión de Jesucristo se conoce como Misterio Pascual.

El Misterio Pascual

La última comida de Jesús con sus discípulos fue la de la Pascua judía. A esta comida la llamamos la Última Cena.

Cuando la comida terminó, Jesús fue a un huerto cerca de Jerusalén. Allí, Judas, uno de los Apóstoles, traicionó a Jesús. Llevó a los líderes judíos y a los guardias del templo hasta Jesús. Judas besó a Jesús. Esto dio la señal a los guardias para arrestar a Jesús.

Los líderes llevaron a Jesús ante el gobernador romano, Poncio Pilato. Pilato interrogó a Jesús, pero no pudo hallarlo culpable de ningún crimen. Pero Pilato ordenó que Jesús fuera crucificado porque la multitud lo pedía.

Los soldados se burlaron de Jesús y le colocaron una corona de espinas en la cabeza. Después de que los soldados golpearon a Jesús, lo llevaron a un lugar llamado Gólgota. Allí lo clavaron en una cruz. Antes de morir, Jesús dijo:

> *"Padre, perdónalos." Aproximadamente a las tres de la tarde, Jesús dijo en voz alta: "Padre, ahora me entrego a ti."*

BASADO EN LUCAS 23:26, 33–34, 44, 46

La Muerte de Jesús en la Cruz se llama Crucifixión. Jesús **sacrificó** libremente su vida por amor para salvar a todas las personas de su pecado.

? ¿Por qué llamamos a la muerte de Jesús en una cruz "el Sacrificio de la Cruz"?

The Paschal Mystery

Jesus' last meal with his disciples was the Passover meal. We call this meal the Last Supper.

After the meal ended, Jesus went to a garden near Jerusalem. There Judas, one of the Apostles, betrayed Jesus. He brought Jewish leaders and temple guards to Jesus. Judas kissed Jesus. This signaled the guards to arrest Jesus.

The leaders took Jesus to the Roman governor, Pontius Pilate. Pilate questioned Jesus but could not find Jesus guilty of any crime. But Pilate ordered that Jesus be put to death on a cross because the crowds demanded it.

The soldiers mocked Jesus and placed a crown of thorny branches on his head. After the soldiers beat him, they led Jesus to a place called Golgotha. There they nailed him onto a cross. Before he died, Jesus said,

> *"Father, forgive them." At about three o'clock in the afternoon, Jesus said in a loud voice, "Father, I now give myself to you."*
>
> Based on Luke 23:26, 33–34, 44, 46

Jesus' Death on the Cross is called the Crucifixion. Jesus freely made a **sacrifice** of his life out of love to save all people from their sin.

? Why do we call Jesus' dying on a cross "the Sacrifice of the Cross"?

Faith Focus
What does the Paschal Mystery of Jesus tell us about God's love?

Faith Vocabulary

sacrifice
To give to God out of love something that we value

Paschal Mystery
The suffering, Death, Resurrection, and Ascension of Jesus Christ is known as the Paschal Mystery.

Personas de fe

José de Arimatea

José de Arimatea era un discípulo de Jesús. Después de que Jesús murió, le pidió a Pilato el cuerpo de Jesús. José ayudó a colocar el cuerpo de Jesús en un sepulcro hecho recientemente en la ladera de un monte. Era un sepulcro que José había hecho para sí mismo.

Jesús resucita a una nueva vida

Después de la muerte y la sepultura de Jesús, sus discípulos pensaron que lo habían perdido para siempre. Tres días después, oyeron algunas noticias asombrosas. Supieron que Jesús estaba vivo. Había resucitado de entre los muertos. Así es como lo describe el Evangelio de Mateo:

> *Tres días más tarde, algunas mujeres, discípulas de Jesús, fueron al sepulcro donde habían puesto el cuerpo de Jesús. Cuando las mujeres llegaron al sepulcro y miraron, no encontraron el cuerpo de Jesús. No estaba allí. Un ángel les dijo: "¡Dios ha resucitado a Jesús de entre los muertos! No está aquí. Vayan y digan a los otros discípulos que vayan a Galilea y que esperen allí. Jesús se reunirá con ellos allí."*

BASADO EN MATEO 27:59–60; 28:1, 5–7

Este acontecimiento se llama Resurrección. Es el corazón de la fe de la Iglesia en Jesús.

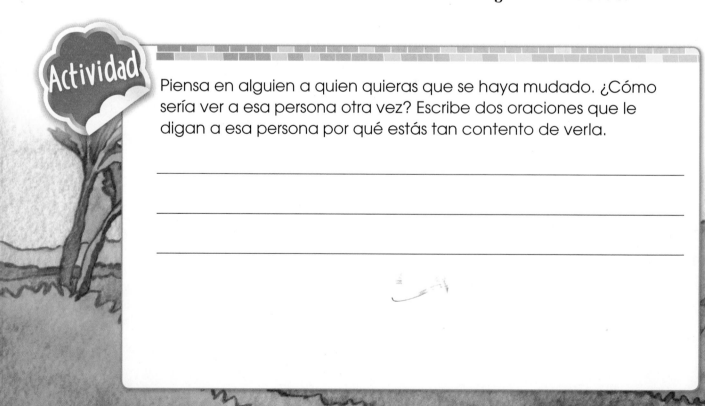

Actividad

Piensa en alguien a quien quieras que se haya mudado. ¿Cómo sería ver a esa persona otra vez? Escribe dos oraciones que le digan a esa persona por qué estás tan contento de verla.

____

____

____

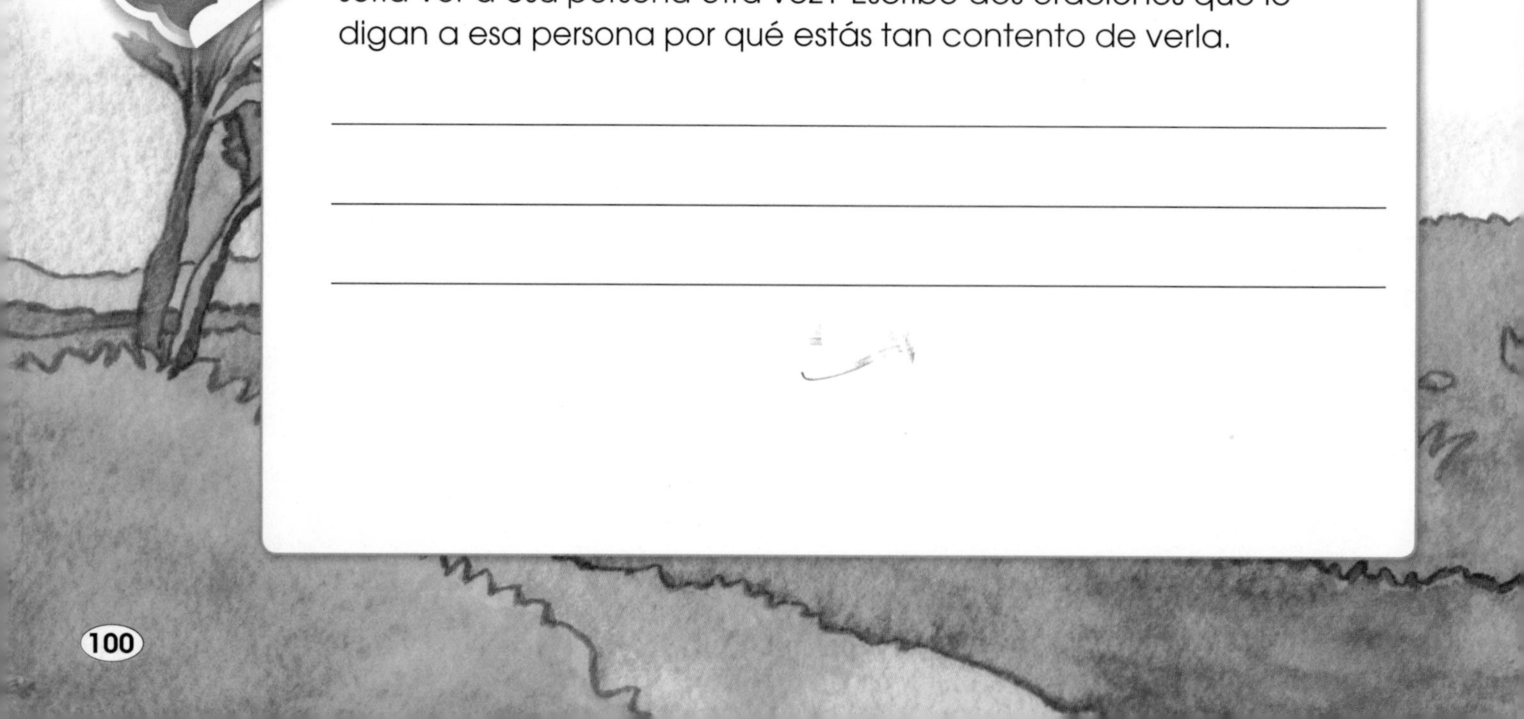

Jesus Rises to New Life

After Jesus died and was buried, his disciples thought they had lost him forever. Three days later, they heard some amazing news. They learned that Jesus was alive. He had risen from the dead. Here is what Matthew's Gospel describes:

> *Three days later, some women who were disciples of Jesus went to the tomb where the body of Jesus was placed. When the women arrived at the tomb and looked into it, they did not see Jesus' body. It was not there. An angel said to them, "God has raised Jesus from the dead! He is not here. Go and tell the other disciples to go to Galilee and wait there. Jesus will meet them there."*
>
> Based on Matthew 27:59–60; 28:1, 5–7

This event is called the Resurrection. It is the heart of the Church's faith in Jesus.

Faith-Filled People

Joseph of Arimathea

Joseph of Arimathea was a disciple of Jesus. After Jesus died, he asked Pilate for the body of Jesus. Joseph helped place Jesus' body in a newly made tomb in the side of a mountain. It was a tomb Joseph had made for himself.

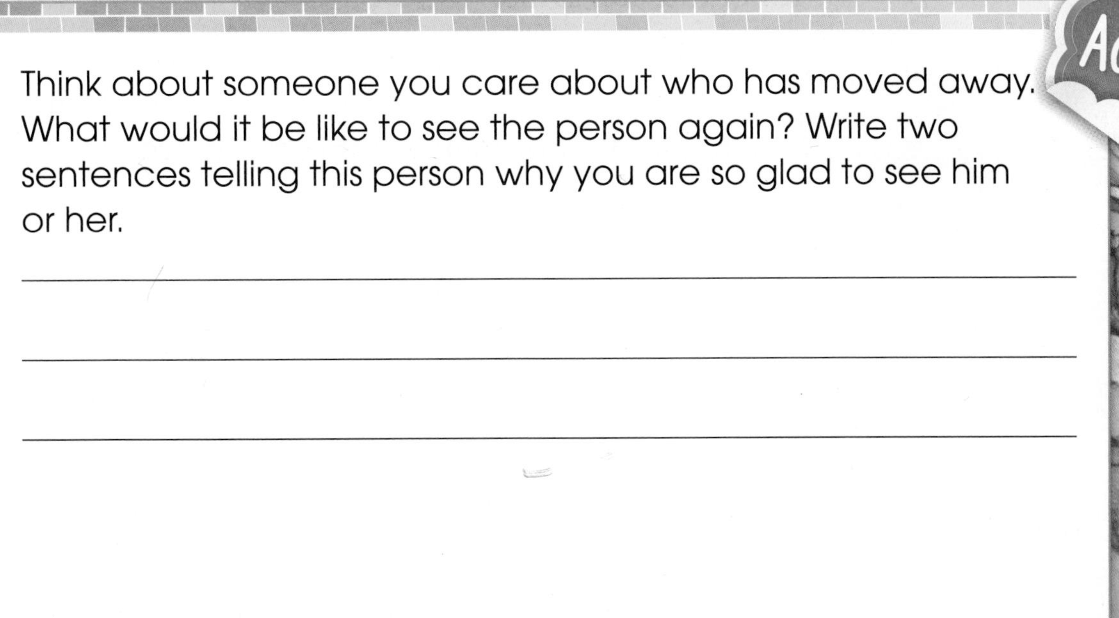

Think about someone you care about who has moved away. What would it be like to see the person again? Write two sentences telling this person why you are so glad to see him or her.

____

____

____

Los católicos creen

El Credo de los Apóstoles

El Credo de los Apóstoles nos transmite la fe de los Apóstoles. En el Credo de los Apóstoles, profesamos que Jesús descendió entre los muertos. Al tercer día resucitó. Ascendió al Cielo.

Jesús regresa a su Padre

El Jesús Resucitado permaneció con sus discípulos por cuarenta días. Durante ese tiempo, se apareció a sus discípulos muchas veces. Cuando llegó el momento de que regresara a su Padre en el Cielo,

> *Jesús bendijo a sus discípulos y los envió a compartir la Buena Nueva con el mundo entero. Luego, el Jesús Resucitado regresó al Cielo.*
>
> BASADO EN LUCAS 24:50–51

Al regreso de Jesús a su Padre lo llamamos Ascensión. La palabra "ascensión" significa "subir a lo alto".

El sufrimiento, Muerte, Resurrección y Ascensión de Jesús se conoce como **Misterio Pascual**. El Misterio Pascual es el paso de Jesús de la muerte a una nueva y gloriosa vida.

Gracias al Misterio Pascual, nos sostenemos a la promesa de la vida eterna. Tenemos esperanza de que, después de morir, viviremos para siempre con Dios, los ángeles, María y todos los Santos, en felicidad con Dios.

? ¿De qué manera puedes compartir con los demás la Buena Nueva de la Resurrección de Jesús? Cuéntaselo a un compañero.

Jesus Returns to His Father

The Risen Jesus stayed with his disciples for forty days. During that time, he appeared to his disciples many times. When it was time for him to return to his Father in Heaven,

> *Jesus blessed his disciples and sent them to share the Good News with the whole world. Then the Risen Jesus returned to Heaven.*
>
> BASED ON LUKE 24:50–51

We call Jesus' return to his Father the Ascension. The word "ascension" means "a rising up."

The suffering, Death, Resurrection, and Ascension of Jesus is called the **Paschal Mystery**. The Paschal Mystery is Jesus' passing over from death to a new and glorified life.

Because of the Paschal Mystery, we hold up the promise of everlasting life. We can hope that after we die, we will live forever with God, the angels, Mary, and all the Saints in happiness with God.

? How can you share the Good News of Jesus' Resurrection with others? Tell a partner.

Catholics Believe

The Apostles' Creed

The Apostles' Creed passes on to us the faith of the Apostles. In the Apostles' Creed, we profess that Jesus descended to the dead. On the third day he rose again. He ascended into Heaven.

Yo sigo a Jesús

En nuestro Bautismo, se nos hace partícipes del Misterio Pascual. Vivimos en la esperanza de que las promesas de Jesús se harán realidad. Esperamos vivir para siempre en una felicidad eterna con Dios.

Un cartel de esperanza

Diseña un cartel con imágenes o palabras que hablen acerca del Misterio Pascual.

Esta semana, compartiré mi creencia en el Misterio Pascual demostrando que soy una persona de esperanza. Yo voy a

____

____.

Reza: "Querido Jesús, pongo mi esperanza en ti. Sé que estás siempre conmigo. Amén".

At our Baptism we were made sharers in the Paschal Mystery. We live in hope that Jesus' promises will come true. We hope to live forever in everlasting happiness with God.

Activity

A Banner of Hope

Design a banner with pictures or words that tell about the Paschal Mystery.

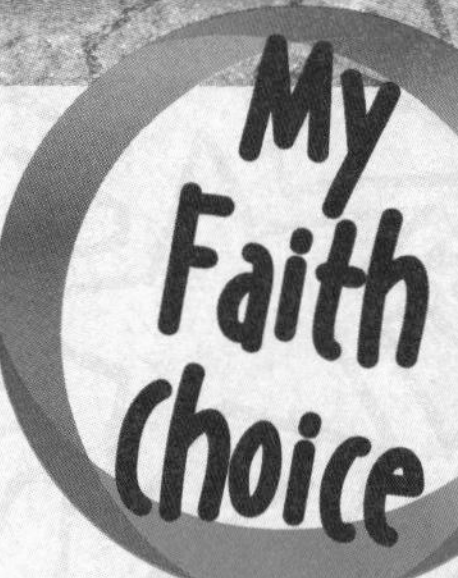

This week I will share my belief in the Paschal Mystery by showing that I am a person of hope. I will

____

____.

Pray, "Dear Jesus, I place my hope in you. I know that you are always with me. Amen."

PARA RECORDAR

1. Jesús sufrió y murió en la Cruz para salvar a las personas de sus pecados.
2. Tres días después de su Muerte y su sepultura, Jesús resucitó de entre los muertos.
3. Cuarenta días después de que Jesús resucitó de entre los muertos, ascendió, o regresó, a su Padre en el Cielo.

Repaso del capítulo

Completa cada enunciado usando los siguientes términos.

Crucifixión	Ascensión	sepulcro	Misterio Pascual

1. La Muerte de Jesús en la Cruz se llama

________________.

2. Las discípulas fueron al ________________ y se enteraron de que Jesús no estaba allí.

3. El ______________________ es el sufrimiento, Muerte, Resurrección y Ascensión de Jesús.

4. El regreso de Jesús a su Padre en el Cielo se llama

________________.

Oración de adoración

En una oración de adoración, reconocemos que Dios comparte su vida y su amor con nosotros, ahora y siempre.

Líder Te adoramos, Oh, Cristo, y te alabamos.

Todos **Porque con tu Santa Cruz has salvado al mundo.**

Líder Tu sacrificio nos muestra tu gran amor por todas las personas.

Todos **Tú eres el Salvador del mundo.**

Líder Tu Resurrección es la fuente de nuestra esperanza.

Todos **Tú eres el Salvador del mundo.**

Chapter Review

Complete each statement using the terms below.

Crucifixion Ascension tomb Paschal Mystery

1. The Death of Jesus on the Cross is called the ______________.

2. The women disciples went to the ______________ and learned that Jesus was not there.

3. The ____________________ is the suffering, Death, Resurrection, and Ascension of Jesus.

4. Jesus' return to his Father in Heaven is called the ______________.

TO HELP YOU REMEMBER

1. Jesus suffered and died on the Cross to save all people from their sins.
2. Three days after Jesus died and was buried, Jesus rose from the dead.
3. Forty days after Jesus rose from the dead, he ascended, or returned, to his Father in Heaven.

Prayer of Adoration

In a prayer of adoration, we acknowledge that God shares his life and love with us, now and forever.

Leader We adore you, O Christ, and we praise you.

All **Because by your Holy Cross you have saved the world.**

Leader Your sacrifice shows your great love for all people.

All **You are the Savior of the world.**

Leader Your Resurrection is the source of our hope.

All **You are the Savior of the world.**

Con mi familia

Esta semana...

En el capítulo 5, "Jesús ha resucitado", su niño aprendió que:

- El Misterio Pascual es la Muerte, Resurrección y Ascensión de Jesucristo. Es la fuente de nuestra esperanza de vida y felicidad eternas con Dios.
- En el Bautismo, se nos hace partícipes del Misterio Pascual de Jesús.
- Jesús sufrió y murió en la Cruz, y resucitó de entre los muertos para salvar a todas las personas del pecado. Cuarenta días después de la Resurrección, Jesús regresó o ascendió, a su Padre.

Para saber más sobre otras enseñanzas de la Iglesia, consulten el *Catecismo de la Iglesia Católica*, 599–655, y el *Catecismo Católico de los Estados Unidos para los Adultos*, páginas 95–107.

Compartir la Palabra de Dios

Lean juntos Lucas 23:24–46 y Lucas 24:1–12, los relatos de Lucas sobre la Crucifixión y la Resurrección. O lean la adaptación de las páginas 98 y 100. Hablen acerca de por qué se llama Sacrificio de la Cruz. ¿Qué les dice esto acerca de su amor por su familia?

Vivimos como discípulos

El hogar cristiano con la familia es una escuela de discipulado. Elijan una de las siguientes actividades para hacer en familia, o creen una actividad similar ustedes mismos.

- La próxima vez que vayan a la iglesia para la Misa, busquen las Estaciones de la Cruz. Visiten las Estaciones, una por una. Hablen acerca de lo que cada estación cuenta acerca del gran amor de Jesús por nosotros.
- Usen una vela encendida como parte de la oración familiar a la hora de cenar. Hablen acerca de la manera en que la vela encendida es una señal de que Jesús resucitó de entre los muertos y está siempre con su familia como lo prometió.

Nuestro viaje espiritual

El viaje de vida de un cristiano es un viaje de sacrificio y esperanza. Hacemos sacrificios por nuestro amor por Dios y por los demás. Estos sacrificios profesan nuestra esperanza de que la promesa de Jesús de una vida de felicidad eterna será nuestra. Profesamos nuestra fe de que, en el momento de la muerte, la vida se transforma, no termina. Esta semana, recen juntos la oración de la página 106.

Para hallar más ideas sobre las maneras en que su familia puede vivir como discípulos de Jesús, visiten **seanmisdiscipulos.com**

With My Family

This Week...

In chapter 5, "Jesus Is Risen," your child learned:

- The Paschal Mystery is the Death, Resurrection, and Ascension of Jesus Christ. It is the source of our hope of everlasting life and happiness with God.
- At Baptism we are made sharers in the Paschal Mystery of Jesus.
- Jesus suffered and died on the Cross and was raised from the dead to save all people from sin. Forty days after the Resurrection, Jesus returned, or ascended, to his Father.

For more about related teachings of the Church, see the *Catechism of the Catholic Church*, 599–655, and the *United States Catholic Catechism for Adults*, pages 89–100.

Sharing God's Word

Read together Luke 23:24–46 and Luke 24:1–12, Luke's accounts of the Crucifixion and the Resurrection. Or read the adaptation on pages 99 and 101. Talk about why this is called the Sacrifice of the Cross. What does this say about his love for your family?

We Live as Disciples

The Christian home and family is a school of discipleship. Choose one of the following activities to do as a family or design a similar activity of your own.

- Next time you are at church for Mass, look for the Stations of the Cross. Visit the Stations, one by one. Talk about the story each station tells of Jesus' great love for us.
- Use a lighted candle as part of your family mealtime prayer. Talk about how the lighted candle is a sign that Jesus rose from the dead and is always with your family as he promised.

Our Spiritual Journey

The life journey of a Christian is a journey of sacrifice and hope. We make sacrifices because of our love for God and for each other. These sacrifices profess our hope that Jesus' promise of a life of eternal happiness will be ours. We profess our faith that at the moment of death, life is changed, not ended. Pray the prayer on page 107 together this week.

For more ideas on ways your family can live as disciples of Jesus, visit **BeMyDisciples.com**

CAPÍTULO 6

Lo que vendrá

En este capítulo el Espíritu Santo te invita a ▶

INVESTIGAR de qué manera cantar expresa al Espíritu Santo vivo dentro de nosotros.

DESCUBRIR la venida del Espíritu Santo.

DECIDIR cómo ser una persona de gozo.

El don del Espíritu Santo

¿Qué se siente cuando estás solo y necesitas ayuda?

Piensa en la presencia de Dios contigo mientras escuchas lo que San Pablo escribió a los cristianos que vivían en Roma:

Del mismo modo, el Espíritu Santo nos ayuda cuando somos débiles. No sabemos por qué debemos rezar. Pero el Espíritu mismo reza por nosotros. BASADO EN ROMANOS 8:26

¿Cómo puedes dejar que el Espíritu Santo te ayude cuando no sabes qué hacer?

Looking Ahead

In this chapter the Holy Spirit invites you to ▶

EXPLORE how singing expresses the Holy Spirit alive within us.

DISCOVER the coming of the Holy Spirit.

DECIDE how to be a person of joy.

CHAPTER 6

The Gift of the Holy Spirit

What does it feel like when you are alone and need help?

Think of God's presence with you as you listen to what Saint Paul wrote to Christians who were living in Rome:

> *In the same way, the Holy Spirit helps us when we are weak. We don't know what we should pray for. But the Spirit himself prays for us.*
>
> Based on Romans 8:26

How can you let the Holy Spirit help you when you don't know what to do?

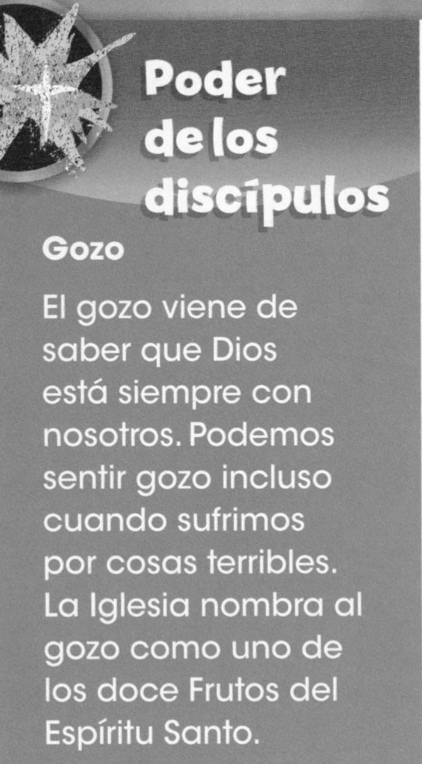

Poder de los discípulos

Gozo

El gozo viene de saber que Dios está siempre con nosotros. Podemos sentir gozo incluso cuando sufrimos por cosas terribles. La Iglesia nombra al gozo como uno de los doce Frutos del Espíritu Santo.

La Iglesia sigue a **Jesús**

¡Elévate en una canción!

Uno de los regalos valiosos que los cristianos afroamericanos le han dado a la Iglesia es cantar su fe y su confianza en Dios. Muchas de estas canciones se elevan desde el corazón de los africanos que fueron forzados a vivir como esclavos en Estados Unidos. Estas canciones se llaman espirituales.

Los espirituales son oraciones que fluyen desde lo más profundo del corazón humano. Es donde experimentamos la fuerza y el gozo que viene de saber que Dios está siempre con nosotros.

Cantar espirituales ayudó a los africanos que vivían en esclavitud a confiar en que Dios los amó siempre. Confiaban en que Él estaba con ellos incluso cuando los trataban tan injustamente.

Esta es una parte de uno de esos espirituales:

"¡Cada vez que sienta al espíritu moviéndose en mi corazón, rezaré!

¡Cada vez que sienta al espíritu moviéndose en mi corazón, rezaré!"

? ¿Cómo podría darte gozo cantar un espiritual? Aprende de memoria la letra del espiritual de arriba. Rézalo con frecuencia.

Hermana Thea Bowman,
teóloga y cantante de góspel, 1937–1990.

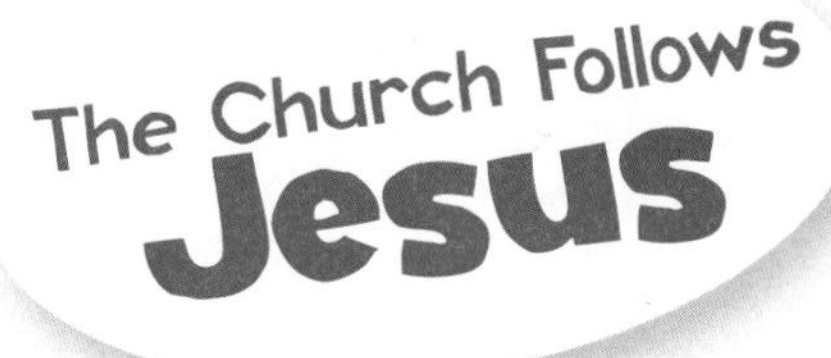

Disciple Power

Joy

Joy comes from knowing that God is always with us. Joy can be ours even when we suffer terrible things. The Church names joy as one of the twelve Fruits of the Holy Spirit.

Rise Up in Song!

One of the valuable gifts African-American Christians have given to the Church is the singing of their faith and trust in God. Many of these songs rose from the hearts of Africans who were forced to live in slavery in the United States. These songs are called spirituals.

Spirituals are prayers that flow from the deepest part of the human heart. It is where we experience the strength and joy that come from knowing that God is always with us.

Singing spirituals helped Africans who were living in slavery to trust that God always loved them. They trusted that he was with them even when they were being treated so unjustly.

Here is part of one of those spirituals:

"Every time I feel the spirit movin' in my heart, I will pray!

Every time I feel the spirit movin' in my heart, I will pray!"

? How might singing a spiritual bring you joy? Learn by heart the words of the spiritual above. Pray it often.

Sister Thea Bowman,
theologian and gospel singer, 1937–1990

Enfoque en la fe
¿Cuál es la obra del Espíritu Santo en el mundo?

Vocabulario de fe

Espíritu Santo
El Espíritu Santo es la Tercera Persona de la Santísima Trinidad.

Pentecostés
Pentecostés es el día en el que el Espíritu Santo descendió sobre los discípulos, cincuenta días después de la Resurrección.

El Espíritu Santo

En la Última Cena, Jesús hizo una promesa especial a sus discípulos. Prometió que no los dejaría solos. Prometió que Dios Padre les enviaría al Espíritu Santo. Jesús prometió:

"No los dejaré solos. El Espíritu Santo vendrá a ustedes. Será su maestro y protector."

Basado en Juan 14:15–17 y en Juan 16:5–7

El **Espíritu Santo** es la Tercera Persona de la Santísima Trinidad. Él siempre está con nosotros. Nos da fortaleza durante los momentos difíciles de nuestra vida.

El Espíritu Santo está siempre obrando en la Iglesia. Nos ayuda a vivir el Gran Mandamiento. Ayuda a la Iglesia a entender lo que Jesús enseñó. El Espíritu Santo le da a la Iglesia la gracia de hacer la obra que Jesús le dio para que hiciera.

Actividad

El Espíritu Santo está siempre con nosotros. En las llamas, escribe tres cosas que el Espíritu Santo hace por nosotros. Comparte tus ideas con un compañero.

The Holy Spirit

At the Last Supper, Jesus made a special promise to his disciples. He promised that he would not leave them alone. He promised that God the Father would send the Holy Spirit to them. Jesus promised,

> *"I will not leave you alone. The Holy Spirit will come to you. He will be your teacher and helper."*
>
> BASED ON JOHN 14:15–17 AND JOHN 16:5–7

The **Holy Spirit** is the Third Person of the Holy Trinity. He is always with us. He gives us strength during all the hard times in our lives.

The Holy Spirit is always at work in the Church. He helps us live out the Great Commandment. He helps the Church understand what Jesus taught. The Holy Spirit gives the Church the grace to do the work Jesus gave the Church to do.

Faith Focus
What is the work of the Holy Spirit in the world?

Faith Vocabulary

Holy Spirit
The Holy Spirit is the Third Person of the Holy Trinity.

Pentecost
Pentecost is the day on which the Holy Spirit came to the disciples, fifty days after the Resurrection.

Activity

The Holy Spirit is always with us. On the flames write three things that the Holy Spirit does for us. Share your ideas with a partner.

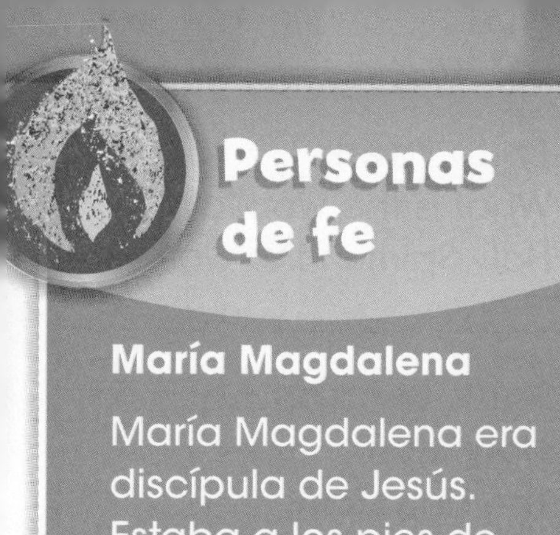

Personas de fe

María Magdalena

María Magdalena era discípula de Jesús. Estaba a los pies de la Cruz cuando Jesús murió. Fue la primera de los discípulos en ver a Jesús después de que resucitó de entre los muertos. ¡Estaba llena de gozo! Les dijo a todos: "¡Jesús está vivo!".

La venida del Espíritu Santo

María y los otros discípulos regresaron a Jerusalén después de la Ascensión. Lucas nos cuenta:

Subieron a la habitación superior de una casa y se dedicaron a rezar. Esperaron allí la venida del Espíritu Santo.

BASADO EN HECHOS DE LOS APÓSTOLES 1:12–14

Diez días después, el Espíritu Santo vino a María y a los otros discípulos. Fue durante la fiesta judía de **Pentecostés** y cincuenta días después de la Resurrección. La palabra Pentecostés significa "cincuenta días". Lucas nos cuenta lo que sucedió.

Eran aproximadamente las nueve de la mañana. De repente, un ruido como de un fuerte viento llenó la habitación. Pequeñas lenguas como de fuego se posaron sobre la cabeza de cada discípulo. Luego, ellos salieron y hablaron a todas las personas acerca de Jesús.

BASADO EN HECHOS DE LOS APÓSTOLES 2:1–4, 14

Actividad

Trabaja con un compañero. Imagina que saliste con Pedro y los discípulos. Haz una dramatización de lo que hubieras dicho a los demás acerca de Jesús.

The Coming of the Holy Spirit

Mary and the other disciples returned to Jerusalem after the Ascension. Luke tells us,

They went to the upper room of a home and devoted themselves to prayer. They waited there for the coming of the Holy Spirit.

BASED ON ACTS OF THE APOSTLES 1:12–14

Ten days later, the Holy Spirit came to Mary and the other disciples. It was during the Jewish feast of **Pentecost** and fifty days after the Resurrection. The word Pentecost means "fifty days." Luke tells us what happened.

It was about nine o'clock in the morning. Suddenly, a sound like a strong wind filled the room. Small flames of fire settled over each disciple's head. Then they went out and told everyone about Jesus.

BASED ON ACTS OF THE APOSTLES 2:1–4, 14

Faith-Filled People

Mary Magdalene

Mary Magdalene was a disciple of Jesus. She was at the foot of the Cross when Jesus died. She was the first of the disciples to see Jesus after he rose from the dead. She was full of joy! She told everyone, "Jesus is alive!"

Activity

Work with a partner. Imagine that you went out with Peter and the disciples. Act out what you would have told others about Jesus.

Los católicos creen

Frutos del Espíritu Santo

Los Frutos del Espíritu Santo son doce signos de que estamos cooperando con la gracia del Espíritu Santo. Son la caridad, el gozo, la paz, la paciencia, la longanimidad, la bondad, la benignidad, la mansedumbre, la fidelidad, la modestia, la continencia y la castidad.

El Espíritu Santo está con nosotros

En la Misa dominical, profesamos nuestra fe en el Espíritu Santo. Nos unimos a todos y decimos en voz alta: "Creo en el Espíritu Santo, Señor y dador de vida, que procede del Padre y del Hijo, que con el Padre y el Hijo recibe una misma adoración y gloria".

La Iglesia le da diferentes nombres al Espíritu Santo para ayudarnos a entender su obra.

Intérprete. Un intérprete defiende a las personas y habla por ellas. El Espíritu Santo nos fortalece en tiempos de peligro y maldad. Otra manera de decir intérprete es *Paráclito*.

Maestro. Un maestro ayuda a las personas a entender o a hacer bien algo. El Espíritu Santo nos ayuda a entender y a hacer lo que Jesús enseñó.

Guía. Un guía nos muestra el camino. El Espíritu Santo nos guía para tomar buenas decisiones para seguir a Jesús.

El Espíritu Santo nos da fortaleza, así como se las dio a los discípulos en el primer Pentecostés. Hay doce signos que muestran que el Espíritu Santo está obrando en la Iglesia. Estos signos se llaman Frutos del Espíritu Santo. El Espíritu Santo nos ayuda a usar estos signos para construir un mundo mejor.

? ¿De qué manera el Espíritu Santo es tu intérprete, maestro y guía?

The Holy Spirit Is with Us

At Sunday Mass we profess our faith in the Holy Spirit. We join with everyone and say aloud, "I believe in the Holy Spirit, the Lord, the giver of life, who proceeds from the Father and the Son, who with the Father and the Son is adored and glorified."

The Church gives the Holy Spirit different names to help us understand his work.

Advocate. An advocate defends people and speaks for them. The Holy Spirit strengthens us in times of danger and evil. Another word for advocate is *Paraclete*.

Teacher. A teacher helps people to understand or do something well. The Holy Spirit helps us to understand and do what Jesus taught.

Guide. A guide shows us the way. The Holy Spirit guides us in making good decisions to follow Jesus.

The Holy Spirit gives us courage, just as he did the disciples on the first Pentecost. There are twelve signs that show the Holy Spirit is working in the Church. These signs are called Fruits of the Holy Spirit. The Holy Spirit helps us to use these signs to build a better world.

? How is the Holy Spirit your advocate, teacher, and guide?

Catholics Believe

Fruits of the Holy Spirit

The Fruits of the Holy Spirit are twelve signs that we are cooperating with the grace of the Holy Spirit. They are love, joy, peace, patience, kindness, goodness, generosity, gentleness, faithfulness, modesty, self-control, and chastity.

Yo sigo a Jesús

El Espíritu Santo está siempre contigo. Siempre puedes contar con el Espíritu Santo: hoy, mañana, el mes próximo, el año próximo y cuando hayas crecido. Él está siempre contigo para ser tu intérprete, tu maestro y tu guía.

Actividad

El Espíritu Santo en mi vida

Revisa las oportunidades en que el Espíritu Santo está contigo como tu intérprete, maestro o guía. Cuéntale a tu clase por qué marcaste tus casillas.

- [ ] Cuando rezo
- [ ] Cuando estudio
- [ ] Cuando hago tareas en casa
- [ ] Cuando escucho música con mis amigos
- [ ] Cuando ______________________

Mi elección de fe

Esta semana, le pediré al Espíritu Santo que sea mi intérprete, mi maestro y mi guía. Yo voy a

____

____

____.

Reza: "Espíritu Santo, ayúdame a vivir mi vida con gozo, para que todas las personas sepan de tu presencia en mi vida. Amén".

The Holy Spirit is always with you. You can always count on the Holy Spirit—today, tomorrow, next month, next year, and when you are grown up. He is always with you to be your advocate, teacher, and guide.

Activity

The Holy Spirit in My Life

Check the times when the Holy Spirit is with you to be your advocate, teacher, or guide. Tell your class why you checked your boxes.

- ☐ When I pray
- ☐ When I study
- ☐ When I do chores at home
- ☐ When I listen to music with my friends
- ☐ When I ______________________________

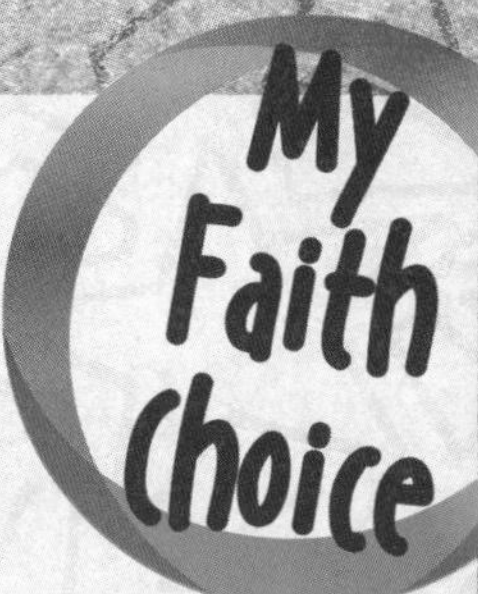

This week I will ask the Holy Spirit to be my advocate, teacher, and guide. I will

____

____

____.

Pray, "Holy Spirit, help me to live my life with joy, so all people will know your presence in my life. Amen."

PARA RECORDAR

1. Dios Padre envió al Espíritu Santo en el nombre de Jesús para que estuviera siempre con la Iglesia.
2. En Pentecostés, el Espíritu Santo vino a los discípulos y los ayudó a enseñarles a otros acerca de Jesús.
3. El Espíritu Santo es nuestro intérprete, maestro y guía.

Repaso del capítulo

Completa las oraciones con las siguientes palabras.

Intérprete	Pentecostés	Maestro	Trinidad

1. El Espíritu Santo es la Tercera Persona de la Santísima _________________.
2. El Espíritu Santo es el _________________, o El que habla por nosotros.
3. _________________ es el día en que el Espíritu Santo vino a los discípulos.
4. El Espíritu Santo es el _________________, o El que nos ayuda a entender las enseñanzas de Jesús.

¡Siente al Espíritu!

Canta o reza esta oración al Espíritu Santo.

Cantan todos **¡Cada vez que sienta al espíritu moviéndose en mi corazón, rezaré! *(Repetir)***

Líder ¡Ven, Espíritu Santo!

Todos **¡Ven, Espíritu Santo!**

Líder Llena nuestro corazón con tu amor.

Todos **Llena nuestro corazón con tu amor.**

Líder Envía a tu Espíritu.

Todos **Envía a tu Espíritu.**

Líder ¡Y renueva el mundo entero!

Todos **¡Y renueva el mundo entero!**

Chapter Review

Complete the sentences using the words below.

Advocate	Pentecost	Teacher	Trinity

1. The Holy Spirit is the Third Person of the Holy ______________.
2. The Holy Spirit is the ______________, or One who speaks for us.
3. ______________ is the day the Holy Spirit came to the disciples.
4. The Holy Spirit is the ______________, or One who helps us understand Jesus' teachings.

TO HELP YOU REMEMBER

1. God the Father sent the Holy Spirit in Jesus' name to always be with the Church.
2. On Pentecost, the Holy Spirit came to the disciples and helped them teach others about Jesus.
3. The Holy Spirit is our advocate, teacher, and guide.

Feel the Spirit!

Sing or speak this prayer to the Holy Spirit.

All Sing **Every time I feel the spirit movin' in my heart, I will pray! *(Repeat)***

Leader Come, Holy Spirit!

All **Come, Holy Spirit!**

Leader Fill our hearts with your love.

All **Fill our hearts with your love.**

Leader Send forth your Spirit.

All **Send forth your Spirit.**

Leader And make the whole world new!

All **And make the whole world new!**

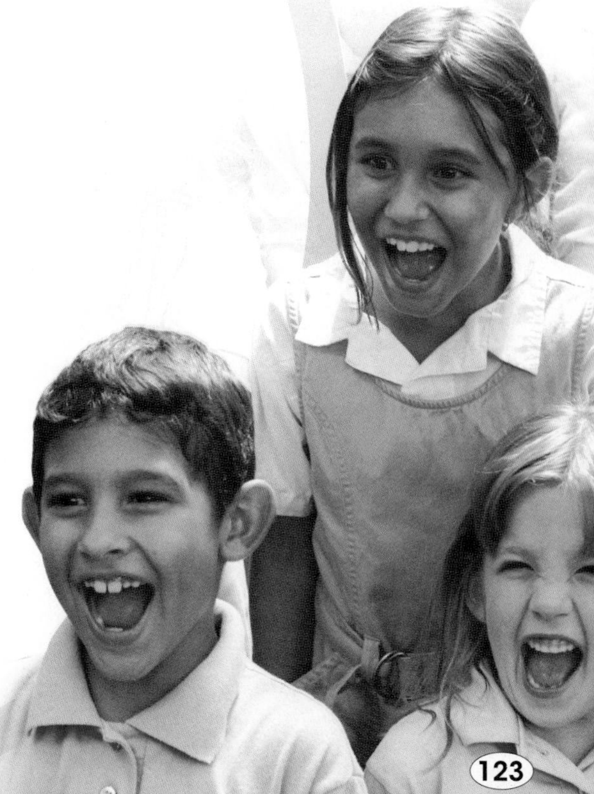

Con mi familia

Esta semana...

En el capítulo 6, "El don del Espíritu Santo", su niño aprendió que:

- Jesús prometió que el Padre enviaría al Espíritu Santo a sus discípulos en su nombre después de la Ascensión.
- El Espíritu Santo es la Tercera Persona de la Santísima Trinidad. Él es nuestro intérprete, maestro y guía.
- El Espíritu Santo vino a los discípulos, como Jesús prometió, durante el festival judío anual de Pentecostés.
- El verdadero gozo es más que la felicidad humana. Fluye del amor de Dios. Podemos experimentar gozo incluso en momentos difíciles.

Para saber más sobre otras enseñanzas de la Iglesia, consulten el *Catecismo de la Iglesia Católica*, 687–747, y el *Catecismo Católico de los Estados Unidos para los Adultos*, páginas 109–119.

Compartir la Palabra de Dios

Lean juntos Hechos de los Apóstoles 2:1–41, el relato de Pentecostés. O lean la adaptación del relato de la página 116. Hablen acerca de la manera en que el Espíritu Santo ayuda a su familia a vivir como discípulos de Jesús y les hacer sentir gozo.

Vivimos como discípulos

El hogar cristiano con la familia es una escuela de discipulado. Elijan una de las siguientes actividades para hacer en familia, o creen una actividad similar ustedes mismos.

- Hagan un cartel que tenga las palabras "Ven, Espíritu Santo". Cuelguen el cartel donde pueda recordar a toda la familia que el Espíritu Santo está siempre con ustedes.
- Juntos, escriban una oración familiar al Espíritu Santo. Usen la palabras Intérprete, Maestro y Guía. Incluyan la oración entre sus oraciones familiares. Pida a los miembros de la familia que la recen como parte de su oración de la mañana y de la oración a la hora de acostarse.

Nuestro viaje espiritual

Sin la ayuda y guía del Espíritu Santo, no podemos vivir la vida cristiana y hacer con éxito nuestro viaje espiritual terrenal. Aprendan un mantra sencillo, como "Ven, Espíritu Santo". Récenlo frecuentemente durante el día. Hagan de él una fuente de gozo y de fortaleza a lo largo del día.

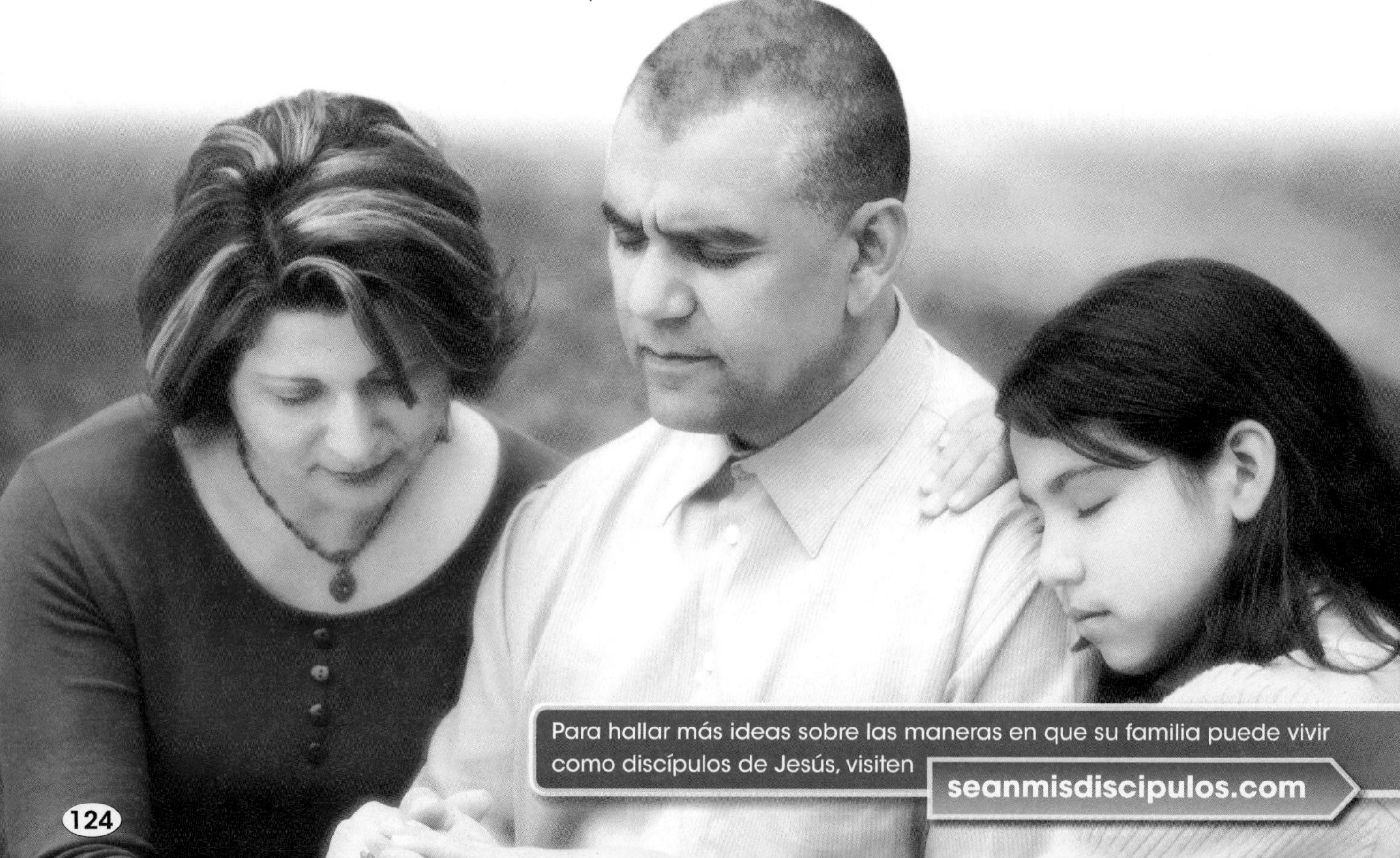

Para hallar más ideas sobre las maneras en que su familia puede vivir como discípulos de Jesús, visiten **seanmisdiscipulos.com**

With My Family

This Week...

In chapter 6, "The Gift of the Holy Spirit," your child learned that:

- Jesus promised that the Father would send the Holy Spirit to his disciples in his name after the Ascension.
- The Holy Spirit is the Third Person of the Holy Trinity. He is our advocate, teacher, and guide.
- The Holy Spirit came to the disciples, as Jesus promised, during the annual Jewish festival of Pentecost.
- True joy is more than human happiness. It flows from God's love. We can experience joy even in difficult times.

For more about related teachings of the Church, see the *Catechism of the Catholic Church*, 687–747; and the *United States Catholic Catechism for Adults*, pages 101–110.

Sharing God's Word

Read together Acts of the Apostles 2:1–41, the account of Pentecost. Or read the adaptation of the story on page 117. Talk about how the Holy Spirit helps your family live as disciples of Jesus and brings joy to your family.

We Live as Disciples

The Christian home and family is a school of discipleship. Choose one of the following activities to do as a family or design a similar activity of your own.

- Make a banner with the words "Come, Holy Spirit" on it. Hang the banner where it can remind the whole family that the Holy Spirit is always with you.
- Together, write a family prayer to the Holy Spirit. Use the words Advocate, Teacher, and Guide. Include the prayer among your family prayers. Have family members pray it as part of their morning prayer and bedtime prayer.

Our Spiritual Journey

Without the help and guidance of the Holy Spirit, we cannot live the Christian life and successfully make our earthly spiritual journey. Learn a simple mantra, such as "Come, Holy Spirit." Pray it often during the day. Make it a source of joy and strength throughout your day.

For more ideas on ways your family can live as disciples of Jesus, visit **BeMyDisciples.com**

CAPÍTULO
7

Lo que vendrá

En este capítulo el Espíritu Santo te invita a ▶

INVESTIGAR el trabajo del Papa.

DESCUBRIR la obra de la Iglesia.

DECIDIR a quién le hablarás acerca de Jesús.

La Iglesia

¿A qué grupos perteneces?

También perteneces a la Iglesia. Escucha la manera en que Pedro Apóstol describe a la Iglesia en una carta que escribió a todos los cristianos. Pedro escribió:

> *Ustedes han sido elegidos por Dios. Ustedes son un reino de sacerdotes, un pueblo consagrado. Ustedes antes no eran su pueblo, ahora son el pueblo de Dios.*
>
> Basado en 1.ª Pedro 2:9–10

¿Qué significa ser un reino de sacerdotes?

Looking Ahead

In this chapter the Holy Spirit invites you to ▶

EXPLORE the work of the Pope.

DISCOVER the work of the Church.

DECIDE who you will tell about Jesus.

CHAPTER 7

The Church

? To which groups do you belong?

You also belong to the Church. Listen to how Peter the Apostle describes the Church in a letter he wrote to all Christians. Peter wrote,

> *You have been chosen by God. You are a royal priesthood, a holy people. Once you were no people, now you are God's people.*
>
> BASED ON 1 PETER 2:9–10

? What does it mean to be a royal priesthood?

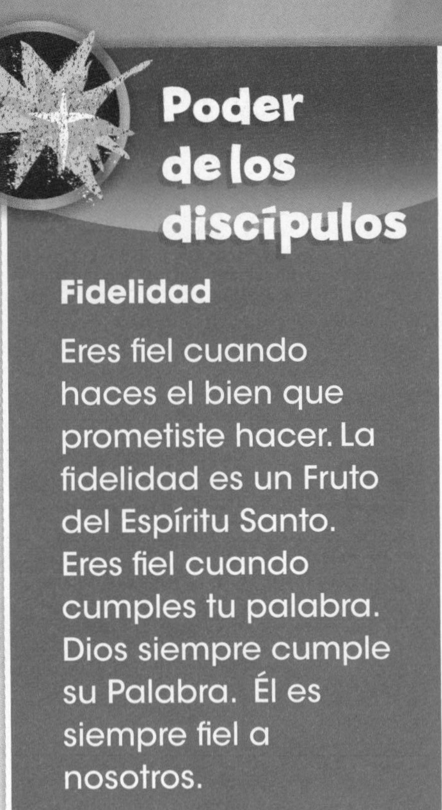

Poder de los discípulos

Fidelidad

Eres fiel cuando haces el bien que prometiste hacer. La fidelidad es un Fruto del Espíritu Santo. Eres fiel cuando cumples tu palabra. Dios siempre cumple su Palabra. Él es siempre fiel a nosotros.

La Iglesia sigue a **Jesús**

El Papa Francisco

El Papa es el jefe de la Iglesia del mundo entero. Él tiene la misma labor en la Iglesia que Jesús le dio a San Pedro.

El Papa Francisco se convirtió en Papa en 2013. La palabra *papa* viene del latín que significa "papá". El Papa es a veces llamado Santo Padre.

El Cardenal Bergoglio eligió el nombre Francisco después de haber sido votado Papa. Eligió ese nombre para honrar a San Francisco de Asís. Es el primer Papa de América Latina. Creció en Argentina y se hizo sacerdote jesuita. Papa Juan Pablo II lo nombró cardenal en 2001.

Una de las labores principales del Papa es elegir un obispo para cada diócesis. Una diócesis es la Iglesia en una parte determinada del mundo.

Tu obispo y los otros obispos, trabajan con el Papa para guiar y servir a la Iglesia. Ayudan a la Iglesia a crecer en santidad. Ellos nos ayudan a vivir como fieles discípulos de Jesús.

? ¿Cómo actúa el Papa como fiel discípulo de Jesús?

Audiencia general del Papa Francisco el 27 de marzo de 2013.

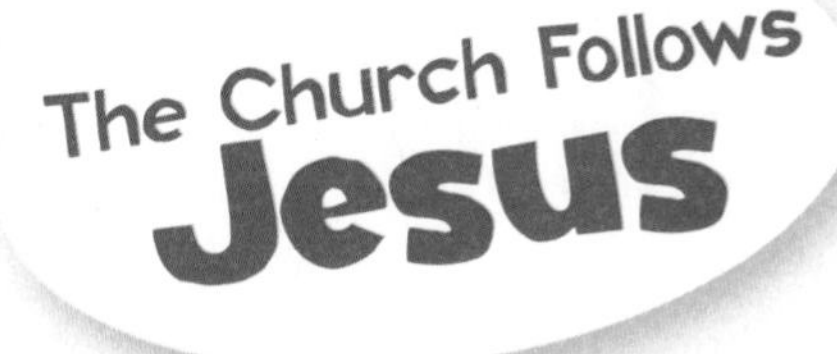

Disciple Power

Faithfulness

You are faithful when you do the good that you promised to do. Faithfulness is a Fruit of the Holy Spirit. You are faithful when you keep your word. God always keeps his word. He is always faithful to us.

Pope Francis

The Pope is the leader of the Church all over the world. He has the same job in the Church that Jesus gave to Saint Peter.

Pope Francis became Pope in 2013. The word *pope* comes from a Latin word that means "papa." The Pope is sometimes called the Holy Father.

Cardinal Jorge Bergoglio chose the name Francis after he was elected Pope. He chose the name to honor Saint Francis of Assisi. He is the first Pope to come from Latin America. He grew up in Argentina and became a Jesuit priest. Pope John Paul II named him a cardinal in 2001.

One of the main jobs of the Pope is to appoint a bishop for each diocese. A diocese is the Church in a particular part of the world.

Your bishop, and all the other bishops, work together with the Pope to lead and serve the Church. They help the Church grow in holiness. They help us live as faithful disciples of Jesus.

? How does the Pope act as a faithful disciple of Jesus?

General Audience of Pope Francis on March 27, 2013

Enfoque en la fe
¿Cuál es la obra que Jesús le dio a la Iglesia?

Vocabulario de fe

Apóstoles
Los Apóstoles fueron los primeros líderes de la Iglesia. Jesús los eligió para que bautizaran y enseñaran en su nombre.

Iglesia
La Iglesia es el Pueblo de Dios. Es el Templo del Espíritu Santo.

Construir la Iglesia

Después de la Resurrección, Jesús dio una misión a los **Apóstoles**. Una misión es una tarea especial que alguien envía a otra persona a hacer. Esta es la misión que Jesús dio a los Apóstoles. Jesús les encomendó:

> *"Vayan a los pueblos de todas las naciones y háganlos mis discípulos. Bautícenlos en el Nombre del Padre y del Hijo y del Espíritu Santo. Enséñenles todo lo que yo les he enseñado."*
>
> Basado en Mateo 28:19–20

Los Apóstoles y otros discípulos obedecieron el mandato de Jesús. Después de que el Espíritu Santo viniera a los Apóstoles en Pentecostés, los ayudó a cumplir su misión. Los Apóstoles viajaron a muchas partes del mundo. Muchas personas eran bautizadas y se convertían en seguidores de Jesucristo. La **Iglesia** creció en todas partes del mundo.

Hoy, el Espíritu Santo continúa ayudando a la Iglesia a crecer. El Espíritu Santo guía a todos los bautizados a hacer la obra que Jesús le dio a su Iglesia.

? Describe tres acciones que Jesús pidió a los Apóstoles que hicieran. ¿Quién hace ese trabajo hoy en la Iglesia?

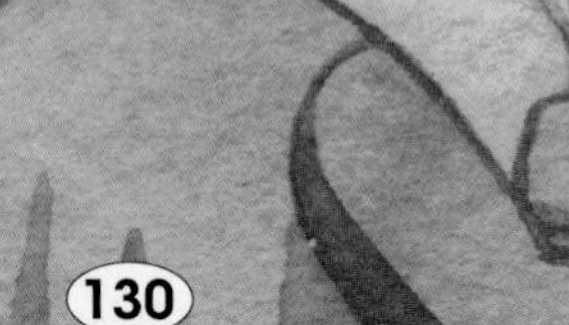

Building the Church

Faith Focus
What is the work Jesus gave the Church?

Faith Vocabulary

Apostles
The Apostles were the first leaders of the Church. Jesus chose them to baptize and teach in his name.

Church
The Church is the People of God. She is the Temple of the Holy Spirit.

After the Resurrection, Jesus gave the **Apostles** a mission. A mission is a special job someone sends another person to do. This is the mission that Jesus gave the Apostles. Jesus commanded them,

> *"Go to the people of all nations and make them my disciples. Baptize them in the name of the Father, and of the Son, and of the Holy Spirit. Teach them everything I have told you."*
>
> BASED ON MATTHEW 28:19–20

The Apostles and other disciples obeyed Jesus' command. After the Holy Spirit came to the Apostles on Pentecost, he helped them fulfill their mission. The Apostles traveled to many parts of the world. Many people were baptized and became followers of Jesus Christ. The **Church** grew in all parts of the world.

The Holy Spirit continues to help the Church grow today. The Holy Spirit guides all the baptized to do the work that Jesus gave his Church.

? Describe three actions Jesus asked the Apostles to do. Who does that work in the Church today?

Personas de fe

Los ministros ordenados

Los obispos de la Iglesia continúan la obra que Jesús les dio a los Apóstoles. Los obispos predican, enseñan y nos dirigen en el culto. Los sacerdotes son los colaboradores de los obispos. Los diáconos asisten a los obispos y a los sacerdotes.

El Pueblo santo de Dios

Jesús iba con frecuencia al Templo de Jerusalén. En la religión judía, el Templo es el más sagrado de los lugares. Es el lugar donde habita Dios. En la época de Jesús, los judíos iban al Templo para rendir culto. También iban a aprender lo que Dios les revelaba.

San Pablo Apóstol recordaba a los cristianos:

Ustedes son el templo del Espíritu Santo.

Basado en 1.ª Corintios 6:19

Todo aquel que es miembro de la Iglesia es un templo del Espíritu Santo. Esto significa que Dios habita en los bautizados o hace de ellos su hogar.

El Espíritu Santo está siempre con toda la Iglesia. El Espíritu Santo le da a toda la Iglesia las gracias para vivir como el Pueblo santo de Dios.

? ¿Cómo puedes demostrar que eres un templo del Espíritu Santo?

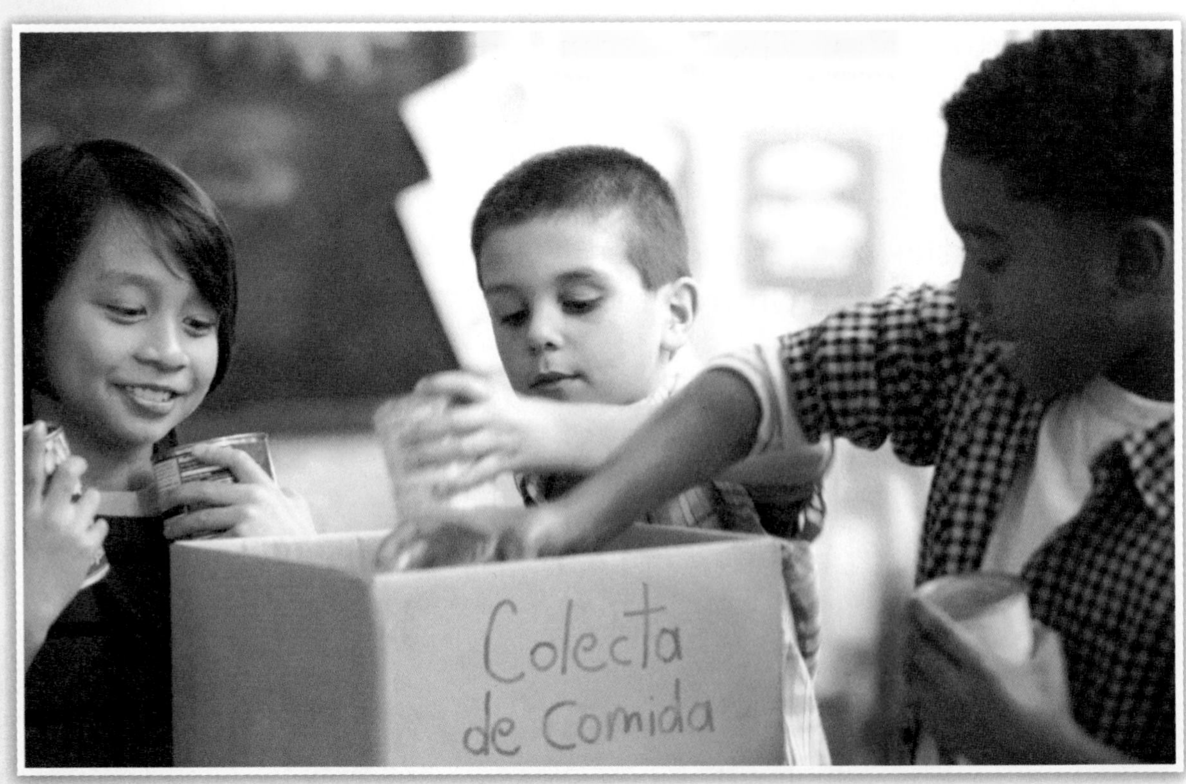

The Holy People of God

Jesus often went to the Temple in Jerusalem. In the Jewish religion, the Temple is the holiest of places. It is the dwelling place of God. The Jewish people in Jesus' time went to the Temple for worship. They also went there to learn what God revealed to them.

Saint Paul the Apostle reminded the Christians,

You are a temple of the Holy Spirit.

BASED ON 1 CORINTHIANS 6:19

Everyone who is a member of the Church is a temple of the Holy Spirit. This means that God dwells in the baptized, or makes them his home.

The Holy Spirit is always present with the whole Church. The Holy Spirit gives everyone in the Church the graces to live as the holy People of God.

? How can you show that you are a temple of the Holy Spirit?

Faith-Filled People

The Ordained

The bishops of the Church continue the work Jesus gave to the Apostles. Bishops preach, teach, and lead us in worship. Priests are co-workers with bishops. Deacons assist bishops and priests.

Los católicos creen

Obras de Misericordia

Hay catorce Obras de Misericordia Corporales y Espirituales. Las Obras de Misericordia nombran maneras en que los cristianos pueden vivir y crecer como pueblo santo de Dios. Cuando hacemos estas obras, demostramos que somos fieles a nuestro Bautismo.

La Iglesia Católica

Pertenecemos a la Iglesia Católica. La Iglesia Católica se remonta a los tiempos de Jesús y los Apóstoles. Nos hacemos miembros de la Iglesia en el Bautismo. Nos hacemos miembros del Pueblo santo de Dios. Recibimos el don de la gracia santificante. La gracia santificante es el don de Dios de compartir su vida con nosotros. La palabra "santificante" significa "que hace santo".

Todo aquel que pertenece a la Iglesia Católica forma parte del Pueblo de Dios. Muchas personas forman el Pueblo de Dios. Pertenecen a la Iglesia el Papa, los otros obispos, los sacerdotes, los diáconos, los hermanos religiosos y las hermanas religiosas. A las demás personas, casadas o solteras, que forman la Iglesia en la Tierra se las llama laicos.

Todos los miembros de la Iglesia tienen dones. El Espíritu Santo le da a toda persona bautizada la gracia o ayuda para usar sus dones. Cada miembro de la Iglesia tiene una responsabilidad importante. Cada persona tiene la responsabilidad de usar sus dones para ayudar a los demás y lleguen a conocer a Jesús y el amor de Dios.

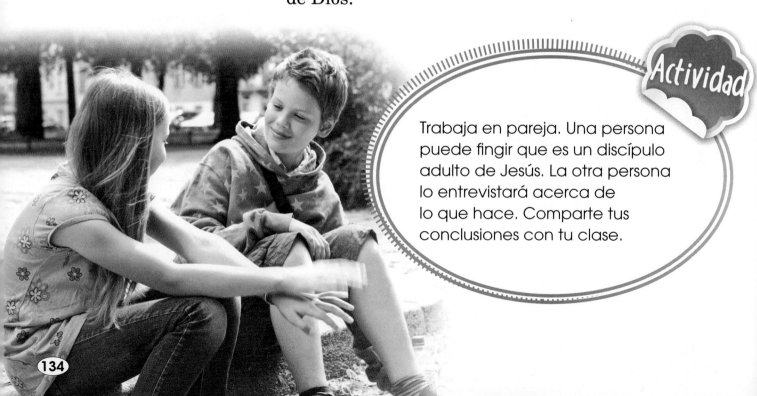

Actividad

Trabaja en pareja. Una persona puede fingir que es un discípulo adulto de Jesús. La otra persona lo entrevistará acerca de lo que hace. Comparte tus conclusiones con tu clase.

The Catholic Church

We belong to the Catholic Church. The Catholic Church goes all the way back to Jesus and the Apostles. We become members of the Church at Baptism. We become members of the holy People of God. We receive the gift of sanctifying grace. Sanctifying grace is the gift of God sharing his life with us. The word "sanctifying" means "making holy."

Everyone who belongs to the Catholic Church is part of the People of God. Many people make up the People of God. The Pope, other bishops, priests, deacons, religious brothers, and religious sisters belong to the Church. The other married and unmarried people who make up the Church on Earth are called lay people.

Every member of the Church has gifts. The Holy Spirit gives grace, or help, to every baptized person to use their gifts. Each member of the Church has an important responsibility. Each person has the responsibility to use his or her gifts to help others come to know Jesus and God's love.

Catholics Believe

Works of Mercy

There are fourteen Corporal and Spiritual Works of Mercy. The Works of Mercy name ways that Christians can live and grow as God's holy people. When we do these works, we show we are faithful to our Baptism.

Activity

Work in pairs. One person can pretend they are an adult disciple of Jesus. The other person will interview them about what they do. Share your findings with your class.

Yo sigo a Jesús

En el Bautismo, recibiste el don del Espíritu Santo. Te convertiste en un hijo o una hija adoptivo de Dios. Te convertiste en un miembro de la Iglesia, el Pueblo santo de Dios. Te dieron la responsabilidad de ayudar a que otros lleguen a conocer a Jesús.

Mi obra en la Iglesia

Piensa en las personas a las que puedes hablarles acerca de Jesús. Luego completa la actividad.

En casa, puedo hablarle a ________________ acerca de Jesús.

En la escuela, puedo hablarle a ________________ acerca de Jesús.

También puedo hablarle a ________________ acerca de Jesús.

Estas son dos cosas que diré acerca de Jesús

____

____

Esta semana, viviré como un miembro fiel del Pueblo santo de Dios. Yo voy a

____

____

Reza: "Espíritu Santo, dame la gracia de ser fiel a Jesús. Ayúdame a vivir mi Bautismo. Amén".

At Baptism you received the gift of the Holy Spirit. You became an adopted son or daughter of God. You became a member of the Church, the holy People of God. You were given the responsibility to help others come to know Jesus.

Activity

My Work in the Church

Think about the people you can tell about Jesus. Then complete the activity.

At home I can tell ________________ about Jesus.

At school I can tell ________________ about Jesus.

I can also tell ________________ about Jesus.

Here are two things I will tell about Jesus.

____

____

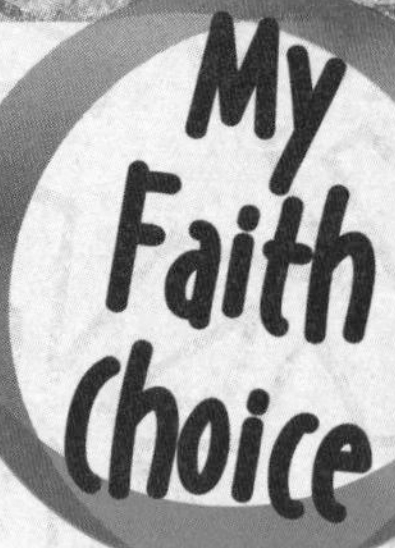

This week I will live as a faithful member of the holy People of God. I will

____

____

Pray, "Holy Spirit, give me the grace to be faithful to Jesus. Help me live my Baptism. Amen."

PARA RECORDAR

1. La Iglesia es el Pueblo santo de Dios.
2. Todas las personas de la Iglesia están llamadas a vivir una vida santa.
3. Todas las personas de la Iglesia ayudan a los demás a llegar a conocer a Jesús. Invitan a los demás a ser seguidores de Jesús.

Repaso del capítulo

Encuentra el mensaje oculto acerca de la Iglesia. Encierra en un círculo la primera letra de cada renglón y, luego, una sí y una no. Comparte el mensaje con un amigo.

L B A X I C G T L W E R S J I K A

___ ___ ___ ___ ___ ___ ___ ___ ___

E R S T E H L Ñ P D U T E K B Y L Z O

___ ___ ___ ___ ___ ___ ___ ___ ___ ___

S R A Q N P T L O F D R E

___ ___ ___ ___ ___ ___ ___

D G I L O R S T

___ ___ ___ ___.

Padre Nuestro

El Padre Nuestro es la oración de todos los cristianos. En el Padre Nuestro, le pedimos a Dios que nos ayude a hacer la obra que Él envió a Jesús a hacer. Recen juntos en inglés y en español.

Líder *Our Father, who art in heaven.*
(áu-er) (fá-der) (ju) (art) (in) (jé-ven).

Todos ***Our Father, who art in heaven.***

Lado 1 Venga a nosotros tu reino, hágase tu voluntad.

Lado 2 En la tierra como en el cielo.

Todos ***Our Father, who art in heaven.***

Chapter Review

Find the hidden message about the Church. Circle the first letter on each line and then circle every other letter. Share the message with a friend.

TBHCE XCSHTULRBCDH

__ __ __   __ __ __ __ __ __

IHS BTCHLE LHBOSLDY

__ __   __ __ __   __ __ __ __

PYETOSPWLBE BOHF

__ __ __ __ __ __   __ __

GLOQDT

__ __ __.

TO HELP YOU REMEMBER

1. The Church is the holy People of God.
2. All the people of the Church are called to live holy lives.
3. All the people of the Church help others come to know Jesus. They invite others to be followers of Jesus.

The Our Father

The Our Father is the prayer of all Christians. In the Our Father, we ask God to help us do the work he sent Jesus to do. Pray together in English and Spanish.

Leader Padre nuestro, que estás en el cielo.
(pah-dray) (new-es-tro) (kay) (es-tas) (ehn) (ehl) (see-ay-loh)

All **Padre nuestro, que estás en el cielo.**

Side 1 Thy kingdom come, thy will be done.

Side 2 On earth as it is in heaven.

All **Padre nuestro, que estás en el cielo.**

Con mi familia

Esta semana...

En el capítulo 7, "La Iglesia", su niño aprendió que:

- La Iglesia Católica se remonta a los tiempos de Jesús y los Apóstoles.
- La Iglesia es el Pueblo santo de Dios y el Templo del Espíritu Santo.
- El Espíritu Santo está presente dentro de cada uno de los bautizados y en toda la Iglesia. El Espíritu Santo les da a todos los bautizados las gracias necesarias para vivir como discípulos fieles.
- El Papa y los obispos dirigen a la Iglesia para hacer la obra que Jesús le dio a la Iglesia. Los sacerdotes son los colaboradores de sus obispos. Los diáconos asisten a los obispos y a los sacerdotes.

Para saber más sobre otras enseñanzas de la Iglesia, consulten el *Catecismo de la Iglesia Católica,* 770–801, 849–933, y el *Catecismo Católico de los Estados Unidos para los Adultos,* páginas 121–150.

Compartir la Palabra de Dios

Lean juntos Mateo 28:19–20 acerca de la obra que el Jesús resucitado les dio a los discípulos. O lean la adaptación del relato de la página 130. Comenten la manera en que su familia participa de esa obra.

Vivimos como discípulos

El hogar cristiano con la familia es una escuela de discipulado. Elijan una de las siguientes actividades para hacer en familia, o creen una actividad similar ustedes mismos.

- Comenten maneras en que las personas de su parroquia los ayudan a vivir como fieles seguidores de Cristo. Hagan algo en familia para demostrar su aprecio por esas personas. Si lo desean, pueden diseñar y firmar una tarjeta para varias de estas personas.
- Nombren maneras en que los miembros de su familia pueden ayudarse mutuamente a vivir como fieles discípulos de Jesús. Escríbanlas. Colóquenlas en un recipiente cerca de la entrada de la casa o en la mesa de la cocina. Cada día, saquen una y pónganla en práctica.

Nuestro viaje espiritual

El Padre Nuestro es el resumen del Evangelio. Rezar el Padre Nuestro cada día ha sido una larga tradición de la Iglesia. Seguir esta práctica ayudará a mantener centrada su vida y les permitirá vivir como fieles hijos de Dios. Asegúrense de que sus niños sepan esta oración de memoria.

Para hallar más ideas sobre las maneras en que su familia puede vivir como discípulos de Jesús, visiten **seanmisdiscipulos.com**

With My Family

This Week...

In chapter 7, "The Church," your child learned:

- ▶ The Catholic Church goes all the way back to the time of Jesus and the Apostles.
- ▶ The Church is the holy People of God, and the Temple of the Holy Spirit.
- ▶ The Holy Spirit is present within each of the baptized and with the whole Church. The Holy Spirit gives all the baptized the graces needed to live as the faithful diciples.
- ▶ The Pope and bishops lead the Church in doing the work Jesus gave the Church. Priests are co-workers with their bishops. Deacons assist bishops and priests.

For more about related teachings of the Church, see the *Catechism of the Catholic Church*, 770–801, 849–933; *United States Catholic Catechism for Adults*, pages 111–139.

Sharing God's Word

Read together Matthew 28:19–20 about the work that the Risen Jesus gave to the disciples. Or read the adaptation of the story on page 131. Talk about how your family is taking part in that work.

We Live as Disciples

The Christian home and family is a school of discipleship. Choose one of the following activities to do as a family or design a similar activity of your own.

- ▶ Talk about the ways that people in your parish help you live as faithful followers of Christ. Do something as a family to show your appreciation for those people. You might design and sign a card for several of these people.
- ▶ Name ways that members of your family can help one another live as faithful disciples of Jesus. Write them down. Place them in a bowl near the entrance of your home or on the kitchen table. Pick one each day and put it into practice.

Our Spiritual Journey

The Our Father is a summary of the Gospel. Praying the Our Father each day has been a long tradition of the Church. Following this practice will help keep your life in focus and enable you to live as faithful children of God. Be sure that your children know this prayer by heart.

For more ideas on ways your family can live as disciples of Jesus, visit **BeMyDisciples.com**

CAPÍTULO 8

Lo que vendrá

En este capítulo el Espíritu Santo te invita a ▶

INVESTIGAR la historia de Juan Diego.

DESCUBRIR el significado de la Comunión de los Santos.

DECIDIR maneras de servir como lo haría un santo.

La Comunión de los Santos

¿Qué significa ser un buen ejemplo para los demás?

Jesús nos dio el Gran Mandamiento.

Amarás al Señor tu Dios con todo tu corazón, con toda tu alma, con toda tu inteligencia y con todas tus fuerzas... Amarás a tu prójimo como a ti mismo.

MARCOS 12:30–31

¿Cómo puedes hacer lo que Jesús te está pidiendo que hagas? ¿Quién puede ayudarte?

Looking Ahead

In this chapter the Holy Spirit invites you to ▶

EXPLORE the story of Juan Diego.

DISCOVER the meaning of the Communion of Saints.

DECIDE ways to serve as a saint would do.

CHAPTER 8

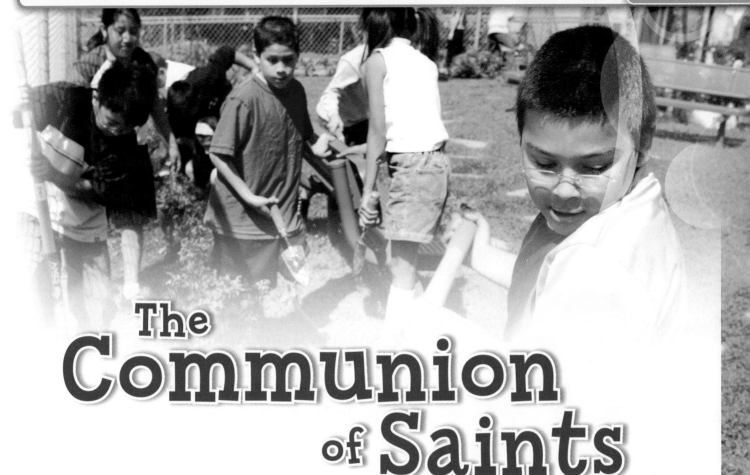

The Communion of Saints

? What does it mean to be a good example for others?

Jesus gave us the Great Commandment.

You shall love the Lord your God with all your heart, with all your soul, with all your mind, and with all your strength. You shall love your neighbor as yourself.

MARK 12:30–31

? How can you do what Jesus is asking you to do? Who can help you?

Poder de los discípulos

Humildad

Las personas actúan con humildad cuando le agradecen a Dios por lo que pueden hacer. Saben que todas sus bendiciones son dones de Dios.

San Juan Diego

La Iglesia da un nombre a las personas que viven el Gran Mandamiento. A tales personas la Iglesia las llama Santas. Los Santos son buenos ejemplos a seguir por los católicos. Juan Diego es uno de esos Santos.

Juan Diego era un pastor que vivió en México hace muchos años. Todos los días, caminaba quince millas para ir a Misa. Un día, camino a la Misa, vio a una hermosa azteca. Los aztecas eran pueblos indígenas americanos que vivieron en América Central muchos años atrás.

La mujer le dijo a Juan que ella era María, la Madre de Dios. Le dijo a Juan que fuera a ver al obispo y que le pidiera que construyera una iglesia cerca del lugar donde ella apareció por primera vez. El lugar era el cerro del Tepeyac, en las afueras de la ciudad de México.

María le dio a Juan unas hermosas rosas para que se las mostrara al obispo. Juan Diego llevó las rosas en su "tilma" o poncho. Cuando se las mostró al obispo, había una hermosa imagen de María dentro de la "tilma". La Iglesia llama a esta imagen Nuestra Señora de Guadalupe. El obispo ordenó construir una iglesia en el cerro del Tepeyac.

Mira la imagen de San Juan Diego y Nuestra Señora de Guadalupe. ¿Qué ves? Vuelve a contar el relato a un compañero.

Disciple Power

Humility

People act with humility when they thank God for what they are able to do. They know that all their blessings are gifts from God.

Saint Juan Diego

The Church gives a name to people who live the Great Commandment. The Church names such people Saints. Saints are good examples for Catholics to follow. Juan Diego is one of those Saints.

Juan Diego was a shepherd who lived in Mexico many years ago. Every day he would walk fifteen miles to Mass. One day, on his way to Mass, he saw a beautiful Aztec woman. The Aztecs were Native American people who lived in Central America many years ago.

The woman told Juan that she was Mary, the Mother of God. She asked Juan to go to his bishop and have him build a church near the place she first appeared. The name of the place is Tepeyac Hill, outside Mexico City.

Mary gave Juan beautiful roses to show to his bishop. Juan Diego carried the roses in his "tilma", or poncho. When he showed them to the bishop, there was a beautiful image of Mary inside his "tilma." The Church calls this image Our Lady of Guadalupe. The bishop ordered a church to be built at Tepeyac Hill.

Activity

Look at the picture of Saint Juan Diego and Our Lady of Guadalupe. What do you see? Retell the story to a partner.

Enfoque en la fe
¿Por qué llamamos a la Iglesia Comunión de los Santos?

Vocabulario de fe

Comunión de los Santos
Todas las personas que han seguido fielmente a Jesús son la Comunión de los Santos. Esto incluye a todos los del Cielo y a los fieles en la Tierra y en el Purgatorio.

Santos
Los Santos son personas que viven con Dios para siempre en el Cielo.

La Comunión de los Santos

Juan Diego es un Santo de la Iglesia. En el Credo de los Apóstoles, rezamos que creemos en la **Comunión de los Santos**. Es una comunión de las personas santas y las cosas santas que nos conectan con Dios.

La Comunión de los Santos incluye a todos los fieles seguidores de Jesús. Esto incluye a los fieles de la Tierra, del Cielo y del Purgatorio.

Conocemos el nombre de algunos de los **Santos** del Cielo. Pero no conocemos el nombre de la mayoría de los Santos. En la Solemnidad de Todos los Santos, el 1 de noviembre, honramos a todos los Santos. Honramos a aquellos cuyo nombre conocemos y a aquellos que no.

A veces, las personas que creen en Dios mueren. Pero todavía no están preparadas para estar en el Cielo. Están en el Purgatorio. Necesitan tiempo aún para crecer en su amor por Dios. El 2 de noviembre, toda la Iglesia reza por los fieles del Purgatorio. Este día se llama Día de Todos los Fieles Difuntos.

Hay muchas maneras de rezar cuando las personas mueren. En Guatemala, un país de América Central, las personas hacen cometas enormes. ¡Las cometas son más grandes que las casas de las personas! Hacen volar las cometas el Día de Todos los Fieles Difuntos para recordar a los que han muerto.

? ¿Quiénes son algunos Santos que tu familia honra?

The Communion of Saints

Faith Focus
Why do we call the Church the Communion of Saints?

Faith Vocabulary

Communion of Saints
All people who have faithfully followed Jesus are called the Communion of Saints. This includes the faithful on Earth, all those in Heaven, and in Purgatory.

Saints
Saints are people who live with God forever in Heaven.

Juan Diego is a Saint of the Church. In the Apostles' Creed, we pray that we believe in the **Communion of Saints**. It is a communion of holy people and the holy things that connect us to God.

The Communion of Saints includes all of the faithful followers of Jesus. It includes the faithful on Earth, those in Heaven, and those in Purgatory.

We know the names of some of the **Saints** in Heaven. But we do not know the names of most of the Saints. On the Solemnity of All Saints, November 1, we honor all the Saints. We honor those whose names we know and those we do not know.

Sometimes people who believe in God die. But they are not ready to be in Heaven yet. They are in Purgatory. They still need time to grow in their love for God. On November 2, the whole Church prays for the faithful in Purgatory. This day is called All Souls' Day.

There are many ways to pray when people die. In Guatemala, a country in Central America, people make huge kites. The kites are bigger than the people's houses! They fly the kites on All Souls' Day to remember those who have died.

? Who are some Saints that your family honors?

Personas de fe

Santos patronos

Los santos nos dan buenos ejemplos sobre cómo vivir como discípulos de Jesús. A algunos de los Santos se los llama Santos patronos. Ellos rezan por nosotros y nos guían cuando necesitamos ayuda. Nuestra Señora de Guadalupe es la Santa patrona de toda América.

Santa Isabel Ana Seton

San Bruno Serunkuma de Uganda

San Pablo

Nombrar a los Santos de la Iglesia

La Iglesia tiene una manera especial para nombrar Santos. A la Iglesia puede llevarle mucho tiempo honrar a alguien como Santo después de que muere. Así es cómo funciona.

Primero, la Iglesia aprende todo acerca de la vida que la persona vivió en la Tierra. La Iglesia busca la respuesta a la pregunta: "¿Por qué debería ser nombrada Santa esta persona?". La Iglesia mira todas las cosas buenas que la persona hizo para ver si es un buen ejemplo para que nosotros sigamos.

Después, la Iglesia busca una señal de que la persona está en el Cielo. Busca dos milagros conectados con la persona. Finalmente, el Papa nombra Santa a la persona. Este proceso se llama proceso de canonización.

La Iglesia recuerda a los Santos en días especiales que honran su vida. Estos días se llaman días festivos. Por ejemplo, el día de San Juan Diego es el 9 de diciembre. La Fiesta de Nuestra Señora de Guadalupe es el 12 de diciembre. Al honrar a los Santos, la Iglesia nos ayuda a recordar lo que significa vivir como discípulos de Jesús.

? ¿Cuál es el nombre de un Santo que nombraste en la página 146? ¿De qué manera es ese Santo un buen ejemplo para ti?

Naming the Saints of the Church

The Church has a special way to name Saints. It can take a very long time for the Church to honor someone as a Saint after she or he dies. Here is how it works.

First, the Church learns all about the life the person lived on Earth. The Church looks for the answer to the question, "Why should this person be named a Saint?" The Church looks at all the good things the person did to see if he or she is a good example for us to follow.

Next, the Church looks for a sign that the person is in Heaven. She looks for two miracles connected with the person. Finally, the Pope names the person a Saint. This process is called the canonization process.

The Church remembers the Saints on special days that honor their lives. These days are called feast days. For example, Saint Juan Diego's feast day is December 9. The Feast of Our Lady of Guadalupe is on December 12. By honoring the Saints, the Church helps us remember what it means to live as disciples of Jesus.

? What is the name of a Saint you named on page 147? How is that Saint a good example for you?

Faith-Filled People

Patron Saints

Saints give us good examples for how to live as disciples of Jesus. Some of the Saints are called patron Saints. They pray for us and guide us when we need help. Our Lady of Guadalupe is the patron Saint of all the Americas.

Saint Elizabeth Ann Seton

Saint Paul

Saint Bruno Sserunkuuma of Uganda

Los católicos creen

Rezar a los Santos

Rezamos a los Santos. Ellos están vivos en el Cielo. Les pedimos que nos ayuden a vivir como buenos discípulos de Jesús.

El Cuerpo de Cristo

La Iglesia es una Comunión de los Santos. Es una comunión de personas santas que se unieron a Jesús. San Pablo Apóstol escribió:

> *La Iglesia es el Cuerpo de Cristo. El Cuerpo de Cristo tiene muchas partes, tal como los cuerpos humanos. Juntos somos el Cuerpo de Cristo. Cada parte de nosotros es una parte importante de su Cuerpo.*
>
> Basado en 1.ª Corintios 12:12, 27

Cristo es la Cabeza de su Cuerpo, la Iglesia. Cuando te bautizaron, quedaste unido a Cristo y te convertiste en parte del Cuerpo de Cristo. Te convertiste en un miembro importante de la Iglesia. Cada miembro del Cuerpo de Cristo es importante para la Iglesia.

Cada miembro tiene un trabajo que hacer. Todos los miembros trabajan juntos, así como lo hacen las partes de un cuerpo. El Espíritu Santo nos ayuda a trabajar juntos.

Cuando recibimos a Cristo en la Sagrada Comunión, nos acercamos más a Jesús y a los demás miembros de la Iglesia. Recibimos la gracia para trabajar juntos para hacer la obra que Jesús le dio a la Iglesia.

Actividad

Anota tres capacidades que tú aportas al Cuerpo de Cristo y que puedes compartir con los demás. ¿De qué manera ayudan estas capacidades a los que te rodean?

____

____

____

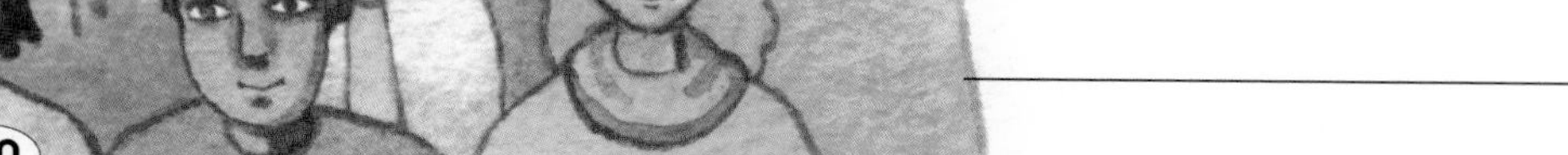

The Body of Christ

The Church is a Communion of Saints. It is a communion of holy people joined to Jesus. Saint Paul the Apostle wrote:

> *The Church is the Body of Christ. The Body of Christ has many parts, just as any human body does. Together we are the Body of Christ. Each of us is an important part of his Body.*
>
> BASED ON 1 CORINTHIANS 12:12, 27

Christ is the Head of his Body, the Church. When you were baptized, you became joined to Christ and part of the Body of Christ. You became an important member of the Church. Each member of the Body of Christ is important to the Church.

Each member has a job to do. All the members work together, just as the parts of a body do. The Holy Spirit helps us work together.

When we receive Christ in Holy Communion, we become closer to Jesus and the other members of the Church. We receive the grace to work together to do the work Jesus gave to the Church.

Catholics Believe

Praying to the Saints

We pray to the Saints. They are alive in Heaven. We ask them to help us live as good disciples of Jesus.

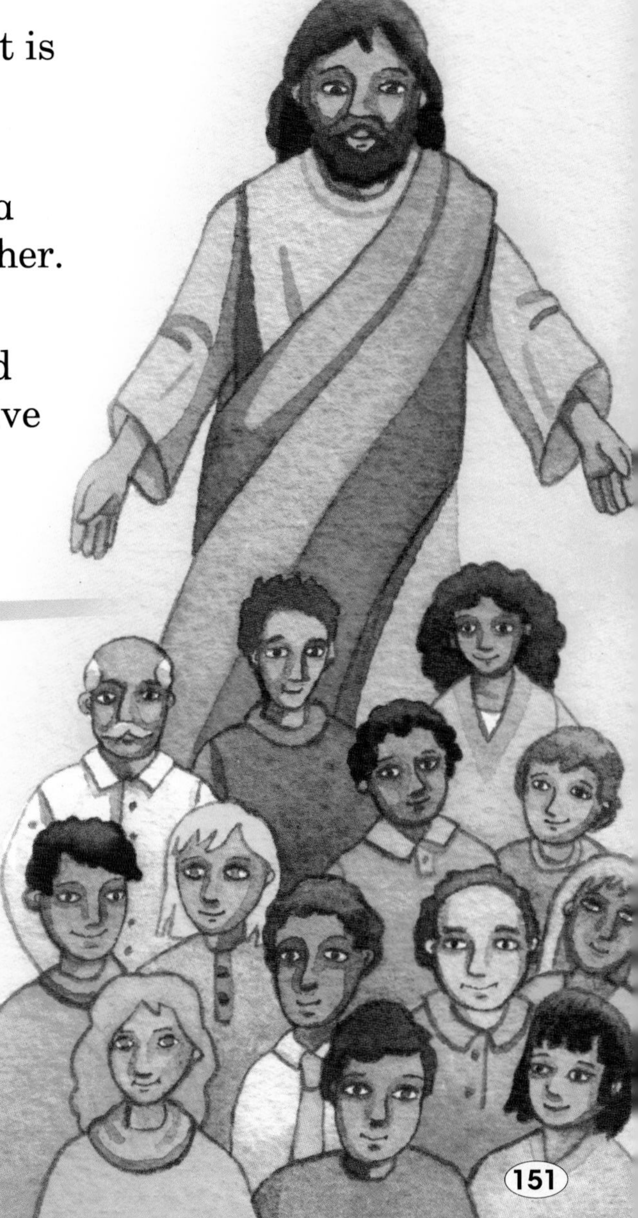

List three abilities you bring to the Body of Christ that you can share with others. How can those abilities help those around you?

____

____

____

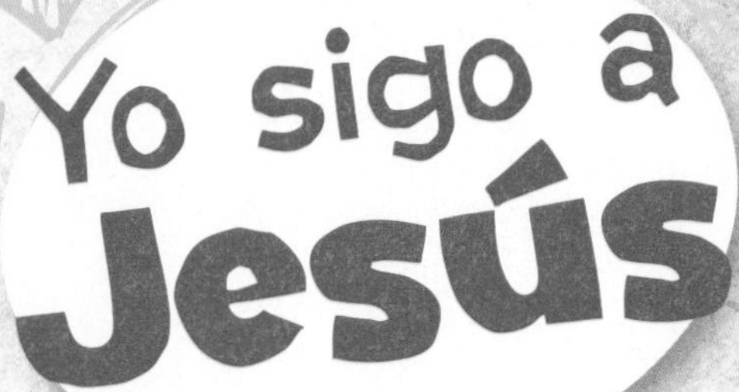

Tú eres un miembro de la Iglesia. Tú eres un miembro de la Comunión de los Santos. Tú eres un miembro del Cuerpo de Cristo. Seguir el buen ejemplo de los Santos puede ayudarte a vivir como un buen discípulo de Jesús. Te puede ayudar a vivir la vida de un Santo.

Actividad

Vivir como un santo

Estas son algunas de las cosas importantes que hacen los Santos. Colorea las casillas que están junto a las cosas que ya haces. Pon una marca en las casillas que están junto a las cosas que tratarás de hacer en el futuro. Con un compañero, haz una representación de una de las cosas que te gustaría hacer.

- ☐ Dar alimentos a los hambrientos.
- ☐ Dar de beber a los sedientos.
- ☐ Visitar a los enfermos.
- ☐ Dar ropa a los que la necesitan.

Esta semana, trataré de ser humilde y de agradecer a Dios por mis bendiciones. Haré esto cuando

____

____.

Reza: "San (Santa/Santo) ____________, ayúdame a seguir a Jesús como tú hiciste. Amén".

You are a member of the Church. You are a member of the Communion of Saints. You are a member of the Body of Christ. Following the good example of the Saints can help you live as a good disciple of Jesus. It can help you live the life of a Saint.

Activity

Living as a Saint

Here are some of the important things that Saints do. Color in the boxes next to the things you already do. Put a check in the boxes next to the things you will try to do in the future. With a partner, act out one of the things you would like to do.

- ☐ Give food to people who are hungry.
- ☐ Give a drink to people who are thirsty.
- ☐ Visit people who are sick.
- ☐ Give clothes to people who need them.

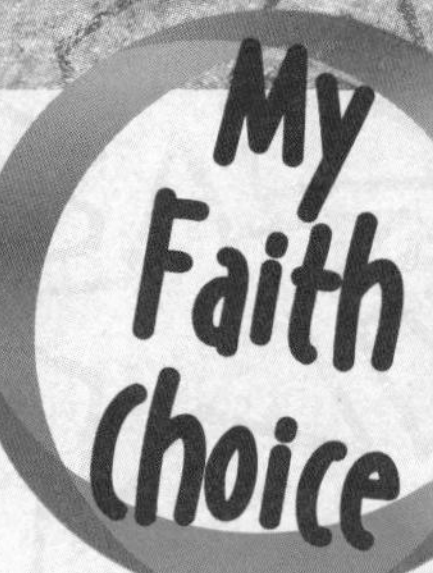

This week I will try to be humble and thank God for my blessings. I will do this when

____

____.

Pray, "Saint ____________ , help me to follow Jesus as you did. Amen."

PARA RECORDAR

1. Los santos son aquellas personas cuyo amor por Dios es más fuerte que su amor por cualquier otra persona o cosa.
2. La Iglesia es la Comunión de los Santos.
3. La Iglesia es el Cuerpo de Cristo.

Repaso del capítulo

En los siguientes renglones, completa los espacios en blanco con la palabra correcta.

1. Las personas, los grupos y los países tienen Santos ____________________.

vivos　　　　patronos

2. En el ______________________ rezamos: "Creo en la Comunión de los Santos".

Padre Nuestro　　　　Credo de los Apóstoles

3. Celebramos a los Santos del Cielo el día de ____________________.

Todos los Fieles Difuntos　　　　Todos los Santos

Letanía de los santos

Los santos rezan por nosotros. Pídeles que recen por ti.

Líder María, Madre de Dios,

Todos **Ruega por nosotros.**

Líder Nuestra Señora de Guadalupe,

Todos **Ruega por nosotros.**

Líder San Juan Diego,

Todos **Ruega por nosotros.**

Líder Por favor, nombren a su Santo preferido.

Todos **[Nombra a tu propio Santo]**
Ruega por nosotros.

Chapter Review

On the lines below, fill in the blanks with the correct word.

1. People, groups, and countries have ____________________ Saints.

living   patron

2. In the ________________ we pray, "I believe in the Communion of Saints."

Our Father   Apostles' Creed

3. We celebrate the Saints in Heaven on ____________________ Day.

All Souls   All Saints

TO HELP YOU REMEMBER

1. Saints are those people whose love for God is stronger than their love for anyone or anything else.
2. The Church is the Communion of Saints.
3. The Church is the Body of Christ.

A Litany to the Saints

The Saints pray for us. Ask them to pray for you.

Leader Mary, Mother of God,

All **Pray for us.**

Leader Our Lady of Guadalupe,

All **Pray for us.**

Leader Saint Juan Diego,

All **Pray for us.**

Leader Please name your favorite Saint.

All **[Name your own Saint]**
Pray for us.

Con mi familia

Esta semana...

En el capítulo 8, "La Comunión de los Santos", su niño aprendió que:

- La Iglesia es la Comunión de los Santos. La Comunión de los Santos incluye a todos los fieles de la Tierra, del Cielo y del Purgatorio.
- La Iglesia es el Cuerpo de Cristo. Cristo es la Cabeza de su Cuerpo y todos los bautizados son sus miembros.
- La humildad es una virtud. Actuar con humildad es dar gracias a Dios por nuestras bendiciones.
- Nosotros rezamos a los Santos y los Santos rezan por nosotros.

Para saber más sobre otras enseñanzas de la Iglesia, consulten *el Catecismo de la Iglesia Católica*, 946–959, 1172–1173 y 1402–1405, y *el Catecismo Católico de los Estados Unidos para los Adultos*, páginas 163–172.

Compartir la Palabra de Dios

Lean juntos 1ª Corintios 12:12–13, 27 acerca de la enseñanza de San Pablo sobre la Iglesia como Cuerpo de Cristo. O lean la adaptación de la página 150. Enfaticen que Pablo enseñó que todos los miembros de la Iglesia son importantes.

Vivimos como discípulos

El hogar cristiano con la familia es una escuela de discipulado. Elijan una de las siguientes actividades para hacer en familia, o creen una actividad similar ustedes mismos .

- Hablen acerca de todas las maneras en que su familia celebra la presencia de Dios. Presten atención a las pequeñas cosas que hacen cada día, que demuestran respeto por la santidad de cada uno.
- Hagan un conjunto de tarjetas y prueben la memoria de su niño. Jueguen con ellas durante viajes o durante el desayuno.

Nuestro viaje espiritual

Celebren la unidad de su familia en Cristo. Recen unos por otros todos los días, varias veces al día. Formen el hábito de nombrar, a la hora de comer, a los miembros de la familia por los que les gustaría rezar. Digan estas palabras u otras parecidas: "_______, le pedimos a Dios que te bendiga y te guarde".

Para hallar más ideas sobre las maneras en que su familia puede vivir como discípulos de Jesús, visiten **seanmisdiscipulos.com**

With My Family

This Week...

In chapter 8, "The Communion of Saints," your child learned that:

- The Church is the Communion of Saints. The Communion of Saints includes all the faithful on Earth and in Heaven and in Purgatory.
- The Church is the Body of Christ. Christ is the Head of his Body and all the baptized are her members.
- Humility is a virtue. Thanking God for our blessings is acting with humility.
- We pray to the Saints and the Saints pray for us.

For more about related teachings of the Church, see the *Catechism of the Catholic Church*, 946–959, 1172–1173, and 1402–1405; and the *United States Catholic Catechism for Adults*, pages 153–162.

Sharing God's Word

Read together 1 Corinthians 12:12–13, 27 about Saint Paul's teaching on the Church as the Body of Christ. Or read the adaptation on page 151. Emphasize that Paul taught that every member of the Church is important.

We Live as Disciples

The Christian home and family is a school of discipleship. Choose one of the following activities or design an activity of your own to do together as a family.

- Talk about all the ways your family celebrates God's presence. Pay attention to the little things you do each day that show respect for the sacredness, or holiness, of each other.
- Make a set of Saints flash cards and test your child's memory. Play the game during road trips or during breakfast.

Our Spiritual Journey

Celebrate the unity of your family in Christ. Pray for one another every day, several times a day. Form the habit of naming the members of your family at mealtime for whom you would each like to pray. Say these or similar words: "_______, we ask God to bless and keep you."

For more ideas on ways your family can live as disciples of Jesus, visit **BeMyDisciples.com**

Unidad 2: **Repaso**

Nombre ______________________

A. Elije la mejor palabra

Completa los espacios en blanco con la mejor opción de la lista.

Pueblo de Dios	Espíritu Santo	Crucifixión
Frutos del Espíritu Santo	Misterio Pascual	

1. El ______________________ es la Muerte, Resurrección y Ascensión de Jesucristo.

2. La Muerte de Jesús en la Cruz se llama

   ______________________.

3. El ______________________ es la Tercera Persona de la Santísima Trinidad.

4. Los ______________________ son doce signos de que estamos cooperando con la gracia del Espíritu Santo.

5. Todo aquel que pertenece a la Iglesia Católica forma parte del

   ____________________.

B. Muestra lo que sabes

Une las palabras o frases de la Columna A con las palabras o frases de la Columna B.

Columna A		**Columna B**
1. La Ascensión	_____	**a.** la fiesta judía cuando el Espíritu Santo vino a María y a los demás discípulos
2. Pentecostés	_____	**b.** cuarenta días después de la Resurrección, Jesús regresó a su Padre en el Cielo
3. Comunión de los Santos	_____	**c.** una comunión de personas santas y cosas santas

Unit 2 **Review**

Name ____________________

A. Choose the Best Word

Fill in the blanks, using the best choice from the Word Bank.

People of God	Holy Spirit	Crucifixion
Fruits of the Holy Spirit	Paschal Mystery	

1. The ____________ is the Death, Resurrection, and Ascension of Jesus Christ.

2. Jesus' Death on the Cross is called the

____________.

3. The ____________ is the Third Person of the Holy Trinity.

4. The ____________ are twelve signs that we are cooperating with the grace of the Holy Spirit.

5. Everyone who belongs to the Catholic Church

is part of the ____________.

B. Show What You Know

Match the words or phrases in Column A with the words or phrases in Column B.

Column A		**Column B**
1. The Ascension	____	**a.** the Jewish feast when the Holy Spirit came to Mary and the other disciples
2. Pentecost	____	**b.** forty days after the Resurrection, Jesus returned to his Father in Heaven
3. Communion of Saints	____	**c.** a communion of holy people and holy things

C. La Escritura y tú

¿Cuál fue tu relato preferido acerca de Jesús en esta unidad? Dibuja algo que sucedió en el relato. Junto a tu dibujo, escribe el título del relato y cuenta algo que ocurrió en él. Compártelo con tu clase.

D. Sé un discípulo

1. *¿Acerca de qué Santo o persona virtuosa disfrutaste aprender más en esta unidad? Escribe el nombre aquí. Escribe algo acerca de la persona que admiras. Cuenta a tu clase lo que esta persona hizo para seguir a Jesús.*

2. *Recuerda las virtudes y dones que aprendiste en Poder de los discípulos de esta unidad. Escribe sobre uno que estás poniendo en práctica para ser un buen discípulo de Jesús. Di cómo lo usas para seguir a Jesús. Comparte tu respuesta con un compañero.*

C. Connect with Scripture

What was your favorite story about Jesus in this unit? Draw something that happened in the story. Next to your drawing, write the name of the story and tell one thing that happened in it. Share with your class.

D. Be a Disciple

1. *What Saint or holy person did you enjoy hearing about in this unit? Write the name here. Write something about the person that you admire. Tell your class what this person did to follow Jesus.*

2. *Recall the virtues and gifts that you learned about in Disciple Power in this unit. Write about one that you are practicing so you can be a good disciple of Jesus. Tell how you are using it to follow Jesus. Share your answer with a partner.*

Devociones populares

Chile: La Virgen del Carmen

La Memoria de Nuestra Señora del Carmen se celebra tradicionalmente cada verano el 16 de julio.

Cada mes de julio, el pueblo de Chile celebra a la Virgen del Carmen, relacionada con el Monte Carmelo que está en Tierra Santa. Los monjes que vivían allí comenzaron a celebrar a María hace más de ochocientos años.

En Chile, el pueblo ha combinado esta devoción con una propia. Hace cuatrocientos años había una hermosa princesa de los incas. La llamaban La Tirana por la manera en que trataba a los españoles contra los cuales luchaban los incas. Uno de los soldados fue capturado por los nativos y condenado a muerte. Ella se enamoró de él y como él era cristiano, él también la bautizó. Esto enfureció a los incas y por eso los mataron a ambos. Cien años después, se construyó una iglesia católica junto a su tumba para honrarla.

Hoy en día, las tradiciones de la Virgen del Carmen y La Tirana se han unido. Personas nativas cantan y bailan vestidas con trajes de colores brillantes. En la Danza de los Diablos, o *diablada,* bailarines con coloridas máscaras de demonios, combaten las fuerzas del bien lideradas por San Miguel Arcángel. Luego, el obispo celebra la Misa. Después de la ceremonia, se lleva en procesión la imagen de la Virgen del Carmen con los bailarines.

? ¿Por qué piensan que el pueblo incluye la Danza de los Diablos en su celebración?

Popular Devotions

Chile: Our Lady of Mount Carmel

Every July the people of Chile celebrate our Lady of Mount Carmel. Mount Carmel is in the Holy Land. The monks who lived there began to celebrate Mary in over eight hundred years ago.

The Feast of Our Lady of Mount Carmel is traditionally celebrated each summer on July 16.

In Chile, the people have combined this devotion with one of their own. Four hundred years ago there was a beautiful princess of the Incas. They called her The Tyrant because of the way she treated the Spanish people that the Incas were fighting. One of the soldiers was captured by the natives and condemned to death. She fell in love with him, and since he was a Christian, he also baptized her. This made the Incas mad and so they killed them both. A hundred years later a Catholic church was built next to her grave to honor her.

Today, the traditions of Our Lady of Mount Carmel and *La Tirana* have come together. Native people sing and dance in brightly colored costumes. In the Devils' Dance, dancers with colorful devil masks battle the forces of good led by Saint Michael the Archangel. Then the bishop celebrates Mass. After the ceremony, the image of Our Lady of Mount Carmel is taken in procession accompanied by the dancers.

? Why do you think the people include the Devils' Dance in their celebration?

UNIDAD 3 Celebramos

Parte Uno

¡Levántate y anda!

Un hombre que no podía caminar estaba acostado en una camilla. Jesús extendió la mano hacia el hombre y dijo: "Se te perdonan tus pecados".

Algunos pensaron: "¿Cómo puede perdonar pecados?". Jesús sabía lo que había en el corazón de esas personas. Entonces, les dijo: "¿Qué es más fácil, decir 'Se te perdonan tus pecados' o decir 'Levántate, toma tu camilla y anda'?".

Luego Jesús le dijo al hombre: "Levántate, toma tu camilla y vete a tu casa". De inmediato, el hombre se puso de pie y se fue. La gente quedó asombrada. "¡Nunca hemos visto nada parecido! ¡Alabemos al Señor!"

Basado en Marcos 2:1–12

We Worship

Part One

UNIT 3

Rise and Walk!

A man who could not walk was lying on a mat. Jesus held out his hand to the man and said, "Your sins are forgiven."

Some of the people were thinking, "How can he forgive sins?" Jesus knew what was in their hearts. He said to them, "Which is easier, to say 'Your sins are forgiven' or to say 'Rise, pick up your mat and walk'?"

Jesus then said to the man, "Rise, pick up your mat, and go home." The man stood up at once and walked away. The people were amazed. "We have never ever seen anything like this! Praise the Lord!"

Based on Mark 2:1–12

Lo que he aprendido

¿Qué es lo que ya sabes acerca de estos dos términos de fe?

Sacramentos de la Iniciación Cristiana

____

____

Adviento

____

____

Vocabulario de fe para aprender

Escribe **X** junto a las palabras de fe que sabes. Escribe **?** junto a las palabras de fe que necesitas aprender mejor.

Palabras de fe

_____ Sacramentos

_____ año litúrgico

_____ Confirmación

_____ Triduo Pascual

_____ Sacramentos de Curación

Tengo preguntas

¿Qué preguntas te gustaría hacer acerca del año litúrgico de la Iglesia?

____

____

What I Have Learned

What is something you already know about these two faith terms?

Sacraments of Christian Initiation

____

____

Advent

____

____

Faith Words to Know

Put an **X** next to the faith terms you know. Put a **?** next to faith terms you need to learn more about.

Faith Words

____ Sacraments

____ liturgical year

____ Confirmation

____ Easter Triduum

____ Sacraments of Healing

Questions I Have

What questions would you like to ask about the Church's liturgical year?

____

____

CAPÍTULO 9

Lo que vendrá

En este capítulo el Espíritu Santo te invita a ▶

INVESTIGAR las maneras en que reza una parroquia.

DESCUBRIR las maneras en que reza la Iglesia.

DECIDIR cómo rezarás tú.

Un pueblo que reza

¿Quién te anima a seguir adelante cuando las cosas no van bien?

San Pablo escribía cartas para animar a los cristianos. Escucha lo que escribió en una de ellas.

Estén siempre alegres. Nunca dejen de rezar.
Den gracias a Dios pase lo que pase.

BASADO EN 1.ª TESALONICENSES 5:16–18

¿Qué te dicen las palabras de Pablo que hagas cuando las cosas no salen como tú quieres?

Looking Ahead

In this lesson the Holy Spirit invites you to ▶

EXPLORE ways that one parish prays.

DISCOVER ways that the Church prays.

DECIDE how you will pray.

CHAPTER 9

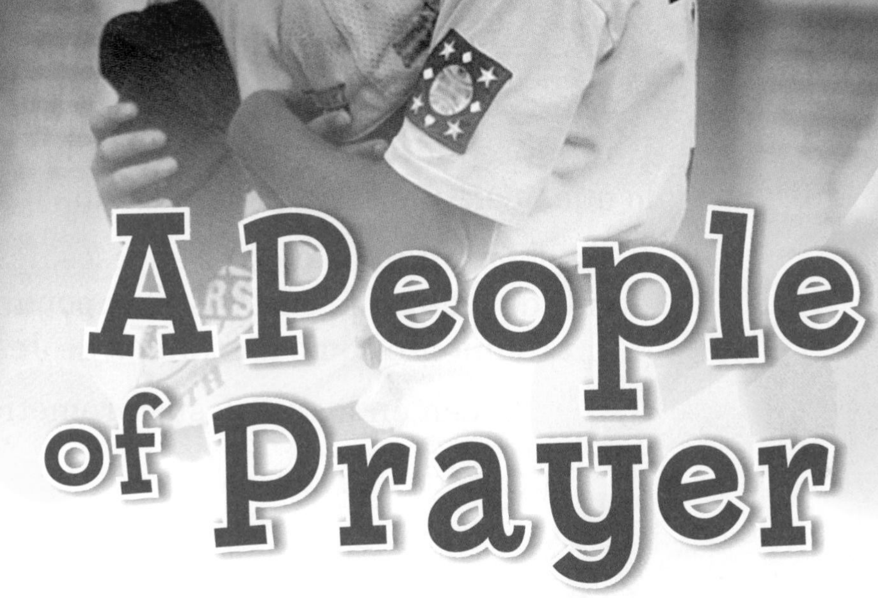

A People of Prayer

Who encourages you to keep on going when things are not going so well?

Saint Paul wrote letters to encourage Christians. Listen to what he wrote in one of his letters.

Always be joyful. Never stop praying. Give thanks to God no matter what happens.

BASED ON 1 THESSALONIANS 5:16–18

What do Paul's words tell you to do when things are not going your way?

Poder de los discípulos

Paciencia

Cuando practicamos la virtud de la paciencia, podemos esperar por lo que vendrá. No actuamos sin pensar. Pensamos acerca de las consecuencias de nuestras acciones.

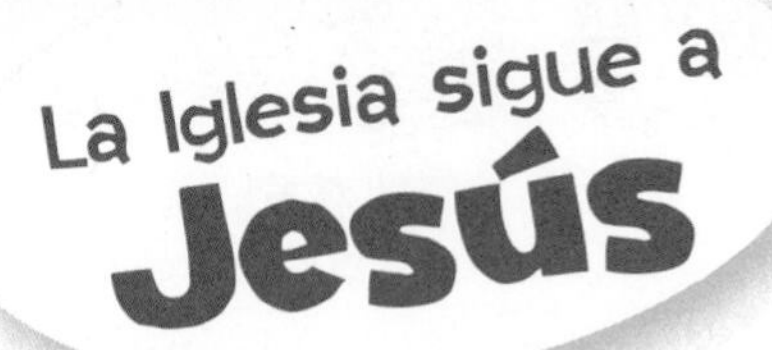

La Iglesia sigue a Jesús

Escucha y reza

La oración es muy importante para las personas de la Parroquia de Saint James. Todos los sábados, temprano en la mañana, se reúne un grupo de feligreses. Escuchan los escritos de San Pablo y rezan.

Conversan acerca de las Lecturas de la Misa. Hacen preguntas acerca de la Biblia. Comparten lo que oyen que Dios les dice en las lecturas.

Se cuentan unos a otros sucesos de sus familias y de su fe en Dios. Se apoyan mutuamente como discípulos de Jesús.

Creen en lo que Jesús prometió. Él dijo:

"Cuando se reúnen como discípulos míos, yo estoy ahí con ustedes".

BASADO EN MATEO 18:20

Actividad

¿En qué momento rezas todos los días? Haz una lista de control de cada vez que rezas durante el día.

Mis momentos de oración

☐ ______________________________

☐ ______________________________

☐ ______________________________

Disciple Power

Patience

When we practice the virtue of patience, we are able to wait for what is ahead. We do not act without thinking. We think about the consequences of our actions.

Listen and Pray

Prayer is very important to the people of St. James Parish. Early every Saturday morning, a group of the parishioners get together. They listen to the writings of Saint Paul and pray.

They talk with each other about the Readings from Mass. They ask questions about the Bible. They share what they hear God saying to them in the readings.

They share with each other events about their families and their faith in God. They support each other as disciples of Jesus.

They believe what Jesus promised. He said,

"When you gather as my disciples, I am there with you."

BASED ON MATTHEW 18:20

When do you pray each day? Make a checklist for each time you pray during the day.

My Prayer Times

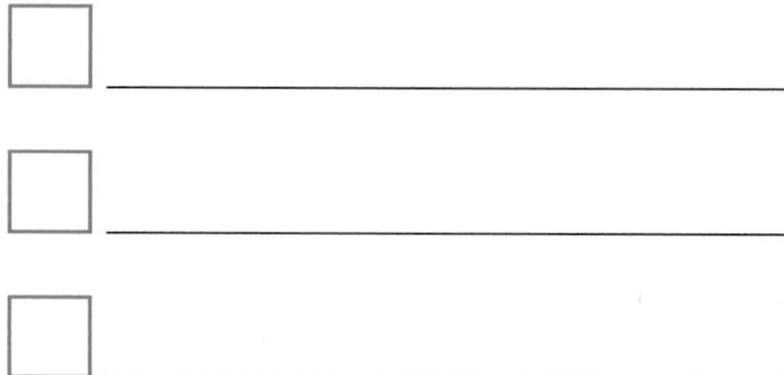

Enfoque en la fe
¿Cuáles son algunas maneras en que reza la Iglesia?

Vocabulario de fe

oraciones de petición
Las oraciones de petición son plegarias en las cuales le pedimos a Dios que nos ayude.

oraciones de intercesión
Las oraciones de intercesión son plegarias en las cuales le pedimos a Dios que ayude a los demás.

Oraciones de la Iglesia

Jesús rezaba de muchas maneras cuando estuvo en la Tierra. Dedicaba mucho tiempo a estar con su Padre en oración. Rezaba solo y con los demás. Rezaba por Él y por las demás personas. Rezó con sus discípulos en la Última Cena.

Cuando se estaba muriendo en la Cruz, Jesús rezó:

> *"Padre, perdónalos, porque no saben lo que hacen." Inmediatamente antes de morir, dijo Jesús a su Padre: "En tus manos me encomiendo".*
>
> Basado en Lucas 23:34, 46

Oraciones de petición

Nosotros también rezamos como Jesús. Rezamos por nosotros y por los demás. Las oraciones que rezamos por nosotros se llaman **oraciones de petición**. Le pedimos perdón a Dios. Le pedimos a Dios que nos enseñe a amarlo a Él y a amar a nuestro prójimo como a nosotros mismos. Rezamos para vivir con Dios y con todos los Santos en el Cielo.

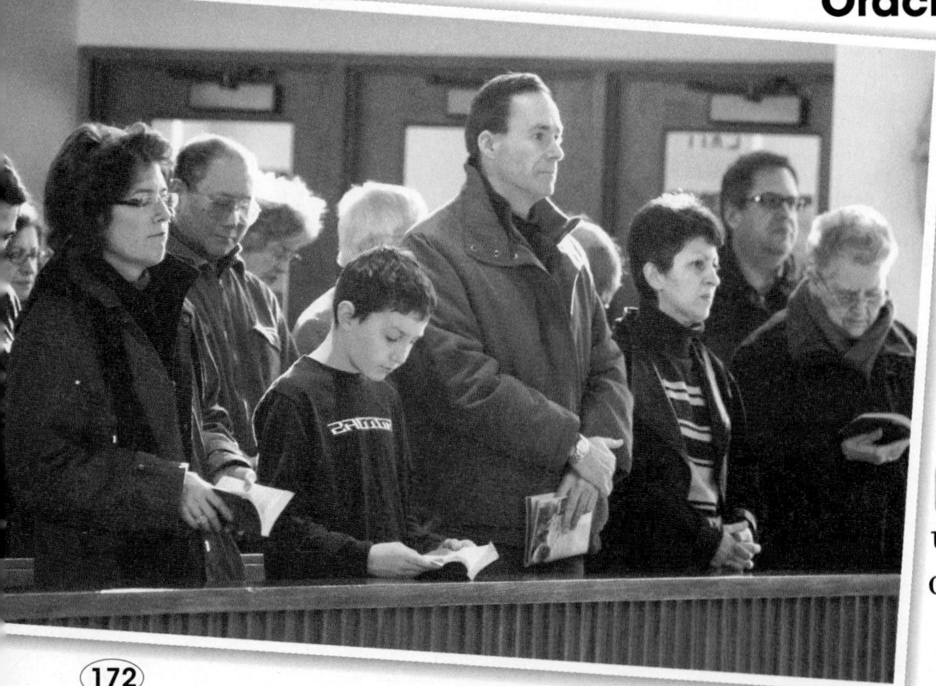

Oraciones de intercesión

Las oraciones que rezamos por las otras personas se llaman **oraciones de intercesión**. Rezamos por nuestra familia y amigos. Rezamos incluso por quienes no nos aprecian. Rezamos por todos los necesitados.

? ¿Cuándo rezas cada una de estas clases de oraciones?

Prayers of the Church

Jesus prayed in many ways when he was on Earth. He often spent time with his Father in prayer. He prayed alone and with others. He prayed for himself and for other people. He prayed with his disciples at the Last Supper.

When he was dying on the Cross, Jesus prayed,

> *"Father, forgive them. They know not what they are doing." Just before he died, Jesus said to his Father, "I give myself up to you."*
>
> BASED ON LUKE 23:34, 46

Faith Focus
What are some of the ways the Church prays?

Faith Vocabulary

prayers of petition
Prayers of petition are prayers in which we ask God to help us.

prayers of intercession
Prayers of intercession are prayers in which we ask God to help others.

Prayers of Petition

We also pray as Jesus did. We pray for ourselves and for other people. We call prayers for ourselves **prayers of petition**. We ask God for forgiveness. We ask God to teach us how to love him and to love our neighbors as ourselves. We pray that we will live with God and all the Saints in Heaven.

Prayers of Intercession

We call prayers for other people **prayers of intercession**. We pray for our families and friends. We even pray for those who do not like us. We pray for all people in need.

When do you pray each of these kinds of prayer?

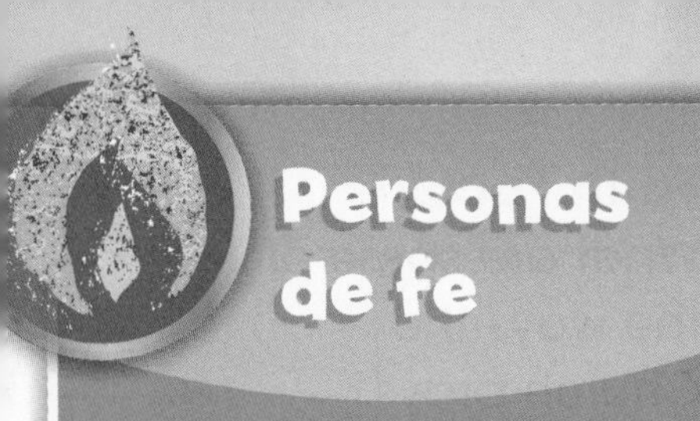

Esteban Diácono

San Esteban fue el primero de los discípulos de Jesús condenado a muerte por su fe. La gente lo apedreó hasta matarlo. Mientras moría, Esteban rezaba por las personas que trataban de matarlo.

Oraciones de bendición y de alabanza

Si una persona le pregunta a otra: "¿Cómo estás?", esta podría decir: "Estoy bien". Pero si alguien te pregunta a ti cómo estás, tú podrías decir: "¡Estoy bendito!".

En una oración de bendición, le decimos a Dios que sabemos que todas las cosas buenas que tenemos vienen de Él. Estamos felices porque Dios nos bendice.

Hay un solo Dios, que es Padre, Hijo y Espíritu Santo. Cuando le decimos a Dios que solamente Él es Dios, estamos rezando una oración de alabanza. Le decimos que lo amamos con todo nuestro corazón y con toda nuestra mente. Lo amamos por sobre todas las cosas.

? Piensa en tu semana. ¿Dónde observas que está presente la bondad de Dios?

Prayers of Blessing and Praise

If someone asks a person, "How are you?" that person might say, "I'm fine." But if someone asked you how you are, you could say, "I'm blessed!"

In a prayer of blessing, we tell God we know that all the good things we have come from him. We are blessed because God blesses us.

There is only one God who is Father, Son, and Holy Spirit. When we tell God that only he is God, we are praying a prayer of praise. We tell him that we love him with all of our hearts and minds. We love him above all else.

? Think about your week. Where do you notice God's goodness being present?

Faith-Filled People

Stephen the Deacon

Saint Stephen was the first of Jesus' disciples who was put to death for his faith. People threw stones at him until he died. While he was dying, Stephen prayed for the people trying to kill him.

Los católicos creen

Liturgia de las Horas

Todos los días, la Iglesia da gracias y alaba en la Liturgia de las Horas. Es la oración diaria oficial de la Iglesia. La Iglesia reza la Liturgia de las Horas al amanecer, por la mañana, al mediodía, a media tarde, al anochecer y por la noche.

Oraciones de acción de gracias

Dios ha hecho tantas cosas maravillosas para nosotros. Este es el relato de algo que hizo Jesús.

Un día vinieron diez personas a pedirle ayuda a Jesús. Todas padecían de lepra. La lepra es una enfermedad muy grave de la piel. Le pidieron a Jesús que las curara. ¡Jesús curó a los diez leprosos! Pero solamente uno de los diez le dio las gracias. Dijo: "¡Gloria a Dios! ¡Estoy curado!".

Basado en Lucas 17:11–16

Jesús curó a las diez personas para mostrarles a ellas y a la gente cuánto ama Dios a todo el mundo.

Así como el hombre que le dio las gracias a Jesús, nosotros también debemos agradecerle a Dios sus numerosas bendiciones. Cuando lo hacemos, rezamos una oración de acción de gracias. La oración de acción de gracias más importante de la Iglesia es la Eucaristía.

Actividad

Invita a toda la creación a unirse a ti para alabar a Dios. Agrega a esta oración tus propias palabras.

Alabemos a Dios, sol y luna.

Alabemos a Dios, ______________________.

Alabemos a Dios, ______________________.

Alabemos a Dios, ______________________.

Prayers of Thanksgiving

God has done so many wonderful things for us. Here is the story of something that Jesus did.

One day ten people came to Jesus for help. They all were suffering from leprosy. Leprosy is a very bad skin disease. They asked Jesus to cure them. Jesus cured all ten people! Only one of the ten thanked Jesus. He said, "Glory to God! I am healed!"

BASED ON LUKE 17:11–16

Jesus cured the ten people to show them and the people how much God loves everyone.

Like the man who thanked Jesus, we too are to say thank you to God for his many blessings. When we do, we pray a prayer of thanksgiving. The Eucharist is the Church's greatest prayer of thanksgiving.

Catholics Believe

Liturgy of the Hours

Every day, the Church gives thanks and praise in the Liturgy of the Hours. It is the official daily prayer of the Church. The Church prays the Liturgy of the Hours at dawn, in the morning, at noon, in the mid-afternoon, in the evening, and at nighttime.

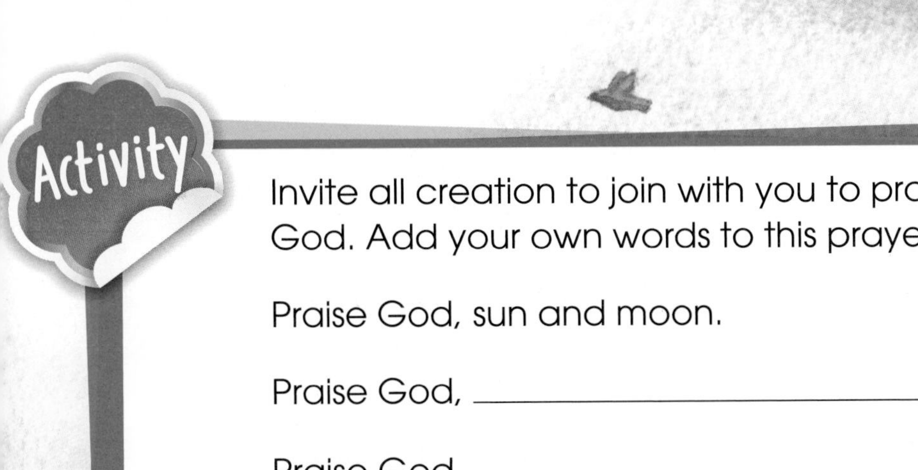

Activity

Invite all creation to join with you to praise God. Add your own words to this prayer.

Praise God, sun and moon.

Praise God, ______________________.

Praise God, ______________________.

Praise God, ______________________.

Yo sigo a Jesús

Toda oración brota de nuestro corazón. Hay cinco tipos de oraciones que reza la Iglesia. Ellas son:

1. oraciones de bendición y de adoración,
2. oraciones de petición,
3. oraciones de intercesión,
4. oraciones de acción de gracias y
5. oraciones de alabanza.

Oración de corazón a corazón

Habla con Dios acerca de lo que hay en tu corazón. Anota algunas palabras para recordar. Luego escríbele a Dios una oración de bendición, de petición, de intercesión, de acción de gracias o de alabanza.

____

____

____

Esta semana rezaré por la virtud de la paciencia. Rezaré una oración de petición. Rezaré estas palabras:

____

______________________________.

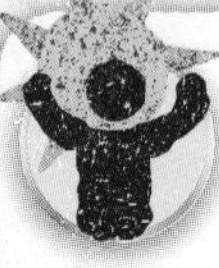

Reza: En silencio, di el nombre de alguien que te ayuda a ser un fiel discípulo de Jesús. Dale gracias a Dios por el don de esa persona.

All prayer flows from our heart. There are five types of prayer the Church prays. They are:

1. prayers of blessing and adoration,
2. prayers of petition,
3. prayers of intercession,
4. prayers of thanksgiving, and
5. prayers of praise.

Heart to Heart Prayer

Talk with God about what is in your heart. Write down some words to remind you. Then write a prayer to God of blessing, petition, intercession, thanksgiving, or praise.

____

____

____

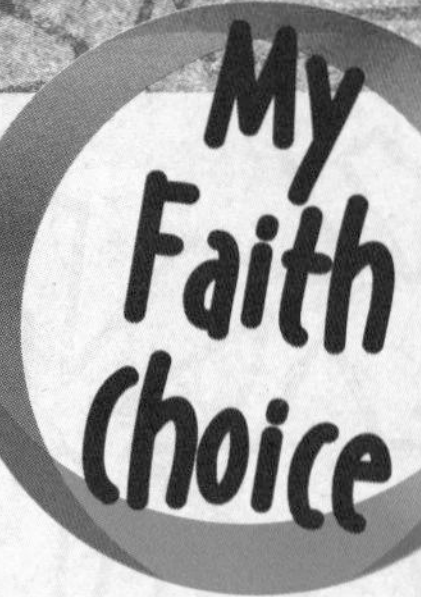

This week I will pray for the virtue of patience. I will say a prayer of petition. I will pray these words:

____

______________________________.

Pray: Quietly say the name of someone who helps you to be a faithful disciple of Jesus. Thank God for the gift of that person.

PARA RECORDAR

1. Rezamos por nosotros y por los demás.
2. Adoramos a Dios, quien nos da todas nuestras bendiciones.
3. Le damos gracias y alabanza a Dios.

Repaso del capítulo

Busca y encierra las palabras de oración ocultas en la sopa de letras. Usa las palabras para hablarle a un compañero acerca de la oración.

bendición	intercesión	gracias
petición	alabanza	

W	W	A	P	E	T	I	C	I	Ó	N	Q
K	G	L	G	C	Z	O	I	U	Y	T	L
I	R	A	E	R	B	E	S	M	I	K	N
E	A	B	E	N	D	I	C	I	Ó	N	W
W	C	A	Y	O	S	A	D	F	G	H	R
Q	I	N	T	E	R	C	E	S	I	Ó	N
Y	A	Z	N	E	U	R	J	H	G	F	D
Ñ	S	A	G	Y	U	P	A	T	S	R	E

¡Demos gracias a Dios!

Líder Unámonos a los católicos de todo el mundo que cada día dan gracias a Dios en diferentes idiomas. Esta oración le dice "gracias" a Dios en muchos idiomas.

Grupo 1 **¡Demos gracias a Dios! Thanks be to God! (zanks bi tu god)**

Grupo 2 **¡Obrigado! ¡Aleluya! (o-bri-gá-do)**

Grupo 3 **¡Malo! ¡Malo! Kam sa ham nida! (ma-lo, kam-sam-ni-dá)**

Todos **¡Thanks be to God! ¡Demos gracias a Dios!**

DE *MALO!, MALO! THANKS BE TO GOD!*
(¡DEMOS GRACIAS A DIOS!)
DE JESSE MANIBUSAN

Chapter Review

Find and circle the prayer words hidden in the puzzle. Use the words to tell a partner about prayer.

blessing	intercession	thanks
petition	praise	

Q	W	W	B	P	E	T	I	T	I	O	N
L	K	Z	L	G	C	Z	O	I	U	Y	T
I	N	T	E	R	C	E	S	S	I	O	N
W	E	H	S	A	P	S	Q	W	E	R	T
R	W	A	S	Y	O	S	A	D	F	G	H
T	Q	N	I	S	I	I	Z	X	C	V	B
Y	P	K	N	E	U	R	J	H	G	F	D
U	O	S	G	M	Y	P	R	A	I	S	E

TO HELP YOU REMEMBER

1. We pray for ourselves and for other people.
2. We bless God who gives us all our blessings.
3. We thank and praise God.

Thanks Be to God!

Leader Let us join with Catholics around the world who give thanks to God each day in different languages. This prayer says "thank you" to God in many languages.

Group 1 **Malo! Malo! Thanks be to God! (mah-loh, mah-loh)**

Group 2 **Obrigado! Alleluia! (oh-bree-gah'-doh)**

Group 3 **¡Gracias! Kam sa ham nida! (grah-see-as! cam-sa ahm-nee-da!)**

All **Malo! Malo! Thanks be to God!**

From "Malo!, Malo! Thanks be to God!" by Jesse Manibusan

Con mi familia

Esta semana...

En el capítulo 9 "Un pueblo que reza", su niño aprendió que:

- La Iglesia es un pueblo que reza.
- La oración está en el corazón de la vida y crece en nuestra relación con Dios.
- Cuando leemos la Biblia, descubrimos cinco maneras básicas en las que el Pueblo de Dios expresa sus oraciones.
- Las cinco expresiones básicas de oración son bendición y adoración, petición, intercesión, acción de gracias y alabanza.
- La paciencia nos ayuda a pensar nuestras acciones y a evitar actuar apresuradamente. Nos ayuda a mantener la esperanza en el cumplimiento de las promesas de Dios y en la venida del Reino de Dios.

Para saber más sobre otras enseñanzas de la Iglesia, consulten el *Catecismo de la Iglesia Católica*, 2598–2691; y el *Catecismo Católico de los Estados Unidos para los Adultos*, páginas 493–514.

Compartir la Palabra de Dios

Lean juntos Mateo 18:20, el relato de cuando Jesús les dijo a sus discípulos que Él estaría siempre con ellos cuando se reunieran en su nombre. Enfaticen que los cristianos rezan en el nombre de Jesús.

Vivimos como discípulos

El hogar cristiano con la familia es una escuela de discipulado. Elijan una de las siguientes actividades para hacer en familia, o creen una actividad similar ustedes mismos.

- Por una razón u otra, uno siempre tiene presentes a los amigos y a otras personas. Hagan una pausa y recen por los demás en una comida, antes de salir de casa para ir al trabajo o a la escuela, o mientras viajan.
- Piensen en familia cómo estar en contacto con los parientes o los amigos necesitados. Tenderles la mano es una expresión de solidaridad hacia ellos y de acción de gracias hacia Dios por ser parte de nuestra vida.

Nuestro viaje espiritual

Rodeados de las numerosas bendiciones de la Tierra, es fácil perder de vista a Dios, Fuente de esas bendiciones. Adquirir las bendiciones en vez de vivir en comunión con Dios, Santísima Trinidad, puede resultar una fuente falsa de nuestra felicidad. Hagan de las palabras "Te alabamos, Señor" parte regular de la vida de oración de su familia.

Para hallar más ideas sobre las maneras en que su familia puede vivir como discípulos de Jesús, visiten **seanmisdiscipulos.com**

With My Family

This Week...

In chapter 9, "A People of Prayer," your child learned:

- The Church is a people of prayer.
- Prayer is at the heart of living and growing in our relationship with God.
- When we read the Bible, we discover five basic ways that the People of God express their prayers.
- The five basic expressions of prayer are blessing and adoration, petition, intercession, thanksgiving, and praise.
- Patience helps us to think about our actions and not act too quickly. It helps us wait in hope for the fulfillment of God's promises and the coming of the Kingdom of God.

For more about related teachings of the Church, see the *Catechism of the Catholic Church* , 2598–2691; and the *United States Catholic Catechism for Adults*, pages 461–480.

Sharing God's Word

Read together Matthew 18:20, the account of Jesus telling his disciples he is always with them when they gather in his name. Emphasize that Christians make their prayer in the name of Jesus.

We Live as Disciples

The Christian home and family is a school of discipleship. Choose one of the following activities to do as a family or design a similar activity of your own.

- Your friends and other people are always on your mind, for one reason or another. Pause and pray for others at a meal, or before you leave home for work or school or while riding in a car.
- Brainstorm as a family ways to be in touch with relatives or friends in need. Reaching out to them is an expression of solidarity with them and an expression of thanksgiving to God for their being part of your life.

Our Spiritual Journey

Surrounded by the many blessings of the Earth, we can easily lose sight of God, the Source of those blessings. Acquiring the blessings rather than living in communion with God the Blessed Trinity can become the false source of our happiness. Make the words "Thanks be to God" a regular part of your family's prayer life.

For more ideas on ways your family can live as disciples of Jesus, visit **BeMyDisciples.com**

CAPÍTULO 10

Lo que vendrá

En este capítulo el Espíritu Santo te invita a ▶

INVESTIGAR celebraciones culturales dentro de la Iglesia.

DESCUBRIR el año litúrgico.

DECIDIR cómo darás la bienvenida a los forasteros.

El año eclesiástico

¿Qué ocasiones reserva tu familia para realizar actividades especiales?

La Biblia nos enseña que hay un momento especial para todo.

Hay un tiempo para todo. . . .
Tiempo para nacer y tiempo para morir,
tiempo para plantar y para desenterrar. . . .
Tiempo para llorar y tiempo para reír.

BASADO EN ECLESIASTÉS 3:1–4

¿Qué quiere el autor que entendamos con este pasaje de la Biblia?

Looking Ahead

In this lesson the Holy Spirit invites you to ▶

EXPLORE cultural celebrations within the Church.

DISCOVER the liturgical year.

DECIDE how you will welcome strangers.

CHAPTER 10

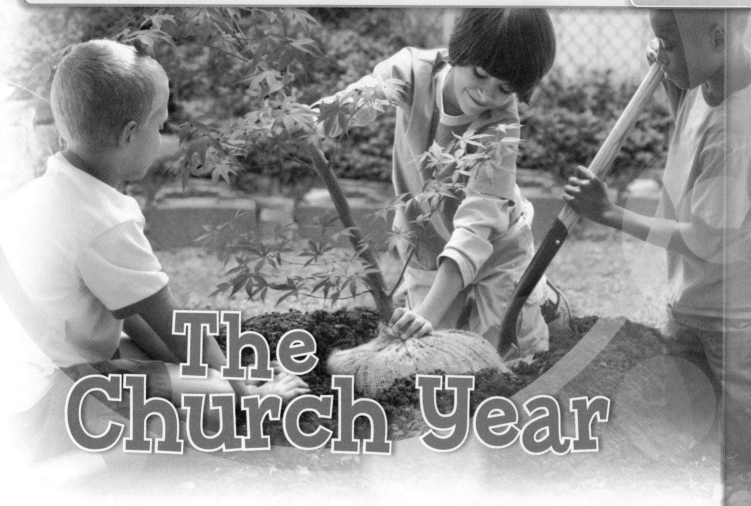

The Church Year

What are some times that are set aside for special activities in your family?

The Bible teaches us that there is a special time for everything.

There is a time for everything. . . .
A time to be born and a time to die,
a time to plant and a time to dig up. . . .
A time to cry and a time to laugh.

Based on Ecclesiastes 3:1–4

What does the author of this Bible passage want us to understand?

Poder de los discípulos

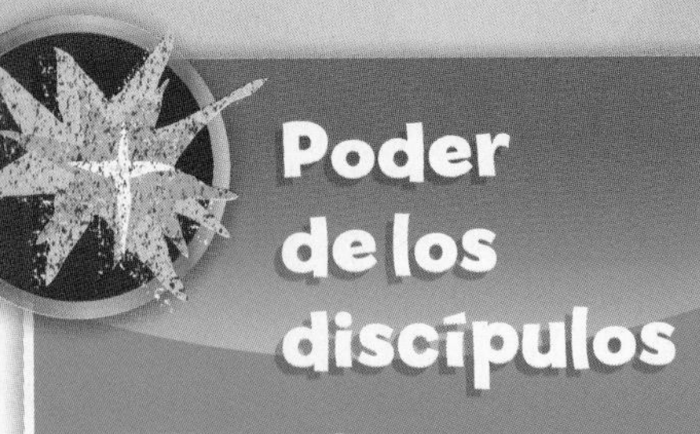

Diligencia

La diligencia es cuando nos concentramos y nos enfocamos en lo que nos comprometemos a hacer. La diligencia nos ayuda a hacer las cosas con cuidado.

La Iglesia sigue a **Jesús**

Mucha gente que celebra

Vinieron obispos, sacerdotes y personas de las parroquias de todo Estados Unidos. Vinieron a hablar de que todos somos hijos de Dios, sin importar el color de nuestra piel. Las personas celebraron sus numerosas culturas. Hicieron planes para el futuro.

Personas de todas las edades y de muchas culturas rezaron juntas. Cantaron canciones en muchos idiomas. También compartieron muchas clases de comidas diferentes.

La celebración de la Misa les recordó que todos somos uno en Cristo. Las canciones de la Misa fueron canciones de los católicos de todo el mundo. Todos celebraron su única fe en Jesucristo.

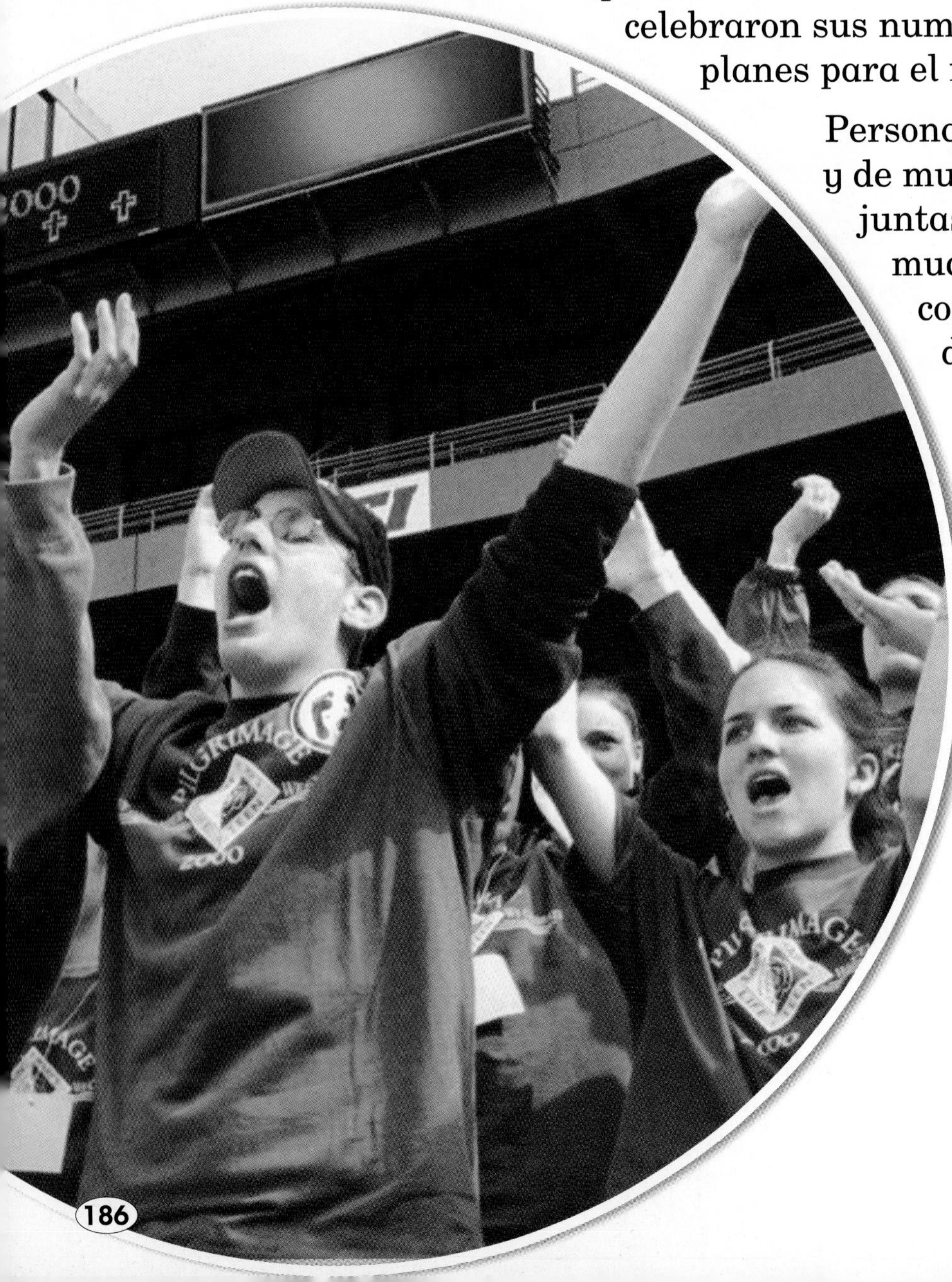

? ¿Cómo celebra tu parroquia las diferentes culturas de tu comunidad?

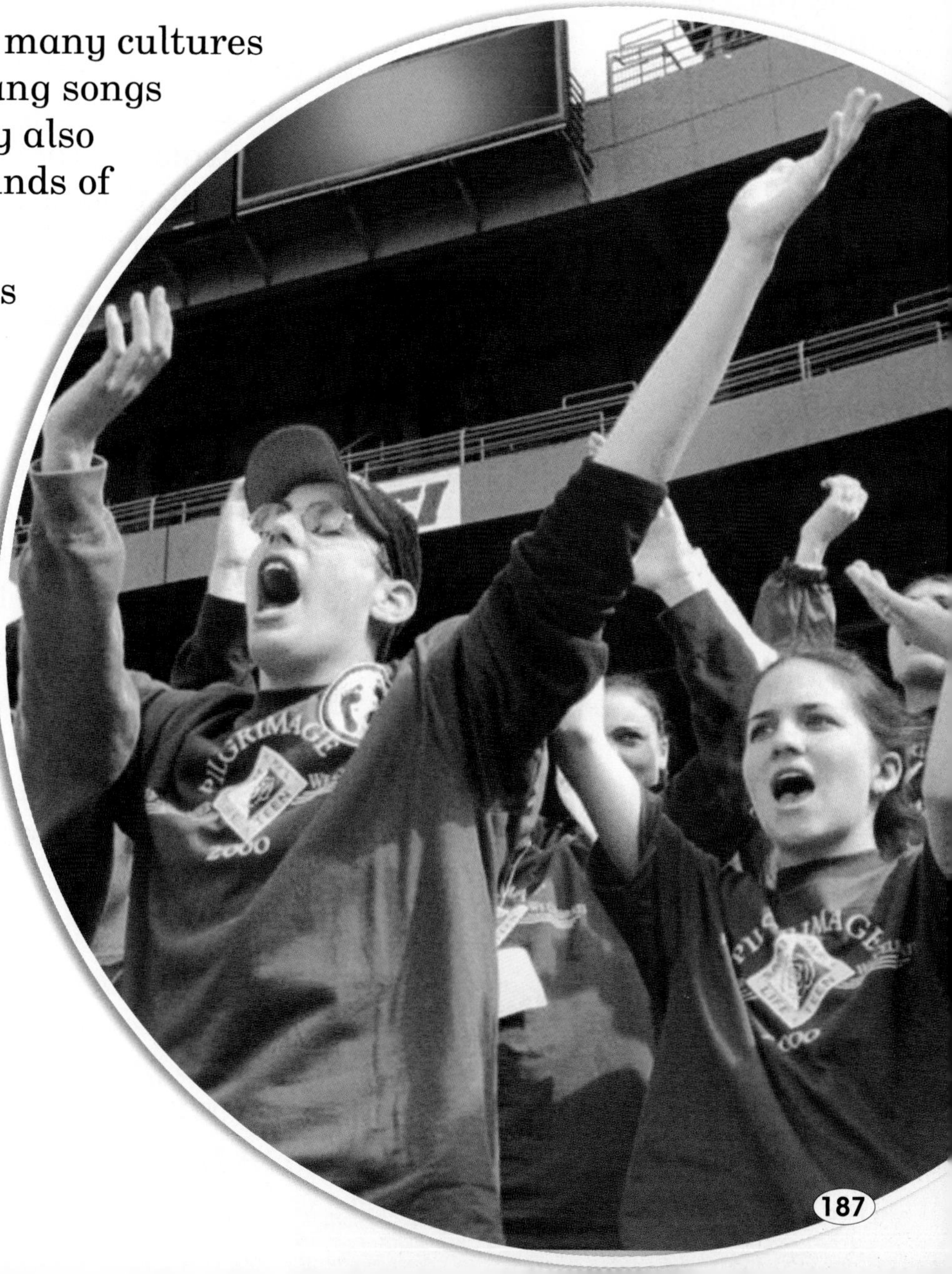

Disciple Power

Diligence

Diligence is when you concentrate and focus on what you commit yourself to do. Diligence helps you to be careful in what you do.

Many People Celebrate

Bishops, priests, and people came from parishes all over the United States. They came to talk about how, no matter what color our skin, we are all God's children. The people celebrated their many cultures. They made plans for the future.

People of all ages and many cultures prayed together. They sang songs in many languages. They also shared many different kinds of food.

The celebration of Mass reminded everyone that we are all one in Christ. The songs at Mass were the songs of Catholics all over the world. Everyone celebrated their one faith in Jesus Christ.

? How does your parish celebrate the different cultures in your community?

Enfoque en la fe
¿Cómo celebra la Iglesia su fe en Jesucristo a lo largo del año?

Vocabulario de fe

adorar
Adorar a Dios es darle alabanza y honor.

liturgia
La liturgia es el culto público a Dios por parte de la Iglesia. Es la obra de toda la Iglesia.

El año eclesiástico

A lo largo del año, la Iglesia de todo el mundo se reúne para celebrar su fe en Jesucristo. Nos reunimos para **adorar** a Dios. Adorar a Dios es darle alabanza y honrarlo.

El culto público de la Iglesia se llama **liturgia**. La liturgia es la obra de toda la Iglesia. Un ejemplo de liturgia es cuando rendimos culto a Dios en la Misa. En la liturgia, nos unimos a Jesús y a la Iglesia de todo el mundo. Nos unimos a la Iglesia en la Tierra y a la Iglesia en el Cielo. Le ofrecemos a Dios todo lo que hacemos.

El año eclesiástico del culto se llama año litúrgico. El año litúrgico es como un calendario. El año litúrgico se compone del Adviento, la Navidad, la Cuaresma, la Pascua y el Tiempo Ordinario.

Adviento y Navidad

El año litúrgico empieza con el tiempo de Adviento. Durante el Adviento nos preparamos para celebrar el nacimiento de Jesús. Desde la Ascensión de Jesús, sus discípulos han esperado su regreso. Nosotros también esperamos el regreso de Cristo en la gloria al final de los tiempos.

Recordamos y celebramos el nacimiento de Cristo en la Navidad. Durante el tiempo de Navidad alabamos y damos gracias a Dios por habernos enviado a Jesús, el Salvador del mundo.

En un grupo pequeño, cuenta las tradiciones de tu familia para el Adviento y la Navidad. Decídanse por tres cosas para compartir con la clase.

The Church's Year

All year long, the Church around the world gathers to celebrate her faith in Jesus Christ. We gather to **worship** God. Worship is the adoration and honor we give to God.

The public worship of the Church is called the **liturgy**. The liturgy is the work of the whole Church. One example of the liturgy is our worship of God at Mass. In the liturgy, we join with Jesus and the Church all over the world. We join with the Church on Earth and the Church in Heaven. We offer everything we do to God.

The Church's year of worship is called the liturgical year. The liturgical year is like a calendar. The liturgical year is made up of Advent, Christmas, Lent, Easter, and Ordinary Time.

Faith Focus
How does the Church celebrate her faith in Jesus Christ throughout the year?

Faith Vocabulary

worship
Worship is the adoration and honor we give to God.

liturgy
The liturgy is the Church's public worship of God. It is the work of the whole Church.

Advent and Christmas

The liturgical year begins with the season of Advent. During Advent we prepare to celebrate the birth of Jesus. Since Jesus' Ascension, his disciples have waited for his return. We also wait in hope for Christ's return in glory at the end of time.

We remember and celebrate Christ's birth at Christmas. During the Christmas season we praise and thank God for sending us Jesus, the Savior of the world.

Activity

In a small group, tell about your family's Advent and Christmas traditions. Decide on three things to share with your class.

Personas de fe

Los elegidos

Durante la Cuaresma, a los que están preparándose para hacerse miembros de la Iglesia Católica se los llama Elegidos. Ellos han aceptado la invitación de Dios para hacerse miembros de la Iglesia. Recibirán los Sacramentos del Bautismo, la Confirmación y la Eucaristía en la Vigilia Pascual.

De la Cuaresma a la Pascua

Durante la Cuaresma, nos preparamos para la Pascua. Rezamos por los que van a hacerse miembros de la Iglesia. La Iglesia nos pide también que pensemos en nuestras propias promesas bautismales y en cómo estamos viviendo como discípulos de Jesús.

Después de la última semana de Cuaresma, empezamos la celebración de la Semana Santa. Recordamos la última visita de Jesús a Jerusalén. Recordamos la Última Cena y el sufrimiento, Muerte y sepultura de Cristo.

El Triduo Pascual

Comenzando con el Jueves Santo, la Iglesia celebra el Triduo Pascual. Este es el centro de todo el año litúrgico. La palabra *triduo* significa "tres días".

El Triduo Pascual incluye las celebraciones del atardecer del Jueves Santo, el Viernes Santo, la Vigilia Pascual y el Domingo de Pascua. Durante estos tres días, celebramos y participamos en el sufrimiento, Muerte y Resurrección de Jesús.

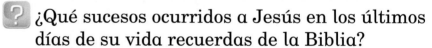

? ¿Qué sucesos ocurridos a Jesús en los últimos días de su vida recuerdas de la Biblia?

From Lent to Easter

During Lent, we prepare for Easter. We pray for those who are going to become members of the Church. The Church also asks us to think about our own baptismal promises and how we are living as disciples of Jesus.

After the last week of Lent, we begin the celebration of Holy Week. We remember Jesus' last visit to Jerusalem. We remember the Last Supper and Christ's suffering, Death, and burial.

The Easter Triduum

Beginning with Holy Thursday, the Church celebrates the Triduum. This is the center of the whole liturgical year. The word *triduum* means "three days."

The Easter Triduum includes the celebrations on Holy Thursday evening, Good Friday, the Easter Vigil, and Easter Sunday. Throughout these three days, we celebrate and share in Jesus' suffering, Death, and Resurrection.

? What events do you recall from the Bible that happened to Jesus in the last few days of his life?

Faith-Filled People

The Elect

During Lent those preparing to become members of the Catholic Church are called the Elect. They have accepted God's invitation to become members of the Church. They will receive the Sacraments of Baptism, Confirmation, and Eucharist at the Easter Vigil.

Los católicos creen

Colores litúrgicos

La Iglesia usa colores para recordarnos los tiempos litúrgicos. Para el Adviento y la Cuaresma se usa el morado. Para la Navidad, la Pascua y otros días festivos especiales del Señor se usan el blanco y el dorado. En el Tiempo Ordinario se usa el verde. El Viernes Santo y en Pentecostés se usa el rojo. Todos estos colores nos ayudan a recordar el misterio revelado de nuestra fe.

Tiempo Ordinario

El Tiempo Ordinario es la parte más larga del año litúrgico. Estas semanas restantes del año litúrgico que no pertenecen a los tiempos de Adviento, Navidad, Cuaresma ni Pascua se llaman Tiempo Ordinario.

Las semanas del Tiempo Ordinario se llaman "ordinarias" porque las nombramos con números ordinales, como primera, segunda y tercera.

El Tiempo Ordinario tiene dos partes. La primera parte empieza después del tiempo de Navidad y continúa hasta que empieza la Cuaresma. La segunda parte empieza después del Domingo de Pentecostés y continúa hasta el Adviento.

Durante el Tiempo Ordinario, escuchamos relatos del Evangelio acerca de la vida de Jesús. Nos cuentan cómo se crió, qué hizo en su ministerio y cómo podemos vivir como sus seguidores.

Actividad

Colorea cada cruz con el color correcto del tiempo litúrgico. En el espacio en blanco, escribe algo de lo que ocurre en la Iglesia durante ese tiempo.

- Adviento ______________________
- Navidad ______________________
- Cuaresma ______________________
- Pascua ______________________
- Tiempo Ordinario ______________________

Ordinary Time

Ordinary time is the longest part of the liturgical year. These remaining weeks of the liturgical year that are not part of the seasons of Advent, Christmas, Lent, or Easter are called Ordinary Time.

The weeks of Ordinary Time are called "ordinary" because we name the weeks using ordinal numbers, such as first, second, and third.

Ordinary Time has two parts. The first part begins after the Christmas season and continues until Lent begins. The second part begins after Pentecost Sunday and continues until Advent.

During Ordinary Time, we listen to stories from the Gospels that tell us about Jesus' life. We hear how he grew up, what he did in his ministry, and how we can learn to live as his followers.

Catholics Believe

Liturgical Colors

The Church uses colors to remind us of the liturgical seasons. Violet is used for Advent and Lent. White and gold are used for Christmas and Easter and on other special feasts of the Lord. Green is used for Ordinary Time. Red is used on Good Friday and Pentecost. All of these colors help us remember the unfolding mystery of our faith.

Activity

Color in each cross with the correct color for the season of the liturgical year. In the space, write something that happens in church during that season.

- Advent ______________________________
- Christmas ______________________________
- Lent ______________________________
- Easter ______________________________
- Ordinary Time ______________________________

Yo sigo a Jesús

El año litúrgico de la Iglesia puede ayudarte a crecer diligentemente en tu fe. A medida que vas tomando parte en las celebraciones del año litúrgico, participas en el amor de Dios y en la vida de la Iglesia.

Actividad

Vivir como Jesús

Describe cómo te ayuda el año litúrgico a vivir como discípulo de Jesús.

Ahora la Iglesia está celebrando el tiempo de

____________________________________.

Durante este tiempo, recordaré que Jesús

____________________________________.

Trataré de vivir como Jesús al

________________________________.

Esta semana seré más diligente en celebrar que soy un seguidor de Jesús. Yo voy a

____

____.

Reza: Dale gracias a Dios por todas las personas de la Iglesia que adoran a Dios contigo cada domingo.

The Church's liturgical year can help you to grow diligently in your faith. As you take part in the celebrations of the liturgical year, you share in God's love and in the life of the Church.

Activity

Living Like Jesus

Describe how the liturgical year helps you live as a disciple of Jesus.

The Church is now celebrating the season of

______________________________________.

During this season I will remember that Jesus

______________________________________.

I will try to live like Jesus by

________________________________.

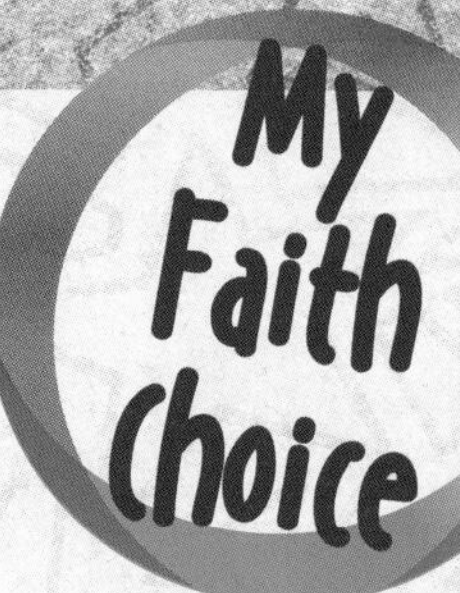

This week I will be more diligent in celebrating that I am a follower of Jesus. I will

____

______________________________________.

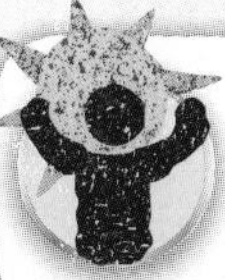

Pray: Thank God for all the people in the Church who worship God with you each Sunday.

PARA RECORDAR

1. La Liturgia es el culto público a Dios por parte de la Iglesia y la obra de toda la Iglesia.
2. El año eclesiástico del culto se llama año litúrgico. El centro del año litúrgico es el Triduo Pascual.
3. El año litúrgico de la Iglesia se compone de los tiempos de Adviento, Navidad, Cuaresma, Pascua y Tiempo Ordinario.

Repaso del capítulo

Une la definición de la columna 1 con la palabra correcta de la columna 2. Traza líneas para unir tus respuestas.

Columna 1	Columna 2
1. La obra de la Iglesia para adorar a Dios	**a.** Navidad
2. El tiempo en el que celebramos la venida de Jesús al mundo	**b.** Cuaresma
3. El tiempo que celebra la Resurrección de Jesús	**c.** liturgia
4. El tiempo en el que nos preparamos para el nacimiento de Jesús	**d.** Pascua
5. El tiempo en el que nos preparamos para la Pascua	**e.** Adviento

Gracias, Señor

Aprende a decir con señas esta oración de acción de gracias. Rézala solo. Rézala con tu familia a la hora de comer. Rézala hoy con tus compañeros de clase.

"Gracias, Dios.
Amén."

Chapter Review

Match the definition in Column 1 with the correct word in Column 2. Draw lines to show your answers.

Column 1	Column 2
1. The Church's work of worshiping God	**a.** Christmas
2. The season when we celebrate Jesus coming into the world	**b.** Lent
3. The feast that celebrates Jesus' Resurrection	**c.** liturgy
4. The season when we prepare for the birth of Jesus	**d.** Easter
5. The season when we get ready for Easter.	**e.** Advent

TO HELP YOU REMEMBER

1. The liturgy is the Church's public worship of God and the work of the whole Church.
2. The Church's year of worship is called the liturgical year. The center of the liturgical year is the Easter Triduum.
3. The liturgical year of the Church is made up of the seasons of Advent, Christmas, Lent, Easter, and Ordinary Time.

Thank You, God

Learn to sign this prayer of thanksgiving. Pray it alone. Pray it with your family at mealtime. Pray it today with your classmates.

"Thank You, God.
Amen."

Con mi familia

Esta semana...

En el capítulo 10, "El año eclesiástico", su niño aprendió que:

- ▶ La liturgia de la Iglesia es la obra de toda la Iglesia.
- ▶ El año eclesiástico del culto se llama año litúrgico. Igual que el año calendario, el año litúrgico se compone de tiempos, días festivos y otros días importantes.
- ▶ El Adviento, la Navidad, la Cuaresma y la Pascua son los tiempos principales del año litúrgico. Giran alrededor del Triduo Pascual, tres días de celebración solemne del sufrimiento, Muerte y Resurrección de Cristo.
- ▶ Las semanas restantes del año litúrgico se llaman Tiempo Ordinario.
- ▶ La virtud de la diligencia nos ayuda a adorar a Dios inquebrantablemente.

Para saber más sobre otras enseñanzas de la Iglesia, consulten el *Catecismo de la Iglesia Católica,* 1135–1186; y el *Catecismo Católico de los Estados Unidos para los Adultos,* páginas 177–192.

Compartir la Palabra de Dios

Vuelvan a leer el pasaje del Evangelio que se proclamó en la Misa del domingo pasado. Enfaticen cómo los ayuda la lectura a crecer en su fe y a vivirla como discípulos de Jesucristo.

Vivimos como discípulos

El hogar cristiano con la familia es una escuela de discipulado. Elijan una de las siguientes actividades para hacer en familia, o creen una actividad similar ustedes mismos.

- ▶ Cuando vayan a Misa, miren el color de las vestiduras que está usando el sacerdote. Identifiquen el tiempo litúrgico. Busquen otros recordatorios que les indiquen el tiempo litúrgico.
- ▶ Hablen en familia acerca del tiempo litúrgico actual y de cómo los ayuda a vivir como discípulos de Jesucristo.

Nuestro viaje espiritual

El año litúrgico nos guía para que vivamos diligentemente nuestras promesas bautismales y reflexionemos sobre Cristo como nuestro modelo para el discipulado. Con el transcurso de cada domingo durante el año, se nos invita al misterio revelado de la vida, Muerte, Resurrección y Ascensión de Cristo. Piensen en cómo la decoración y los colores litúrgicos que ven en la iglesia pueden formar parte de su hogar, en un espacio de oración o en la mesa del comedor.

Para hallar más ideas sobre las maneras en que su familia puede vivir como discípulos de Jesús, visiten **seanmisdiscipulos.com**

With My Family

This Week...

In chapter 10, "The Church Year," your child learned:

- The Church's liturgy is the work of the whole Church.
- The Church's year of worship is called the liturgical year. Like the calendar year, the liturgical year is made up of seasons and feasts and other important days.
- The seasons of Advent, Christmas, Lent, and Easter are the main seasons of the liturgical year. They revolve around the Triduum, a solemn three-day celebration of Christ's suffering, Death, and Resurrection.
- The remaining weeks of the liturgical year are called Ordinary Time.
- The virtue of diligence helps us be steadfast in our worship of God.

For more about related teachings of the Church, see the *Catechism of the Catholic Church,* 1135–1186; and the *United States Catholic Catechism for Adults,* pages 165–179.

Sharing God's Word

Reread the Gospel passage that you heard proclaimed at Mass this past Sunday. Emphasize how the reading helps you grow and live your faith as a disciple of Jesus Christ.

We Live as Disciples

The Christian home and family is a school of discipleship. Choose one of the following activities to do as a family or design a similar activity of your own.

- When you go to Mass, look at the color of the vestments that the priest is wearing. Identify the liturgical season. Look for other reminders that tell you of the liturgical season.
- Talk as a family about the current liturgical season and how it helps you live as a disciple of Jesus Christ.

Our Spiritual Journey

The liturgical year guides us in diligently living our baptismal promises and reflecting on Christ as our model for discipleship. We are invited into the unfolding mystery of Christ's life, Death, Resurrection, and Ascension through the course of each Sunday throughout the year. Think about how the liturgical colors and seasonal décor you see at church can become part of your home; in a prayer space or at the dining table.

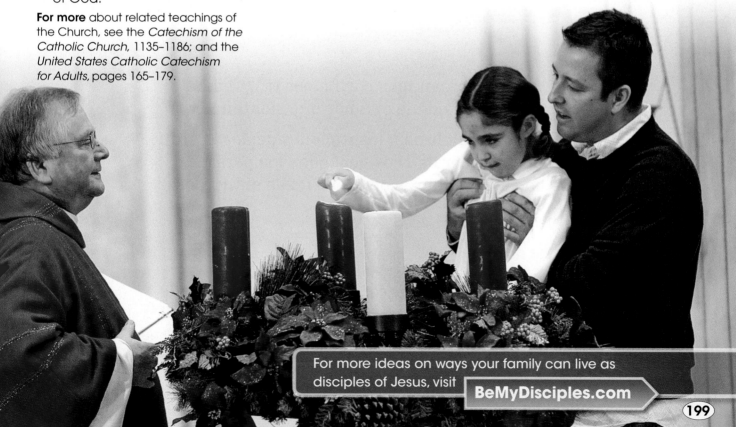

For more ideas on ways your family can live as disciples of Jesus, visit **BeMyDisciples.com**

CAPÍTULO 11

Lo que vendrá

En este capítulo el Espíritu Santo te invita a ▶

INVESTIGAR cómo San Pedro Claver compartió el amor de Dios con los demás.

DESCUBRIR el significado de los Sacramentos.

DECIDIR cómo amarás como Jesús.

Celebrar el amor de Dios

¿Quiénes sienten más cariño por ti? ¿Cómo muestra su cuidado el amor que sienten por ti?

Todas las palabras y las acciones de Jesús eran un signo del amor de Dios por todas las personas. Escucha estas palabras de Jesús a sus discípulos:

"Ámense los unos a los otros como yo los he amado". BASADO EN JUAN 13:34

¿Cómo puedes amar como Jesús? ¿Quién puede ayudarte?

Looking Ahead

In this lesson the Holy Spirit invites you to ▶

EXPLORE how Saint Peter Claver shared God's love with others.

DISCOVER the meaning of the Sacraments.

DECIDE how you will love like Jesus.

CHAPTER 11

Celebrating God's Love

Who cares for you the most? How does their care show their love for you?

All of Jesus' words and actions were a sign of God's love for all people. Listen to these words of Jesus to his disciples:

> *"Just as I have loved you, you should love each other."*
>
> Based on John 13:34

How can you love like Jesus? Who can help you?

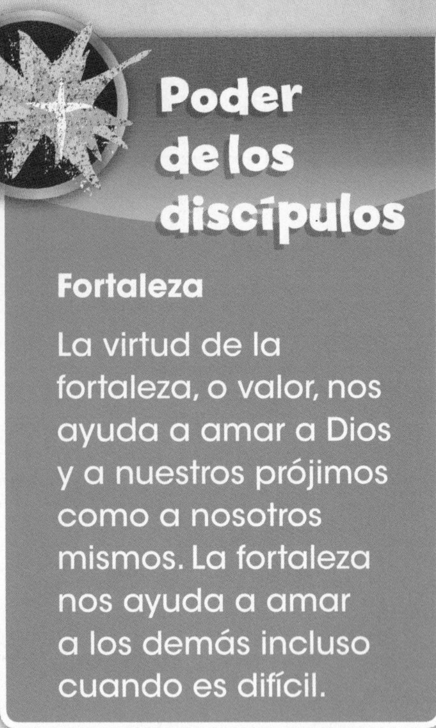

Poder de los discípulos

Fortaleza

La virtud de la fortaleza, o valor, nos ayuda a amar a Dios y a nuestros prójimos como a nosotros mismos. La fortaleza nos ayuda a amar a los demás incluso cuando es difícil.

La Iglesia sigue a **Jesús**

Un esclavo de los esclavos

Pedro Claver fue un signo vivo del amor de Dios a los esclavos. Pedro fue un valiente sacerdote jesuita nacido en España. Los jesuitas son una comunidad religiosa de hombres que dedican su vida a la enseñanza y a la obra misionera.

A principios del siglo XVII, el Padre Pedro fue como misionero a Colombia, América del Sur. Trabajó en la ciudad-puerto de Cartagena a la que, en aquella época, consideraban el centro colombiano del comercio de esclavos.

Cada año, los barcos traían más de 10,000 personas de África a Cartagena. Casi no les daban ni comida ni bebida, o camas limpias para dormir. Cuando los barcos llegaban a Cartagena, Pedro cuidaba de esas personas.

Los esclavos lo miraban con alegría en los ojos. El Padre Pedro no sabía su idioma. No podía predicarles el Evangelio con palabras, pero con sus acciones les confirmaba el amor de Dios por ellos.

San Pedro Claver vivió en Cartagena 40 años. No todos querían que cuidara a los esclavos, pero él tenía el don de la fortaleza, o valor. Amaba a los esclavos, aun cuando no fuera bien visto. Pedro bautizó a más de 300,000 esclavos. Decía que él era un "esclavo de los esclavos" porque los amaba mucho.

? ¿En qué se parecen las acciones de San Pedro a lo que Jesús les pidió a sus discípulos que hicieran? ¿Cómo cada uno de nosotros puede ser un signo viviente del amor de Dios?

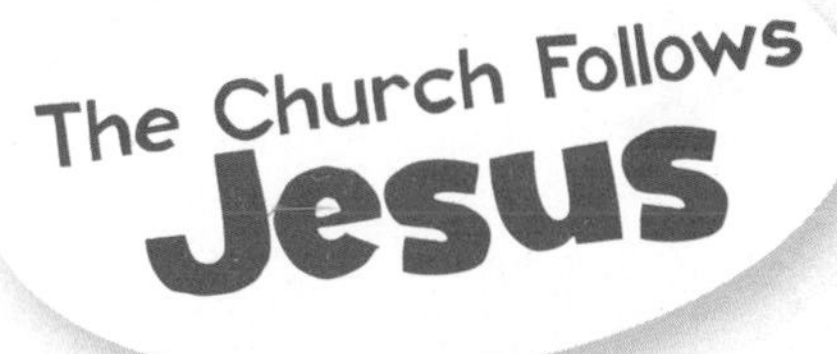

A Slave to the Slaves

Peter Claver was a living sign of God's love to enslaved people. Peter was a courageous Jesuit priest from Spain. The Jesuits are a religious community of men who dedicate their lives to teaching and missionary work.

In the early 1600s, Father Peter was a missionary in Colombia, South America. He worked in the port city of Cartagena, which was at that time called the Colombian center of slave trade.

Each year, ships carried over 10,000 people from Africa to Cartagena. They were given little or no food and drink or clean bedding. When the ships arrived in Cartagena, Peter would care for the people.

The slaves looked at him with joy in their eyes. Peter did not know their language. He could not preach the Gospel to them with words, but Father Peter assured them of God's love for them with his actions.

Saint Peter Claver lived in Cartagena for 40 years. Not everyone wanted him to care for the slaves, but he had the gift of fortitude, or courage. Even when it was not popular, he loved the slaves. Peter baptized more than 300,000 slaves. He said he was a "slave to the slaves" because he loved them so much.

? How are Saint Peter's actions like what Jesus asked his disciples to do? How can each of us be living signs of God's love?

Disciple Power

Fortitude

The virtue of fortitude, or courage, helps us to love God and our neighbors as ourselves. Fortitude helps us to love others even when it is hard to do.

Enfoque en la fe
¿Por qué los Sacramentos nos acercan más a Jesús?

Vocabulario de fe

Sacramentos
Los Sacramentos son los siete signos especiales que hacen que Jesús esté presente entre nosotros. Participamos de la vida de la Santísima Trinidad a través de estos Sacramentos.

Sacramentos de la Iniciación Cristiana
Los Sacramentos de la Iniciación Cristiana son el Bautismo, la Confirmación y la Eucaristía. Estos tres Sacramentos establecen las bases para nuestra vida en Cristo.

Celebramos los Sacramentos

Jesús nos dio los **Sacramentos**. Hay siete Sacramentos. Ellos son: Bautismo, Confirmación, Eucaristía, Unción de los Enfermos, la Penitencia y la Reconciliación, Orden Sagrado y Matrimonio.

Cuando celebramos los Sacramentos con la Iglesia, nos hacemos partícipes en la vida de la Santísima Trinidad. Dios Padre nos invita a darle alabanza y acción de gracias. En los Sacramentos, recibimos la ayuda de Jesús para llevar la Buena Nueva del amor de Dios a los demás. El Espíritu Santo nos ayuda a parecernos más a Jesús.

Actividad

En el primer renglón, escribe el nombre de un Sacramento que hayas recibido. En los otros renglones, escribe algo que sepas acerca de ese Sacramento.

Sacramento ________________________

Lo que sé ________________________

____

____

We Celebrate the Sacraments

Jesus gave us the **Sacraments**. There are seven Sacraments. They are Baptism, Confirmation, the Eucharist, Anointing of the Sick, Penance and Reconciliation, Holy Orders, and Matrimony.

When we celebrate the Sacraments with the Church, we are made sharers in the life of the Holy Trinity. God the Father invites us to give him praise and thanksgiving. In the Sacraments we receive Jesus' help to bring the Good News of God's love to others. The Holy Spirit helps us to become more like Jesus.

Faith Focus
How do the Sacraments bring us closer to Jesus?

Faith Vocabulary

Sacraments
The Sacraments are the seven special signs that make Jesus present to us. We share in the life of the Holy Trinity through these Sacraments.

Sacraments of Christian Initiation
Baptism, Confirmation, and the Eucharist are the Sacraments of Christian Initiation. These three Sacraments lay the foundation for our life in Christ.

On the top line, write the name of one Sacrament that you have received. On the other lines, write one thing you know about that Sacrament.

Sacrament ______________________

What I know ______________________

____

____

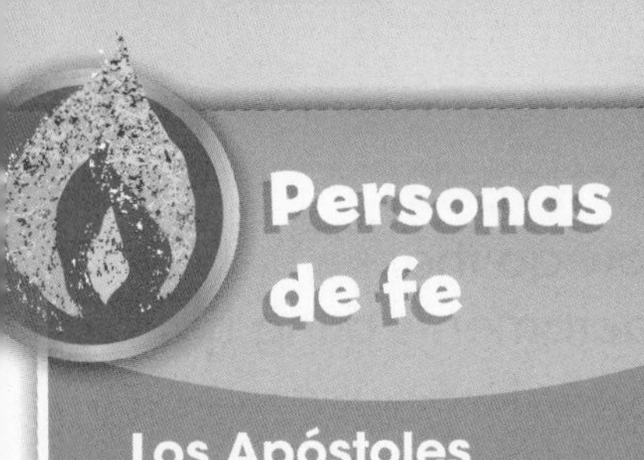

Personas de fe

Los Apóstoles

Los Apóstoles fueron los doce discípulos que Jesús envió al mundo para que hagan discípulos de todas las naciones. Jesús les dio a los Apóstoles la misión de bautizar y enseñar a las personas todo lo que Él les había enseñado a ellos.

Bautismo

El Bautismo, la Confirmación y la Eucaristía se llaman **Sacramentos de la Iniciación Cristiana**. Ellos establecen las bases para nuestra vida como discípulos de Jesús.

El Bautismo es el primer Sacramento que recibimos. Si nos bautizan cuando somos bebés, nuestros padres y padrinos piden a la Iglesia que nos bautice. Nuestros padrinos prometen ayudar a nuestros padres a enseñarnos acerca de Jesús y a vivir como Jesús enseñó.

La celebración del Bautismo

El sacerdote o el diácono usa agua bendita para bautizarnos. En el Bautismo, nos unimos a Cristo. Recibimos nueva vida en Cristo y nacemos en la familia de la Iglesia. Se nos perdonan nuestros pecados y recibimos el don del Espíritu Santo.

En el Bautismo quedamos marcados con un signo, o señal indeleble. Quedamos marcados como seguidores de Cristo para siempre. Por eso podemos bautizarnos solamente una vez.

? ¿Qué sucede cuando una persona celebra el Sacramento del Bautismo? Cuéntaselo a un compañero.

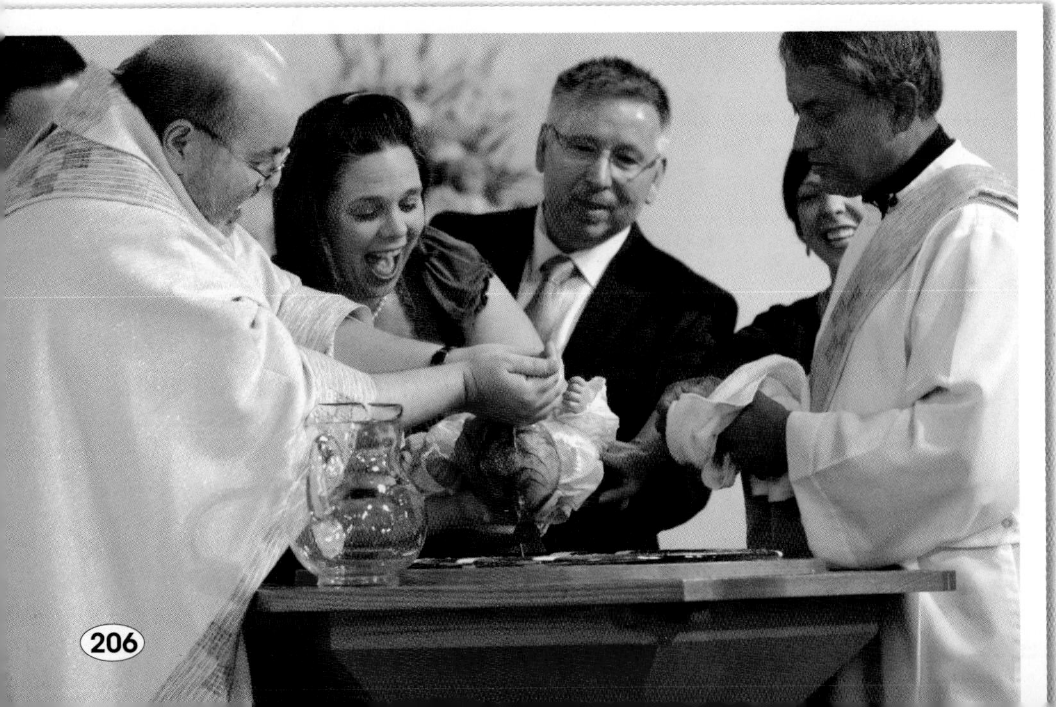

Baptism

Baptism, Confirmation, and the Eucharist are called the **Sacraments of Christian Initiation**. They lay the foundation for our lives as disciples of Jesus.

Baptism is the first Sacrament we receive. If we are baptized as infants, our parents and godparents ask the Church to baptize us. Our godparents promise to help our parents teach us about Jesus and how to live as Jesus taught.

The Celebration of Baptism

The priest or deacon uses blessed water to baptize us. In Baptism we are joined to Christ. We receive new life in Christ and are born into the Church family. Our sins are forgiven, and we receive the gift of the Holy Spirit.

In Baptism, we are marked with a lasting sign, or character. We are marked as followers of Christ forever. That is why we may be baptized only one time.

? What happens when a person celebrates the Sacrament of Baptism? Tell a partner.

Faith-Filled People

The Apostles

The Apostles were the twelve disciples Jesus sent into the world to make disciples of all nations. Jesus gave the Apostles the work to baptize and teach people all that he taught them.

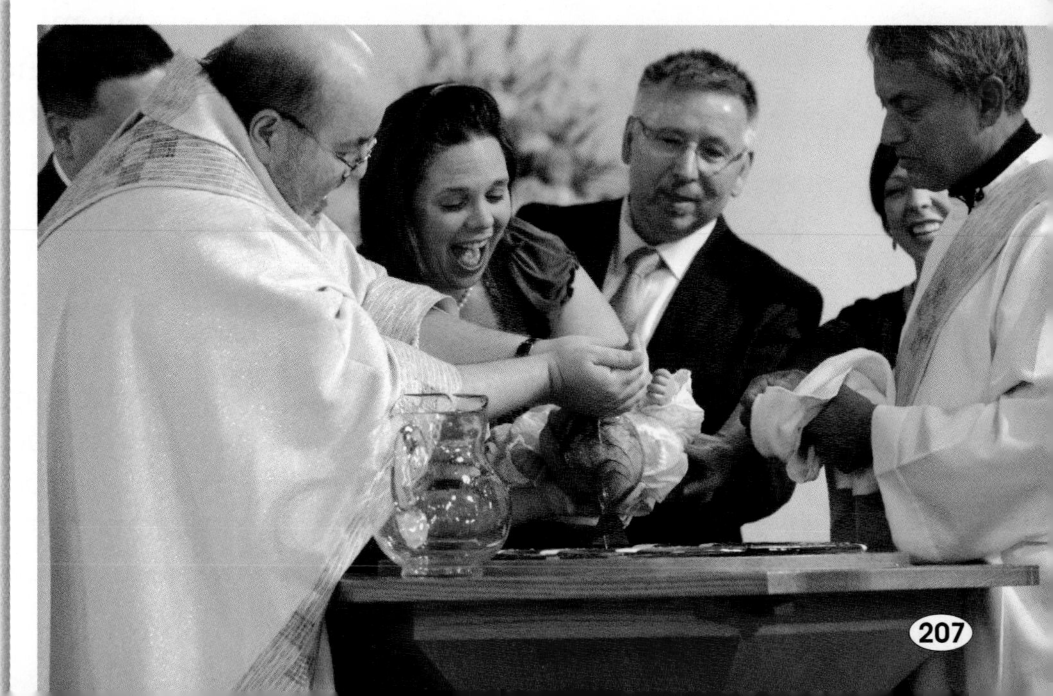

Los católicos creen

Sacramentales

Los sacramentales son objetos y bendiciones que usamos en nuestro culto y nuestra oración. Algunos sacramentales son el agua bendita, los óleos bendecidos, el crucifijo y las medallas religiosas bendecidas. Las cenizas que recibimos en la frente el Miércoles de Ceniza son otro ejemplo de sacramental.

Confirmación

La Confirmación completa nuestro Bautismo y nos fortalece para vivirlo. El Espíritu Santo nos fortalece para que seamos testigos de Cristo como lo fue San Pedro Claver. En la Confirmación, somos marcados con un signo, o señal, permanente igual que en el Bautismo. Como el Bautismo, podemos recibir la Confirmación solamente una vez. El obispo es generalmente el ministro ordinario de la Confirmación. A veces, él le pide a un sacerdote que sea el ministro de este Sacramento.

La celebración de la Confirmación

Generalmente, la Confirmación ocurre en la Misa. Después de la lectura del Evangelio, el obispo, o el sacerdote que él haya elegido, invita a los confirmandos a renovar sus promesas bautismales. Luego extiende las manos sobre todos los confirmandos y reza: "Envía sobre ellos al Espíritu Santo Consolador".

Los confirmandos avanzan con su padrino y se arrodillan delante del obispo. Los padrinos colocan la mano sobre el hombro derecho de los confirmandos. El obispo tiende la mano sobre la cabeza de cada confirmando y lo unge en la frente con el Santo Crisma mientras dice: "Recibe por esta señal el Don del Espíritu Santo".

Forma grupos de tres. Haz una dramatización del Rito de la Confirmación. Usa el texto de esta página para guiarte.

Confirmation

Confirmation completes and strengthens us to live our Baptism. The Holy Spirit strengthens us to be witnesses for Christ as Saint Peter Claver was. In Confirmation we are marked with a permanent sign, or character, as we were in Baptism. Like Baptism, we can only receive Confirmation one time. The bishop is the ordinary minister of Confirmation. Sometimes he might ask a priest to be the minister of this Sacrament.

The Celebration of Confirmation

Confirmation usually takes place at Mass. After the Gospel reading, the bishop, or priest chosen by him, invites the candidates for Confirmation to renew their baptismal promises. He then extends his hands over all the candidates and prays, "Send your Holy Spirit upon them to be their Helper and Guide."

The candidates come forward with their sponsors and kneel before the bishop. The sponsors place their hands on the right shoulders of the candidates. The bishop lays his hand on each candidate's head and anoints his or her forehead with Sacred Chrism, as he says, "Be sealed with the Gift of the Holy Spirit."

Catholics Believe

Sacramentals

Sacramentals are objects and blessings that we use in our worship and prayer. Holy water, blessed oils, the crucifix, and blessed religious medals are some sacramentals. The ashes we receive on our forehead on Ash Wednesday are also an example of a sacramental.

Activity

Form groups of three. Act out the Rite of Confirmation. Use the text on this page to guide you.

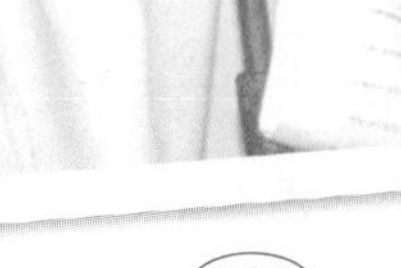

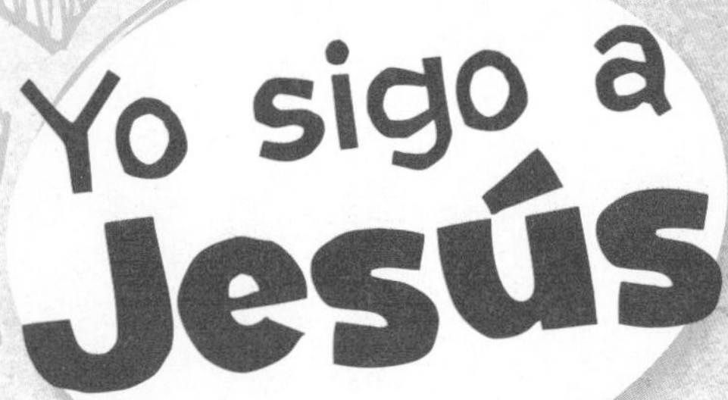

Cuando celebras los Sacramentos, te acercas más a Dios Padre, Hijo y Espíritu Santo. Recibes la gracia de ser un signo vivo del amor de Dios a los demás. Recibes la gracia de ayudar a que en los demás crezca su amor por Dios.

Inicio | Libros | Estudios bíblicos | Noticias | Buscador

Vivir nuestra fe

Imagina que te hacen una entrevista para el sitio web de tu parroquia. ¿Cómo responderías a las siguientes preguntas del periodista? Trabaja con un compañero. Túrnense para ser el periodista y el entrevistado.

- ¿Cómo te ayuda tu fe a ser un signo viviente del amor de Dios por las personas?
- ¿Es difícil o es fácil para ti vivir tu fe y ser un signo viviente del amor de Dios?
- ¿Quiénes te ayudan a vivir tu fe y a ser un signo del amor de Dios?

Esta semana mostraré fortaleza para ser un signo viviente del amor de Dios. Yo voy a

____

____

Reza: "Espíritu Santo, dame la fortaleza para que siempre haga tu voluntad y viva mi Bautismo. Amén".

When you celebrate the Sacraments, you grow closer to God the Father, the Son, and the Holy Spirit. You receive the grace to be a living sign of God's love to others. You receive the grace to help others grow in their love for God.

Home Books Bible Study News Search

Living our Faith

Pretend you are being interviewed for your parish Web site. How would you answer the following questions from the reporter? Work with a partner. Take turns being the reporter and the person being interviewed.

- How does your faith help you to be a living sign of God's love for people?
- How difficult or easy is it to live your faith and be a living sign of God's love?
- Who helps you to live your faith and be a sign of God's love?

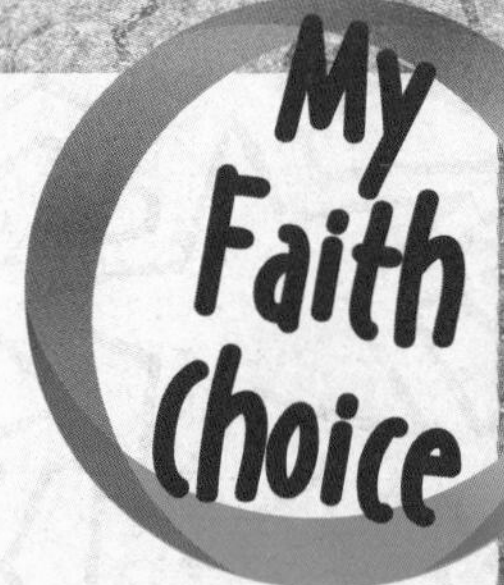

This week I will show fortitude in being a living sign of God's love. I will

____

____

Pray, "Holy Spirit, give me fortitude so that I will always do your will and live my Baptism. Amen."

PARA RECORDAR

1. Los Sacramentos de la Iniciación Cristiana establecen las bases para nuestra vida como discípulos de Jesús.
2. El Bautismo nos une a Cristo. Recibimos nueva vida en Cristo y nos hacemos miembros de la Iglesia.
3. La Confirmación fortalece nuestro Bautismo y nos ayuda a vivir como seguidores de Jesús.

Repaso del capítulo

Usa el código para descubrir un mensaje acerca de los Sacramentos.

A	B	C	D	E	F	G	H	I	J	K	L	M
1	2	3	4	5	6	7	8	9	10	11	12	13

N	O	P	Q	R	S	T	U	V	W	X	Y	Z
14	15	16	17	18	19	20	21	22	23	24	25	26

¡__ __ __ __ __ __ __ __ __ __ __ __ __ __
12 15 19 19 1 3 18 1 13 5 14 20 15 19

__ __ __ __ __ __ __!
4 1 14 22 9 4 1

Prometemos

Líder Renovemos nuestras promesas bautismales. A cada pregunta, respondemos: "Sí, creo" o "Sí, renuncio" en inglés.

¿Renuncian al pecado y al encanto del mal?

Todos **Yes, I do.** (ies ay du) **(Sí, renuncio).**

Líder ¿Creen en Dios Padre y en su Hijo, Jesucristo?

Todos **Yes, I do.** (ies ay du) **(Sí, creo).**

Líder ¿Creen en el Espíritu Santo?

Todos **Yes, I do.**

Líder ¿Renuncian al pecado y al encanto del m

Todos **Yes, I do.**

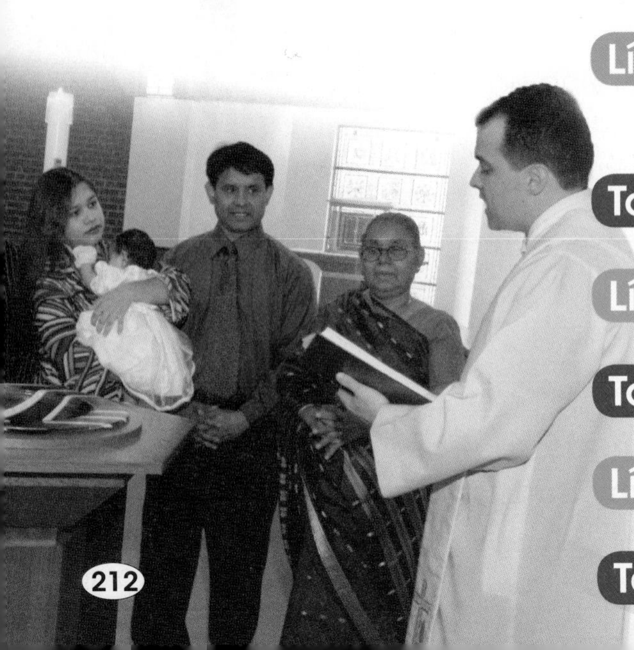

Chapter Review

Use the code to discover a message about the Sacraments.

A	B	C	D	E	F	G	H	I	J	K	L	M
1	2	3	4	5	6	7	8	9	10	11	12	13
N	**O**	**P**	**Q**	**R**	**S**	**T**	**U**	**V**	**W**	**X**	**Y**	**Z**
14	15	16	17	18	19	20	21	22	23	24	25	26

___ ___ ___ ___ ___ ___ ___ ___ ___ ___
19 1 3 18 1 13 5 14 20 19

___ ___ ___ ___ ___ ___ ___ ___!
7 9 22 5 12 9 6 5

TO HELP YOU REMEMBER

1. The Sacraments of Christian Initiation lay the foundation for our lives as disciples of Jesus.
2. Baptism joins us to Christ. We receive new life in Christ and become members of the Church.
3. Confirmation strengthens our Baptism and helps us live as Jesus' followers.

We Promise

Leader Let us renew our baptismal promises. To each question, answer, "Yes, I believe," in Spanish.

Do you reject sin and the glamour of evil?

All **Sí, renuncio.** (See rea-noon-ceeo) **(Yes, I reject them.)**

Leader Do you believe in God the Father and his Son, Jesus Christ?

All **Sí, creo.** (See cray-o) **(Yes, I believe.)**

Leader Do you believe in the Holy Spirit?

All **Sí, creo.** (See cray-o) **(Yes, I believe.)**

Leader Do you reject sin and the glamour of evil?

All **Sí, renuncio.** (See rea-noon-ceeo) **(Yes, I reject them.)**

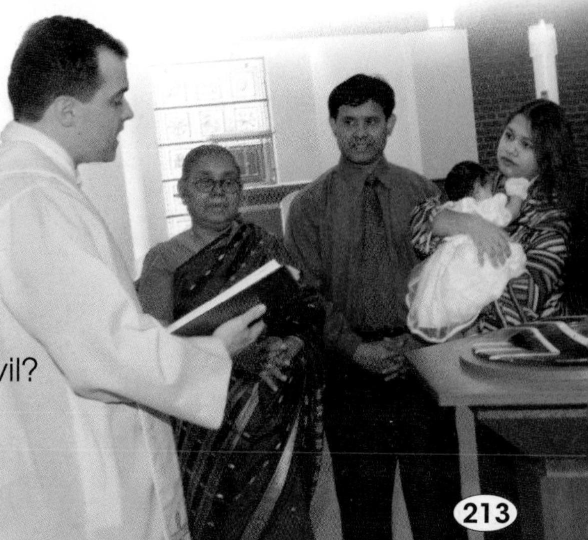

Con mi familia

Esta semana...

En el capítulo 11, "Celebrar el amor de Dios", su niño aprendió que:

- Cuando celebramos los Sacramentos, participamos en la vida misma de Dios Padre, Hijo y Espíritu Santo.
- Nos unimos a Cristo a través del Bautismo y nos fortalecemos por el don del Espíritu Santo en la Confirmación.
- La fortaleza o valor, nos ayuda a hacer lo que es bueno y a hacer y decir lo necesario para vivir como seguidores de Jesús.

Para saber más sobre otras enseñanzas de la Iglesia, consulten el *Catecismo de la Iglesia Católica*, 1135–1158, 1210–1274 y 1285–1314; y el *Catecismo Católico de los Estados Unidos para los Adultos*, páginas 193–224.

Compartir la Palabra de Dios

Lean juntos Mateo 28:16–20, el relato de cuando Jesús envió a los discípulos a bautizar a las personas y a hacer discípulos de todos los pueblos. Enfaticen que el Sacramento del Bautismo nos une a Cristo y al Cuerpo de Cristo, la Iglesia. Comenten de qué manera su familia habla a los demás acerca de Jesús.

Vivimos como discípulos

El hogar cristiano con la familia es una escuela de discipulado. Elijan una de las siguientes actividades para hacer en familia, o creen una actividad similar ustedes mismos.

- Muestren a su niño fotografías y otros recuerdos de su Bautismo. Compartan recuerdos de la celebración. Conversen acerca de lo que significa estar bautizado.
- Identifiquen los sacramentales que tengan en casa o que vean en la iglesia la próxima vez que vayan. ¿Cómo pueden los sacramentales formar parte de sus oraciones en familia? Incluyan uno en sus oraciones de esta semana.

Nuestro viaje espiritual

La limosna es una de las principales disciplinas espirituales que nos ayudan a vivir la vida cristiana. Nos ayuda a concentrarnos en vivir el mandamiento que nos dio Jesús de amar al prójimo como Él nos amó. La limosna no es solamente compartir nuestras bendiciones físicas o materiales, lo más importante es que significa compartir generosa y valientemente nuestras bendiciones espirituales. Recen en familia cada día por quienes necesiten especialmente la ayuda de Dios.

Para hallar más ideas sobre las maneras en que su familia puede vivir como discípulos de Jesús, visiten **seanmisdiscipulos.com**

With My Family

This Week...

In chapter 11, "Celebrating God's Love," your child learned:

- When we celebrate the Sacraments, we share in the very life of God the Father, the Son, and the Holy Spirit.
- We are joined to Christ through Baptism and strengthened by the gift of the Holy Spirit in Confirmation.
- Fortitude, or courage, strengthens us to do what is good and to do and say what is needed to live as followers of Jesus.

For more about related teachings of the Church, see the *Catechism of the Catholic Church*, 1135–1158, 1210–1274, and 1285–1314; and the *United States Catholic Catechism for Adults*, pages 181–211.

Sharing God's Word

Read together Matthew 28:16–20, the account of Jesus sending the disciples to baptize people and make disciples of all peoples. Emphasize that the Sacrament of Baptism joins us to Christ and to the Body of Christ, the Church. Discuss the ways your family tells others about Jesus.

We Live as Disciples

The Christian home and family is a school of discipleship. Choose one of the following activities to do as a family or design a similar activity of your own.

- Show your child photos and other mementos of their Baptism. Share memories about the celebration. Talk together about what being baptized means.
- Identify the sacramentals in your home or the next time you are in church. How can sacramentals become part of your family prayers? Include one in your prayer this week.

Our Spiritual Journey

Almsgiving is one of the major spiritual disciplines that helps us live the Christian life. It helps us center our lives on living Jesus' command to love others as he loved us. Almsgiving not only includes sharing our physical or material blessing; more importantly it includes generously and courageously sharing our spiritual blessings. Pray as a family each day for those in special need of God's help.

For more ideas on ways your family can live as disciples of Jesus, visit **BeMyDisciples.com**

CAPÍTULO 12

Lo que vendrá

En este capítulo el Espíritu Santo te invita a ▶

INVESTIGAR cómo un pastor compartió el amor sanador de Dios.

DESCUBRIR los dos Sacramentos de Curación.

DECIDIR cómo perdonarás y cómo pedirás perdón.

El amor sanador de Dios

? ¿Cómo te sientes cuando haces algo que está mal? ¿Qué haces para corregirlo?

A veces, las personas hacen cosas que están mal. A veces, pecan. Jesús lo sabía. Escucha lo que Jesús les dijo a sus discípulos:

> *"Si ustedes le perdonan los pecados a alguien, les serán perdonados".* BASADO EN JUAN 20:23

? ¿Cuándo has dicho "Lo siento" con honestidad? ¿Cuándo has perdonado a alguien que te dijo: "En verdad lo siento"?

Looking Ahead

In this chapter the Holy Spirit invites you to ▶

EXPLORE how a shepherd shared God's healing love.

DISCOVER the two Sacraments of Healing.

DECIDE how you will forgive and seek forgiveness.

CHAPTER 12

God's Healing Love

How do you feel when you do something that is wrong? What do you do to correct it?

Sometimes people do things that are wrong. Sometimes they sin. Jesus knew this. Let's listen to what Jesus said to his disciples:

> *"If you forgive anyone's sins, they are forgiven."*
>
> BASED ON JOHN 20:23

When have you said "I am sorry" and really meant it? When have you forgiven someone who said to you, "I am really sorry?"

Poder de los discípulos

Longanimidad

Las personas con longanimidad tratan a los demás con respeto y cortesía. Sus palabras y acciones tratan a los demás de la manera en que los trata Dios. Tratan a las personas de la manera en que ellos quieren que los demás los traten.

Un santo longánimo

Pedro de San José Betancur era conocido por ser bueno con las personas. Había nacido en España, donde trabajaba como pastor. A los 24 años, se fue de España y cruzó el océano Atlántico hacia el oeste.

Pedro desembarcó en Guatemala en 1650. Enseguida empezó a ocuparse de los pobres, los enfermos, los presos y los que no tenían trabajo. Se hizo amigo de un grupo de hombres que pertenecían a la orden religiosa de San Francisco. Ingresó a la orden y ayudó a construir un hospital, una escuela, un refugio para personas sin hogar y un lugar para rezar.

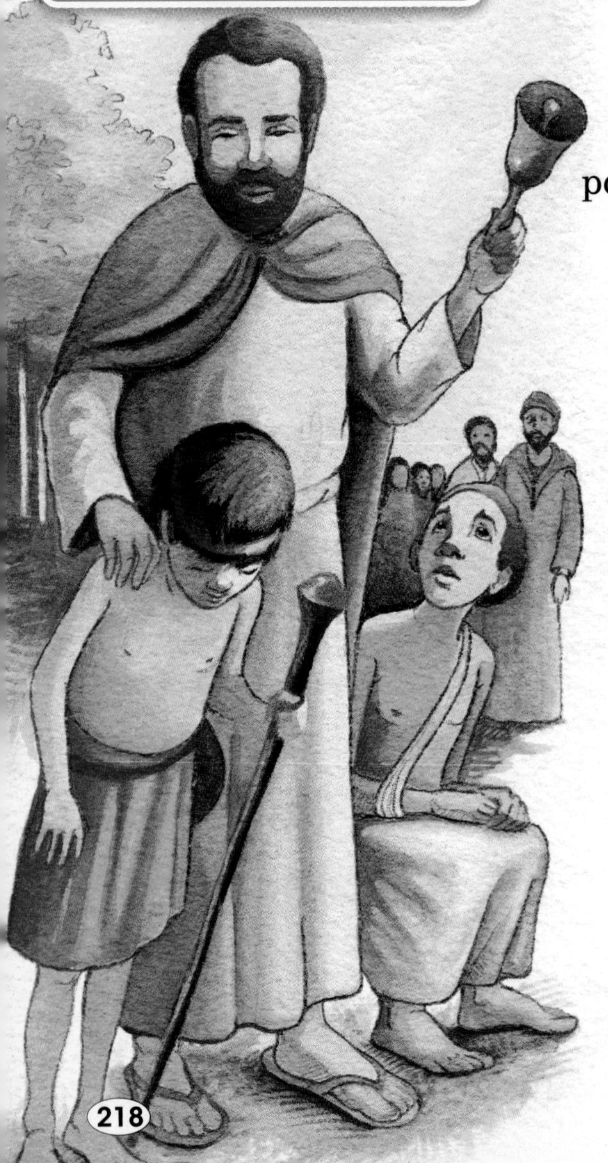

Pedro caminaba por las partes más ricas de la ciudad de Guatemala tocando una campana y pidiendo dinero para los pobres. Invitaba a las personas a arrepentirse de sus pecados. Construyó capillas y santuarios en los sectores más pobres de la ciudad.

Pedro de Betancur nunca dejó de buscar la manera de servir a Dios y a las personas que él sabía que Dios amaba. Llevó la curación de Dios a los pobres y atendió a los necesitados. A Pedro se lo honra ahora como San Pedro de San José Betancur. Es el primer Santo de Guatemala.

¿Cómo puedes ser bueno con las personas? ¿Cómo puedes ayudar a alguien que necesite curación?

A Saint of Kindness

Pedro de San José Betancur was known for being kind to people. He was born in Spain where he worked as a shepherd. When he was 24 years old, he left Spain and sailed west across the Atlantic Ocean.

Pedro landed in Guatemala in 1650. He quickly began looking after people who were poor, sick, in prison, or had no work. He became friends with a group of men who were members of the religious Order of St. Francis. He joined the order and helped to build a hospital, a school, a homeless shelter, and a place where people could pray.

Pedro walked through the richest parts of Guatemala City, ringing a bell and begging for money for the poor. He invited people to repent for their sins. He built chapels and shrines in the poorest sections of the city.

Pedro de Betancur never stopped looking for ways to serve God and the people he knew God loved. He brought God's healing to the poor and attention to those in need. Pedro is now honored as Saint Pedro de San José Betancur. He is the first Saint from Guatemala.

? How can you be kind to people? How can you help someone in need of healing?

Disciple Power

Kindness

People who are kind treat other people with respect and courtesy. Their words and actions treat other people the way that God treats them. They treat other people the way they want other people to treat them.

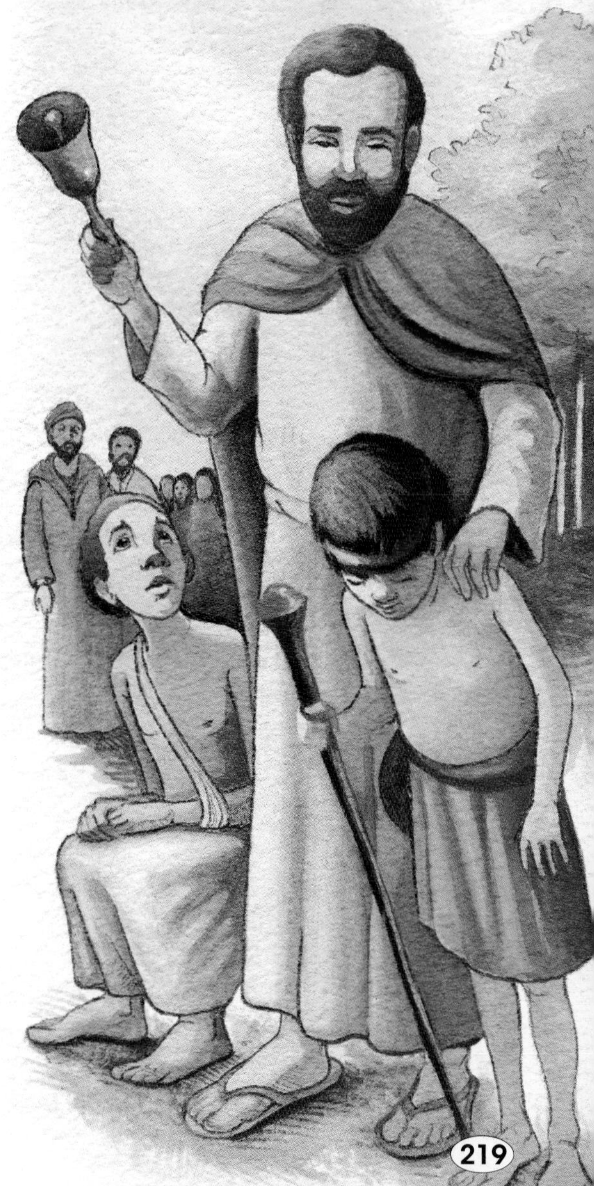

Enfoque en la fe
¿Cómo nos ayudan los Sacramentos de Curación a participar en el amor sanador de Dios?

Vocabulario de fe

pecado
El pecado es la elección libre de hacer o decir algo que sabemos que está en contra de la Ley de Dios.

Sacramentos de Curación
Los dos Sacramentos de Curación son el Sacramento de la Penitencia y de la Reconciliación, y el Sacramento de la Unción de los Enfermos.

La longanimidad amorosa de Dios

Jesús nos enseñaba a menudo acerca de la longanimidad amorosa de Dios. ¿Recuerdas la parábola o relato que contó Jesús sobre el padre que perdona al hijo pródigo?

En el relato, el hijo menor de una familia quiere irse de la casa. Entonces, le pide a su padre la parte de la herencia familiar que le corresponde. ¡Se va y lo gasta todo! Esto es lo que ocurre después:

El hijo tenía mucha hambre. Pensó en todo lo que había hecho y se arrepintió. Decidió volver a la casa y pedirle perdón al padre. Cuando el hijo venía caminando hacia la casa, el padre lo vio. El padre no esperó a que su hijo estuviera más cerca. Corrió a él por el camino para recibirlo. El muchacho dijo que estaba arrepentido. El padre abrazó a su hijo, lo perdonó y lo recibió de nuevo en su casa.

Basado en Lucas 15:16–24

Actividad

Usa este código para descubrir lo que hace Dios cuando decimos que nos arrepentimos.

1=D 2=M 3=N 4=P 5=R 6=S

_ I O _   _ O _
1   6   3   6

_ E _ _ O _ A   _ I E _ _ _ E.
4   5 1   3   6   2 4 5

God's Loving Kindness

Faith Focus
How do the Sacraments of Healing help us share in God's healing love?

Faith Vocabulary

sin
Sin is freely choosing to do or say something that we know is against God's Law.

Sacraments of Healing
The Sacrament of Penance and Reconciliation and the Sacrament of Anointing of the Sick are the two Sacraments of Healing.

Jesus often taught us about the loving kindness of God. Do you remember the parable, or story, of the Forgiving Father that Jesus told?

In the story, the younger son in a family wants to leave home. So, he asks his Father for his share of the father's money. He leaves home and spends it all! Here is what happens next:

The son became very, very hungry. He thought about all he had done and was sorry. He decided to return home and ask his father for forgiveness. As the son was walking down the road to his father's home, his father saw him. The father did not wait for his son to come closer. He ran down the road to greet his son. The son told his father he was sorry. The father hugged his son, forgave him, and welcomed him home.

Based on Luke 15:16–24

Activity

Use this code to discover what God does when we say we are sorry.

1=D 2=F 3=G 4=L 5=R 6=S 7=V 8=W 9=Y

_ O _ A _ _ A _ _
3   1   4 8   9 6

_ O _ _ I _ E _ U _.
2   5 3   7   6   6

Personas de fe

Pedro Apóstol

San Pedro Apóstol supo cuánto perdonaba Jesús a las personas. Una vez Pedro negó que era discípulo de Jesús. A pesar de esto, Jesús lo perdonó y lo nombró cabeza de la Iglesia. Jesús le dio a Pedro y a los otros Apóstoles el poder de perdonar los pecados en su nombre. La Iglesia celebra el día de San Pedro Apóstol el 29 de junio.

Tomar malas decisiones

La gente toma buenas decisiones y malas decisiones, como el hijo de la parábola de El hijo pródigo. A veces, tomamos decisiones que están en contra de la Ley de Dios. Tomamos decisiones que sabemos que Dios no quiere que tomemos. Cuando tomamos esas decisiones libremente, cometemos **pecado**. El pecado daña siempre nuestra amistad con Dios y con las demás personas. Cuando pecamos, tenemos que pedirle perdón a Dios.

Penitencia y Reconciliación

Jesús nos dio el Sacramento de la Penitencia y de la Reconciliación. Este Sacramento es un signo de la longanimidad amorosa de Dios. En este Sacramento, le decimos a Dios que estamos verdaderamente arrepentidos de nuestros pecados y participamos en la bondad y el amor indulgente de Dios.

Este Sacramento es uno de los dos **Sacramentos de Curación**. Se nos perdonan los pecados que cometemos después de habernos bautizado. Confesamos nuestros pecados a un sacerdote. Mostramos a Dios que estamos verdaderamente arrepentidos de nuestros pecados. Por el poder del Espíritu Santo y por las palabras y las acciones del sacerdote, Dios nos perdona y nos sana con su gracia. El Espíritu Santo nos ayuda a no pecar otra vez. Participamos en el amor sanador de Dios y nos reconciliamos, o nos hacemos nuevamente amigos de Dios y los miembros de la Iglesia.

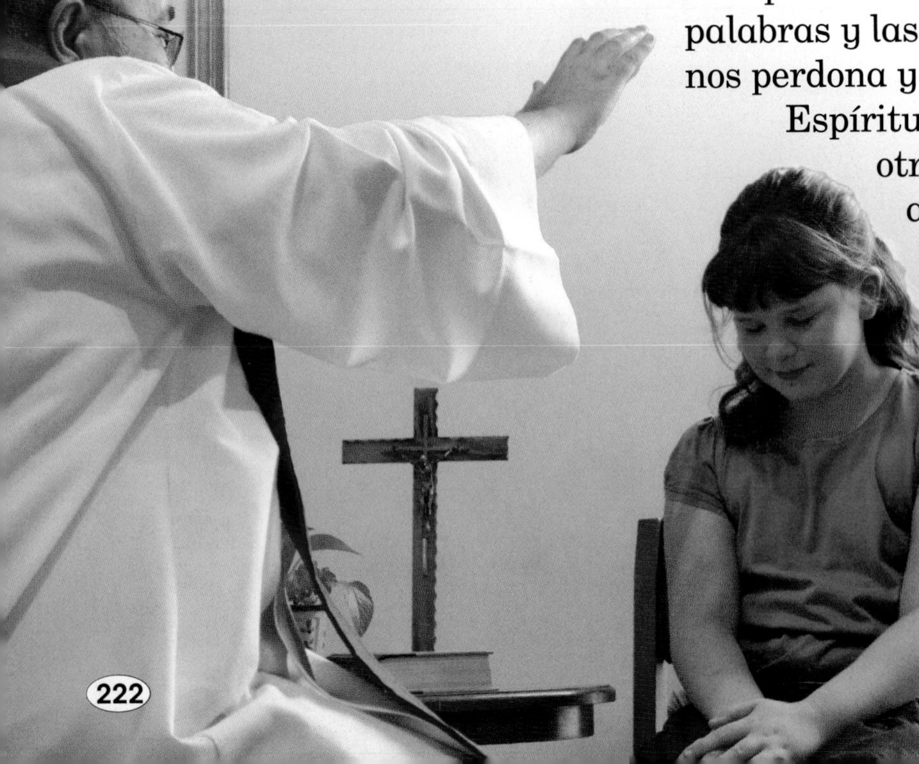

¿Cuál es una manera en que puedes mostrarle a alguien que te ha herido que lo perdonas?

Making Bad Choices

People make good and bad choices like the son in the parable of the Forgiving Father. Sometimes we make choices that are against God's Laws. We make choices that we know God does not want us to make. When we freely make those choices, we **sin**. Sin always hurts our friendship with God and with other people. When we sin, we need to ask God for forgiveness.

Penance and Reconciliation

Jesus gave us the Sacrament of Penance and Reconciliation. This Sacrament is a sign of God's loving kindness. In this Sacrament, we tell God we are truly sorry for our sins and we share in God's kindness and forgiving love.

This Sacrament is one of the two **Sacraments of Healing**. We are forgiven for the sins we commit after we are baptized. We confess our sins to a priest. We show God we are truly sorry for our sins. Through the power of the Holy Spirit and the words and actions of the priest, God forgives us and heals us with his grace. The Holy Spirit helps us to not sin again. We share in God's healing love and we are reconciled, or made friends again, with God and the members of the Church.

? What is one way you can show someone who has hurt you that you forgive him or her?

Faith-Filled People

Peter the Apostle

Saint Peter the Apostle knew how much Jesus forgave people. Once Peter denied he was a disciple of Jesus. Even then, Jesus forgave Peter and named him as head of the Church. Jesus gave Peter and the other Apostles the power to forgive sins in his name. The Church celebrates the feast day of Saint Peter the Apostle on June 29.

Los católicos creen

Las Bienaventuranzas

Las Bienaventuranzas son maneras de mostrar que somos discípulos de Jesús. En las Bienaventuranzas, Jesús enseñó: "Felices los compasivos, porque obtendrán misericordia". La misericordia es una acción que muestra gran longanimidad. Perdonar a alguien es un acto de misericordia. La misericordia nos cura.

La Unción de los Enfermos

Jesús mostraba la misericordia de su Padre por las personas. Cuando estuvo en la Tierra, Jesús curaba a las personas. ¿Recuerdas cuando curó al sirviente enfermo del soldado romano? Esto es lo que nos cuenta el Evangelio según San Lucas:

> *Jesús vio cuánta fe tenía el soldado. Les dijo a los amigos del soldado que volvieran a casa. Cuando llegaron, vieron que el sirviente se había curado.*
>
> Basado en Lucas 7:6–10

Jesús continúa curándonos de una manera especial a través del Sacramento de la Unción de los Enfermos. Este Sacramento es el segundo Sacramento de Curación.

Cuando estamos gravemente enfermos debido a la edad avanzada o en riesgo de muerte, la Iglesia nos cuida. Celebramos la Unción de los Enfermos. En este Sacramento, la Iglesia reza por nosotros y comparte con nosotros la Palabra de Dios. El sacerdote unge al enfermo con el Óleo de los Enfermos.

El Sacramento de la Unción de los Enfermos nos trae la gracia de Dios. Esta gracia fortalece nuestra fe y nuestra confianza en Dios. Recibimos fortaleza, valor y paz.

Recordatorios

____

Haz una lista de personas que conozcas, que estén enfermas o en el hospital. ¿Qué puedes hacer para mostrarles que te preocupas por ellas? Escribe lo que harás.

Homewoke

The Anointing of the Sick

Jesus showed his Father's mercy for people. Jesus healed people when he was on Earth. Remember when Jesus healed a Roman soldier's servant who was very sick? Here is what Saint Luke's Gospel tells us:

> *Jesus saw how much faith the soldier had. He told the soldier's friends to return home. When they got there, they saw that the servant was in good health.*
>
> Based on Luke 7:6–10

Jesus continues to heal us in a special way through the Sacrament of Anointing of the Sick. This Sacrament is the second Sacrament of Healing.

When we are seriously ill because of old age or in danger of dying, the Church takes care of us. We celebrate the Anointing of the Sick. In this Sacrament the Church prays for us and shares God's Word with us. The priest anoints the sick person with the Oil of the Sick.

The Sacrament of Anointing of the Sick brings us God's grace. This grace strengthens our faith and trust in God. We receive strength, courage, and peace.

Catholics Believe

The Beatitudes

The Beatitudes are ways we show we are disciples of Jesus. In the Beatitudes, Jesus taught, "Blessed are those who show mercy to other people." Mercy is an action that shows great kindness. Forgiving someone is an act of mercy. Mercy brings us healing.

Activity

Make a list of people that you know who are sick or in the hospital. What can you do to show them you care? Write what you will do.

Reminders

liZ MY sister. I could show her That I care about her bY give her a gife.

Yo sigo a Jesús

Pedir perdón y recibirlo forma parte importante de la vida de todas las personas. Es parte importante de tu vida. El Espíritu Santo te ayuda a pedir perdón. Te ayuda a llevar a los demás la longanimidad amorosa y la misericordia de Dios.

Actividad

Palabras de perdón

Escribe 1 junto a las palabras que podrías usar para pedir perdón. Escribe 2 junto a las palabras que podrías usar para perdonar a alguien.

______ "Lo siento."

______ "Estás perdonado."

______ "Trataré de no volverlo a hacer."

______ "Seguimos siendo amigos."

______ "¿Podemos volver a ser amigos?"

______ "Sé que hice mal."

Con algunas de estas palabras, prepara una escena para dramatizarla con un compañero. Haz una dramatización para la clase.

Esta semana llevaré a alguien el amor sanador del perdón a través de mis actos y de mis palabras de bondad. Yo voy a:

____

____

Reza: "Querido Jesús, ayúdame a ser una persona bondadosa e indulgente. Amén".

Asking for forgiveness and receiving it are an important part of every person's life. It is an important part of your life. The Holy Spirit helps you ask for forgiveness. He helps you bring the loving kindness and mercy of God to others.

Activity

Forgiveness Words

Put a 1 next to the words you could use to ask forgiveness. Put a 2 next to the words you could use to forgive someone else.

______ "I'm sorry."

______ "You are forgiven."

______ "I'll try not to do that again."

______ "We're still friends."

______ "Can we be friends again?"

______ "I know I was wrong to do that."

Use some of these words and prepare a role play for your class with a partner. Act it out for the class.

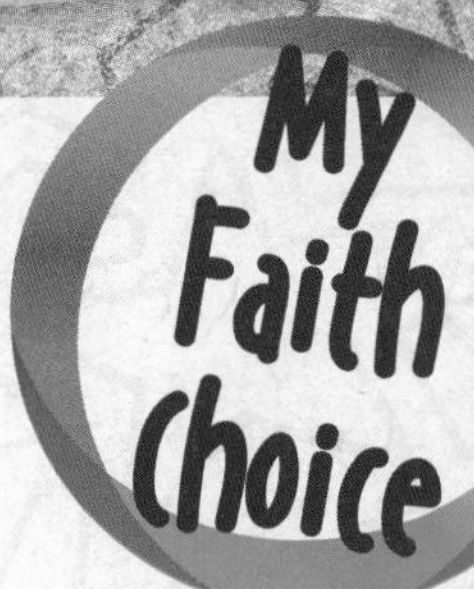

This week I will bring the healing love of forgiveness to someone through my acts and words of kindness. I will:

____

____

Pray, "Dear Jesus, help me to be a kind and forgiving person. Amen."

PARA RECORDAR

1. En el Sacramento de la Penitencia y la Reconciliación, Dios siempre nos perdona los pecados cuando estamos verdaderamente arrepentidos.
2. En la Penitencia y la Reconciliación, el Espíritu Santo nos ayuda a no volver a pecar.
3. En el Sacramento de la Unción de los Enfermos, se fortalecen nuestra fe y nuestra confianza en Dios y la gracia de Dios nos sana.

Repaso del capítulo

Encierra en un círculo V junto a los enunciados verdaderos. Encierra en un círculo F junto a los enunciados falsos. Haz verdadero cada enunciado falso escribiendo una corrección junto a él.

1. El pecado daña nuestra amistad con Dios. V F
2. En el Sacramento de la Penitencia y la Reconciliación, confesamos nuestros pecados a un sacerdote. V F
3. Recibimos el Sacramento de la Unción de los Enfermos cuando estamos sanos. V F
4. Jesús curaba a los enfermos durante su vida en la Tierra. V F

Oración del penitente

La palabra penitente *significa "persona que se arrepiente". Aprende de memoria esta u otra oración del penitente. Rézala ahora con tu clase.*

Dios mío,
me arrepiento de todo corazón
de todo lo malo que he hecho
y de todo lo bueno que he dejado de hacer,
porque pecando te he ofendido a ti,
que eres el sumo bien y digno de ser amado
sobre todas las cosas.
Propongo firmemente, con tu gracia,
cumplir la penitencia,
no volver a pecar
y evitar las ocasiones de pecado.
Perdóname, Señor,
por los méritos de la pasión
de nuestro salvador Jesucristo.
Amén.

Chapter Review

Circle the T next to the true statements. Circle the F next to the false statements. Make each false statement true by writing a correction next to it.

1. Sin hurts our friendship with God. T F
2. In the Sacrament of Penance and Reconciliation we confess our sins to a priest. T F
3. We receive the Sacrament of the Anointing of the Sick when we are healthy. T F
4. Jesus healed the sick during his life on Earth. T F

TO HELP YOU REMEMBER

1. In the Sacrament of Penance and Reconciliation, God always forgives us of our sins when we are truly sorry.
2. In Penance and Reconciliation, the Holy Spirit helps us to not sin again.
3. In the Sacrament of Anointing of the Sick, our faith and trust in God are made stronger and God's grace heals us.

An Act of Contrition

The word contrition means "sorrow." Learn this or another act of contrition by heart. Pray it now with your class.

My God,
I am sorry for my sins with all my heart.
In choosing to do wrong
and failing to do good,
I have sinned against you
whom I should love above all things.
I firmly intend, with your help,
to do penance,
to sin no more,
and to avoid whatever leads me to sin.
Our Savior Jesus Christ
suffered and died for us.
In his name, my God, have mercy.
Amen.

Con mi familia

Esta semana...

En el capítulo 12, "El amor sanador de Dios", su niño aprendió que:

- Por Cristo nos hemos salvado del pecado y reconciliado con Dios y con toda la creación.
- Los dos Sacramentos de Curación son el Sacramento de la Penitencia y de la Reconciliación, y el Sacramento de la Unción de los Enfermos.
- Los pecados que cometemos después del Bautismo se perdonan por el poder del Espíritu Santo y por las palabras del sacerdote en el Sacramento de la Penitencia y de la Reconciliación.
- En el Sacramento de la Unción de los Enfermos, recibimos la gracia para unir nuestros sufrimientos a los de Cristo. Nuestra fe y nuestra confianza en Dios se fortalecen.

Para saber más sobre otras enseñanzas de la Iglesia, consulten el *Catecismo de la Iglesia Católica,* 1420–1484 y 1499–1525; y el *Catecismo Católico de los Estados Unidos para los Adultos,* páginas 193–224.

Compartir la Palabra de Dios

Lean juntos la parábola de El hijo pródigo en Lucas 15: 11–24. O lean la adaptación en la página 220. Enfaticen que las acciones del padre amoroso de la parábola revelan la misericordia de Dios. Mencionen y comenten de qué maneras en su familia se muestran perdón unos a otros.

Vivimos como discípulos

El hogar cristiano con la familia es una escuela de discipulado. Elijan una de las siguientes actividades para hacer en familia, o creen una actividad similar ustedes mismos.

- Hagan en familia una lista de todas las palabras que pueden usar para pedirse perdón o decirse uno a otro cuando se piden perdón. Hablen de lo mucho mejor que nos sentimos después de pedir perdón o cuando alguien nos perdona.
- Jesús curó enfermos a menudo durante su vida en la Tierra. Hablen de cómo se cuidan unos a otros en su familia cuando alguno está enfermo.

Nuestro viaje espiritual

La disciplina espiritual de la penitencia es común a todas las religiones. La penitencia es un signo de nuestro compromiso interno a vivir en "correcta relación" con Dios y la Iglesia, con todas las personas y toda la creación de Dios. La misericordia y la longanimidad de Dios están siempre con nosotros, nos invitan a hacer penitencia y nos dan la gracia para vivir como fieles signos del amor de Dios. Asegúrense de que sus niños sepan la versión tradicional de la Oración del Penitente. Récenla frecuentemente en familia, podría ser a la hora de acostarse.

Para hallar más ideas sobre las maneras en que su familia puede vivir como discípulos de Jesús, visiten **seanmisdiscipulos.com**

With My Family

This Week...

In chapter 12, "God's Healing Love," your child learned:

- Through Christ we have been saved from sin and reconciled with God and with all creation.
- The Sacrament of Penance and Reconciliation and the Sacrament of Anointing of the Sick are the two Sacraments of Healing.
- The sins we commit after Baptism are forgiven through the power of the Holy Spirit and the words of the priest in the Sacrament of Penance and Reconciliation.
- In the Sacrament of Anointing of the Sick, we receive the grace to join our sufferings to Christ's. Our faith and trust in God is strengthened.
- Kindness is the ability to show mercy and forgiveness as God shows us mercy and forgiveness.

For more about related teachings of the Church, see the *Catechism of the Catholic Church,* 1420–1484 and 1499–1525; and the *United States Catholic Catechism for Adults,* pages 181–211.

Sharing God's Word

Read the parable of the Forgiving Father in Luke 15:11–24 together. Or read the adaptation of the parable on page 221. Emphasize that the actions of the loving father in the parable reveal God's mercy. Name and discuss the ways your family shows forgiveness to one another.

We Live as Disciples

The Christian home and family is a school of discipleship. Choose one of the following activities to do as a family or design a similar activity of your own.

- Make a list as a family of all the words you can use to ask for forgiveness or say to each other when you ask for forgiveness. Talk about how much better we feel after we ask to be forgiven or when someone forgives us.
- Jesus often healed the sick during his life on Earth. Talk about the ways your family cares for one another when someone in your family is sick.

Our Spiritual Journey

The spiritual discipline of penance is common to all religions. Penance is a sign of our internal commitment to live in "right relationship" with God and the Church, with all people and all of God's creation. God's mercy and kindness is always with us, inviting us to do penance and giving us the grace to live as faithful signs of God's love. Be sure that your children know the traditional wording of the Act of Contrition. Pray it together as a family often, perhaps at bedtime.

For more ideas on ways your family can live as disciples of Jesus, visit **BeMyDisciples.com**

Unidad 3: Repaso

Nombre ______________________

A. Elije la mejor palabra

Completa los espacios en blanco con la mejor opción que tienes debajo de cada oración.

1. El culto público a Dios por parte de la Iglesia se llama

______________________.

a. liturgia **b. Sacramentos** **c. Rituales**

2. El año litúrgico empieza con el tiempo de

__________________.

a. Adviento **b. Cuaresma** **c. Pentecostés**

3. Las personas actúan con __________________ cuando tienen cuidado en lo que hacen y cuando se enfocan y concentran.

a. valor **b. diligencia** **c. egoísmo**

B. Muestra lo que sabes

Une las palabras o frases de la Columna A con las palabras o frases de la Columna B.

Columna A		Columna B
1. oraciones de intercesión	_____	**a.** la alabanza y el honor que damos a Dios
2. año litúrgico	_____	**b.** la Virtud Cardinal que nos ayuda a hacer el bien aun cuando sea difícil
3. adorar	_____	**c.** oraciones por otras personas
4. fortaleza	_____	**d.** Bautismo, Confirmación y Eucaristía
5. Sacramentos de la Iniciación Cristiana	_____	**e.** el año eclesiástico del culto

Unit 3 Review

Name ______________________

A. Choose the Best Word

Fill in the blanks, using the best choice under each sentence.

1. The public worship of the Church is called the

______________.

a. liturgy **b. Sacraments** **c. Rituals**

2. The liturgical year begins with the season of

______________.

a. Advent **b. Lent** **c. Pentecost**

3. People act with ______________ when they are careful in what they do, and focus and concentrate.

a. courage **b. diligence** **c. selfishness**

B. Show What You Know

Match the words or phrases in Column A with the words or phrases in Column B.

Column A		Column B
1. prayers of intercession	____	**a.** the adoration and honor we give to God
2. liturgical year	____	**b.** the Cardinal Virtue that helps us to do good even when it is hard to
3. worship	____	**c.** prayers for other people
4. fortitude	____	**d.** Baptism, Confirmation, and the Eucharist
5. Sacraments of Christian Initiation	____	**e.** the Church's year of worship

C. Relaciónate con la Escritura

¿Cuál fue tu relato preferido acerca de Jesús en esta unidad? Dibuja algo que sucedió en el relato. Junto a tu dibujo, escribe el título del relato y cuenta algo que ocurrió en él. Cuéntaselo a tu clase.

D. Sé un discípulo

1. *¿Acerca de qué Santo o persona virtuosa disfrutaste aprender más en esta unidad? Escribe el nombre aquí. Escribe algo acerca de la persona que admiras. Cuenta a tu clase lo que esta persona hizo para seguir a Jesús.*

2. *Repasa las virtudes o dones de Poder de los discípulos que has aprendido en esta unidad. Escribe acerca de uno que estás poniendo en práctica para ser un buen discípulo de Jesús. Di cómo lo usas para seguir a Jesús. Comparte tu respuesta con un compañero.*

C. Connect with Scripture

What was your favorite story about Jesus in this unit? Draw something that happened in the story. Next to your drawing, write the name of the story and tell one thing that happened in it. Share with your class.

D. Be a Disciple

1. *What Saint or holy person did you enjoy hearing about in this unit? Write the name here. Write something about the person that you admire. Tell your class what this person did to follow Jesus.*

2. *Recall the virtues and gifts that you learned about in Disciple Power in this unit. Write about one that you are practicing so you can be a good disciple of Jesus. Tell how you are using it to follow Jesus. Share your answer with a partner.*

Devociones populares

México: Las posadas

La devoción por el Divino Niño Jesús comienza el 16 de diciembre y finaliza el día de Nochebuena.

Las posadas es una celebración muy popular en México y en algunas regiones de Estados Unidos. Se realiza durante nueve noches, justo antes de Navidad. Las *posadas* significa "los hospedajes", y les recuerda a las familias que nadie les dio a María y José una habitación donde pasar la noche cuando tuvieron que viajar a Belén. Por eso tuvieron que quedarse en un establo y allí fue donde nació Jesús.

En las celebraciones de hoy en día, las familias se visten como la Sagrada Familia y representan lo que les pasó a María y José esa noche. Las familias se reúnen en una procesión y van cantando mientras caminan hasta las casa de amigos. Pero esta vez todos son recibidos. Los amigos los invitan a pasar y todos celebran una gran fiesta. Celebran que Jesús vino a vivir a la Tierra y que ya se acerca la celebración de su nacimiento.

Las posadas nos ayudan a celebrar que Jesús vino a vivir entre nosotros. Nos ayudan a recordar lo más importante de la Navidad: el nacimiento de Jesús, nuestro Salvador.

? ¿De qué manera celebra tu familia el nacimiento de Jesús? ¿Qué puedes hacer para recibir a Jesús en tu corazón?

Mexico: Las Posadas

The devotion to the Divine Child Jesus begins on December 16 and ends on Christmas Eve.

Las Posadas is a very popular celebration in Mexico and some parts of the United States. It occurs on nine nights just before Christmas. Las *Posadas* means "the inns," and reminds families that no one in Bethlehem would give Mary and Joseph a room for the night when they traveled there. Because of that, they had to stay in a stable and that is where Jesus was born.

In the celebrations today, families dress up like the Holy Family and act out what happened to Mary and Joseph that night. Families gather in a procession and walk up to the houses of friends, singing songs as they walk. But this time they are welcomed. The friends invite them in and they all have a big party. They celebrate that Jesus came to live on Earth and that the celebration of his birthday is almost here.

Las Posadas helps us celebrate that Jesus came to live among us. It helps us remember the most important thing about Christmas—the birth of Jesus, our Savior.

? How does your family celebrate the birth of Jesus? What can you do to make room in your heart for Jesus?

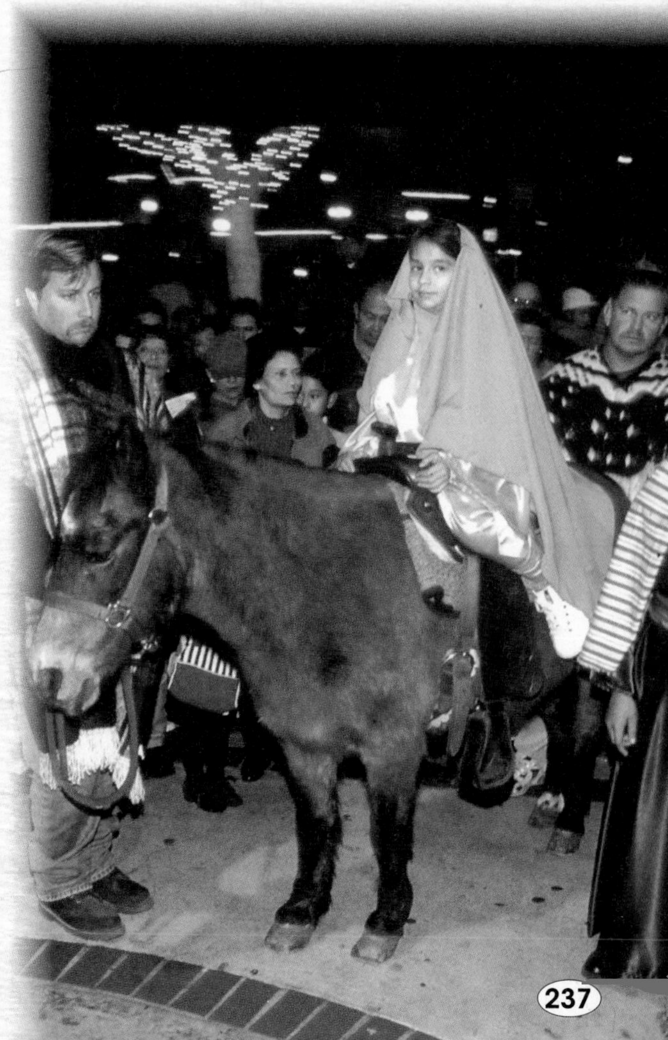

El gran banquete

Un día, Jesús estaba comiendo con un líder de los fariseos. Vio que los invitados se empujaban para conseguir los mejores asientos. Jesús le dijo al hombre: “Cuando des una comida, no invites a tus amigos ni a tus vecinos ricos”. Luego Jesús contó la siguiente parábola.

Un hombre planeó un gran banquete e invitó a mucha gente. Pero todos los invitados pusieron excusas y no vinieron. El hombre les dijo a los sirvientes que buscaran a otras personas para que disfrutaran del delicioso banquete. Dijo: “Inviten a los pobres, a los cojos y a los ciegos”. Enseguida el comedor se llenó de gente.

El patrón dijo: “¡Ninguno de los que fueron invitados primero probará mi comida!”.

Basado en Lucas 14:12–24

We Worship UNIT 4

Part Two

The Great Feast

One day, Jesus was eating with a leader of the Pharisees. He saw the guests pushing to get the best seats. Jesus said to the man, "When you hold a dinner do not invite your friends or your rich neighbors." Then Jesus told the following parable.

A man planned a great feast, and invited many people to come. But the invited guests all made up excuses and did not come. The man told the servers to find other people to enjoy the delicious feast. He said, "Invite the poor, the crippled, and the blind." Soon the dining room was filled with people.

The master said, "None of the people first invited will taste my dinner!"

Based on Luke 14:12–24

Lo que he aprendido

¿Qué es lo que ya sabes acerca de estos tres términos de fe?

parábolas

____

____

Sacramento del Orden Sagrado

____

____

liturgia

____

____

Vocabulario de fe para aprender

Escribe **X** junto a las palabras de fe que sabes. Escribe **?** junto a las palabras de fe que necesitas aprender mejor.

Palabras de fe

_____ homilía

_____ el Santísimo Sacramento

_____ días de precepto

_____ Sacramentos al Servicio de la Comunidad

_____ milagros

Tengo preguntas

¿Qué preguntas te gustaría hacer acerca de los milagros?

____

____

What I Have Learned

What is something you already know about these three faith terms?

parables

____

____

Sacrament of Holy Orders

____

____

liturgy

____

____

Faith Words to Know

Put an **X** next to the faith terms you know. Put a **?** next to faith terms you need to learn more about.

Faith Words

____ homily

____ the Blessed Sacrament

____ holy days of obligation

____ Sacraments at the Service of Communion

____ miracles

Questions I Have

What questions would you like to ask about miracles?

____

____

CAPÍTULO 13

Lo que vendrá

En este capítulo el Espíritu Santo te invita a

INVESTIGAR una manera de honrar la Palabra de Dios.

DESCUBRIR cómo se proclama la Sagrada Escritura en la Misa.

DECIDIR cómo responder a la Palabra de Dios.

La Palabra de Dios

¿A quiénes les pides consejos? ¿Qué haces con sus consejos?

El Señor le habló a Samuel mientras dormía. Escucha lo que le respondió Samuel:

"Tu siervo te escucha", contestó Samuel. "¿Qué quieres que haga?" BASADO EN 1.ª SAMUEL 3:8–12

¿Cómo sería que el Señor te hablara directamente?

Looking Ahead

In this chapter the Holy Spirit invites you to ▶

EXPLORE a way of honoring God's Word.

DISCOVER how the Scriptures are proclaimed at Mass.

DECIDE how to respond to God's Word.

CHAPTER 13

The Word of God

Who do you go to for advice? What do you do with their advice?

The Lord spoke to Samuel while Samuel was asleep. Listen to how he responded:

> *"I'm listening," Samuel answered. "What do you want me to do?"* BASED ON 1 SAMUEL 3:8–12

What would it be like to have the Lord speak directly to you?

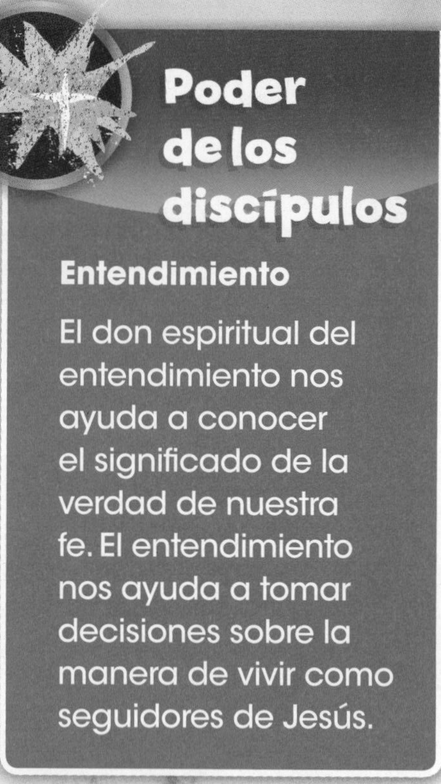

Poder de los discípulos
Entendimiento
El don espiritual del entendimiento nos ayuda a conocer el significado de la verdad de nuestra fe. El entendimiento nos ayuda a tomar decisiones sobre la manera de vivir como seguidores de Jesús.

La Iglesia sigue a **Jesús**

La Biblia de San Juan

Los monjes y sacerdotes de la Abadía de San Juan, en Minnesota, saben que es muy importante leer y responder a la Palabra de Dios. Ellos escuchan la Sagrada Escritura cada vez que rezan juntos. Cuando celebran la Misa, usan un libro del Evangelio especial para las lecturas.

Mucho tiempo antes de que existieran las computadoras, los monjes copiaban la Biblia entera a mano. Pintaban dibujos que mostraban lo que Dios revelaba a través de las palabras de la Sagrada Escritura. Hoy los monjes y sacerdotes de la Abadía de San Juan están haciendo lo mismo.

La Abadía de San Juan quería ayudar a que todos pudieran apreciar la Palabra de Dios tanto como fuera posible. Decidieron pedirle a un artista de Inglaterra que los ayudara a hacer una Biblia como las que hacían los monjes.

Muchos artistas trabajaron juntos para crear la Biblia de San Juan. Las páginas están hechas de piel de becerro. Los artistas escribieron con plumas de gansos, pavos y cisnes. La pintura es de polvo teñido y yema de huevo. Oro verdadero muestra la gloria de Dios en las páginas de esta Biblia.

¿Cuándo lees o escuchas la Biblia? ¿Qué has aprendido de la Biblia?

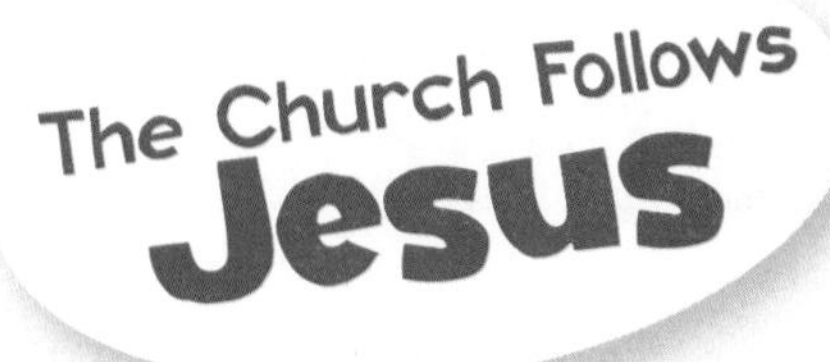

The Saint John's Bible

The monks and priests at Saint John's Abbey in Minnesota know that reading and responding to the Word of God is very important. They listen to the Scriptures every time they pray together. When they celebrate the Mass, they use a special Gospel book for the Gospel reading.

Long ago before computers, monks copied the whole Bible by hand. They painted pictures to show what God revealed through the words of the Scriptures. The monks and priests at Saint John's Abbey are doing the same today.

St. John's Abbey wanted to help everyone appreciate the Word of God as much as possible. They decided to ask an artist in England to help them make a Bible like the monks used to make.

Many artists worked together to create the St. John's Bible. The pages are made from calf leather. The artists used quill pens made from the feathers of geese, turkeys, and swans. The paint is colored powder and egg yolks. Real gold shows the glory of God on the pages of the Bible.

? When do you read or listen to the Bible? What have you learned from the Bible?

Disciple Power

Understanding

The spiritual gift of understanding helps us to know the meaning of the truth of our faith. Understanding helps us to make decisions about how to live as a follower of Jesus.

Enfoque en la fe
¿Cómo nos habla Dios hoy?

Vocabulario de fe
parábolas
Las parábolas son relatos que Jesús contó para ayudar a las personas a entender y a vivir sus enseñanzas.

La Palabra de Dios

Jesús nos hablaba de Dios de muchas maneras. Él no escribió un libro como podría hacerse hoy. Una manera en la que nos hablaba de Dios era contando **parábolas**.

Una parábola es un relato que enseña una lección. Jesús contaba parábolas para enseñar a sus discípulos. Incluía personas y lugares conocidos por quienes lo escuchaban. Esto los ayudaba a entender lo que estaba enseñando.

Un día, Jesús les contó a sus discípulos esta parábola:

"Un granjero salió a sembrar semillas en un campo. Algunas semillas cayeron en el camino. Los pájaros se las comieron. Otras semillas cayeron entre las piedras. La raíces no pudieron hundirse en la tierra para obtener agua. Así que cuando el sol salió, se secaron. El granjero tuvo más problemas. Algunas semillas cayeron entre matorrales espinosos y no pudieron crecer".

Entonces Jesús llegó al final de su relato. Dijo: "Unas pocas semillas cayeron en tierra buena y dieron plantas fuertes. ¡Los cultivos del granjero produjeron una gran cosecha!".

Basado en Marcos 4:2–9

Jesús contó parábolas para ayudar a las personas a entender sus enseñanzas. Elige una de estas imágenes: una rosa, una piedra o el sol. Usa la imagen para contarle a un compañero algo acerca del amor de Dios.

The Word of God

Faith Focus
How does God speak to us today?

Faith Vocabulary
parables
Parables are stories that Jesus told to help people understand and live what he was teaching.

Jesus told us about God in many ways. He did not write a book like people might do today. One way he told us about God is by telling **parables**.

A parable is a story that teaches a lesson. Jesus told parables to teach his disciples. He included people and places his listeners knew. This helped them understand what he was teaching.

One day, Jesus told his disciples this parable:

"A farmer went out to scatter seed in a field. Some seed fell on a road. Birds ate the seed. Some seed fell on rocky ground. The roots could not go deep into the ground to get water. So when the sun blazed down, the plants dried up. The farmer had more problems. Some seed fell among thorn bushes and could not grow."

Then Jesus came to the end of his story. He said, "A few seeds fell on good ground and grew into strong plants. The farmer's harvest produced a large crop!"

BASED ON MARK 4:2–9

Jesus told parables to help people understand what he was teaching. Choose one of these images: a rose, a rock, or the sun. Use the image to tell a partner something about God's love.

Personas de fe

San Jerónimo

Jerónimo amaba la Biblia. Quería que todo el mundo amara la Biblia tanto como él. El Papa le dio la tarea de traducir la Biblia del griego al latín. Le llevó treinta años traducirla a mano. Jerónimo amaba la Biblia e hizo que todos tuvieran acceso a ella.

Misa dominical

La Iglesia ama la Biblia. Leemos y escuchamos la Biblia todos los domingos en la Misa. Se dice que el domingo es el Día del Señor. Los católicos tienen la responsabilidad de participar en la Misa todos los domingos. Cada domingo celebramos el don de la vida, Muerte y Resurrección de Jesús. Por eso se llama Día del Señor.

Todos los domingos, los católicos de todo el mundo se reúnen para la Misa. Toda la Iglesia celebra la liturgia. Rendimos culto y alabamos a Dios Padre, Hijo y Espíritu Santo.

Pedimos perdón por cómo nos hemos apartado de Dios y nos hemos herido unos a otros. Rezamos, cantamos y damos gloria a Dios. Nos preparamos para celebrar los dos partes principales de la Misa. Ellas son la Liturgia de la Palabra y la Liturgia Eucarística.

? ¿Cómo participas en la Misa? ¿Qué hace que el domingo sea especial para ti?

Sunday Mass

The Church loves the Bible. We read and listen to the Bible every Sunday at Mass. Sunday is called the Lord's Day. Catholics have the responsibility to take part in Mass every Sunday. Each Sunday, we celebrate the gift of Jesus' life, Death, and Resurrection. This is why it is called the Lord's Day.

Every Sunday, Catholics from all over the world gather for Mass. The whole Church celebrates the liturgy. We worship and praise God the Father, the Son, and the Holy Spirit.

We ask forgiveness for the ways we have turned away from God and hurt each other. We pray, sing, and give glory to God. We get ready to celebrate the two main parts of the Mass. They are the Liturgy of the Word and the Liturgy of the Eucharist.

? How do you take part in Mass? What makes Sunday special for you?

Faith-Filled People

Saint Jerome

Jerome loved the Bible. He wanted everyone to love the Bible as much as he did. The Pope gave him the job of translating the Bible from Greek to Latin. It took him thirty years to translate it by hand. Jerome loved the Bible and made it more available to everyone.

Los católicos creen

Catholic Relief Services

Catholic Relief Services (CRS) nos ayuda a vivir lo que leemos en la Biblia. Los trabajadores de CRS ayudan a los necesitados de todo el mundo, especialmente a los que sufren en las guerras, por injusticias o por catástrofes naturales. CRS difunde el Evangelio de Jesucristo suministrando alimentos, ropa, medicamentos y asistencia educativa a miles de personas cada año.

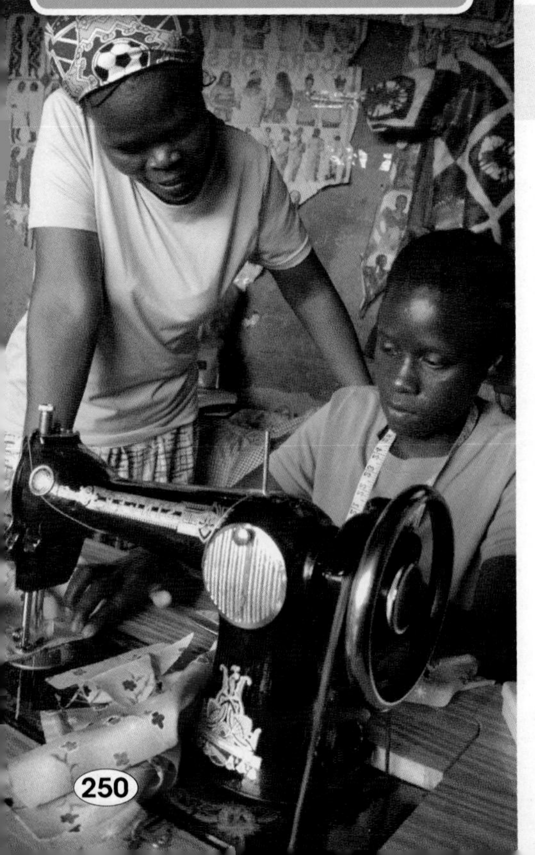

Mujeres africanas asistidas por *Catholic Relief Services*.

La Liturgia de la Palabra

La Liturgia de la Palabra es la primera parte importante de la Misa. Escuchamos la Biblia, Dios está presente entre nosotros.

Dios nos habla de su bondad, de su amor y, especialmente, de su Hijo, Jesús.

Las lecturas. Los domingos, la Primera Lectura es del Antiguo Testamento o de los Hechos de los Apóstoles. Luego cantamos o rezamos un salmo o cántico llamado Salmo Responsorial.

La Segunda Lectura es del Nuevo Testamento, pero no de los cuatro Evangelios. Después de las dos lecturas, respondemos: "Te alabamos, Señor".

El Evangelio y la homilía. Después de la Segunda Lectura, nos ponemos de pie para honrar a Cristo, presente con nosotros en el Evangelio. El diácono o el sacerdote proclama el Evangelio y nos ayuda a entender la Palabra de Dios. Nosotros respondemos: "Gloria a ti, Señor Jesús".

El Credo y la Oración de los Fieles. Después de escuchar la Palabra de Dios, respondemos. Nos ponemos de pie y profesamos nuestra fe. Pedimos la ayuda de Dios en oraciones de intercesión por las necesidades del mundo.

La Liturgia de la Palabra nos prepara para recibir el don de Jesús en la Eucaristía.

¿Qué te ha ayudado a hacer la Biblia? Escribe o dibuja tu respuesta y compártela con tu clase.

The Liturgy of the Word

The Liturgy of the Word is the first main part of the Mass. When we listen to the Bible, God is present with us.

God tells us about his goodness, his love, and especially his Son, Jesus.

The Readings. On Sunday, the First Reading is from the Old Testament or the Acts of the Apostles. Then we sing or pray a psalm or canticle called The Responsorial Psalm.

The Second Reading is from the New Testament, but not the four Gospels. After the two readings we respond, "Thanks be to God."

The Gospel and Homily. After the Second Reading, we stand to honor Christ, present with us in the Gospel. The deacon or priest proclaims the Gospel and helps us understand the Word of God. We respond, "Praise to you, Lord Jesus Christ."

The Creed and Prayer of the Faithful. After we listen to God's Word, we respond. We stand and profess our faith. We ask for God's help in prayers of intercession for the needs of the world.

The Liturgy of the Word prepares us to receive the gift of Jesus in the Eucharist.

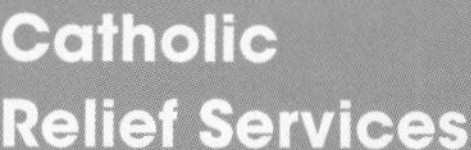

Catholics Believe

Catholic Relief Services

Catholic Relief Services (CRS) help us live what we read in the Bible. CRS workers help people who are in need all over the world, especially those who suffer from war, injustice, or natural disasters. CRS spreads the Gospel of Jesus Christ by providing food, clothing, medicine, and education assistance to thousands of people each year.

African women assisted by Catholic Relief Services.

What has the Bible helped you to do? Write or draw your answer, and share with your class.

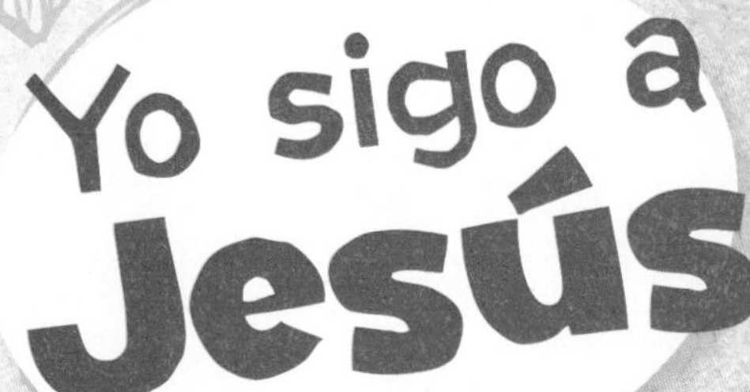

Hay muchas maneras de escuchar y responder a la Palabra de Dios en la Sagrada Escritura. Puedes responder a la Palabra de Dios difundiéndola a través de tus acciones, palabras y servicio, y usando tus dones para compartir la Buena Nueva de Jesús.

Actividad

Compartir la Palabra de Dios

Cuenta cómo puedes difundir la Palabra de Dios a través de tus acciones:

____

____.

A través de tus palabras:

____

____.

Usando tus dones:

____

____.

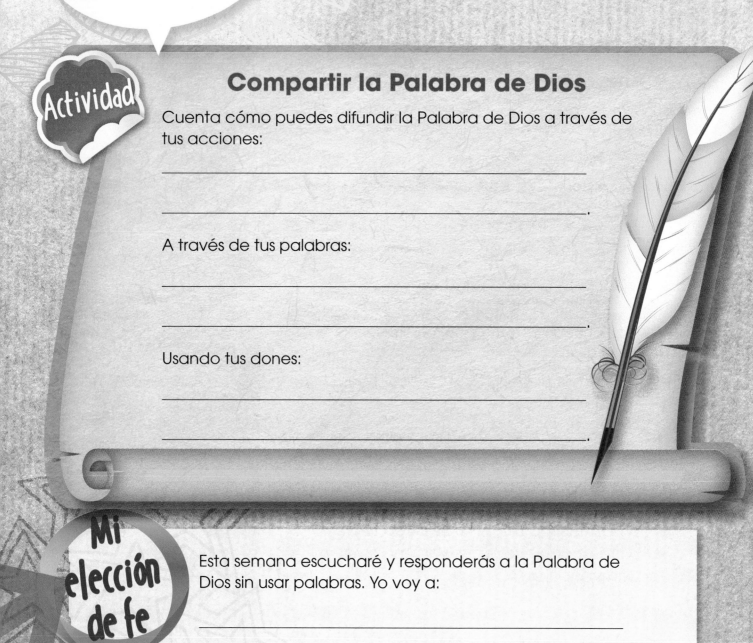

Mi elección de fe

Esta semana escucharé y responderás a la Palabra de Dios sin usar palabras. Yo voy a:

____

____.

Reza: "Querido Dios, Tú estás aquí y yo estoy escuchándote. Dime qué debo hacer. Amén".

There are many ways to listen to and respond to God's Word spoken to us in the Scriptures. You can respond best by sharing God's Word through your actions, your words, your service, and by using your gifts to share the Good News of Jesus.

Sharing God's Word

Activity

Tell how you can share God's Word through your actions:

____

______________________________.

Through your words:

____

______________________________.

By using your gifts:

____

______________________________.

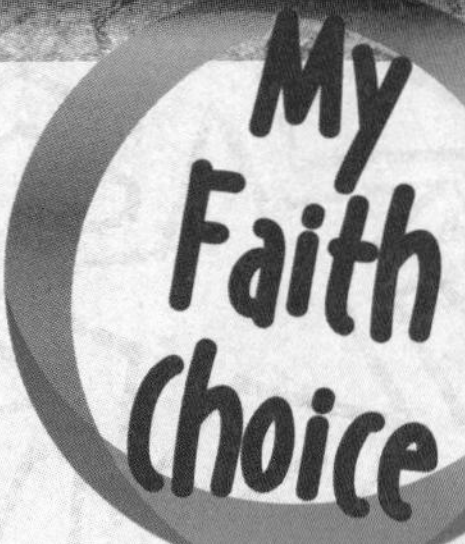

This week I will listen and respond to God's Word without using words. I will:

____

______________________________.

Pray, "Dear God, you are here, and I am listening to you. Tell me what I should do. Amen."

PARA RECORDAR

1. Una parábola es un relato que Jesús usaba para enseñar a la gente.
2. El domingo es el Día del Señor. Los católicos tienen la obligación de participar en la Misa los domingos.
3. La Liturgia de la Palabra es la primera parte importante de la liturgia.

Repaso del capítulo

Ordena las letras de las respuestas a las siguientes preguntas.

1. Los domingos, nos reunimos como la **amfiali ed iDso**. ____________________
2. Una manera especial de adorar y alabar a Dios se llama **ugitalri**. ____________________
3. En la Liturgia de la Palabra, escuchamos las palabras de la **argSada asEcrutir**. ____________________
4. En la Liturgia **ucEasríacti**, le damos gracias a Dios por nuestros dones. ____________________
5. Los domingos, celebramos juntos el **aíD eld roñSe**. ____________________

La Palabra activa de Dios

Esta oración se basa en la procesión del Evangelio que usa la Iglesia Católica en Camerún, África.

Líder La Palabra de Dios es activa y está viva, ¡levantémonos y demos la bienvenida al Evangelio!

Todos *(Todos se levantan)* **¡Aleluya! ¡Aleluya! ¡Aleluya!**

Lector *(Camina en procesión por el salón llevando una Biblia en alto.)* Lectura del santo Evangelio según Juan.

Todos **¡Aleluya! ¡Aleluya! ¡Aleluya!**

Lector *(Lee en voz alta Juan 1:1–5)* Palabra del Señor.

Todos **¡Gloria a ti, Señor Jesús!**

Chapter Review

Unscramble the answers to the following questions.

1. On Sunday, we come together as the **miFayl fo dGo**. ________________
2. A special way to worship and praise God is called **gltriuy**. ________________
3. In the Liturgy of the Word, we listen to words from **ripetcSru**. ________________
4. In the Liturgy of the **truciEsah**, we thank God for our gifts. ________________
5. On Sunday, we celebrate the **roLsd yDa** together. ________________

TO HELP YOU REMEMBER

1. A parable is a story that Jesus used to teach people.
2. Sunday is the Lord's Day. Catholics have the obligation to take part in Mass on Sundays.
3. The Liturgy of the Word is the first main part of the liturgy.

God's Active Word

This prayer is based on the Gospel procession used by the Catholic Church in Cameroon, Africa.

Leader The Word of the Lord is active and alive, let us rise and welcome the Gospel!"

All *(All rise)* **Alleluia! Alleluia! Alleluia!**

Reader *(Process around the room carrying a Bible, held high.)*
A reading from the holy Gospel according to John.

All **Alleluia! Alleluia! Alleluia!**

Reader *(Reads aloud John 1:1–5)*
The Gospel of the Lord.

All **Praise to you, Lord Jesus Christ!**

Con mi familia

Esta semana...

En el capítulo 13, "La Palabra de Dios", su niño aprendió que:

- Una parábola es una manera de enseñar una lección. Jesús usaba parábolas para ayudar a las personas a responder a la Palabra de Dios.
- La Liturgia de la Palabra es la primera parte importante de la Misa. Dios está presente con nosotros a través de las lecturas de la Sagrada Escritura.
- Durante la Liturgia de la Palabra en la Misa, escuchamos y respondemos a la Palabra de Dios.
- El don espiritual del entendimiento nos ayuda a conocer la verdad de nuestra fe. Nos ayuda a tomar decisiones sobre la manera de vivir como seguidores de Jesús.

Para saber más sobre otras enseñanzas de la Iglesia, consulten el *Catecismo de la Iglesia Católica*, 101–141; y el *Catecismo Católico de los Estados Unidos para los Adultos*, páginas 23–36.

Compartir la Palabra de Dios

Lean juntos Marcos 4:2–9, la parábola del Sembrador y las semillas. Enfaticen que siempre necesitamos escuchar atentamente la Palabra de Dios.

Vivimos como discípulos

El hogar cristiano con la familia es una escuela de discipulado. Elijan una de las siguientes actividades para hacer en familia, o creen una actividad similar ustedes mismos.

- En familia, vuelvan a leer el Evangelio que se proclamó en la Misa del domingo. Recuérdense uno al otro sobre qué trató la homilía. ¿Cómo pueden responder como familia a la Palabra de Dios que escucharon?
- Dediquen un tiempo a mirar la Biblia en familia. Observen dónde están situados el Antiguo y el Nuevo Testamento, así como también los Salmos y los Evangelios. Hablen acerca de lo que descubran.

Nuestro viaje espiritual

La atención es fundamental para incrementar nuestra conciencia de la presencia de Dios en nuestra vida y para escuchar la Palabra de Dios dondequiera que se nos diga. La Palabra de Dios llega a nosotros de muchas maneras durante el día. Dios no limita su comunicación con nosotros a nuestra lectura de la Biblia. ¡Estén abiertos a que la Palabra de Dios los sorprenda!

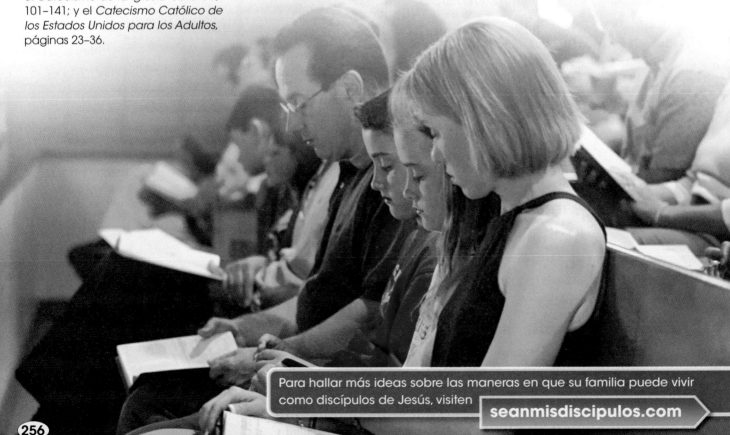

Para hallar más ideas sobre las maneras en que su familia puede vivir como discípulos de Jesús, visiten **seanmisdiscipulos.com**

With My Family

This Week...

In chapter 13, "The Word of God," your child learned:

- A parable is a way to teach a lesson. Jesus used parables to help people learn how to respond to the Word of God.
- The Liturgy of the Word is the first main part of the Mass. God is present with us through the readings from Sacred Scripture.
- During the Liturgy of the Word at Mass, we listen and respond to the Word of God.
- The spiritual gift of understanding helps us to know the truth of our faith. It helps us make decisions about how to live as followers of Jesus.

For more about related teachings of the Church, see the *Catechism of the Catholic Church*, 101–141; and the *United States Catholic Catechism for Adults*, pages 22–33.

Sharing God's Word

Read Mark 4:2–9 together, the parable of the Sower and the Seed. Emphasize that we need always to listen attentively to the Word of God.

We Live as Disciples

The Christian home and family is a school of discipleship. Choose one of the following activities to do as a family or design a similar activity of your own.

- As a family, reread the Gospel that was proclaimed at Mass on Sunday. Remind each other what the homily was about. How can you respond as a family to the Word of God that you heard?
- Spend some time as a family looking at the Bible. Notice where the Old and New Testaments are located, as well as the Psalms and Gospels. Talk about what you discover.

Our Spiritual Journey

Attentiveness is vital to heightening our awareness of the presence of God in our lives and to hearing the Word of God wherever it is spoken to us. God's Word comes to us in many ways during the day. God does not limit his speaking with us to our reading the Bible. Be open to being surprised by God's Word!

For more ideas on ways your family can live as disciples of Jesus, visit **BeMyDisciples.com**

CAPÍTULO 14

Lo que vendrá

En este capítulo el Espíritu Santo te invita a

INVESTIGAR cómo sirven al Señor los feligreses de la Iglesia de Corpus Christi.

DESCUBRIR que la Eucaristía es el alimento sagrado que Jesús nos dio.

DECIDIR cómo agradecerás a Dios.

El Pan de Vida

¿Con qué frecuencia ayudas a la gente? ¿Cuándo fue la última vez que ayudaste a alguien?

Pedro y Juan iban a rezar al Templo de Jerusalén. En el camino vieron a un hombre que no podía caminar. Estaba sentado sobre un trozo de alfombra pidiendo dinero. Pedro y Juan se dirigieron hacia el hombre y Pedro dijo:

"No tengo oro ni plata, pero te daré lo que tengo. En el nombre de Jesucristo, levántate y camina".

BASADO EN HECHOS 3:6

¿Cómo reaccionas a lo que lees y escuchas en la Sagrada Escritura?

Looking Ahead

In this chapter the Holy Spirit invites you to ▶

EXPLORE how the people of Corpus Christi Church serve the Lord.

DISCOVER that the Eucharist is the holy meal Jesus gave us.

DECIDE how you will thank God.

CHAPTER 14

The Bread of Life

? How often do you help people? When have you helped someone recently?

Peter and John were on their way to pray in the Temple in Jerusalem. As they were walking along they saw a man who was unable to walk. He was sitting on a piece of carpet begging for money. Peter and John walked toward the man and Peter said:

> *"I don't have any silver or gold. But I'll give you what I have. In the name of Jesus Christ, arise and walk."* BASED ON ACTS 3:6

? What is your reaction to what you read and hear in the Scriptures?

Poder de los discípulos

Bondad

La bondad es un Don del Espíritu Santo. Nos ayuda a tratar a los demás con gentileza. Pensamos en las necesidades de los demás más allá de las nuestras. Hacemos el bien porque somos buenos.

La Iglesia sigue a **Jesús**

Glorifiquen a Dios con su vida

La banda de niños mariachis tocaba mientras el Padre Kevin pensaba en la bondad de las personas de la Iglesia de Corpus Christi. Acababa de bautizar a cuatro niños de Eritrea, África. A estos cuatro niños los había adoptado la familia Larson, miembros de la parroquia.

Mientras un ujier recogía la colecta, recordó cómo los feligreses habían ayudado a su familia cuando se les incendió la casa. Hoy toda la parroquia estaba invitada a compartir una comida de "gracias" en el salón parroquial.

Después de la Misa, otra pareja fue a visitar a Chau Phan al hospital. Le llevaron la Sagrada Comunión y comida de la fiesta de la iglesia. Luego la enfermera anunció más visitas. Otro niño entró con sus dos hermanos. La señorita Phan había sido su maestra de tercer grado. Todos rezaron por la señorita Phan y cantaron canciones. ¡Ella se puso contenta de que la hubieran incluido en su domingo!

? ¿Qué puedes hacer para darle gloria a Dios?

Disciple Power

Goodness

Goodness is a Gift of the Holy Spirit. It helps us to treat others with kindness. We think of the needs of others beyond our own. We do good because we are good.

Glorify God with Your Life

The children's mariachi band played as Father Kevin thought about the goodness of the people of Corpus Christi Church. He had just baptized four children from Eritrea, Africa. These four children had been adopted by the Larson family, members of the parish.

As an usher took up the collection, he remembered how parishioners helped his family when their house burned down. Today, the whole parish was invited to share African food at a "thank you" party in the parish hall.

After Mass, another couple visited Chau Phan in the hospital. They brought her Holy Communion and food from the Church party. Then the nurse announced more visitors. Another boy came in with his two brothers. Miss Phan has been their third grade teacher. Everyone prayed for Miss Phan and sang songs. She was glad to be included in their Sunday!

? What is something you can do to give glory to God?

Enfoque en la fe
¿Qué celebramos en la Eucaristía?

Vocabulario de fe

Eucaristía
La Eucaristía es el sacramento en el que la Iglesia agradece a Dios y participa del Cuerpo y la Sangre de Cristo.

Santísimo Sacramento
El Santísimo Sacramento es el nombre dado a la Eucaristía, la presencia real del Cuerpo y la Sangre de Jesús bajo la apariencia del pan y el vino.

Le damos gracias a Dios

Todo lo que Jesús decía y hacía le daba gloria a su Padre. La noche anterior a su Muerte, Jesús compartió su última comida con sus discípulos. Fue durante la Pascua judía. Durante la comida, le dio gloria y gracias a su Padre.

Esa noche Jesús les dio a sus seguidores la **Eucaristía**. Los cristianos llaman a esta comida Última Cena, o Banquete del Señor. Esto es lo que ocurrió.

Jesús tomó pan, rezó una bendición especial y lo partió. Repartió el pan a sus discípulos diciendo: "Tomen y coman. Esto es mi cuerpo."

Después Jesús tomó una copa de vino y dio gracias a su Padre. Les dio el vino a sus discípulos diciendo: "Beban todos de esta copa, porque esto es mi sangre".

BASADO EN MATEO 26:26–28

Cuando celebramos la Eucaristía, la Iglesia hace lo que hicieron los discípulos en la Última Cena. Nos unimos a Jesús. Le damos gloria, alabanza y gracias a Dios Padre. Compartimos el Cuerpo y la Sangre de Jesús.

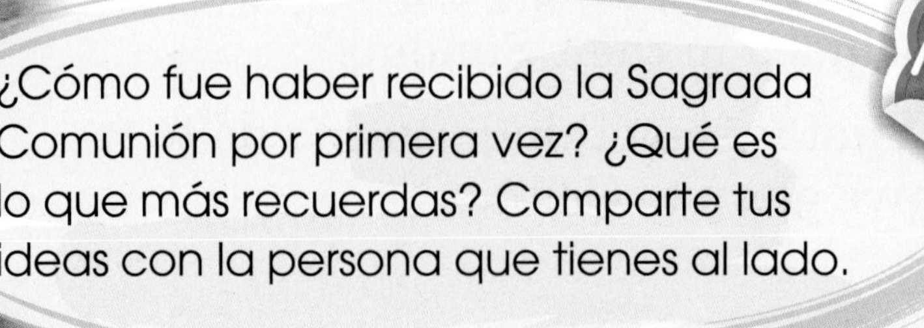

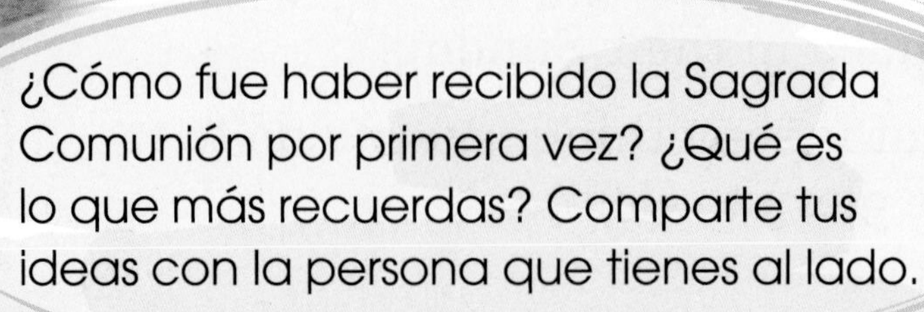

Activida

¿Cómo fue haber recibido la Sagrada Comunión por primera vez? ¿Qué es lo que más recuerdas? Comparte tus ideas con la persona que tienes al lado.

We Give Thanks to God

Everything Jesus said and did gave glory to his Father. On the night before he died, Jesus shared his last meal with his disciples. It was during Passover. At that meal, he gave glory and thanks to his Father.

That night Jesus gave his followers the **Eucharist**. Christians call this meal the Last Supper, or the Lord's Supper. This is what happened.

> *Jesus took bread, prayed a special blessing prayer, and broke the bread. He gave the bread to his disciples, saying, "Take and eat this. This is my body."*
>
> *Then Jesus took a cup of wine and gave thanks to his Father. He gave the wine to his disciples, saying, "Drink from this cup, all of you, for this is my blood."*
>
> BASED ON MATTHEW 26:26–28

When we celebrate the Eucharist, the Church does what the disciples did at the Last Supper. We join with Jesus. We give glory and praise and thanks to God the Father. We share the Body and Blood of Jesus.

Faith Focus
What do we celebrate at the Eucharist?

Faith Vocabulary

Eucharist
The Eucharist is the Sacrament in which the Church gives thanks to God and shares in the Body and Blood of Christ.

Blessed Sacrament
The Blessed Sacrament is a name given to the Eucharist, the real presence of the Body and Blood of Jesus under the appearances of bread and wine.

What was it like to receive Holy Communion for the first time? What do you remember most? Share your thoughts with the person next to you.

Personas de fe

Santa Juana Jugan

Al final de la Misa, oímos las palabras: "Pueden ir en paz. Glorifiquen al Señor con su vida". Podemos obedecer ese mandato de muchas maneras. Juana Jugan fundó la congregación de las Hermanitas de los Pobres para cuidar a los ancianos. Decía: "No olviden nunca que el pobre es Nuestro Señor". La canonizaron en 2009.

Damos gracias

La Iglesia celebra la Eucaristía en la Misa. La celebración dominical de la Eucaristía es el centro de nuestra vida como católicos. La palabra "*eucaristía*" significa "dar gracias". Los católicos tienen una gran responsabilidad u obligación de participar en la celebración de la Misa los domingos.

La Liturgia Eucarística es la segunda parte más importante de la Misa. La Iglesia hace lo que hizo Jesús en la Última Cena. Nos unimos en la ofrenda que hace Jesús de sí mismo a Dios. Recordamos y nos hacemos partícipes de la vida, Muerte y Resurrección de Jesús.

El pan y el vino se convierten en el Cuerpo y la Sangre de Cristo. Lo que parece y sabe a pan y vino ya no es más pan y vino. Es el Cuerpo y la Sangre de Cristo. Recibimos el don del Cuerpo y la Sangre de Cristo en la Sagrada Comunión. Esto nos une más plenamente a Jesucristo y a todos los miembros de su Iglesia.

¿Por qué tienen los católicos una gran responsabilidad de participar en la Misa los domingos? Comenta esto con un compañero.

We Give Thanks

The Church celebrates the Eucharist at Mass. The Sunday celebration of the Eucharist is at the heart of our life as Catholics. The word "*eucharist*" means "to give thanks." Catholics have a serious responsibility, or obligation, to participate in the celebration of the Mass on Sundays.

The Liturgy of the Eucharist is the second main part of the Mass. The Church does what Jesus did at the Last Supper. We join with Jesus in offering himself to God. We remember and are made sharers in Jesus' life, Death, and Resurrection.

The bread and wine become the Body and Blood of Christ. What looks and tastes like bread and wine is no longer bread and wine. It is the Body and Blood of Christ. We receive the gift of the Body and Blood of Christ in Holy Communion. This joins us more fully to Jesus Christ and to all the members of his Church.

? Why do Catholics have a serious responsibility to participate at Mass on Sundays? Discuss this with a partner.

Faith-Filled People

Saint Jeanne Jugan

At the end of Mass, we hear the words, "Go in peace, glorifying the Lord by your life." We can obey that command in many ways. Jeanne Jugan founded the Little Sisters of the Poor to take care of the elderly. She said, "Never forget that the poor are our Lord." She was canonized in 2009.

Los católicos creen

Días de Precepto

Uno de los preceptos o reglas de la Iglesia es que los católicos deben participar en la Misa los domingos y los días de precepto. Los días de precepto celebran sucesos importantes del plan de Salvación de Dios. Los católicos de Estados Unidos celebran seis días de precepto: la Solemnidad de María, Madre de Dios; la Ascensión de Nuestro Señor; la Asunción de la Santísima Virgen María a los Cielos; Todos los Santos; la Inmaculada Concepción de María y el Día de Navidad.

El Santísimo Sacramento

A veces hay hostias consagradas que sobran después de que los fieles han recibido la Sagrada Comunión en la Misa. Las hostias consagradas se guardan en el tabernáculo. Las hostias consagradas se llaman también **Santísimo Sacramento**.

Una vela especial se mantiene encendida cerca del tabernáculo. Esta vela se llama lámpara del santuario. Nos recuerda que el Santísimo Sacramento está en el tabernáculo. Jesús está verdaderamente presente con nosotros.

La Iglesia lleva el Santísimo Sacramento como Sagrada Comunión a los ancianos, los enfermos o los que están hospitalizados. También adoramos a Jesús cuando rezamos ante el Santísimo Sacramento.

¿A quién conoces que está enfermo y no puede ir a la iglesia? Escríbele una tarjeta de "¡Que te mejores!" y pídeles a tus padres que te ayuden a enviarla. Anota tus ideas aquí.

¡Que te mejores!

____

____

____

The Blessed Sacrament

Sometimes there are consecrated hosts remaining after the faithful have received Holy Communion at Mass. The consecrated hosts are brought to and placed in the tabernacle. The consecrated hosts are also called the **Blessed Sacrament**.

A special lighted candle is kept near the tabernacle. This candle is called the sanctuary lamp. It reminds us that the Blessed Sacrament is in the tabernacle. Jesus is truly present with us.

The Church brings the Blessed Sacrament as Holy Communion to people who are elderly, sick, or in the hospital. We also worship Jesus by praying before him in the Blessed Sacrament.

Catholics Believe

Holy Days of Obligation

One of the Church's precepts or rules is for Catholics to participate in Mass on Sundays and holy days of obligation. Holy days celebrate important events in God's plan of Salvation. Catholics in the United States celebrate six holy days of obligation: The Solemnity of Mary, the Holy Mother of God; The Ascension of the Lord; The Assumption of the Blessed Virgin Mary; All Saints; The Immaculate Conception of the Blessed Virgin Mary; and the Nativity of the Lord (Christmas Day).

Who do you know who is sick and not able to come to Church? Write a "get well" card and ask your parents to help you deliver it. Jot down notes for your card here.

Get well

____

____

____

Yo sigo a Jesús

Al final de la Misa, el sacerdote despide a la gente. Dice estas palabras u otras parecidas: “Pueden ir en paz. Glorifiquen al Señor con su vida”. Piensa en cómo puedes glorificar a Dios con lo que dices y en cómo actúas.

¡Glorifica al Señor!

Marca cómo glorificas al Señor o cómo quieres glorificarlo. Agrega una idea tuya.

- ☐ Ayudar en casa sin que me lo pidan.
- ☐ Rezar por alguien.
- ☐ Levantarle el ánimo a alguien.
- ☐ Compartir mis juegos.
- ☐ Decir que lo siento.
- ☐ ________________________________.

Mi elección de fe

Esta semana, en la Misa, rezaré por el don de la bondad para ayudar a los demás. Luego, yo voy a

____

________________________________.

Reza: Habla con Dios acerca de las cosas buenas que experimentas en tu vida. Pídele que te ayude a compartirlas con los demás.

At the end of Mass, the priest dismisses the people. He uses these or similar words: “Go in peace, glorifying the Lord by your life.” Think about how you can glorify God by what you say and how you act.

Glorify the Lord!

Activity

Check how you glorify the Lord or want to glorify the Lord. Add an idea of your own.

- [ ] Help at home without being asked.
- [ ] Pray for someone.
- [ ] Cheer up someone.
- [ ] Share my games.
- [ ] Say I'm sorry.
- [ ] ______________________________.

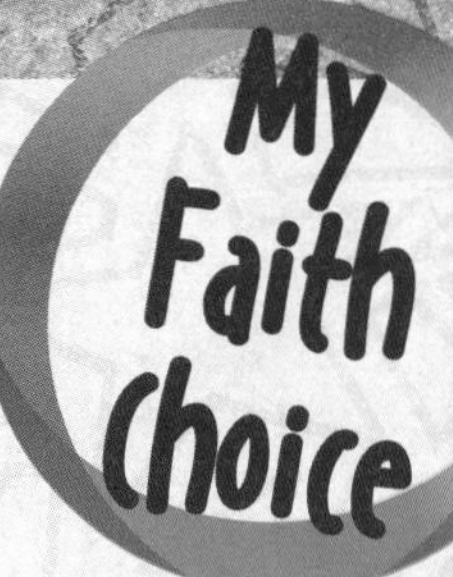

This week at Mass I will pray for the gift of goodness to help others. Then I will

____

______________________________.

Pray: Talk to God about the good things you experience in your life. Ask him to help you share them with others.

PARA RECORDAR

1. En la Eucaristía celebramos lo que Jesús hizo en la Última Cena.
2. En la Eucaristía, el pan y el vino se convierten en el Cuerpo y la Sangre de Cristo a través de las palabras del sacerdote y el poder del Espíritu Santo.
3. La Eucaristía es el Santísimo Sacramento.

Repaso del capítulo

Elige una palabra de la lista para completar cada oración correctamente.

Banquete del Señor	tabernáculo
Eucaristía	Liturgia de la Palabra

1. Otro nombre para la Eucaristía es ______________.
2. La palabra ______________ significa "dar gracias".
3. Las hostias consagradas en la Misa, y que no se consumen, se guardan en el ______________.

Demos Gracias

Al comienzo de la Plegaria Eucarística, rezamos estas palabras con el sacerdote. Rézalas ahora con tu clase.

Líder El Señor esté con ustedes.

Todos **Y con tu espíritu.**

Líder Levantemos el corazón.

Todos **Lo tenemos levantado hacia el Señor.**

Líder Demos gracias al Señor, nuestro Dios.

Todos **Es justo y necesario.**

Líder En verdad es justo y necesario, es nuestro deber y salvación, darte gracias siempre y en todo lugar, Señor, Padre santo, Dios todopoderoso y eterno.

PREFACIO DOMINICAL VI DEL TIEMPO ORDINARIO, *MISAL ROMANO*

Chapter Review

Choose a word from the Word Bank to complete each sentence correctly.

The Lord's Supper	tabernacle
Eucharist	Liturgy of the Word

1. Another name for the Eucharist is ________________.

2. The word ________________ means "to give thanks."

3. Hosts consecrated at Mass and not consumed are placed in the ________________.

TO HELP YOU REMEMBER

1. At the Eucharist we celebrate what Jesus did at the Last Supper.
2. At the Eucharist the bread and wine become the Body and Blood of Christ, through the words of the priest and the power of the Holy Spirit.
3. The Eucharist is the Blessed Sacrament.

Giving Thanks

At the beginning of the Eucharistic Prayer, we pray these words with the priest. Pray them now with your class.

Leader The Lord be with you.

All **And with your spirit.**

Leader Lift up your hearts.

All **We lift them up to the Lord.**

Leader Let us give thanks to the Lord our God.

All **It is right and just.**

Leader It is truly right and just, our duty and our salvation, always and everywhere to give you thanks, Lord, holy Father, almighty and eternal God.

PREFACE VI OF THE SUNDAYS IN ORDINARY TIME, *ROMAN MISSAL*

Con mi familia

Esta semana...

En el capítulo 14, "El Pan de Vida", su niño aprendió que:

- Durante la Liturgia Eucarística, hacemos lo que Jesús hizo en la Última Cena. Participamos en el Cuerpo y la Sangre de Cristo.
- El Santísimo Sacramento es otro nombre para la Eucaristía.
- La bondad es un Fruto del Espíritu Santo. La bondad es una integridad interior que nos ayuda a tratar a los demás con gentileza. Pensamos en las necesidades de los demás más allá de las nuestras. Hacemos el bien porque somos buenos.

Para saber más sobre otras enseñanzas de la Iglesia, consulten el *Catecismo de la Iglesia Católica*, 1322–1405; y el *Catecismo Católico de los Estados Unidos para los Adultos*, páginas 225–245.

Compartir la Palabra de Dios

Lean juntos Mateo 26:26–28, parte de la versión de Mateo de la Última Cena. O lean la adaptación de este relato en la página 262. Enfaticen que Jesús nos dio la Eucaristía en la Última Cena.

Vivimos como discípulos

El hogar cristiano con la familia es una escuela de discipulado. Elijan una de las siguientes actividades para hacer en familia, o creen una actividad similar ustedes mismos.

- En la conclusión de la Misa, el sacerdote o el diácono despide a la asamblea con estas palabras u otras similares: "Pueden ir en paz. Glorifiquen al Señor con su vida". En familia, mencionen algo que estén haciendo y que glorifique a Dios. Elijan algo para hacer esta semana.
- Después de participar en la Misa de esta semana, visiten el Santísimo Sacramento. Den gracias a Jesús por compartir su vida con nosotros.

Nuestro viaje espiritual

La vida entera de Jesús dio gloria a su Padre. Unidos a Cristo en el Bautismo, nos alimentamos en la Eucaristía para hacer lo mismo. La recepción frecuente de la Eucaristía, el Pan de Vida, es esencial para cumplir nuestra vocación bautismal.

Para hallar más ideas sobre las maneras en que su familia puede vivir como discípulos de Jesús, visiten **seanmisdiscipulos.com**

With My Family

This Week...

In chapter 14, "The Bread of Life," your child learned:

- During the Liturgy of the Eucharist, we do what Jesus did at the Last Supper. We share in the Body and Blood of Christ.
- The Blessed Sacrament is another name for the Eucharist.
- Goodness is a Fruit of the Holy Spirit. Goodness is an inner wholeness that helps us to treat others with kindness. We think of the needs of others beyond our own. We do good because we are good.

For more about related teachings of the Church, see the *Catechism of the Catholic Church*, 1322–1405; and the *United States Catholic Catechism for Adults*, pages 213–232.

Sharing God's Word

Read Matthew 26:26–28 together, part of Matthew's account of the Last Supper. Or read the adaptation of this story on page 263. Emphasize that Jesus gave us the Eucharist at the Last Supper.

We Live as Disciples

The Christian home and family is a school of discipleship. Choose one of the following activities to do as a family or design a similar activity of your own.

- At the conclusion of Mass, the priest or deacon dismisses the assembly, using these or similar words, "Go in peace, glorifying the Lord by your life." As a family, name some of the things that you are doing that glorify God. Choose one thing and do it this week.
- After you participate in Mass this week, make a visit to the Blessed Sacrament. Thank Jesus for sharing his life with us.

Our Spiritual Journey

Jesus' whole life gave glory to his Father. Joined to Christ in Baptism, we are nourished in the Eucharist to do the same. Frequent reception of the Eucharist, the Bread of Life, is vital to our fulfilling our baptismal vocation.

For more ideas on ways your family can live as disciples of Jesus, visit **BeMyDisciples.com**

CAPÍTULO 15

Lo que vendrá

En este capítulo el Espíritu Santo te invita a

INVESTIGAR la vida de una pareja de casados que son santos.

DESCUBRIR el significado del Sacramento del Matrimonio.

DECIDIR cómo serás un signo del amor de Dios en el mundo.

El Sacramento del Matrimonio

¿Alguna vez has cuidado a una persona mayor? Cuenta lo que hiciste.

La Biblia nos cuenta el relato de Rut. Ella cuidaba a Noemí, su suegra. Pero Noemí creía que Rut debía volver a su casa.

Rut contestó: "Por favor, no me pidas que te deje. Donde tú vayas, yo iré. Donde tú vivas, yo viviré. Tu pueblo será mi pueblo. Tu Dios será mi Dios".

Basado en Rut 1:16

¿Qué te dice la respuesta de Rut acerca de sus sentimientos por Noemí?

Looking Ahead

In this chapter the Holy Spirit invites you to ▶

EXPLORE the lives of a married couple who are saints.

DISCOVER the meaning of the Sacrament of Matrimony.

DECIDE how you will be a sign of God's love in the world.

The Sacrament of Matrimony

? Have you ever taken care of an older person? Share what you did.

The Bible tells us the story of Ruth. She cared for her mother-in-law, Naomi. But Naomi thought Ruth should go back to her own home.

> *Ruth replied, "Please do not ask me to leave you. Wherever you go, I will go. Wherever you live, I want to live. Your people will be my people. Your God will be my God."*
>
> Based on Ruth 1:16

? What does Ruth's response tell you about her feelings for Naomi?

Poder de los discípulos

Castidad

La raíz de la palabra castidad significa *pureza*. Jesús dice: "Felices los de corazón limpio". Cuando tenemos un corazón puro, hacemos lo que sabemos que está bien y es correcto. Cuando somos castos, mostramos nuestro amor por los demás adecuadamente en las maneras en que Dios quiere que mostremos nuestro amor.

Testigos del amor

El amor de Rut por Noemí era desinteresado. Ella honró a Dios al amar a Noemí en su momento de necesidad. María y Luis Beltrame también vivieron de esa manera. En 2001 Papa Juan Pablo II los beatificó. Todas las familias y los matrimonios cristianos pueden aprender de su amor.

María y Luis trabajaron mucho para hacer del mundo un lugar mejor. A través del amor que sentía el uno por el otro, mostraban a los demás el amor de Dios.

Cuando María y Luis se casaron, su casa se transformó en un lugar de oración y de refugio para los que no tenían hogar ni comida.

Cuando María estaba embarazada de su cuarta hija, Enriqueta, los doctores les advirtieron que tener un bebé podía ser perjudicial. Pero María y Luis tuvieron un bebé sano. Creían que Dios los había bendecido con una nueva vida. Consagraron Enriqueta a Dios en sus oraciones. ¡Enriqueta y María vivieron las dos!

La vida de María y de Luis juntos dio vida a los demás y a sus hijos.

? ¿Cómo te reciben los demás en su casa? ¿Cómo haces que los demás se sientan bienvenidos en la tuya? ¿Quiénes te ayudan a conocer el amor de Dios por ti? ¿Cómo te ayudan a amar a Dios y a tu familia?

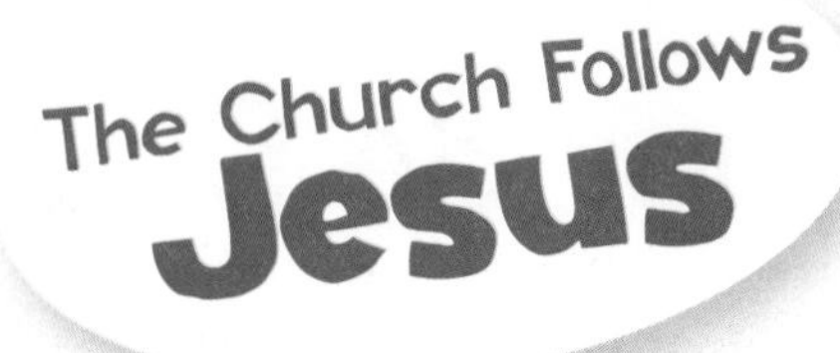

Witnesses of Love

Ruth's love for Naomi was selfless. She honored God by loving Naomi in her time of need. Maria and Luigi Beltrame lived that way, too. In 2001 Pope John Paul II named them Blessed. Christian married couples and families can all learn from their love.

Maria and Luigi worked hard to make the world a better place. Through their love for one another, they showed others God's love.

When Maria and Luigi married, their home became a place of praying and sharing for those without homes or food.

When Maria was pregnant with their fourth child, Enrichetta, the doctors warned them that having a baby could be harmful. But Maria and Luigi had a healthy baby. They believed God had blessed them with a new life. They dedicated Enrichetta to God in prayer. Enrichetta and Maria both lived!

Maria and Luigi's life together gave life to others and their children.

? How do others welcome you to their home? How do you make others feel welcome in yours? Who helps you know God's love for you? How do they help you love God and your family?

Disciple Power

Chastity

The root word of chastity is *pure*. Jesus says, "Blessed are the pure of heart." When we are pure in heart, we do what we know is right and good. When we are chaste, we show our love for others appropriately in the ways God wants us to show our love.

Enfoque en la fe
¿Cómo sirven las personas casadas a las de la Iglesia?

Vocabulario de fe

milagro
Un milagro es un signo del poder en acción y de la presencia de Dios en el mundo.

Matrimonio
El Matrimonio es el Sacramento en el que un hombre bautizado y una mujer bautizada se hacen promesas para toda la vida de servir a la Iglesia como una pareja casada.

Signos del amor de Dios

En los tiempos de Jesús, las bodas judías duraban siete días. La familia del novio servía comida y vino durante toda la celebración.

Una vez, Jesús, su madre y los discípulos fueron a una boda en Caná de Galilea. Esto es lo que ocurrió:

María le dijo a Jesús: "No tienen vino". Después les dijo a los sirvientes: "Hagan lo que mi hijo les diga".

Jesús les dijo a los sirvientes que llenaran seis recipientes de piedra con agua. Luego les dijo que sirvieran lo que había en los recipientes. El mayordomo probó el vino y le dijo al novio: "Generalmente la gente sirve su mejor vino primero. Tú has dejado el mejor vino para el final". Jesús había convertido el agua en vino. Muchos de sus discípulos creyeron entonces en Jesús.

Basado en Juan 2:3–11

Cuando Jesús convirtió el agua en vino, hizo un **milagro**, un signo del poder y de la presencia de Dios en nuestro mundo. A través de los milagros, Dios nos invita a creer y a confiar en Él.

Con un grupo de tus compañeros haz una dramatización de lo que ocurrió en la boda de Caná. ¿Cómo te parece que reaccionó cada persona del relato cuando Jesús hizo el milagro?

Signs of God's Love

During Jesus' time, Jewish weddings lasted for seven days. The bridegroom's family served food and wine during the whole celebration.

Once, Jesus, his mother, and the disciples went to a wedding in Cana in Galilee. Here is what happened:

> *Mary told Jesus, "They have no wine left." She told the servants, "Do what my son tells you."*
>
> *Jesus told the servants to fill six stone jars with water. Then Jesus told the servants to serve what was in the jars. The head servant tasted the wine, and said to the bridegroom, "People usually serve their best wine first. You have saved the best wine for last." Jesus had changed the water into wine. Many of his disciples then believed in Jesus.*
>
> Based on John 2:3–11

When Jesus changed water into wine, he performed a **miracle**, a sign of God's presence and power in our world. God invites us to believe and trust in him through miracles.

Faith Focus

How do married people serve the people of the Church?

Faith Vocabulary

miracle
A miracle is a sign of God's presence and power at work in our world.

Matrimony
Matrimony is the Sacrament in which a baptized man and a baptized woman make lifelong promises to serve the Church as a married couple.

Activity

With a group of your classmates act out what happened at the wedding in Cana. How do you think each person in the story reacted when Jesus performed the miracle?

Personas de fe

Santa Isabel Ana Seton

Isabel Ana Seton fue la primera persona nacida en Estados Unidos a la que declararon santa. Isabel nació en la ciudad de Nueva York, en una familia que pertenecía a la Iglesia Episcopal. Se casó con William Seton. Isabel y William fueron padres de cinco hijos. Después de que su esposo muriera, Isabel se convirtió al catolicismo. Fundó la orden de las Hermanas de la Caridad, que trabajaban en escuelas, hospitales y orfanatos. El día de Santa Isabel Ana Seton es el 4 de enero.

Seguir el llamado de Dios

En el Bautismo, recibiste la responsabilidad de vivir como seguidor de Jesús. Recibiste la vocación o llamado de Dios de participar en la vida y obra de Jesús. Dios llama a los cristianos a vivir su vocación de muchas maneras.

Tú vives ese llamado ahora como hijo de Dios. Cuando crezcas, tomarás la decisión de cómo seguirás a Cristo de adulto.

Algunos de ustedes tal vez se conviertan en hermanos o hermanas religiosas, como las Hermanas de la Caridad. Otros quizás se queden solteros. Muchos de ustedes decidirán casarse y algunos hacerse diáconos o sacerdotes. Estas vocaciones especiales se celebran en los Sacramentos al Servicio de la Comunidad. Los nombres de esos Sacramentos son el Orden Sagrado y el Matrimonio.

La familia

Cuando un hombre y una mujer se casan, forman una familia. A la familia cristiana se la llama "iglesia del hogar". Es una comunidad de fe, esperanza y caridad, igual que la Iglesia. Padres e hijos trabajan juntos para mostrarse el amor de Dios unos a otros y mostrárselo a los demás.

? ¿Estás viviendo ahora como seguidor de Jesús? ¿Cómo podrías seguir a Jesús si fueras adulto?

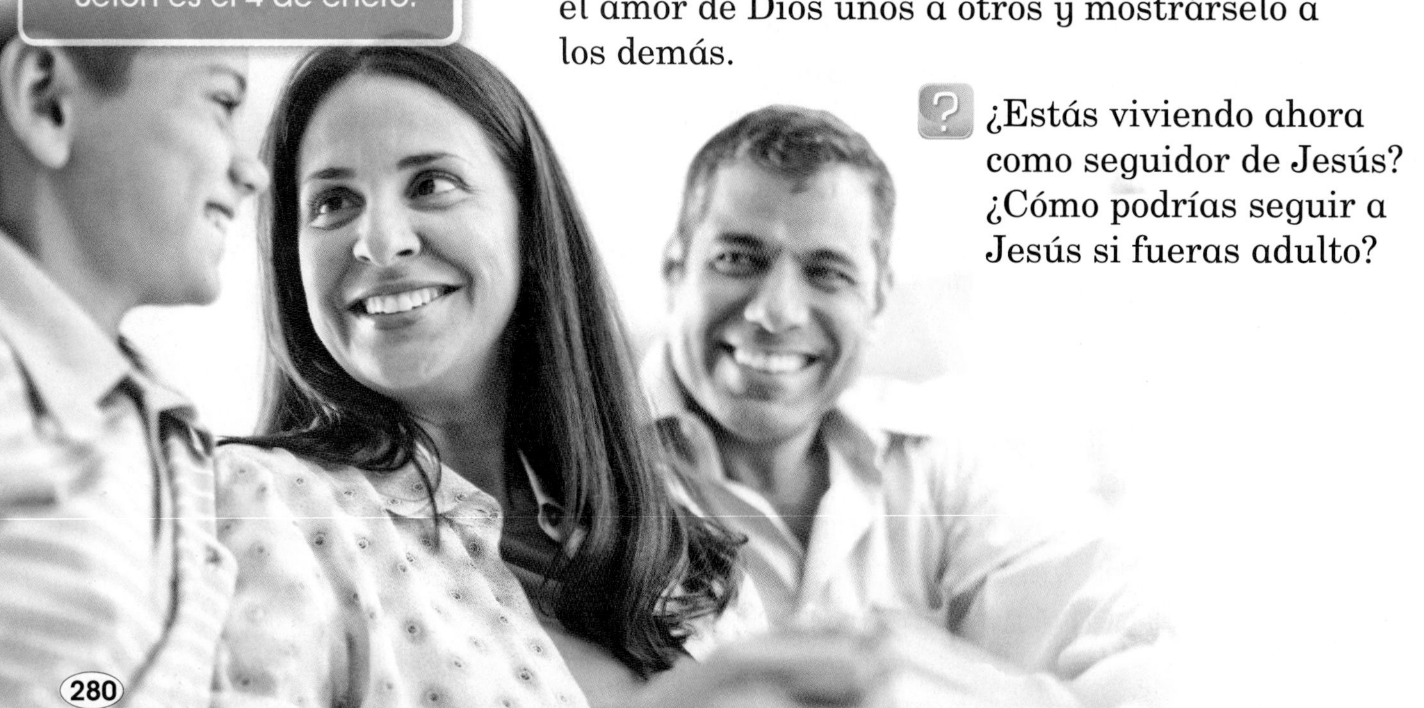

Following God's Call

At Baptism you received the responsibility to live as a follower of Jesus. You received the vocation, or call from God, to share in Jesus' life and work. God calls Christians to live their vocation in many ways.

You live that calling now as a child of God. When you grow up, you will make a decision about how you will follow Christ as an adult.

Some of you may become religious brothers or sisters, like the Sisters of Charity. Some of you may remain single. Many of you will decide to get married, others to become deacons or priests. These special vocations are celebrated in the Sacraments at the Service of Communion. The names of those Sacraments are Holy Orders and Matrimony.

The Family

When a man and a woman marry, they become a family. The Christian family is called the "church of the home." It is a community of faith, hope, and love, just as the Church is. Parents and children work together to show God's love to each other and to other people.

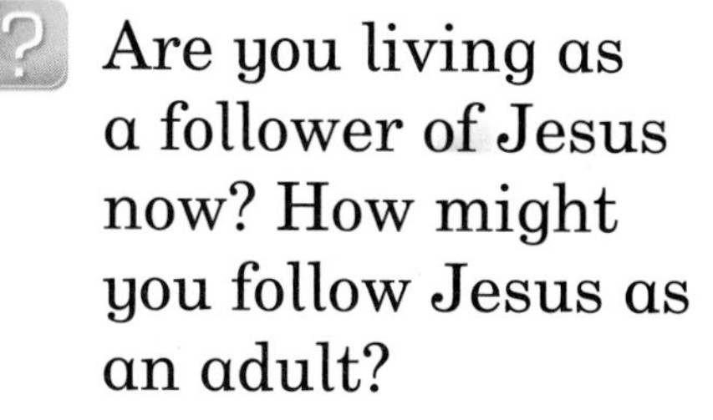

? Are you living as a follower of Jesus now? How might you follow Jesus as an adult?

Faith-Filled People

Saint Elizabeth Ann Seton

Elizabeth Ann Seton was the first person born in the United States to be named a saint. Elizabeth was born in New York City into a family who were members of the Episcopal Church. She married William Seton. Elizabeth and William were the parents of five children. After her husband died, Elizabeth became a Catholic. She founded the Sisters of Charity, who worked in schools, hospitals, and orphanages. The feast day of Saint Elizabeth Ann Seton is January 4.

Los católicos creen

El anillo de bodas

El darse anillos de bodas ha sido desde hace mucho tiempo una parte importante de la celebración de un matrimonio. Es un signo de la promesa que la pareja casada hizo de amarse uno al otro para siempre. Tradicionalmente, el anillo de bodas se usa en el tercer dedo de la mano izquierda como símbolo de la presencia de la Santísima Trinidad.

Sacramento del Matrimonio

Un hombre bautizado y una mujer bautizada se casan en el Sacramento del **Matrimonio**. En el Matrimonio, un hombre y una mujer prometen libremente amarse y ser fieles el uno al otro. Prometen aceptar el don de los hijos. Prometen honrarse y respetarse mutuamente para siempre.

Si asistes a un matrimonio en tu iglesia, verás y oirás a la novia decir estas palabras u otras parecidas cuando hace su promesa:

> "Yo, (nombre), te recibo a ti, (nombre), como esposo y me entrego a ti y prometo serte fiel en la prosperidad y en la adversidad, en la salud y en la enfermedad, y así amarte y respetarte todos los días de mi vida". (Ritual del Matrimonio)

Verás y oirás luego al esposo hacerle su promesa a su esposa. El Espíritu Santo ayuda a los esposos a amarse mutuamente como Jesús ama a su Iglesia.

Padres y niños trabajan juntos para vivir el Evangelio. Las familias cristianas tienen la vocación de ser signos del amor de Dios entre sí y para los demás.

¿Qué signo del amor de Dios ves cuando estás con tu familia? Escríbelo o dibújalo aquí.

Sacrament of Matrimony

A baptized man and a baptized woman celebrate marriage in the Sacrament of **Matrimony**. In Matrimony, a man and a woman freely promise to always love and be faithful to each other. They promise to accept the gift of children. They promise to honor and respect each other forever.

If you attend a marriage in your church, you will see and hear the bride use these or similar words when she makes her promise:

> "I (name) take you (name) to be my husband. I promise to be true to you in good times and in bad, in sickness and in health. I will love you and honor you all the days of my life" (Rite of Marriage).

You will then see and hear the husband make his promise to his wife. The Holy Spirit helps husbands and wives love one another just as Jesus loves his Church.

Parents and children work together to live the Gospel. Christian families have the vocation to be signs of God's love to one another and to other people.

Catholics Believe

The Wedding Ring

The giving of wedding rings has long been an important part of a marriage celebration. This is a sign of the promise the married couple made to love each other forever. A wedding ring is traditionally worn on the third finger of the left hand to signify the presence of the Trinity.

What is one sign of God's love you see when you are with your family? Write about it or draw it here.

Yo sigo a Jesús

El amor de Dios está siempre en acción en el mundo. Cuando ayudas a los demás, ayudas a que las personas lleguen a conocer el amor de Dios. Dios obra a través de ti para invitar a las personas a creer y a confiar en Él.

Signos del amor de Dios

Completa estas oraciones para mostrar cómo llegas a conocer el amor de Dios.

Cada vez que veo ________________________________, creo que Dios está en acción en el mundo.

Cada vez que oigo ________________________________, creo que Dios está en acción en el mundo.

Cada vez que yo ________________________________, soy un signo de Dios en acción en el mundo.

Esta semana ayudaré a que los demás lleguen a conocer el amor de Dios. Yo voy a

____

____.

Reza: Cuéntale a Dios qué signos de su presencia ves a tu alrededor. Luego dale las gracias.

God's love is always at work in the world. When you help others, you help people come to know God's love. God works through you to invite people to believe and trust in him.

Activity

Signs of God's Love

Complete these sentences to show how you come to know God's love.

Each time I see a ______________________________ I believe God is at work in the world.

Each time I hear a ______________________________ I believe God is at work in the world.

Each time I ______________________________ I am a sign of God at work in the world.

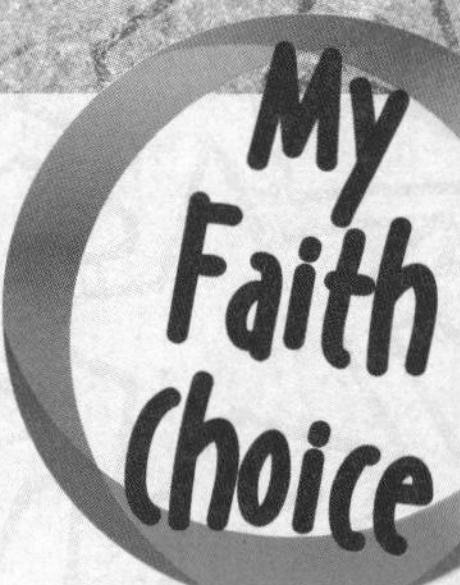

This week I will help others come to know God's love. I will

____

____.

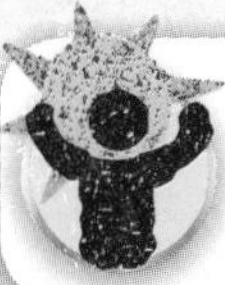

Pray: Tell God some of the signs of his presence that you see around you. Then tell him thank you.

PARA RECORDAR

1. Jesús hizo un milagro en la boda de Caná para mostrar que el amor y el poder de Dios están en acción en Él y en el mundo.
2. En el Bautismo, recibimos nuestra vocación de participar en la vida y la obra de Jesús.
3. En el Matrimonio, un hombre y una mujer bautizados se transforman en signos del amor de Dios en el mundo.

Repaso del capítulo

Lee las siguientes oraciones. Encierra en un círculo el número de las que ayudarán a que el amor crezca en una familia. Cuéntale a tu clase cómo cambiarías las otras oraciones para que ayuden a que el amor prospere en una familia.

1. Un marido y su mujer se preguntan uno al otro: "¿Cómo estás?".
2. Un padre dice: "No tengo tiempo para hablar contigo".
3. Un niño pregunta: "¿Podemos rezar antes de comer?".
4. Un niño dice: "¡Déjame ayudar!", antes de que se lo pidan.
5. Un niño dice: "No ayudaré. No es mi tarea".

Bendice a tus siervos

Reza para pedir la bendición de Dios. Trata de rezar también en el idioma de Haití.

Líder: Dios, Padre nuestro, Tú llamas a todos los miembros de la Iglesia a ser un signo de tu amor en el mundo.

Todos: **¡Te alabamos y te bendecimos!**

Líder: Recemos por todos los que sirven a la Iglesia, especialmente por las parejas de casados y sus familias.

Todos: **Pedimos tu bendición, Señor.**
Nou mande Seyè benediksyon ou.
(nu man dei se ié be ne diksi oun u.)

Líder: Por todos los que trabajan para edificar la Iglesia.

Todos: **Pedimos tu bendición, Señor.**
Nou mande Seyè benediksyon ou.

Chapter Review

Read each sentence below. Circle the number for each one that will help love grow in a family. Tell your class how you would change the other sentences to ones that would help love grow in a family.

1. A husband and wife ask each other, "How are you doing?"
2. A parent says, "I don't have time to talk to you."
3. A child asks, "Can we pray before we eat?"
4. A child says, "Let me help!" before he is asked.
5. A child says, "I won't help. It's not my job."

TO HELP YOU REMEMBER

1. Jesus performed a miracle at the wedding in Cana to show that the love and power of God is at work in him and in the world.
2. At Baptism we receive our vocation to share in Jesus' life and work.
3. In Matrimony, a baptized man and a baptized woman become a sign of God's love in the world.

Bless Your Servants

Pray for God's blessing. Try praying also in the language of Haiti.

Leader God, our Father, you call every member of the Church to be a sign of your love in the world.

All **We praise you and bless you!**

Leader Let us pray for all who serve the Church, especially for married couples and for their families.

All **We ask your blessing, Lord.**
Nou mande Seyè benediksyon ou.
(noo mahn-day say-eh ben-ay-deek-see-own oo.)

Leader For everyone who works to build up the Church.

All **We ask your blessing, Lord.**
Nou mande Seyè benediksyon ou.

Con mi familia

Esta semana...

En el capítulo 15, "Sacramento del Matrimonio", su niño aprendió que:

- Los milagros son signos en acción en el mundo del poder de Dios. Los milagros son invitaciones a amar a Dios con todo nuestro corazón y a compartir ese amor con los demás.
- Algunos de los bautizados están llamados a servir a toda la Iglesia. Esta vocación se celebra en los dos Sacramentos al Servicio de la Comunidad, que son el Orden Sagrado y el Matrimonio.
- En el Sacramento del Matrimonio, un hombre y una mujer bautizados prometen honrarse y amarse uno al otro para siempre como marido y esposa.
- La virtud de la castidad nos ayuda a amar a los demás y a nosotros mismos adecuadamente y de acuerdo con la Ley de Dios.

Para saber más sobre otras enseñanzas de la Iglesia, consulten el *Catecismo de la Iglesia Católica*, 1601–1666; y el *Catecismo Católico de los Estados Unidos para los Adultos*, páginas 293–309.

Compartir la Palabra de Dios

Lean juntos Juan 2:1–11, la narración de la boda de Caná de Galilea. O lean la adaptación del relato en la página 278. Enfaticen que Jesús hizo este milagro para mostrar a todos que el amor de Dios está siempre en acción en el mundo. Este milagro ayudó a que los discípulos de Jesús creyeran en Él y crecieran en ellos su fe en Dios y su amor por Él.

Vivimos como discípulos

El hogar cristiano con la familia es una escuela de discipulado. Elijan una de las siguientes actividades para hacer en familia, o creen una actividad similar ustedes mismos.

- Mencionen y comenten las cosas que con amor y generosidad hacen unos por otros en su familia. Hablen de cómo estos actos son signos del amor de Dios por su familia. Comenten cómo ayudan estos actos amorosos a que crezca el amor entre ustedes y por Dios.
- Esta semana, a la hora de cenar, piensen y mencionen los signos del amor de Dios que cada miembro de la familia experimentó ese día y que recibieron de personas que no pertenecen a su familia. Recen una oración de acción de gracias por estas personas como parte de su oración a la hora de comer.

Nuestro viaje espiritual

Vivir una vida casta es una bendición; es una decisión de vivir una vida plena que está "bendita". El Gran Mandamiento nos recuerda que hemos sido creados para amar. Buscamos y expresamos ese amor de muchas maneras. Dios nos llama a vivir una vida casta o pura en todo lo que hacemos.

Para hallar más ideas sobre las maneras en que su familia puede vivir como discípulos de Jesús, visiten **seanmisdiscipulos.com**

With My Family

This Week...

In chapter 15, "The Sacrament of Matrimony," your child learned that:

- Miracles are signs of God's power at work in the world. Miracles are invitations to love God with our whole heart and to share that love with others.
- Some of the baptized are called to serve the whole Church. This vocation is celebrated in the two Sacraments at the Service of Communion, which are Holy Orders and Matrimony.
- In the Sacrament of Matrimony a baptized man and a baptized woman promise to honor and love each other forever as husband and wife.
- The virtue of chastity helps us to love others and ourselves appropriately and according to God's Law.

For more about related teachings of the Church, see the *Catechism of the Catholic Church,* 1601–1666; and the *United States Catholic Catechism for Adults,* pages 277–292.

Sharing God's Word

Read John 2:1–11 together, the account of the wedding in Cana of Galilee. Or read the adaptation of the story on page 279. Emphasize that Jesus performed this miracle to show everyone that God's love is always at work in the world. This miracle helped the disciples of Jesus believe in him and grow in their faith in and love for God.

We Live as Disciples

The Christian home and family is a school of discipleship. Choose one of the following activities to do as a family or design a similar activity of your own.

- Name and discuss the loving and caring things that your family does for each other. Talk about how these acts are signs of God's love for your family. Discuss how these loving acts help you grow in love for one another and for God.
- At dinnertime this week, think about and name the signs of God's love each family member has experienced that day from people who are not members of your family. Include a prayer of thanksgiving for these people as part of your mealtime prayer.

Our Spiritual Journey

Living a chaste life is a blessing; it is a choice to live a full life that is "blessed." The Great Commandment reminds us that we have been created to love. We search for and express that love in many ways. God calls us to live chaste or pure lives in all that we do.

For more ideas on ways your family can live as disciples of Jesus, visit **BeMyDisciples.com**

CAPÍTULO 16

Lo que vendrá

En este capítulo el Espíritu Santo te invita a ▶

INVESTIGAR cómo Laurie oyó la invitación de Dios para ser una Hermana de la Misericordia.

DESCUBRIR que Jesús nos mandó a servir.

DECIDIR cómo servirás tú a los demás.

Llamados a servir

¿Cómo has ayudado a alguien?

Dios está siempre invitando a las personas a que lo ayuden. Mucho antes de que Jesús naciera, Dios invitó a un hombre llamado Isaías a ayudarlo a darle un mensaje a su pueblo. Isaías dijo:

Oí la voz del Señor que decía:
"¿A quién enviaré y quién irá por nosotros?".
Entonces yo dije: "Aquí estoy. ¡Mándame a mí!".

BASADO EN ISAÍAS 6:8

¿Qué podría estar pidiéndote Dios que hagas por alguien en este momento? Si pudieras elegir, ¿adónde le pedirías a Dios que te envíe?

Looking Ahead

In this chapter the Holy Spirit invites you to

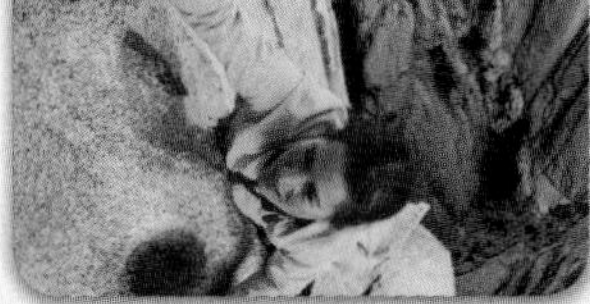

EXPLORE how Laurie heard God's invitation to be a Sister of Mercy.

DISCOVER that Jesus commanded us to serve.

DECIDE how you will serve others.

CHAPTER 16

Called to Serve

How have you helped someone?

God is always inviting people to help him. Long before Jesus was born, God invited a man named Isaiah to help him deliver a message to his people. Isaiah said:

Then I heard the Lord's voice, saying,
"Whom can I send? Who will go for us?"
So I said, "Here I am. Send me!"

BASED ON ISAIAH 6:8

What could God be asking you to do for someone right now? If you could choose, where would you ask God to send you?

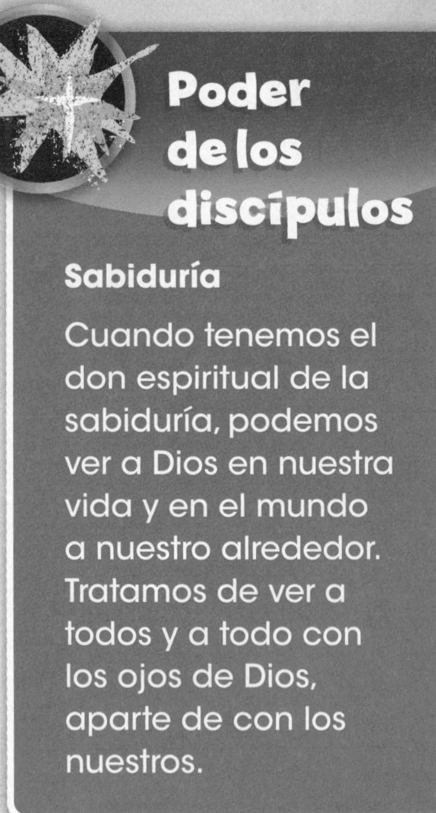

Poder de los discípulos

Sabiduría

Cuando tenemos el don espiritual de la sabiduría, podemos ver a Dios en nuestra vida y en el mundo a nuestro alrededor. Tratamos de ver a todos y a todo con los ojos de Dios, aparte de con los nuestros.

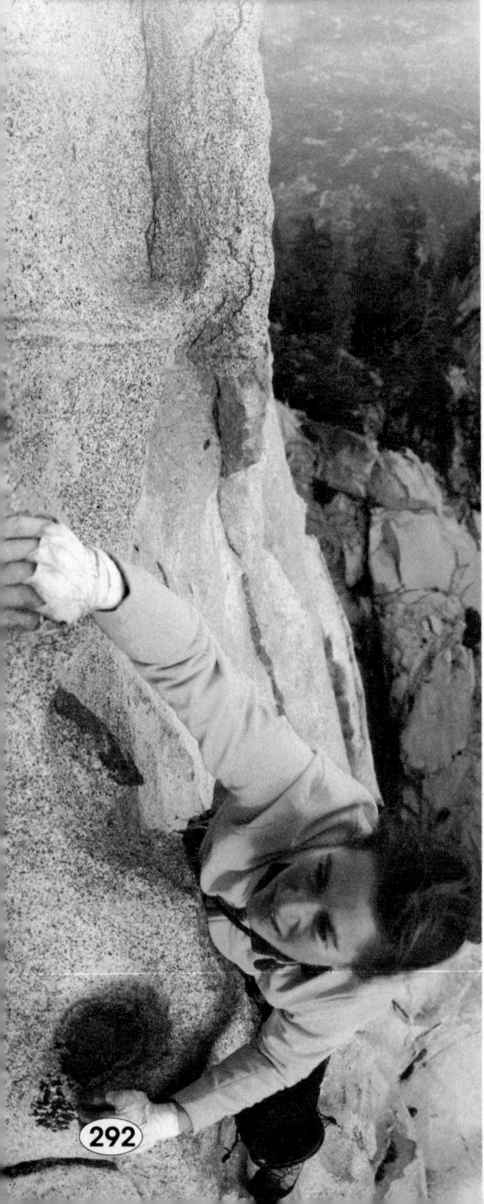

Cerca de Dios

Los niños de la escuela llaman a la Hermana Laurie "la monja escaladora de rocas". Ella oyó que Dios le pedía que fuera y ayudara a las personas en su nombre.

Un verano, antes de hacerse monja, Laurie decidió ir a escalar un peñón. A Laurie le encantaba lo cerca que se sentía de Dios cuando estaba en la montaña. Pero, cuando volvía a su casa, sentía que le faltaba algo.

Entonces Laurie conoció a la Hermana Kathleen, una Hermana de la Misericordia. Y sintió que quería hacer lo que hacían las Hermanas de la Misericordia. Quería servir a los enfermos. Quería ayudar a que los niños pobres tuvieran una buena educación. Quería ayudar a que las familias salieran de la pobreza.

La Hermana Kathleen la invitó a vivir con las hermanas para que viera cómo era. Laurie vivió dos años con las hermanas.

Después volvió a escalar un peñasco. Esta vez se sintió cerca de Dios en la montaña y cuando volvió a casa. Laurie supo que estaba tomando la decisión correcta al hacerse Hermana de la Misericordia.

¿A quiénes admiras tú que viven el Evangelio? ¿Qué admiras de esa persona o de esas personas?

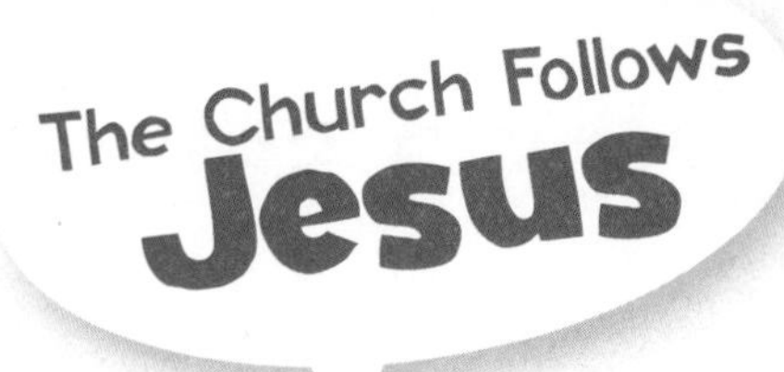

Disciple Power

Wisdom

When we have the spiritual gift of wisdom, we are able to see God in our lives and in the world around us. We try to see everyone and everything with God's eyes, not just our own.

Close to God

The children at school call Sister Laurie the "rock climbing nun." She heard God asking her to go and help people in his name.

One summer before she was a nun, Laurie decided to go rock climbing. Laurie loved how close she felt to God when she was on the mountain. But when she came home, she felt like something was missing.

Then Laurie met Sister Kathleen, a Sister of Mercy. Laurie felt she wanted to do what the Sisters of Mercy did. She wanted to serve people who were sick. She wanted to help poor children get a good education. She wanted to help families get out of poverty.

Sister Kathleen invited Laurie to live with the sisters and see what it was like. Laurie lived with the sisters for two years.

Then Laurie went rock climbing again. This time she felt close to God on the mountain and when she came home. Laurie knew she was making the right choice to become a Sister of Mercy.

? Whom do you admire that lives the Gospel? What do you admire about the person or people?

Enfoque en la fe
¿Cómo sirven a las personas de la Iglesia los obispos, los sacerdotes y los diáconos?

Vocabulario de fe

Orden Sagrado
El Orden Sagrado es el Sacramento en el que un hombre bautizado se ordena como obispo, sacerdote o diácono para servir durante toda su vida a la Iglesia.

vida consagrada
La vida consagrada es una manera de vivir el Evangelio. Las personas que prometen servir a la Iglesia como consagradas viven una vida de servicio al pueblo de Dios.

Estamos llamados a servir

A veces, alguien importante para nosotros hace algo por nosotros que nunca olvidamos. Al comienzo de la Última Cena, Jesús hizo algo que sus discípulos jamás olvidaron. Les enseñó a servir a los demás como lo hacía Él:

Durante la comida, Jesús se levantó de la mesa. Echó agua en un recipiente y empezó a lavarles los pies a los discípulos. Les secó los pies con una toalla. Cuando terminó, Jesús dijo: "Les he dado un ejemplo. Hagan como he hecho yo".

BASADO EN JUAN 13:4–5, 15

Mientras Jesús lavaba los pies de los discípulos, nos estaba enseñando a servir a las personas como Él las servía. Debemos amarlas, respetarlas y honrarlas.

Diseña un cartel o un *collage* que muestre a personas sirviendo a los demás como Jesús nos enseñó. Empieza por anotar tus ideas aquí.

____

____

____

____

We Are Called to Serve

Sometimes someone who is important to us does something for us that we never forget. At the start of the Last Supper, Jesus did something that his disciples never forgot. He taught them to serve others as he did:

> *During the meal Jesus got up from the table. He poured water into a bowl and began to wash his disciples' feet. He dried their feet with a towel. When Jesus finished, he said, "I have given you an example. Do what I have done."*
>
> Based on John 13:4–5, 15

When he washed the disciples' feet, Jesus was teaching us that we are to serve people as he served them. We are to love, respect, and honor them.

Faith Focus
How do bishops, priests, and deacons serve the people of the Church?

Faith Vocabulary

Holy Orders
Holy Orders is the Sacrament in which a baptized man is ordained a bishop, priest, or deacon to serve the Church his whole life.

consecrated life
The consecrated life is a way to live the Gospel. People who promise to serve the Church as consecrated persons live a life of service to God's people.

Design a poster or collage that shows people serving others as Jesus taught us to do. Begin by jotting down your ideas here.

____

____

____

____

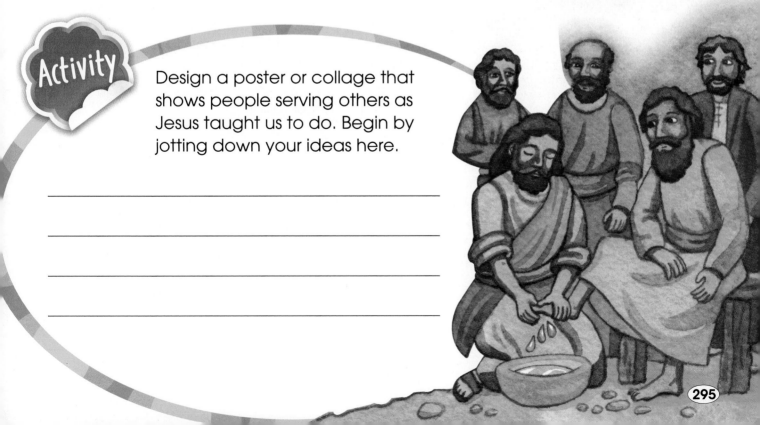

Personas de fe

Santa Teresa de Jesús

Teresa era una persona alegre e inteligente. Era rica y hermosa. Sin embargo, Teresa decidió que ayudar a que los demás conocieran, amaran y sirvieran más a Dios era la mejor manera de mostrar su amor por Dios.

Orden Sagrado

Dios llama y envía a algunos miembros de la Iglesia a servir a toda la Iglesia como obispos, sacerdotes o diáconos. Los obispos, los sacerdotes y los diáconos han servido a la Iglesia de esta manera desde los días de los Apóstoles.

Esta vocación se celebra en el Sacramento del **Orden Sagrado**. Solamente los hombres bautizados pueden recibir este Sacramento. El Orden Sagrado deja en el hombre que recibe este Sacramento una marca, o carácter, espiritual permanente que dura para siempre.

Obispos y sacerdotes. Un hombre bautizado se ordena para siempre. Solamente los obispos pueden ordenar a otros obispos, a los sacerdotes y a los diáconos. Los obispos conducen a la gente en el culto a Dios. Enseñan acerca de la fe. Guían a la Iglesia para vivir como enseñó Jesús.

Los sacerdotes son colaboradores de los obispos en su obra. Los obispos y los sacerdotes sirven a la Iglesia en el nombre de Jesús y no se casan.

Diáconos. Los diáconos ayudan a los obispos y trabajan con los sacerdotes. Los diáconos pueden proclamar y predicar la Palabra de Dios. Administran el Sacramento del Bautismo y conducen el Sacramento del Matrimonio.

Los diáconos visitan a los enfermos y rezan con ellos, y ayudan a los necesitados.

Actividad

Menciona de qué maneras has visto a un obispo, a un sacerdote o a un diácono servir a las personas.

Obispo ____________________

Sacerdote ____________________

Diácono ____________________

Holy Orders

God calls and sends some members of the Church to serve the whole Church as bishops, priests, or deacons. Bishops, priests, and deacons have served the Church in this way from the days of the Apostles.

This vocation is celebrated in the Sacrament of **Holy Orders**. Only baptized men can receive this Sacrament. Holy Orders marks the man who receives this Sacrament with a permanent spiritual mark, or character, that lasts forever.

Faith-Filled People

Saint Teresa of Jesus

Teresa was a joyful and intelligent person. She was rich and beautiful. But Teresa decided that helping others to know, love, and serve God better was the best way to show her love for God.

Bishops and Priests. A baptized man is ordained forever. Only bishops can ordain other bishops, priests, and deacons. Bishops lead the people in worshiping God. They teach people about the faith. They guide the Church to live as Jesus taught.

Priests are co-workers with bishops in their work. Bishops and priests serve the Church in Jesus' name, and they do not marry.

Deacons. Deacons help bishops and work with priests. Deacons can proclaim and preach the Word of God. They administer the Sacraments of Baptism and lead the Sacrament of Matrimony.

Deacons visit and pray with people who are sick and help people who are in need.

Activity

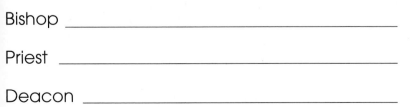

Name three ways you have seen a bishop, a priest, or a deacon serving people.

Bishop ______________________________

Priest ______________________________

Deacon ______________________________

Los católicos creen

El Papa

El papa es el pastor de la Iglesia entera. Con la ayuda del Espíritu Santo, el Papa guía a la Iglesia para servir a las personas de todo el mundo. El Papa es el obispo de Roma. Es el sucesor de San Pedro Apóstol. Jesús eligió a Pedro para que fuera el primer pastor de toda la Iglesia.

La vida consagrada

Dios llama a obispos, sacerdotes, diáconos y laicos a vivir el Evangelio y a servir a la Iglesia. Dios también llama a algunos hombres y mujeres a servir a la Iglesia, como llamó a la Hermana Laurie. Ellos están llamados a la **vida consagrada**. La palabra "consagrada" quiere decir "apartada para un propósito santo".

Desde la Iglesia primitiva, algunos miembros de la misma iban al desierto donde podían rezar solos. Otros vivían, trabajaban y rezaban juntos, pero nunca se alejaban del lugar donde vivían. Otros también vivían juntos para rezar, pero servían a las otras personas.

Todos ellos prometían vivir una vida sencilla de pobreza y no casarse. También prometían obediencia a los líderes de la Iglesia.

Hoy, algunas personas de la Iglesia viven la vida consagrada como miembros de órdenes religiosas. Viven en monasterios, conventos y prioratos. Generalmente los vemos sirviendo a la Iglesia como hermanas y hermanos religiosos o monjes. Aun así, hay otros que no salen jamás de su convento o monasterio. Todos los que viven la vida consagrada sirven al pueblo de Dios.

? ¿De qué manera puedes ofrecer en servicio uno de tus dones a Dios?

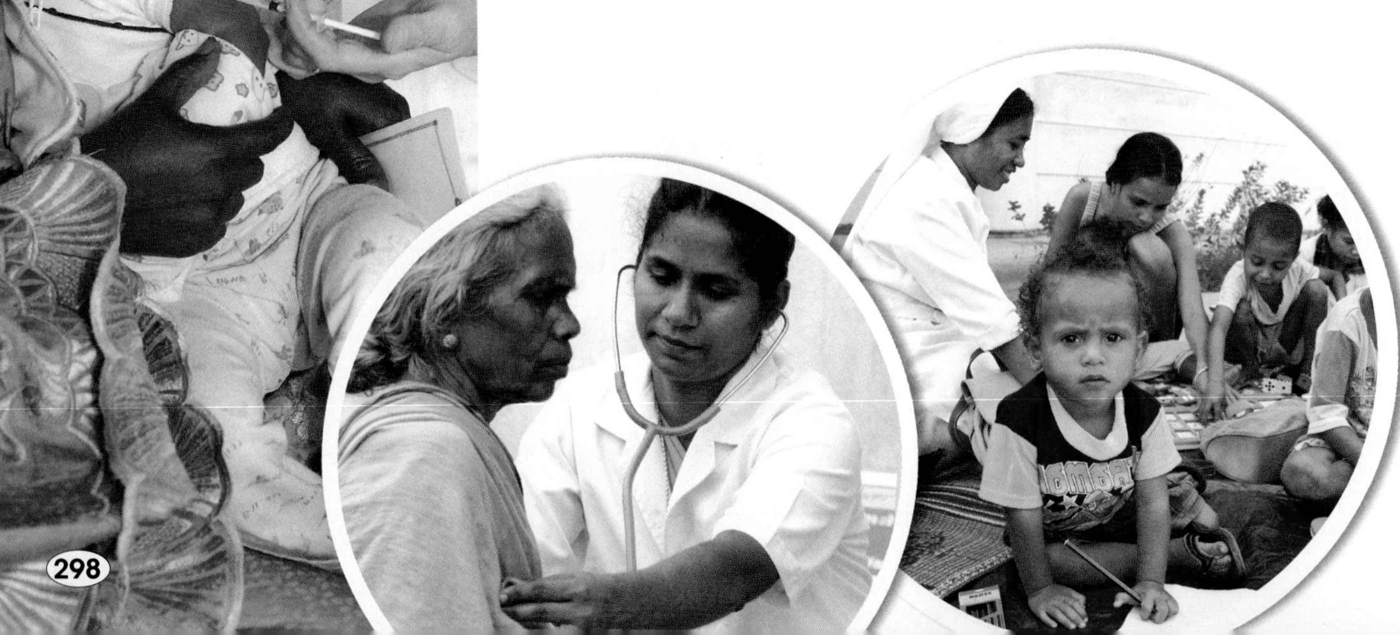

The Consecrated Life

God calls bishops, priests, deacons, and laypeople to live the Gospel and serve the Church. God also calls some men and women, as he called Sr. Laurie, to serve the Church. They are called to the **consecrated life**. The word "consecrate" means "to set aside for a holy purpose."

Since the early Church, some members of the Church went into the desert where they could pray alone. Others lived and worked and prayed together, but never left the places where they lived. Still others lived together to pray, but served other people.

They all promised to live a simple life of poverty and not to marry. They also promised to be obedient to the Church leaders.

Today, some members of the Church live the consecrated life as members of religious orders. They live in monasteries, convents, and priories. We usually see them serving the Church as religious brothers, sisters, or monks. Still others live inside and never leave their convents and monasteries. All those who live the consecrated life serve God's people.

? In what way can you offer one of your gifts to God in service?

Catholics Believe

The Pope

The Pope is the pastor of the whole Church. Helped by the Holy Spirit, the Pope guides the whole Church in serving people all over the world. The Pope is the bishop of Rome. He is the successor of Saint Peter the Apostle. Jesus chose Peter to be the first pastor of the whole Church.

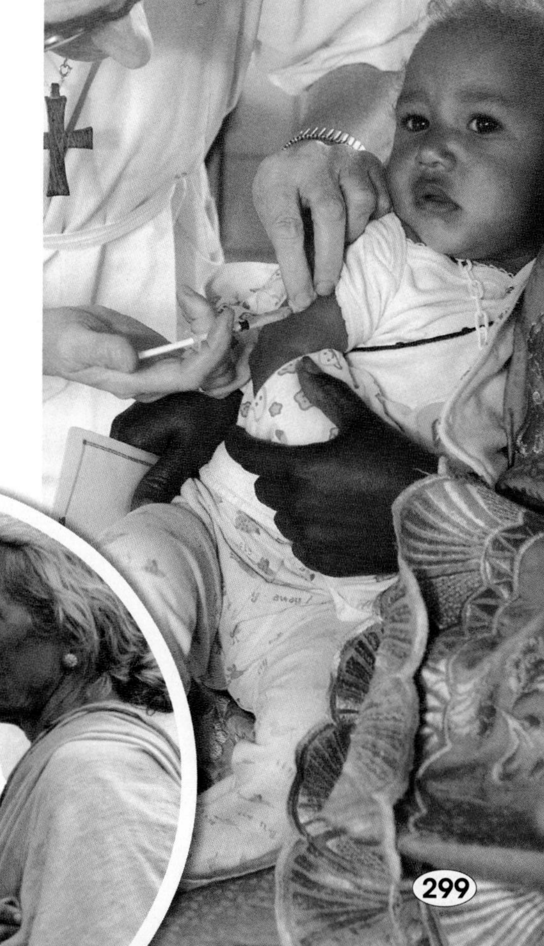

Yo sigo a Jesús

Piensa en todas las maneras que ves que la gente sirve a la Iglesia. ¿Cuál de estas maneras te interesa? No necesitas esperar a ser mayor para servir a la Iglesia. ¡Dios te ha llamado a servir a los demás como seguidor de Jesús desde ahora! El Espíritu Santo te ayuda a vivir ese llamado de muchas maneras.

Llamado y enviado

Escribe o dibuja cómo puedes servir a los demás como enseñó Jesús.

Esta semana elegiré servir a otras personas. Yo voy a

____

____

____.

Reza: "Querido Dios, yo quiero servirte. Ayúdame a saber qué es necesario hacer por los demás. Amén".

Think about all the ways you see people serving the Church. Which of these ways interest you? You do not have to wait until you are older to serve the Church. You have been called by God to serve others as a follower of Jesus right now! The Holy Spirit helps you live that calling now in many ways.

Called and Sent

Write or draw how you can serve others as Jesus taught.

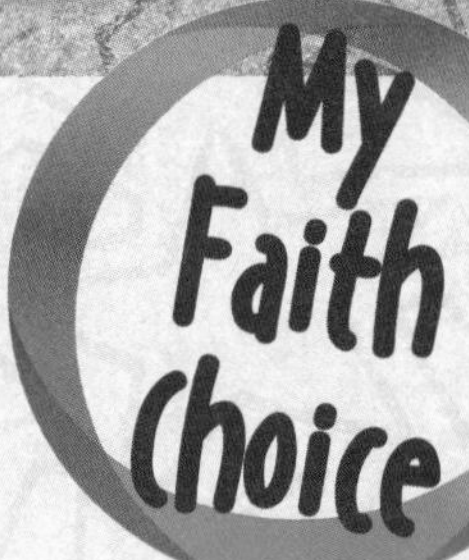

This week I will choose to serve other people. I will

____

____

____.

Pray, "Dear God, I want to serve you. Help me to know what needs to be done for others. Amen."

> **PARA RECORDAR**
>
> 1. Los obispos y los sacerdotes conducen a las personas en el culto a Dios y para que aprendan y vivan su fe.
> 2. Los diáconos ayudan a los obispos y trabajan con los sacerdotes.
> 3. Las mujeres y los hombres llamados a imitar a Jesús de maneras especiales son parte de la vida consagrada.

Repaso del capítulo

Une la Columna A con la Columna B escribiendo el término correcto en el espacio dado.

Columna A	**Columna B**
1. obispos	________________ quiere decir "apartada para un propósito santo".
2. Matrimonio	Nuestra ____________es la manara en la que usamos nuestros talentos para servir a Dios.
3. consagrada	El ______________ es un Sacramento al Servicio de la Comunidad entre un hombre y una mujer.
4. Orden Sagrado	Obispos, sacerdotes y diáconos se ordenan en el Sacramento del ________________.
5. vocación	Los _____________enseñan y sirven como líderes de la diócesis.

Oración por las vocaciones

Líder Recemos por todos quienes sirven a la Iglesia.

Todos **Señor, Tú nos diste talentos a cada uno de nosotros. Los usaremos para servirte.**

Líder Den un paso al frente cuando oigan su nombre y digan cuál es su talento.

Cada vez que un niño diga su talento, los demás respondemos:
Te damos gracias, Señor.

Todos **Te damos gracias, Señor.**

Chapter Review

Match Column A with Column B by writing the correct term in the space provided.

Column A	Column B
1. Bishops	________________ means "set aside for a holy purpose."
2. Matrimony	Our ________________ is the way we use our talents to serve God.
3. Consecrated	______________ is a Sacrament at the Service of Communion between a man and a woman.
4. Holy Orders	Bishops, priests, and deacons are ordained in the Sacrament of ________________.
5. Vocation	______________ teach and serve as leaders of the diocese.

TO HELP YOU REMEMBER

1. Bishops and priests lead people in worshiping God and learning and living their faith.
2. Deacons help bishops and work with priests.
3. Men and women called to imitate Jesus in special ways are part of the consecrated life.

A Vocation Prayer

Leader Let us pray for all those who serve the Church.

All **Lord, you gave each of us talents. We will use them to serve you.**

Leader Come forward as your name is called and share your talent.

Each time a child names his or her talent, please respond:
We give you thanks, Lord.

All **We give you thanks, Lord.**

Con mi familia

Esta semana...

En el capítulo 16, "Llamados a servir", su niño aprendió que:

- Todos los bautizados tienen la vocación de servir a Dios y a los demás como hizo Jesús.
- El Orden Sagrado es el Sacramento por el que un hombre bautizado se ordena como obispo, sacerdote o diácono.
- Algunas personas están llamadas a la vida consagrada. Se hacen miembros de una orden o una congregación religiosa. Se apoyan unas a otras y ayudan a que los demás miembros de la Iglesia vivan el Evangelio.
- El don espiritual de la sabiduría nos permite tener un panorama más amplio y ver el mundo desde la perspectiva de Dios.

Para saber más sobre otras enseñanzas de la Iglesia, consulten el *Catecismo de la Iglesia Católica,* 1533–1589; y el *Catecismo Católico de los Estados Unidos para los Adultos,* páginas 278–292.

Compartir la Palabra de Dios

Lean juntos Juan 13:1–17, la narración de cuando Jesús les lavó los pies a los discípulos en la Última Cena, o lean la adaptación del relato en la página 294. Enfaticen que en la Última Cena Jesús encomendó, tanto con sus palabras como con sus acciones, que sus discípulos debían servir a los demás como Él.

Vivimos como discípulos

El hogar cristiano con la familia es una escuela de discipulado. Elijan una de las siguientes actividades para hacer en familia, o creen una actividad similar ustedes mismos.

- Como familia, hablen de las numerosas maneras de vivir el mandato que dio Jesús de servirnos unos a otros. Elijan una de las acciones que mencionaron y háganla juntos en familia.
- Hagan un inventario de los dones y talentos de su familia y creen una "Lista de dones y talentos familiares". Exhíbanla de modo que todos puedan verla. Hablen de cómo pueden apoyarse unos a otros en usar sus talentos para vivir el Evangelio y servir a los demás.

Nuestro viaje espiritual

Las tentaciones son malas distracciones. Algunas tentaciones pueden distraernos tanto que ensordecen nuestra capacidad de oír que Dios está llamándonos. Otras tentaciones pueden distraernos y hasta llevarnos a negar la invitación de Dios a servirlo por no ser lo que más nos conviene. Aprendan a rezar "Señor, no nos dejes caer en la tentación" como un recordatorio para mantenerse conscientes de que Dios los está invitando a ser enviados en su nombre como lo fue Isaías.

Para hallar más ideas sobre las maneras en que su familia puede vivir como discípulos de Jesús, visiten **seanmisdiscipulos.com**

With My Family

This Week...

In chapter 16, "Called to Serve," your child learned:

- All the baptized have the vocation to serve God and other people as Jesus did.
- Holy Orders is the Sacrament through which a baptized man is ordained a bishop, a priest, or a deacon.
- Some people are called to the consecrated life. They become members of a religious order or congregation. They support one another and help other members of the Church live the Gospel.
- The spiritual gift of wisdom enables us to see the bigger picture and see the world from God's perspective.

For more about related teachings of the Church, see the *Catechism of the Catholic Church*, 1533–1589; and the United States *Catholic Catechism for Adults*, pages 262–275.

Sharing God's Word

Read John 13:1–17 together, the account of Jesus washing the disciples' feet at the Last Supper, or read the adaptation of the story on page 295. Emphasize that at the Last Supper Jesus commanded both by his words and his actions that the disciples were to serve others as he did.

We Live as Disciples

The Christian home and family is a school of discipleship. Choose one of the following activities to do as a family or design a similar activity of your own.

- As a family, talk about the many ways to live out Jesus' command to serve one another. Choose one of the actions you named and do it together as a family.
- Take an inventory of your family's gifts and talents and create a "Family Gifts and Talents List." Post it for all to see. Talk as a family about ways you can support one another to use your talents to live the Gospel and serve others.

Our Spiritual Journey

Temptations are bad distractions. Some temptations can distract us so much that they deafen our ability to hear God calling us. Other temptations can distract us and can lead us to deny God's invitation to serve him as not being in our best interests. Learn to pray "Lord, lead us not into temptation" as a reminder to be aware of God inviting you to be sent in his name as Isaiah was.

For more ideas on ways your family can live as disciples of Jesus, visit **BeMyDisciples.com**

Unidad 4: Repaso

Nombre ______________________

A. Elije la mejor palabra

Completa los espacios en blanco con la mejor opción que tienes debajo de cada oración.

1. En la Liturgia de la ____________ escuchamos las lecturas de la Sagrada Escritura.

a. Palabra **b. Eucaristía** **c. Biblia**

2. La ____________ es el Sacramento en el cual la Iglesia da gracias a Dios y participa en el Cuerpo y la Sangre de Cristo.

a. Eucaristía **b. Petición** **c. Perdón**

3. Un ____________ es un signo del poder y de la presencia de Dios en acción en el mundo.

a. milagro **b. signo** **c. bendición**

B. Muestra lo que sabes

Une las palabras o frases de la Columna A con las palabras o frases de la Columna B.

Columna A

1. Domingo

2. Liturgia Eucarística

3. entendimiento

4. Santísimo Sacramento

5. Orden Sagrado

Columna B

____ **a.** el don espiritual que nos ayuda a conocer la verdad de nuestra fe.

____ **b.** la Eucaristía

____ **c.** el Día del Señor

____ **d.** el Sacramento en el cual un hombre bautizado se ordena como obispo, sacerdote o diácono

____ **e.** Le damos gracias a Dios por nuestros dones.

Unit 4 Review

Name ______________________

A. Choose the Best Word

Fill in the blanks, using the best choice under each sentence.

1. In the Liturgy of the ____________ we listen to the Scripture readings.

   a. Word **b. Eucharist** **c. Bible**

2. The ________________ is the Sacrament in which the Church gives thanks to God and shares in the Body and Blood of Christ.

   a. Eucharist **b. Petition** **c. Forgiveness**

3. A ____________ is a sign of God's presence and power at work in our world.

   a. miracle **b. sign** **c. blessing**

B. Show What You Know

Match the words or phrases in Column A with the words or phrases in Column B.

Column A		Column B
1. Sunday	____	**a.** the spiritual gift that helps us to know the truth of our faith
2. Liturgy of the Eucharist	____	**b.** the Eucharist
3. understanding	____	**c.** the Lord's Day
4. Blessed Sacrament	____	**d.** the Sacrament in which a baptized man is ordained a bishop, priest, or deacon
5. Holy Orders	____	**e.** We thank God for our gifts.

C. Relaciónate con la Escritura

¿Cuál fue tu relato preferido acerca de Jesús en esta unidad? Dibuja algo que sucedió en el relato. Junto a tu dibujo, escribe el título del relato y cuenta algo que ocurrió en él. Compártelo con tu clase.

D. Sé un discípulo

1. *¿Acerca de qué Santo o persona virtuosa disfrutaste aprender más en esta unidad? Escribe el nombre aquí. Escribe algo acerca de la persona que admiras. Cuenta a tu clase lo que esta persona hizo para seguir a Jesús.*

2. *Repasa las virtudes o dones de Poder de los discípulos que has aprendido en esta unidad. Escribe sobre uno que estás poniendo en práctica para ser un buen discípulo de Jesús. Di cómo lo usas para seguir a Jesús. Comparte tu respuesta con un compañero.*

C. Connect with Scripture

What was your favorite story about Jesus in this unit? Draw something that happened in the story. Next to your drawing, write the name of the story and tell one thing that happened in it. Share with your class.

D. Be a Disciple

1. *What Saint or holy person did you enjoy hearing about in this unit? Write the name here. Write something about the person that you admire. Tell your class what this person did to follow Jesus.*

2. *Recall the virtues and gifts that you learned about in Disciple Power in this unit. Write about one that you are practicing so you can be a good disciple of Jesus. Tell how you are using it to follow Jesus. Share your answer with a partner.*

Venezuela: Venerable Dr. José Gregorio Hernández

José Gregorio Hernández fue un doctor de Venezuela. Fue a Italia a estudiar porque quería ser sacerdote. Sin embargo, su salud no era buena, por lo que regresó a Venezuela. Como médico, trataba a los pobres gratis y les compraba medicamentos con su propio dinero. Fue atropellado por un carro el 29 de junio de 1919. Después de su muerte, se lo conoció como sanador y guía espiritual. Los venezolanos y otros sudamericanos sienten gran devoción por él.

Doctor José Gregorio Hernández, del Hermano Michael McGrath, O.S.F.S.

Los médicos y muchas otras personas le rezan para que ayude a curar a los enfermos. Se dice que estas oraciones han causado numerosos milagros. José Gregorio Hernández está ahora más cerca de ser declarado Santo de la Iglesia Católica. Ahora su título oficial es Venerable. De ser canonizado, es muy probable que se convierta en el Santo patrono de Venezuela y de los estudiantes de medicina.

? ¿Por qué crees que el pueblo de Venezuela admira y le reza al Siervo de Dios José Gregorio Hernández?

Venezuela: Venerable Dr. José Gregorio Hernández

José Gregorio Hernández was a doctor in Venezuela. He went to Italy to study because he wanted to be a priest. However, his health was not strong enough, so he returned to Venezuela. As a doctor, he treated the poor for free and bought medicine for them with his own money. He was killed by a car on June 29, 1919. After his death, he became known as a healer and a spiritual helper. Venezuelans and other South Americans have a great devotion to him.

Doctors and many other people pray to him for help in healing the sick. Many miracles are said to have come from these prayers. José Gregorio Hernández is now closer to being declared a Saint of the Catholic Church. His official title now is Venerable. If he is canonized, he will most likely become a patron Saint, both of Venezuela and of medical students.

? Why do you think the people of Venezuela admire and pray to Venerable Dr. José Gregorio Hernández?

Doctor José Gregorio Hernández, by Brother Michael McGrath, O.S.F.S.

UNIDAD 5 Vivimos

Parte Uno

Los dos hijos

"Había un padre que tenía dos hijos. También tenía una viña fértil donde las uvas estaban madurando en las parras.

Le dijo al primer hijo: 'Hoy tienes que ir a trabajar en la viña'. Él le respondió: 'No quiero'. Pero después se arrepintió y fue. Luego el padre se acercó al segundo hijo. 'Hijo, hoy tienes que ir a trabajar en la viña'. Este respondió: 'Ya voy, señor'. Pero no fue.

Jesús preguntó: '¿Cuál de los dos hizo lo que quería el padre?'. Todos contestaron: '¡El primero!'.

Jesús les dijo: Cuando Juan vino a abrirles el camino al Reino de Dios, ustedes no le creyeron. Pero los demás sí. Ellos están entrando en el Reino de Dios antes que ustedes'."

Basado en Mateo 21:28–32

We Live

Part One

UNIT 5

The Two Sons

"There was a father who had two sons. This man also had a bountiful vineyard where the grapes were ripening on the vines.

The father said to his first son, 'Go out and work in the vineyard today.' The son replied, 'No, I will not go.' Later, he changed his mind. Then the father went to his other son. 'Son, work in the vineyard today.' The son answered, 'Yes, sir, right away.' But he did not go as he promised."

Jesus asked, "Which of the two sons did the father's will?" They all agreed: "The first one!"

Jesus said, "When John preached the kingdom of God, you did not believe him. But others did. They are entering the kingdom of God ahead of you."

Based on Matthew 21:28–32

Lo que he aprendido

¿Qué es lo que ya sabes acerca de estos dos términos de fe?

gracia

____

____

los Diez Mandamientos

____

____

Vocabulario de fe para aprender

Escribe **X** junto a las palabras de fe que sabes. Escribe **?** junto a las palabras de fe que necesitas aprender mejor.

Palabras de fe

____ Gran Mandamiento

____ Primer Mandamiento

____ obedecer

____ Cielo

____ infierno

____ codiciar

Tengo preguntas

¿Qué preguntas te gustaría hacer acerca de los Diez Mandamientos?

____

____

____

What I Have Learned

What is something you already know about these two faith terms?

grace

____

____

The Ten Commandments

____

____

Faith Words to Know

Put an **X** next to the faith terms you know. Put a **?** next to faith terms you need to learn more about.

Faith Words

____ Great Commandment

____ First Commandment

____ obey

____ Heaven

____ hell

____ covet

Questions I Have

What questions would you like to ask about the Ten Commandments?

____

____

____

CAPÍTULO

17

Lo que vendrá

En este capítulo el Espíritu Santo te invita a ▶

INVESTIGAR la experiencia de Nu Moua en el funeral de su tío.

DESCUBRIR cómo hallar la felicidad con Dios.

DECIDIR cómo aceptarás la invitación de Dios a ser feliz con Él.

La felicidad con Dios

¿Crees en cosas que no puedes ver? ¿Por qué? ¿Qué o quién te ayuda a creer?

Rezamos en voz alta en la Misa que Dios creó todas las cosas, visibles e invisibles. Escucha lo que San Pablo dijo acerca de las cosas "invisibles":

> *Ningún ojo vio, ningún oído oyó, ninguna mente conoce las cosas que Dios ha preparado para los que lo aman.*
>
> Basado en 1.ª Corintios 2:9

¿Qué crees que nos está diciendo San Pablo?

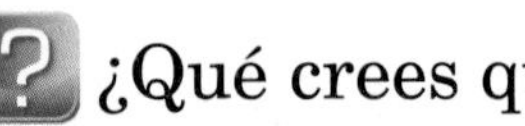

Looking Ahead

In this lesson the Holy Spirit will help you to ▶

EXPLORE Nu Moua's experience at her uncle's funeral.

DISCOVER how to find happiness with God.

DECIDE how you will accept God's invitation to be happy with him.

CHAPTER 17

Happiness with God

Do you believe in things you can't see? Why or why not? What or who helps you to believe?

At Mass, we pray aloud that God created all things, visible and invisible. Let's listen to what Saint Paul said about "invisible" things:

> *No eye has seen, no ear has heard, no mind has known what God has prepared for those who love him.*
>
> Based on 1 Corinthians 2:9

What do you think Saint Paul is telling us?

Poder de los discípulos

Piedad

La piedad es un signo de un amor muy profundo. Es un signo de cuánto una persona ama a Dios y a los demás.

Celebrar la felicidad

Cuando el tío Teng murió, Nu Moua y su familia fueron juntos al funeral. Celebraron porque creían en lo que San Pablo escribió a los primeros cristianos. Nu sabía, simplemente, que el tío Teng ya era feliz con Dios en el Cielo.

Nu nació en Laos, un país del sureste de Asia. Por la guerra, su familia huyó a un campamento de refugiados en Tailandia. Cuando Nu tenía ocho años, *Catholic Relief Services* los ayudó a crear un nuevo hogar en California.

Ahora están reunidos para mostrar su amor por la tía Niam y por el tío Teng. Todos contaron historias maravillosas acerca del tío. Él era un hombre piadoso que siempre amó a Dios y a los demás. Durante la Misa Exequial en el funeral, el sacerdote roció el ataúd del tío Teng con agua bendita y lo cubrió con una tela blanca. Al final de la Misa, el coro entonó una canción sobre los ángeles recibiendo al tío Teng en el Cielo. Nu estaba triste, pero confiaba en que el tío Teng estaba con Dios.

? ¿Has estado en un funeral? ¿Qué es lo que más recuerdas? Comparte tus respuestas con un compañero.

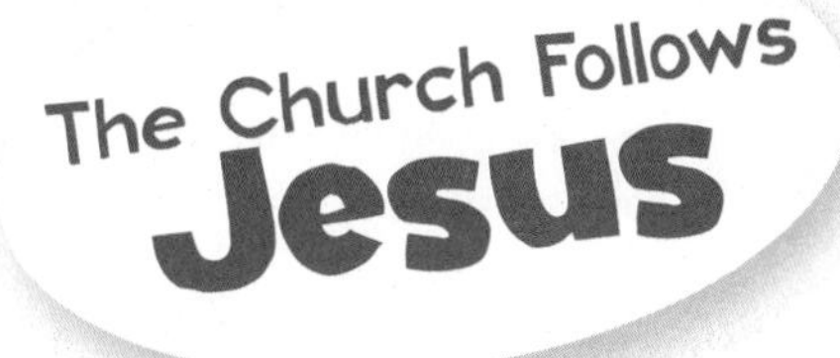

Celebrating Happiness

When Uncle Teng died, Nu Moua and her family came together for his funeral. They celebrated because they believed what Saint Paul wrote to the first Christians. Nu just knew Uncle Teng was happy now with God in Heaven.

Nu was born in Laos, a country in Southeast Asia. Because of war, her family escaped to a refugee camp in Thailand. When Nu was eight years old, Catholic Relief Services helped them come to their new home in California.

Now they all gathered to show their love for Aunt Niam and for Uncle Teng. Everyone told wonderful stories about Uncle Teng. He was a pious man who always loved God and others. At the Funeral Mass, the priest sprinkled Uncle Teng's casket with holy water and covered it with a white cloth. At the end of the Mass, the choir sang a song about the angels welcoming Uncle Teng into Heaven. Nu was sad, but she trusted that Uncle Teng was with God.

? Have you been to a funeral? What do you remember most? Share your answers with a partner.

Disciple Power

Piety

Piety is a sign of a very deep love. It is a sign of how much a person loves God and loves people.

Enfoque en la fe
¿Qué cosas nos ayudan a vivir una vida santa y feliz?

Vocabulario de fe

gracia santificante
La gracia de Dios es el don de Dios que nos hace partícipes de la vida de la Santísima Trinidad. También es la ayuda que Dios nos da para vivir una vida santa.

Cielo
El Cielo es la vida eterna, o vivir para siempre en felicidad con Dios después de la muerte.

El don de la gracia

Dios creó a todas las personas para que fueran felices y santas. Nos creó a su imagen y semejanza.

Jesús vivió y enseñó el camino de la santidad. La santidad es participar de la vida y amor mismos de Dios. Si llevamos una vida santa, seremos felices.

Participar de la vida misma de Dios es un don de Dios. Llamamos a este don **gracia santificante**. La palabra "santificar" significa "hacer santo o sagrado". La palabra "gracia" significa "don" o "favor".

La gracia santificante es la gracia que recibimos por primera vez en el Bautismo. Cura nuestra alma de todo pecado. Es el don de la vida y el amor de Dios que nos hace santos y nos ayuda a vivir una vida santa.

La gracia actual es el don de la presencia protectora del Espíritu Santo con nosotros. La gracia actual nos ayuda a hacer elecciones para vivir una vida santa.

La gracia actual nos ayuda a vencer la tentación. La tentación es todo lo que trata de alejarnos de vivir como hijos de Dios.

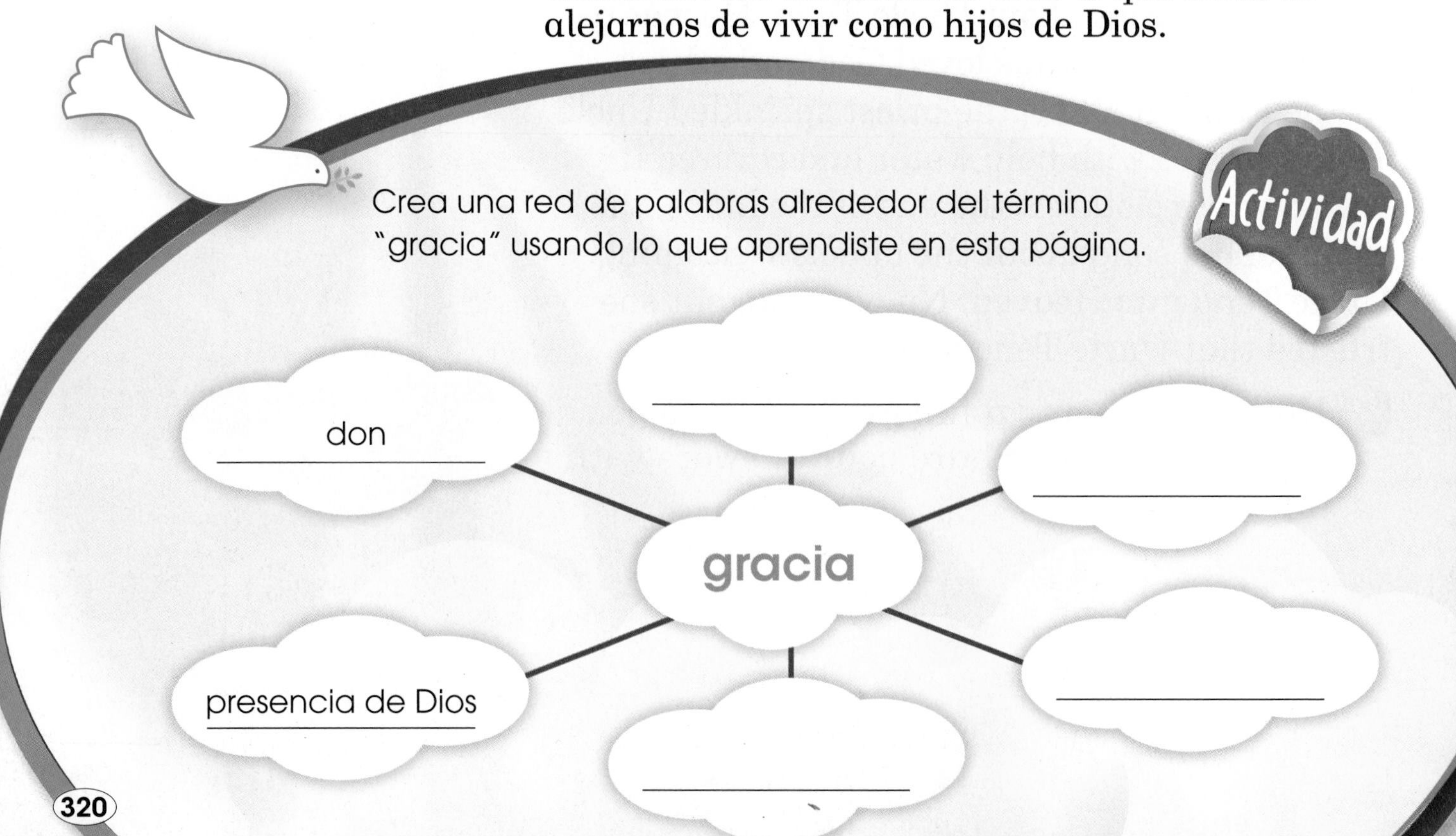
Actividad
Crea una red de palabras alrededor del término "gracia" usando lo que aprendiste en esta página.
gracia
don
presencia de Dios

The Gift of Grace

God created every person to be happy and holy. He created us in his image and likeness.

Jesus lived and taught the way of holiness. Holiness is sharing in the very life and love of God. When we live a holy life, we will be happy.

Sharing in the very life of God is a gift from God. We call this gift **sanctifying grace**. The word "sanctify" means "to make holy or sacred." The word "grace" means "gift" or "favor."

Sanctifying grace is the grace we first receive at Baptism. It heals our soul of all sin. It is the gift of God's life and love that makes us holy and helps us live holy lives.

Actual grace is the gift of the Holy Spirit's helping presence with us. Actual grace helps us make choices to live a holy life.

Actual grace helps us overcome temptation. Temptation is everything that tries to lead us away from living as children of God.

Faith Focus
What helps us live holy and happy lives?

Faith Vocabulary

sanctifying grace
God's grace is the gift of God making us sharers in the life of the Holy Trinity. It is also the help God gives us to live a holy life.

Heaven
Heaven is eternal life, or living forever in happiness with God after we die.

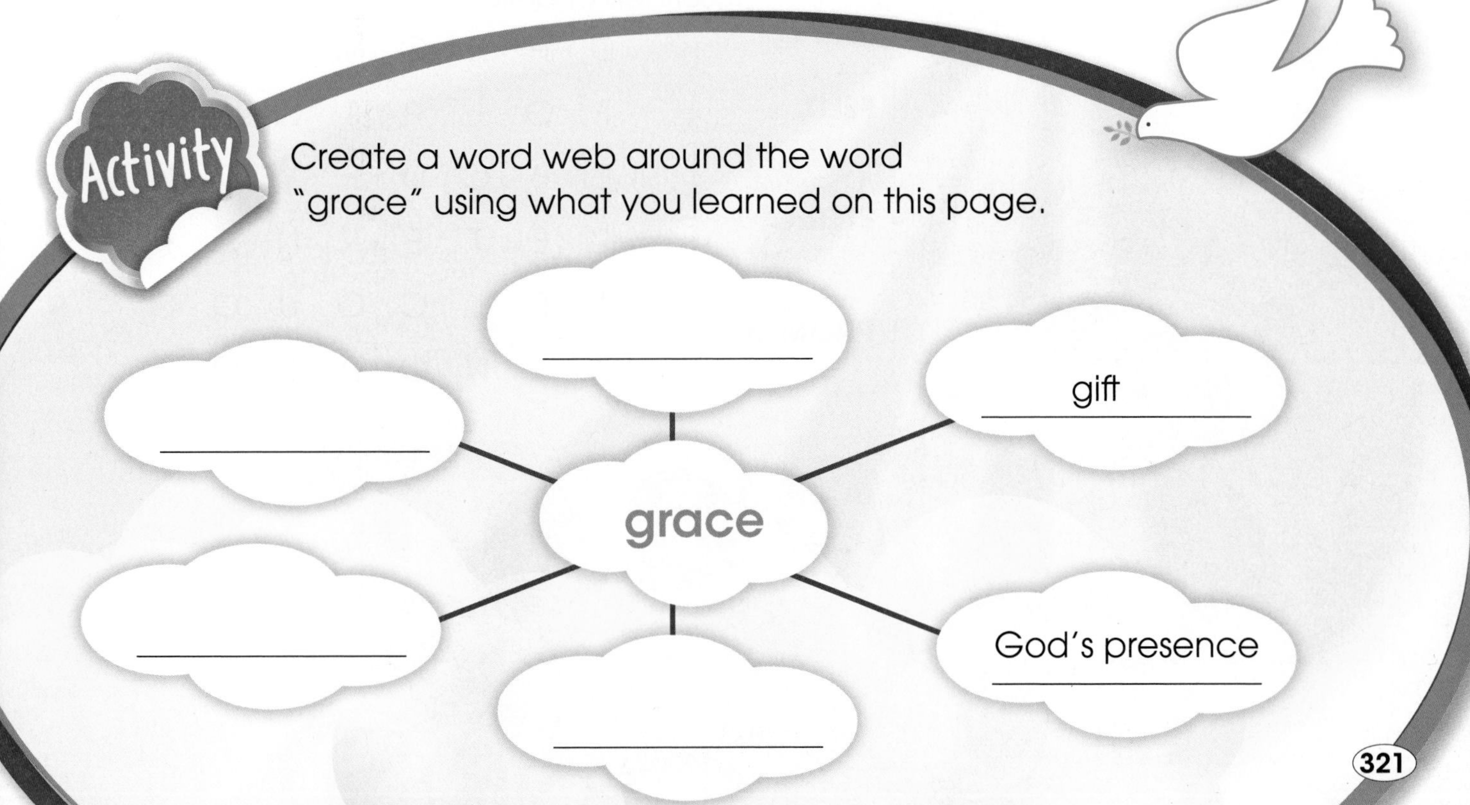

Activity
Create a word web around the word "grace" using what you learned on this page.
grace
gift
God's presence

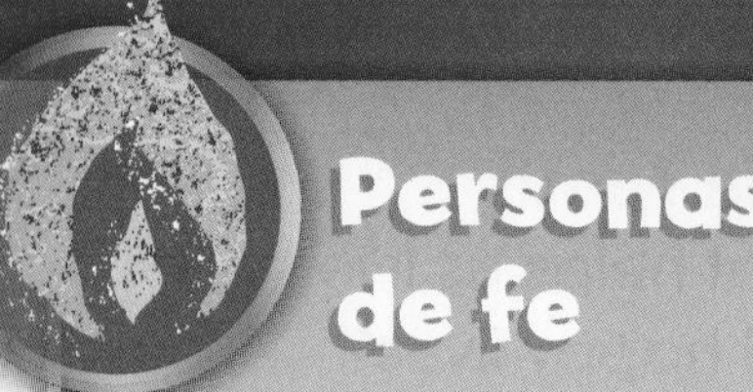

Personas de fe

Tomás Apóstol

El Domingo de Pascua, cuando los Apóstoles informaron que habían visto a Jesús Resucitado, Tomás no les creyó. Una semana después, Jesús apareció de nuevo ante los Apóstoles. Allí estaba Tomás. Él tocó las heridas de Jesús. Se sintió avergonzado por no haber creído. Desde entonces, nunca más volvió a dudar de su fe.

Jesús nos promete la vida eterna

Has aprendido que Jesús resucitó de entre los muertos y ascendió, o regresó, al **Cielo**. Jesús Resucitado vive ahora con Dios Padre y Dios Espíritu Santo.

En la Última Cena, Jesús prometió a sus discípulos:

> *"Voy a prepararles un lugar para que estemos juntos".*
>
> Basado en Juan 14:2–3

Cuando tu cuerpo muere, tu alma sigue viviendo. Vivirás de una manera distinta. Dios te creó para que seas feliz con Él para siempre.

Llamamos a la promesa que Jesús hizo promesa de vida eterna. La palabra *eterna* significa "para siempre". Ansiamos nuestra vida eterna de felicidad con Dios en el Cielo.

Actividad

Busca y encierra en un círculo las palabras de la sopa de letras que describen el Cielo.

FELIZ

ETERNA

PROMESA

D	P	R	O	M	E	S	A
F	O	L	P	T	O	W	Y
E	B	C	D	F	Y	M	N
L	E	T	E	R	N	A	P
I	B	L	C	O	U	G	G
Z	L	N	O	P	L	Q	T

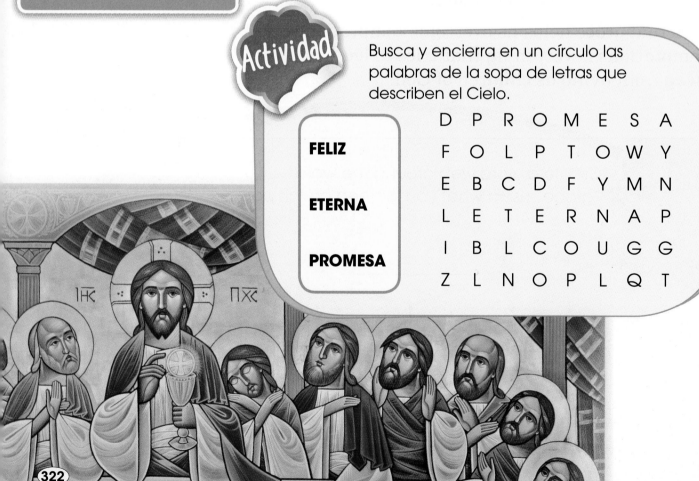

Jesus Promises Us Eternal Life

You have learned that Jesus rose from the dead, and he ascended, or returned, to **Heaven**. The Risen Jesus now lives with God the Father and God the Holy Spirit.

At the Last Supper, Jesus promised his disciples.

> "I am going to prepare a place for you so that we can be together."
>
> Based on John 14:2–3

When your body dies, your soul still lives. You will live in a different way. God created you to be happy with him forever too.

We call the promise that Jesus made the promise of eternal life. The word *eternal* means "forever." We look to our eternal life of happiness with God in Heaven.

Faith-Filled People

Thomas the Apostle

On Easter Sunday, when the Apostles reported that they had seen the Risen Jesus, Thomas did not believe them. A week later, Jesus appeared again to the Apostles. Thomas was there. Thomas touched Jesus' wounds. Thomas felt ashamed that he had not believed. He never doubted his faith again.

Activity

Find and circle the words in the puzzle that describe Heaven.

HAPPY

ETERNAL

PROMISE

D	P	R	O	M	I	S	E
H	O	L	P	T	O	W	Y
A	B	C	D	F	Y	M	N
P	E	T	E	R	N	A	L
P	B	L	C	O	U	G	G
Y	L	N	O	P	L	Q	T

Los católicos creen

Incienso

La Iglesia usa incienso al final de la Misa Exequial en un funeral. El incienso es uno de los sacramentales de la Iglesia. Cuando el incienso se quema, produce humo y un aroma dulce. El humo se eleva rápidamente como signo de que nuestras oraciones van al Cielo. Esto es un signo de que creemos que Dios escucha nuestras oraciones.

Dios invita a todos

Algunas personas eligen no vivir una vida santa. Buscan la felicidad que no incluye a Dios. Jesús contó un relato acerca de las personas que hacen esto. Jesús dijo:

"Un hombre dio un gran banquete. Pero sus invitados eligieron no ir. Entonces, el hombre dijo a sus sirvientes: 'Salgan a la calle e inviten a todo el que encuentren'. Pronto el salón estuvo lleno de invitados".

BASADO EN LUCAS 14:16, 18–21, 23

Lo más importante del relato es que Dios invita a todos a ser felices con Él para siempre en el Cielo. Pero algunos eligen no aceptar la invitación de Dios. Llamamos infierno a vivir para siempre separados de Dios después de la muerte.

 ¿Cuáles son algunas cosas que las personas pueden hacer para mostrar que quieren vivir en felicidad con Dios?

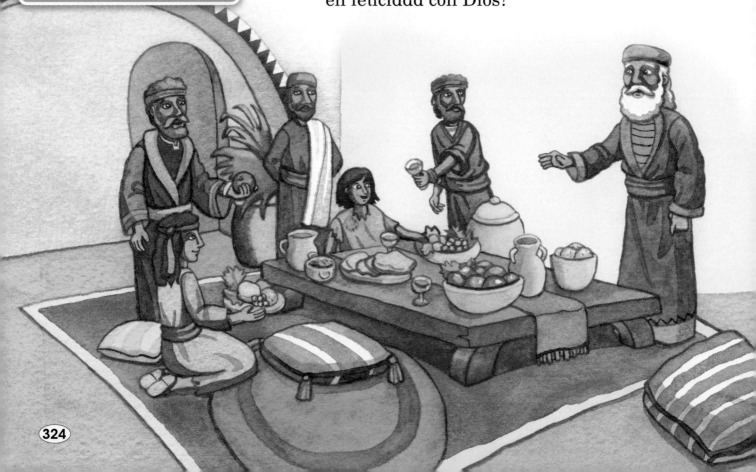

God Invites Everyone

Some people choose not to live a holy life. They look for happiness that does not include God. Jesus told a story about people who do this. Jesus said,

"A man had a banquet. The guests he invited chose not to come. The man then said to his servants, 'Go into the streets and invite everyone you meet.' Soon the banquet hall was filled with guests."

BASED ON LUKE 14:16, 18–21, 23

The important point of the story is that God invites everyone to be happy with him forever in Heaven. But some people choose not to accept God's invitation. Living separated from God forever after we die is called hell.

? What are some things people can do to show they want to live in happiness with God?

Catholics Believe

Incense

The Church uses incense at the conclusion of the Funeral Mass. Incense is one of the Church's sacramentals. When it is burned, incense produces smoke and a sweet aroma. The smoke rises quickly as a sign of our prayers going to Heaven. This is a sign that we believe God listens to our prayers.

Yo sigo a Jesús

Cada día el Espíritu Santo nos da su gracia. La gracia del Espíritu Santo te ayudará a hacer elecciones prudentes. Te ayudará a hacer elecciones para ser verdaderamente feliz.

Actividad

¡Estás invitado!

Escribe una nota a alguien que amas. Hazle saber que Dios lo invita a ser feliz ahora y para siempre en el Cielo.

Querido ____________________,

____

____

____.

____

Tu nombre

Mi elección de fe

Esta semana aceptaré la invitación de Dios a ser feliz con Él ahora y para siempre. Yo voy a

____

____.

Reza: "Espíritu Santo, enséñame lo que significa realmente ser feliz. Dame el don de la piedad para que te ame siempre a ti y a los demás como debo. Amén".

Each day the Holy Spirit gives you his grace. The grace of the Holy Spirit will help you make prudent choices. He will help you make choices to be truly happy.

Activity

You are Invited!

Write a note to someone you love. Let them know that God invites them to be happy now and forever in Heaven.

Dear ____________________,

____

____

____.

____
Your Name

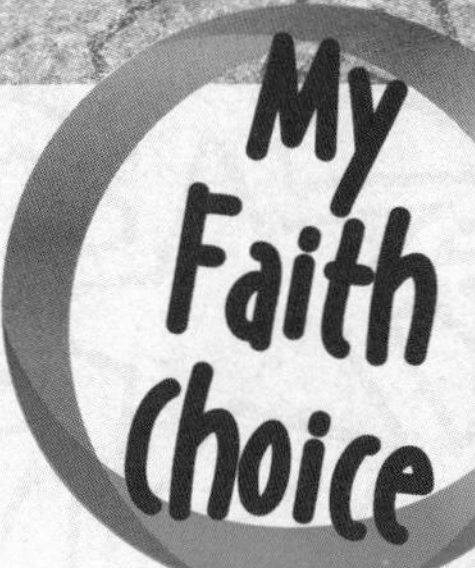

This week I will accept God's invitation to be happy with him now and forever. I will

____

____.

Pray, "Holy Spirit, teach me what it really means to be happy. Give me the gift of piety so I will always love you and others as I should. Amen."

PARA RECORDAR

1. Dios nos da el don de la gracia para participar de la vida y el amor de Dios Padre, Hijo y Espíritu Santo.
2. Dios nos da la gracia para que vivamos una vida santa y feliz.
3. Jesús nos prometió el don de la vida y la felicidad eternas en el Cielo.

Repaso del capítulo

Completa el crucigrama.

Cielo	infierno	santificante
gracia	gracia actual	

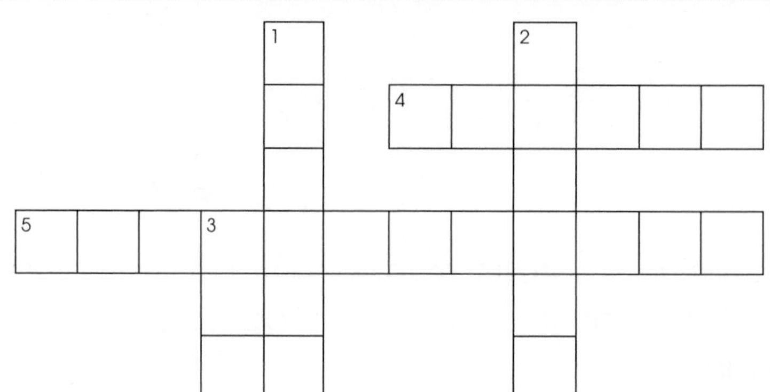

HORIZONTALES

4. Don de la vida y el amor de Dios por nosotros

5. Presencia de Dios con nosotros a través del Espíritu Santo, que nos ayuda a vivir como hijos de Dios

VERTICALES

1. Vida separada de Dios para siempre después de la muerte

2. Clase de gracia que nos hace santos

3. Vida eterna con Dios

Acto de esperanza

"Cia siab" *significa esperanza en el idioma hmong de Camboya. La esperanza es un don de Dios. La esperanza nos ayuda a querer vivir en la felicidad ahora en la Tierra y para siempre en el Cielo. Recemos este acto de* "cia siab".

Dios de Amor,
eres siempre bueno y generoso.
Tengo la esperanza de que,
con la ayuda de tu gracia,
viviré para siempre en la
felicidad contigo en el Cielo.
Amén.

Chapter Review

Complete the crossword puzzle.

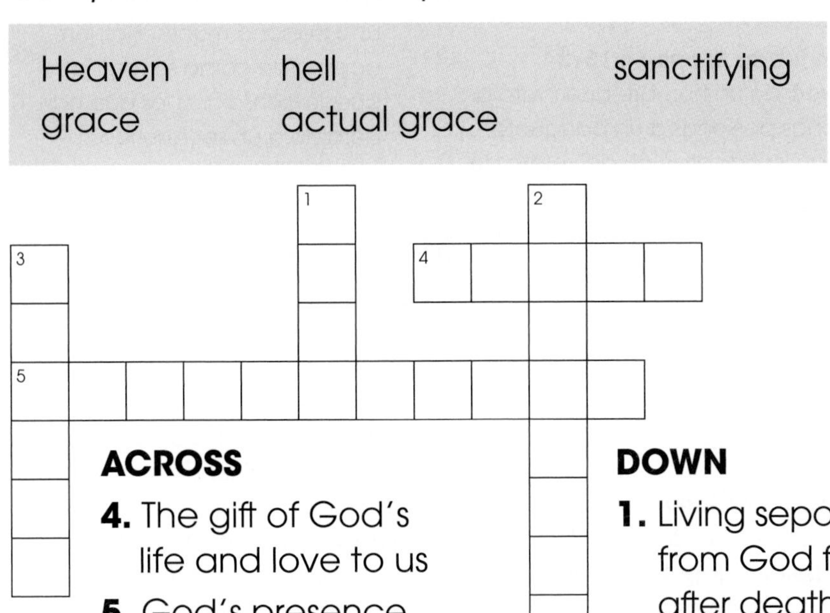

ACROSS

4. The gift of God's life and love to us

5. God's presence with us through the Holy Spirit, helping us live as children of God

DOWN

1. Living separated from God forever after death

2. The kind of grace that makes us holy

3. Eternal life with God

TO HELP YOU REMEMBER

1. God gives us the gift of grace to share in the life of God the Father, Son, and Holy Spirit.
2. God gives us the grace to live a holy and happy life.
3. Jesus promised us the gift of eternal life and happiness in Heaven.

Act of Hope

"Cia siab" *means hope in the Hmong language of Cambodia. Hope is a gift from God. Hope helps us want to live in happiness now on Earth and forever in Heaven. Let us pray this act of* "cia siab."

God of Love,
you are always good and kind.
I hope that with the help of your grace
I will live forever in happiness
with you in Heaven.
Amen.

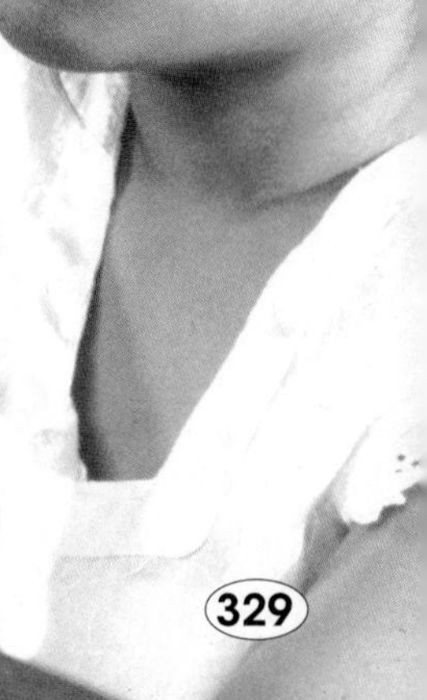

Con mi familia

Esta semana...

En el capítulo 17, "La felicidad con Dios," su niño aprendió que:

- Dios crea a todas las personas para que sean santas, a su imagen y semejanza. La santidad es participar de la vida y el amor mismos de Dios.
- La gracia santificante, que recibimos por primera vez en el Bautismo, nos hace santos y nos cura del pecado. La gracia actual es la gracia que recibimos del Espíritu Santo que nos fortalece para llevar una vida santa.
- Jesús prometió el don del Cielo a todos los que aman a Dios. Algunas personas eligen no aceptar este don.
- La piedad es un Don del Espíritu Santo que nos ayuda a amar a Dios y a los demás como debemos.

Para saber más sobre otras enseñanzas de la Iglesia, consulten el *Catecismo de la Iglesia Católica*, 1020–1050 y 1997–2016, y el *Catecismo Católico de los Estados Unidos para los Adultos*, páginas 161–173, 180–182, 1203, 349, 357.

Compartir la Palabra de Dios

Lean juntos Lucas 14:15-24, acerca de un hombre que invitó a muchas personas a un banquete. O lean la adaptación del relato de la página 324. Enfaticen que Jesús nos está diciendo que Dios invita a todos a vivir una vida eterna de felicidad en el Cielo.

Vivimos como discípulos

El hogar cristiano con la familia es una escuela de discipulado. Elijan una de las siguientes actividades para hacer en familia, o creen una actividad similar ustedes mismos.

- Hablen acerca de la manera en que los miembros de la familia se ayudan unos a otros para llevar una vida santa. Planeen una actividad para hacer juntos que ayude a todos a vivir con piedad, mostrando a Dios y a los demás su profundo amor por ellos.
- La Resurrección nos muestra que la vida no termina cuando una persona muere. Hablen acerca de cómo su familia puede consolar a los que han perdido a un ser querido.

Nuestro viaje espiritual

La disciplina del ayuno fortalece nuestra conciencia de la presencia de Dios en nuestra vida. Aprendemos a valorar la vida en comunión con Dios a través del ayuno (la abstinencia prudente de alimentos) como nuestra prioridad de vida. Descubrimos la inquebrantable conexión entre la felicidad y la santidad. Ayuden a sus niños, que no tienen obligación de ayunar, a aprender la disciplina de sacrificar una golosina u otro privilegio de vez en cuando por amor a Dios y a los demás.

Para hallar más ideas sobre las maneras en que su familia puede vivir como discípulos de Jesús, visiten **seanmisdiscipulos.com**

With My Family

This Week...

In chapter 17, "Happiness with God," your child learned:

- ▶ God creates every person to be holy and in his image and likeness. Holiness is sharing in the very life and love of God.
- ▶ Sanctifying grace, which we first receive at Baptism, makes us holy and heals us of sin. Actual grace is the grace we receive from the Holy Spirit that strengthens us to live holy lives.
- ▶ Jesus promised the gift of Heaven to all who love God. Some people choose not to accept this gift.
- ▶ Piety is a Gift of the Holy Spirit that helps us love God and others as we should.

For more about related teachings of the Church, see the *Catechism of the Catholic Church*, 1020–1050, and 1997–2016; and the *United States Catholic Catechism for Adults*, pages 152–162, 168–169, 193, 329, 336.

Sharing God's Word

Read Luke 14:15–24 together, about the man who invited people to a banquet. Or read the adaptation of the story on page 325. Emphasize that Jesus is telling us that God invites everyone to live an eternal life of happiness in Heaven.

We Live as Disciples

The Christian home and family is a school of discipleship. Choose one of the following activities to do as a family or design a similar activity of your own.

- ▶ Talk about how family members help one another live a holy life. Plan on doing something together that will help everyone live with piety, showing God and others our deep love for them.
- ▶ The Resurrection shows us that life does not end for a person who has died. Talk about how your family can comfort those who have lost a loved one.

Our Spiritual Journey

The discipline of fasting heightens our awareness of the presence of God in our lives. By fasting, prudently depriving ourselves of food, we learn to value our living in communion with God as our life's priority. We discover that unbreakable connection between happiness and holiness. Help your children who are not required to fast learn the discipline of giving up a snack or other luxury now and then for the love of God and others.

For more ideas on ways your family can live as disciples of Jesus, visit **BeMyDisciples.com**

CAPÍTULO 18

Lo que vendrá

En este capítulo el Espíritu Santo te invita a ▶

INVESTIGAR la vida y fe de Santa Josefina Bakhita.

DESCUBRIR que Jesús nos enseñó a vivir los Diez Mandamientos.

DECIDIR cómo vivirás los tres primeros de los Diez Mandamientos.

Las leyes del amor de Dios

¿Cómo demuestran las personas que te aman?

Jesús enseñó muchas cosas acerca del amor. Escucha lo que les dijo a sus discípulos en la Última Cena:

> *"El que guarda mis mandamientos muestra que me ama. Recuerden y guarden este mandamiento: ámense unos a otros como yo los he amado".*
>
> BASADO EN JUAN 14:21 Y 15:12

¿Qué crees que Jesús nos está diciendo en este pasaje de la Biblia?

Looking Ahead

In this lesson the Holy Spirit will help you to ▶

EXPLORE the life and faith of Saint Josephine Bakhita.

DISCOVER that Jesus taught us to live the Ten Commandments.

DECIDE how you will live the first three of the Ten Commandments.

CHAPTER 18

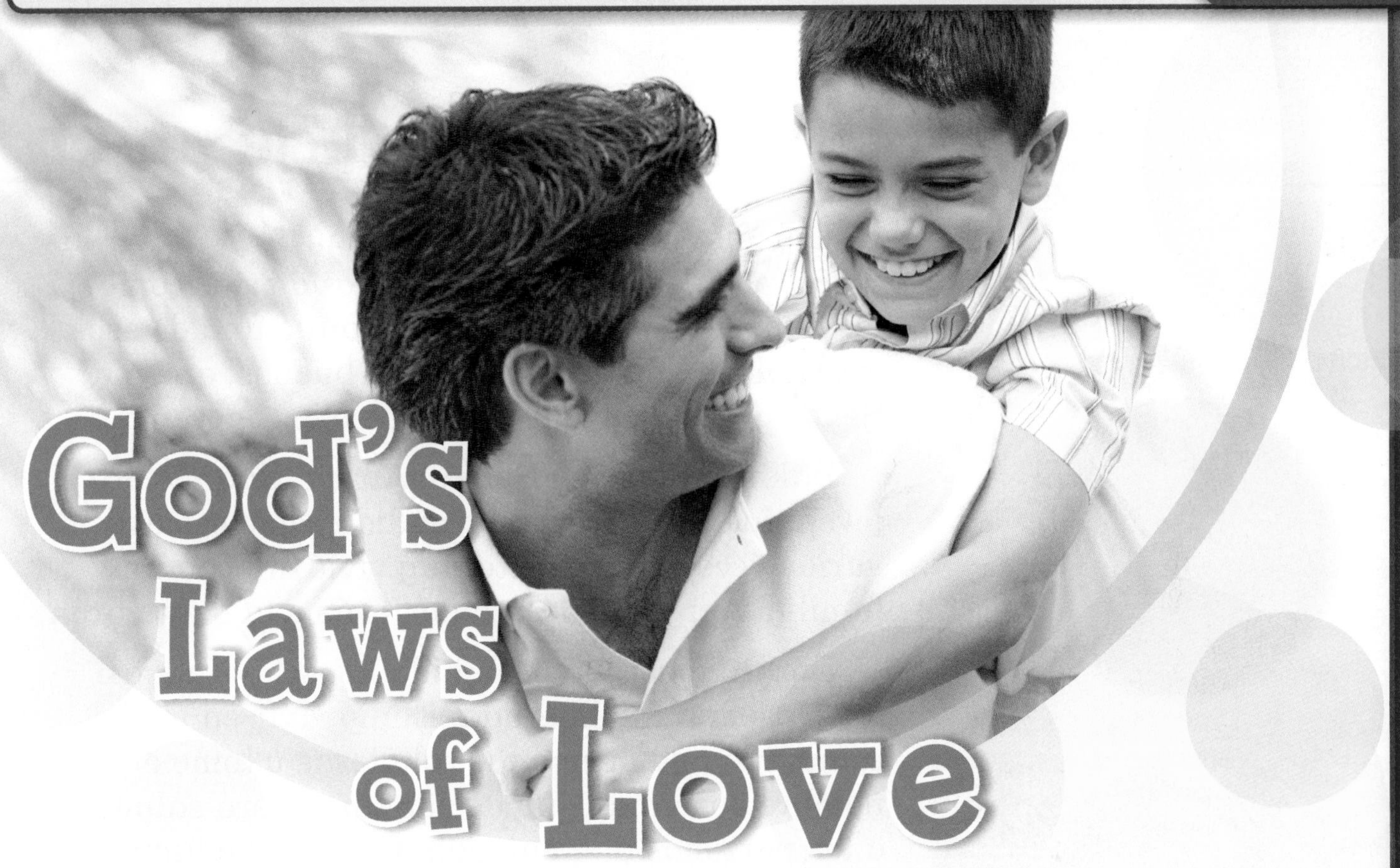

God's Laws of Love

How do people show you that they love you?

Jesus taught people much about love. Listen to what Jesus said to his disciples at the Last Supper:

> *"They who keep my commandments show that they love me. Remember and keep this commandment: You are to love one another as I have loved you."*
>
> Based on John 14:21 and 15:12

What do you think Jesus is telling us in this passage from the Bible?

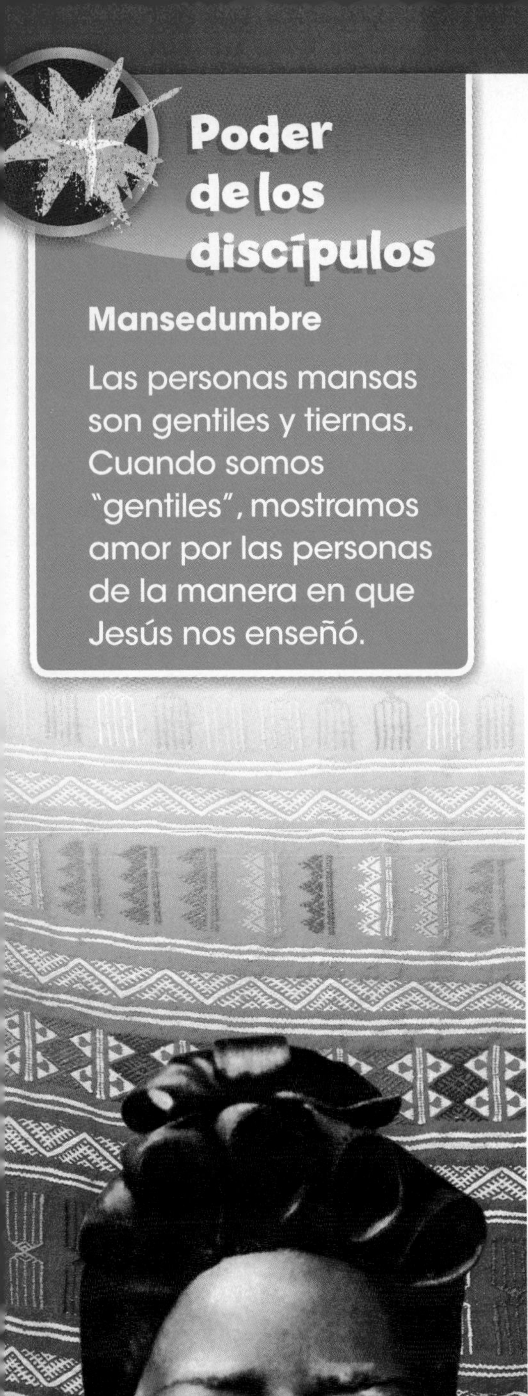

Poder de los discípulos

Mansedumbre

Las personas mansas son gentiles y tiernas. Cuando somos "gentiles", mostramos amor por las personas de la manera en que Jesús nos enseñó.

La Iglesia sigue a **Jesús**

Una santa dócil de amor

Los cristianos se esfuerzan mucho por vivir las palabras de Jesús: "Ámense unos a otros como yo los he amado". Josefina Bakhita fue una de esas cristianas. Una vez dijo: "Sean buenos, amen al Señor y oren por aquellos que no lo conocen".

Bakhita nació en Sudán, África. Cuando era joven, fue secuestrada y vendida como esclava varias veces. Llegó a Italia y vivió allí con una familia. Aprendió acerca de Jesús y la bautizaron.

En Italia estaba prohibida la esclavitud, así que Josefina fue liberada. Eligió vivir en una comunidad de hermanas religiosas y tomó el nombre Josefina. Una de sus tareas era saludar a las personas a la entrada. Con mansedumbre, recibía a todos y ayudaba a los pobres. Josefina Bakhita es la primera Santa de Sudán, África.

? ¿Cómo vivía Santa Josefina Bakhita el mandamiento de Jesús de amar a los demás?

A Gentle Saint of Love

Christians work hard at living Jesus' words, "Love one another as I have loved you." Josephine Bakhita was one of those Christians. She once said, "Be good, love the Lord, pray for those who do not know him."

Bakhita was born in Sudan, in Africa. When she was young, Bakhita was kidnapped and sold and resold as a slave many times. Bakhita came to Italy and lived with a family there. She learned about Jesus and was baptized.

Italy did not allow slavery, so Josephine became free. She chose to live with a community of religious sisters and took the name Josephine. One of her jobs was to greet people at the door. She was gentle, welcomed everyone, and helped the poor. Josephine Bakhita is the first Saint of Sudan, Africa.

? How did Saint Josephine Bakhita live Jesus' command to love other people?

Disciple Power

Gentleness

Gentle people are kind and tender. When you are "gentle," you show love to people the way Jesus taught us to do.

Enfoque en la fe
¿Cómo nos ayudan los Diez Mandamientos a amar a Dios como Jesús encomendó?

Vocabulario de fe

Diez Mandamientos Los Diez Mandamientos son las leyes que Dios le dio a Moisés en el monte Sinaí. Nos enseñan a amar a Dios y a los demás como a nosotros mismos.

Los Diez Mandamientos

La vida entera de Jesús nos muestra cómo debemos amar a Dios y los unos a los otros. Su vida entera nos enseña a vivir como hijos de Dios. Él recordó a sus discípulos que, cuando viven los Diez Mandamientos, están viviendo como hijos de Dios. Les decía:

> *"He venido para mostrarles cómo vivir los Mandamientos. No he venido para deshacerlos".*
>
> Basado en Mateo 5:17–19

La Biblia cuenta que Dios llamó a Moisés a la cima del monte Sinaí. Fue allí donde le dio los Diez Mandamientos. Moisés tomó los mandamientos que Dios le dio y los anunció a los israelitas.

Bajó de la montaña y les explicó lo que había sucedido. Los israelitas aceptaron obedecerlos. Los Diez Mandamientos ayudaron a los israelitas a vivir como el pueblo de Dios. Y nos ayudan a nosotros a vivir como hijos de Dios y discípulos de Jesús.

Lee los Diez Mandamientos de la página 524. Explica por qué eliges vivir los Diez Mandamientos.

____

____

The Ten Commandments

Faith Focus
How do the Ten Commandments help us to love God as Jesus commanded?

Faith Vocabulary
Ten Commandments
The Ten Commandments are the laws God gave to Moses on Mount Sinai. They teach us to love God and love others as we love ourselves.

Jesus' whole life shows us how we are to love God and one another. His whole life teaches us to live as children of God. He reminded his disciples that when they live the Ten Commandments they are living as children of God. He told them:

> *"I have come to show you how to live the Commandments. I have not come to do away with them."*
>
> BASED ON MATTHEW 5:17–19

The Bible tells that God called Moses up to the top of Mount Sinai. It was there that God gave him the Ten Commandments. Moses took the commandments that God had given him and announced them to the Israelites.

Moses went down from the mountain and explained to the Israelites what had happened. The Israelites agreed to obey them. The Ten Commandments helped the Israelites to live as God's people. They help us live as children of God and disciples of Jesus.

Read the Ten Commandments on page 525. Tell why you choose to live the Commandments.

____

____

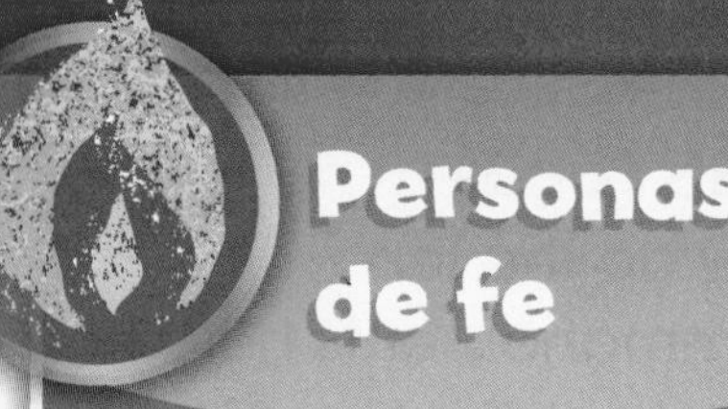

Personas de fe

Juan Apóstol

San Juan Apóstol era el hermano de Santiago Apóstol y el discípulo más joven. Juan también fue uno de los evangelistas, o escritores de los cuatro Evangelios. Juan enseñó: "Dios es amor". La Iglesia celebra el día de San Juan Apóstol el 27 de diciembre.

Los tres primeros Mandamientos

Los Diez Mandamientos nos enseñan que debemos mostrar nuestro amor por Dios. El Primer Mandamiento enseña que debemos adorar solo a Dios. Debemos amar y honrar a Dios por sobre todas cosas. El Primer Mandamiento es:

> *Yo soy el Señor, tu Dios. No tendrás otros dioses fuera de mí.*
>
> BASADO EN ÉXODO 20:2–3

El Segundo Mandamiento enseña que debemos respetar el nombre de Dios. Debemos usar el nombre de Dios sinceramente. El Segundo Mandamiento es:

> *No tomes en vano el nombre del Señor, tu Dios.*
>
> ÉXODO 20:7

El Tercer Mandamiento enseña que debemos guardar el domingo como día santo. El domingo es el Día del Señor. Los católicos deben participar de la celebración de la Misa el sábado en la tarde o el domingo. El Tercer Mandamiento es:

> *Acuérdate del Día del Señor, para santificarlo.*
>
> BASADO EN ÉXODO 20:8

¿Cómo vives el Primero, el Segundo y el Tercer Mandamiento?

The First Three Commandments

The Ten Commandments teach us that we are to show our love for God. The First Commandment teaches that we are to worship only God. We are to love and honor God above all else. The First Commandment is:

I am the Lord your God. You shall not have other gods before me.

BASED ON EXODUS 20:2–3

The Second Commandment teaches that we are to respect the name of God. We are to use God's name truthfully. The Second Commandment is:

You shall not take the name of the Lord, your God, in vain.

EXODUS 20:7

The Third Commandment teaches that we are to keep Sunday holy. Sunday is the Lord's Day. Catholics must take part in the celebration of Mass on Saturday evening or Sunday. The Third Commandment is:

Remember to keep holy the Lord's Day.

BASED ON EXODUS 20:8

? How do you live the First, Second, and Third Commandments?

Faith-Filled People

John the Apostle

Saint John the Apostle was the brother of James the Apostle and the youngest disciple. John was also one of the Evangelists, or writers of the four Gospels. John taught, "God is love." The Church celebrates the feast day of Saint John the Apostle on December 27.

Los católicos creen

Catedrales

Los cristianos construyen iglesias para mostrar su amor por Dios. La iglesia principal de una arquidiócesis o una diócesis es la catedral. Es la iglesia del arzobispo o del obispo.

Dios es amor

Jesús nos enseñó que Dios es amor. Juan Apóstol nos lo recordó. Él enseñó:

Amémonos unos a otros, porque el amor es un don de Dios. Dios es amor. Él nos ama tanto que nos envió a su Hijo, Jesús. Jesús nos mostró cuánto nos ama Dios.

Basado en 1.ª Juan 4:7–10

La Biblia nos dice que Dios es amor. Las Tres Personas Divinas en Dios, la Santísima Trinidad, se aman unas a otras con un amor perfecto. Participamos del amor de Dios Padre, Dios Hijo y Dios Espíritu Santo.

Vivimos el Primero, el Segundo y el Tercer Mandamiento para mostrar a Dios cuánto lo amamos. Amamos a Dios y nos amamos unos a otros como Dios nos ama. Cuando lo hacemos, decimos a Dios: "Te damos gracias por amarnos tanto".

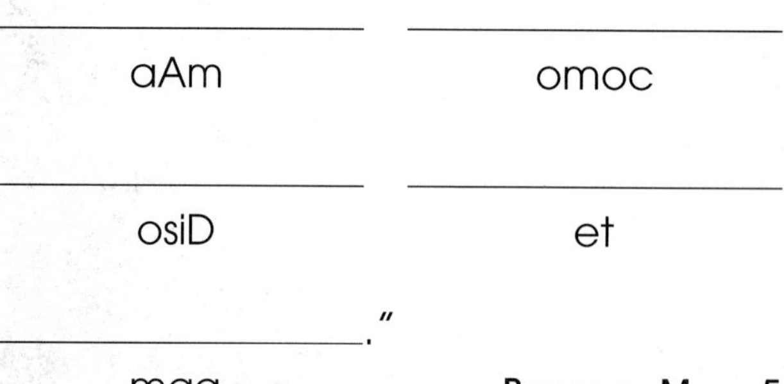

Cómo amar

Actividad

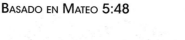

Ordena las letras. Descubre cómo debemos amar a los demás. Usa las mayúsculas como ayuda.

"__________ __________
aAm omoc

__________ __________
osiD et

__________."
maa

Basado en Mateo 5:48

God Is Love

Jesus taught us that God is love. John the Apostle reminded us of this. He taught:

> *Let us love one another because love is a gift of God. God is love. He loves us so much that he sent his Son, Jesus, to us. Jesus showed us how much God loves us.*
>
> Based on 1 John 4:7–10

The Bible tells us that God is love. The Three Divine Persons in God the Holy Trinity love each other with a perfect love. We share in the love of God the Father, God the Son, and God the Holy Spirit.

We live the First, Second, and Third Commandments to show God how much we love him. We love God and one another as God loves us. When we do, we say to God, "Thank you, for loving us so much."

Catholics Believe

Cathedrals

Christians build churches to show their love for God. The cathedral is the main church of an archdiocese or diocese. It is the archbishop's or bishop's church.

Activity

How to Love

Unscramble the letters. Discover how we are to love others. Let the capital letters help you.

"______ ______
evoL sa

______ ______
oGd sevol

______."
oyu

Based on Matthew 5:48

Tú y tu familia demuestran su amor por Dios de muchas maneras. Una manera de hacerlo es viviendo el domingo como un día especial. Se reúnen con otras familias en la parroquia para la celebración de la Misa. Pasan tiempo juntos y demuestran su amor por Dios y por los demás.

Actividad

El día especial de Dios

Trabaja con dos compañeros. Prepara una dramatización de una familia que decide que el domingo es el día para celebrar su amor por Dios y por los demás. Haz un dibujo lo que decidan hacer el domingo. Haz una dramatización de la obra para tu clase.

Esta semana mostraré mi amor por Dios respetando a los demás y tratándolos con mansedumbre. Yo voy a

____

____.

Reza: Agradece a Dios por tus amigos nombrándolos. Cuéntale a Dios a quiénes intentarás tratar mejor.

You and your family show your love for God in many ways. One way you do this is by making Sunday a special day. You join other families in your parish for the celebration of Mass. You spend time together and show your love for God and for one another.

Activity

God's Special Day

Work with two partners. Prepare a role play of a family deciding to make Sunday a day to celebrate their love for God and others. Draw what they decide to do on Sunday. Act out your role play for your class.

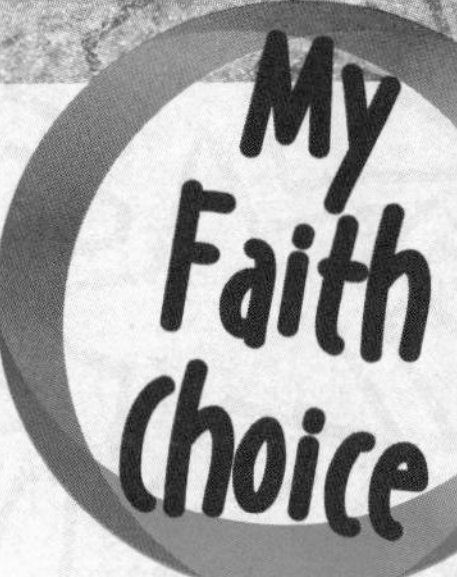

This week I will show my love for God by respecting and being gentle with others. I will

____

____.

Pray: Thank God for your friends by name. Tell him who you will try to treat better.

PARA RECORDAR

1. El Primer Mandamiento nos enseña a amar a Dios por sobre todas las cosas.
2. El Segundo Mandamiento nos enseña a amar a Dios al honrar su nombre.
3. El Tercer Mandamiento nos enseña a amar a Dios al santificar el Día del Señor.

Repaso del capítulo

Completa las palabras faltantes.

1. Yo soy el Señor, ____________________. No tendrás otros dioses fuera de mí.
2. No tomes en vano ________________ del Señor, tu ______________.
3. Acuérdate del día del ____________________ para ________________________.

Oración de adoración

Una oración de adoración dice a Dios que solo Él es Dios. Santa Bakhita nació en Sudán, donde se habla árabe. Así es como las personas de Sudán escribirían

"Te adoramos, oh Dios": اللهيا أنت نعبد نحن

Líder Pensemos en los esclavos o en los presos mientras rezamos juntos.

Dios, no podemos verte, pero aun así creemos.

Todos **Te adoramos, oh Dios.**

Líder No hay otro Dios fuera de ti.

Todos **Te adoramos, oh Dios.**

Líder Sabemos que eres nuestro Dios porque tu Hijo así nos lo dijo.

Todos **Te adoramos, oh Dios.**

Líder Rezamos nuestra oración en el nombre de Jesús.

Todos **Amén.**

Chapter Review

Fill in the missing words.

1. I am the Lord your ________________. You shall not have strange gods before me.
2. You shall not take the ______________ of the Lord your ____________ in vain.
3. Remember to keep ________________ the ____________________ Day.

TO HELP YOU REMEMBER

1. The First Commandment teaches us to love God above all else.
2. The Second Commandment teaches us to love God by honoring his name.
3. The Third Commandment teaches us to love God by keeping the Lord's Day holy.

Prayer of Adoration

A prayer of adoration tells God that he alone is God. Saint Bakhita was born in Sudan, where they speak Arabic. This is how people from Sudan would write,

"We adore you, O God": نحن نعبد أنت يا الله

Leader Let us think about all those who are slaves or in prison as we pray together.

God, we cannot see you, yet we do believe.

All **We adore you, O God.**

Leader There is no other God but you.

All **We adore you, O God.**

Leader We know you are our God because your Son has told us so.

All **We adore you, O God.**

Leader We make our prayer in Jesus' name.

All **Amen.**

Con mi familia

Esta semana...

En el capítulo 18, Las leyes del amor de Dios, su niño aprendió que:

- Dios nos dio los Diez Mandamientos.
- Dios dio los Diez Mandamientos a Moisés en el monte Sinaí.
- Los Diez Mandamientos nos enseñan a amar a Dios, a nosotros mismos y a los demás.
- El Primero, Segundo y Tercer Mandamiento nos enseñan que debemos honrar y amar a Dios por sobre todas las cosas.
- Cuando mostramos mansedumbre a las personas, demostramos que amamos a Dios y a los demás.

Para saber más sobre otras enseñanzas de la Iglesia, consulten el *Catecismo de la Iglesia Católica*, 218–221, 253–256, 2084–2132, 2142–2159 y 2168– 2188; y el *Catecismo Católico de los Estados Unidos para los Adultos*, páginas 361–394.

Compartir la Palabra de Dios

Lean juntos Éxodo 20:2–17, el relato de Moisés cuando recibió los Diez Mandamientos. Enfaticen que los Diez Mandamientos nos enseñan a vivir como hijos de Dios. Señalen que Jesús enseñó que sus discípulos deben vivir los Diez Mandamientos.

Vivimos como discípulos

El hogar cristiano con la familia es una escuela de discipulado. Elijan una de las siguientes actividades para hacer en familia, o creen una actividad similar ustedes mismos.

- Los católicos se arrodillan para mostrar su adoración y respeto a Dios. Compartan y comenten este y otros gestos de oración que los miembros de su familia usan para mostrar amor, adoración y respeto a Dios.
- Hablen de las maneras en que su familia vive el Tercer Mandamiento y santifica el Día del Señor. En familia, elijan algo que puedan hacer el próximo domingo para que el Día del Señor sea especial.

Nuestro viaje espiritual

La respuesta de María al ángel Gabriel, "... hágase en mí tal como has dicho" (Lucas 1:38), refleja el centro de nuestra relación con Dios. La obediencia, que demasiado a menudo se interpreta erróneamente de manera negativa, es una virtud que suele asociarse con la respuesta de María. En realidad, la respuesta de María está fundada en la confianza amorosa. Honren a María como a alguien que nos muestra la manera de responder a Dios, nuestro Padre amoroso.

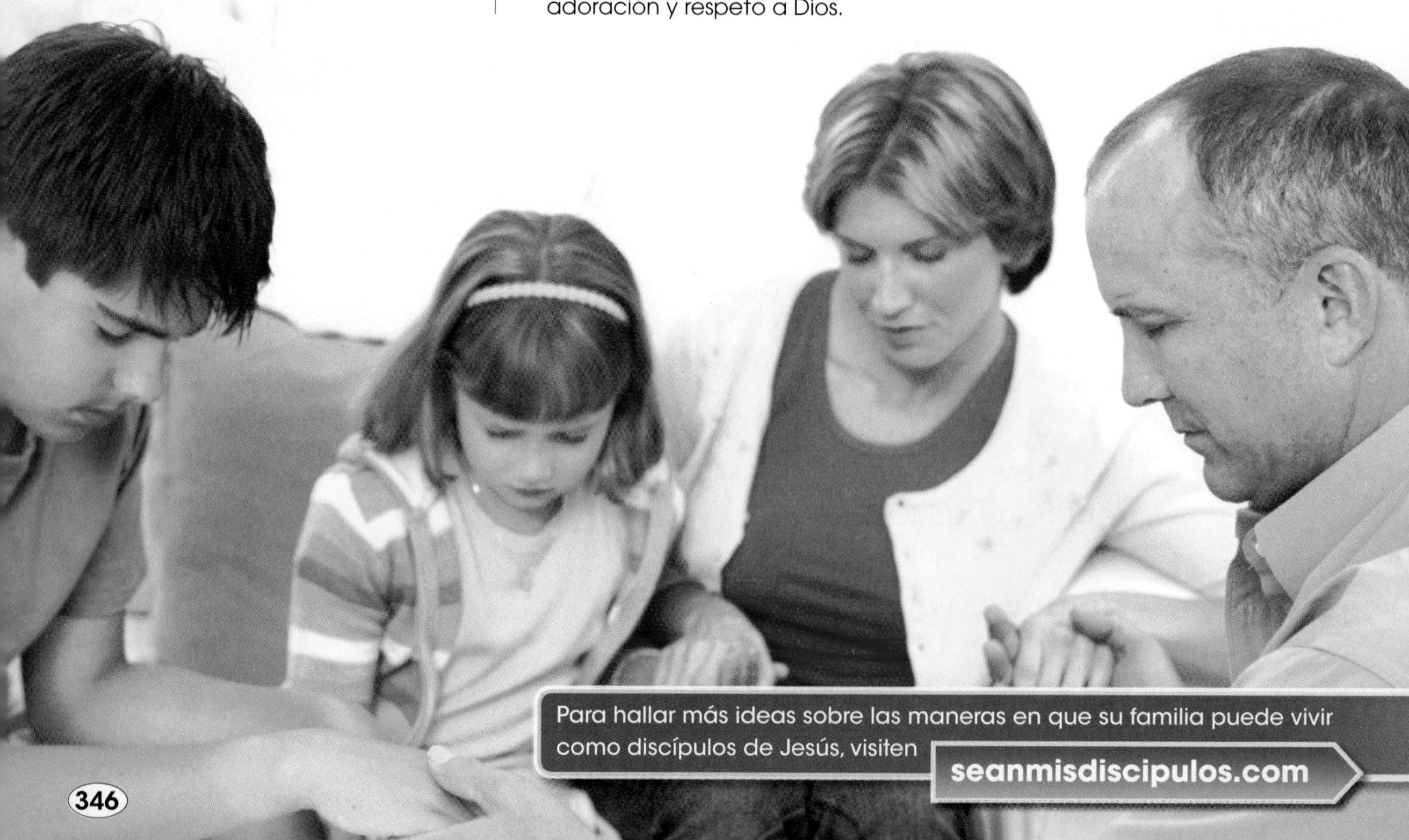

Para hallar más ideas sobre las maneras en que su familia puede vivir como discípulos de Jesús, visiten **seanmisdiscipulos.com**

With My Family

This Week...

In chapter 18, God's Laws of Love, your child learned:

- God gave us the Ten Commandments.
- God gave the Commandments to Moses on Mount Sinai.
- The Ten Commandments teach us to love God, ourselves, and others.
- The First, Second, and Third Commandments teach us that we are to honor and love God above all else.
- When we show gentleness to others, we show we love God and others.

For more about related teachings of the Church, see the *Catechism of the Catholic Church*, 218–221, 253–256, 2084–2132, 2142–2159, and 2168–2188; and the *United States Catholic Catechism for Adults*, pages 339–371.

Sharing God's Word

Read Exodus 20:2–17 together, the account of Moses receiving the Ten Commandments. Emphasize that the Ten Commandments teach us how to live as children of God. Point out that Jesus taught that his disciples are to live the Ten Commandments.

We Live as Disciples

The Christian home and family is a school of discipleship. Choose one of the following activities to do as a family or design a similar activity of your own.

- Catholics genuflect to show their adoration and respect for God. Share and talk about this and other prayer gestures the members of your family use to show your love, adoration, and respect for God.
- Talk about the ways your family lives the Third Commandment and keeps the Lord's Day holy. As a family, choose one thing you can do this coming Sunday to make the Lord's Day special.

Our Spiritual Journey

Mary's response to the angel Gabriel, "May it be done to me according to your word" (Luke 1:38), reflects the heart of our relationship with God. Obedience, which too often is falsely interpreted in a negative way, is a virtue often associated with Mary's response. In reality, Mary's response is a response rooted in loving trust. Honor Mary as one who shows us how to respond to God, our loving Father.

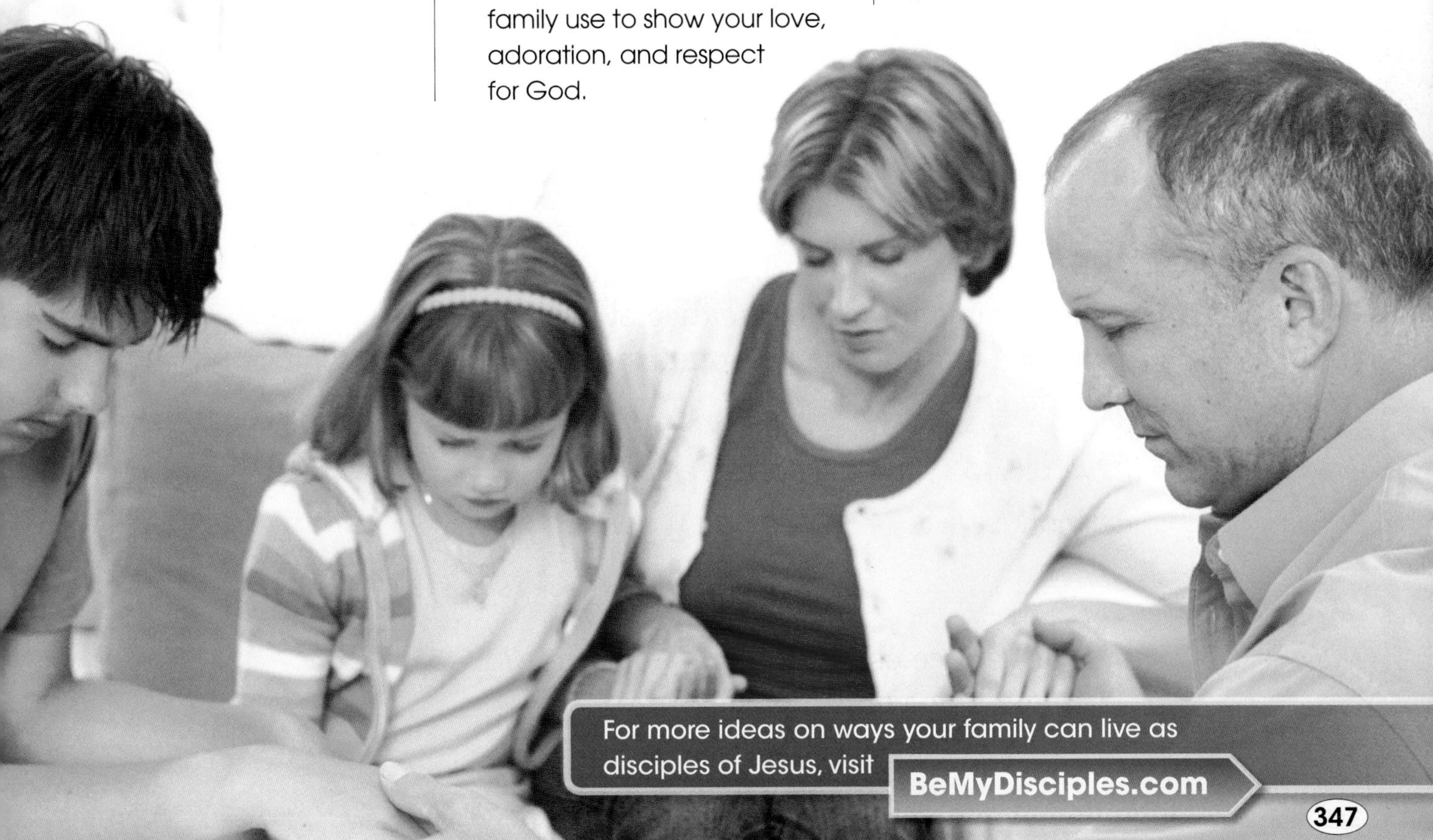

For more ideas on ways your family can live as disciples of Jesus, visit **BeMyDisciples.com**

CAPÍTULO 19

Lo que vendrá

En este capítulo el Espíritu Santo te invita a ▶

INVESTIGAR cómo una organización ayuda a los jóvenes a aprender.

DESCUBRIR de qué manera nos ordena Dios que vivamos como hijos de Dios.

DECIDIR qué buenas decisiones tomaremos acerca de cómo tratar a los demás.

Ámense los unos a los otros

¿Que buenas reglas sigues? ¿Qué las hace buenas reglas?

Hay muchas reglas que seguimos todos los días. Escuchemos lo que dice el salmista que sucede cuando las personas siguen las reglas de Dios.

¡Qué bueno y qué tierno es ver a esos hermanos vivir juntos en paz y con respeto!

Basado en Salmo 133:1

¿Qué te dice este versículo del salmo? Compártelo con un compañero.

Looking Ahead

In this lesson the Holy Spirit will help you to ▶

EXPLORE how one organization helps young people learn.

DISCOVER how God commands us to live as children of God.

DECIDE what good decisions you will make about how to treat others.

CHAPTER 19

Love One Another

? What are some good rules you follow? What makes them good rules?

There are many rules we follow every day. Let's listen to what the psalmist says happens when people follow God's rules.

What a good and wonderful place it is to live, where people live together in peace and with respect.

BASED ON PSALM 133:1

? What does this psalm verse say to you? Share with a partner.

Poder de los discípulos

Continencia

La continencia nos ayuda a tomar buenas decisiones. Nos ayuda a pensar en nuestras decisiones antes de que las tomemos.

La Iglesia sigue a **Jesús**

Home on the Range

El escritor del Salmo 133 sabía lo que sucede cuando las personas se tratan bien y se respetan unas a otras. El Padre Elwood Cassidy sabía lo que este salmo significaba. Sabía lo que se necesitaba para construir un lugar bueno donde los jóvenes pudieran vivir.

En 1950, el Padre Cassidy decidió ayudar a los jóvenes para que aprendieran a vivir juntos en paz. Quería construir un rancho en Dakota del Norte. Sería un lugar donde los niños podrían aprender continencia, responsabilidad y respeto. Al principio había solo tres niños. Comenzaron a construir dormitorios, establos y todo lo que necesitaban. ¡El rancho cobró vida! Lo llamaron *Home on the Range* (Hogar en el campo).

Hoy, en el rancho viven niños y niñas. Aprenden a vivir juntos como describió el escritor del Salmo 133. Viven juntos como una familia. Se respetan unos a otros mientras aprenden a montar a caballo, ordeñar vacas, enfardar heno, reparar autos y competir en rodeos.

? ¿Quiénes te han ayudado a aprender a tratar a los demás con respeto? Cuéntaselo a un amigo.

The Church Follows
Jesus

Disciple Power

Self-Control

Self-control helps us to make good decisions. It helps us think about our decisions before we make them.

Home on the Range

The writer of Psalm 133 knew what happens when people treat and respect each other. Father Elwood Cassidy knew what this psalm meant. He knew what it would take to build a wonderful place for boys to live.

In 1950, Father Cassidy wanted to help boys learn to live together in peace. He wanted to build a ranch in North Dakota. It would be a place where children could learn self-control, responsibility, and respect. At first there were just three boys. They began to build dormitories, barns, and everything they needed. The ranch came to life! They named the ranch *Home on the Range*.

Today, both boys and girls stay at the ranch. They learn to live together as the writer of Psalm 133 described. They live together as one family. They respect each other as they learn how to ride horses, milk cows, bale hay, fix cars, and compete in rodeos.

? Who has helped you learn to treat people with respect? Share with a friend.

Enfoque en la fe
¿Cómo nos ayudan los últimos siete, de los Diez Mandamientos, a mostrar nuestro amor por nosotros mismos y por las demás personas?

Vocabulario de fe

obedecer
Obedecer significa seguir la guía de alguien que nos ayuda a vivir según las Leyes de Dios.

codiciar
Codiciar significa querer indebidamente algo que pertenece a otra persona.

El camino de amor de Dios

Los niños del rancho *Home on the Range* aprendieron maneras de amarse unos a otros como Dios nos encomendó. Los siete últimos de los Diez Mandamientos nos enseñan las maneras en que Dios quiere que nos amemos y respetemos unos a otros y a nosotros mismos.

El Cuarto Mandamiento enseña que debemos honrar a nuestros padres. El Cuarto Mandamiento es:

> *Respeta a tu padre y a tu madre.*
>
> Éxodo 20:12

Honramos a nuestros padres cuando escuchamos atentamente lo que dicen y los **obedecemos**. Honramos a nuestros padres cuando les mostramos cuánto valoramos lo que hacen por nosotros. Mostramos que los honramos cuando decimos: "Gracias". Decimos "gracias" cuando cuidamos nuestra ropa, nuestros libros, nuestra comida, nuestro hogar y todas las cosas que ellos nos brindan.

Comenta algunas de las maneras en que los miembros de la familia se honran y respetan unos a otros. Con tus compañeros de clase, haz una lista de las diez maneras más populares.

1. ______________________
2. ______________________
3. ______________________
4. ______________________
5. ______________________
6. ______________________
7. ______________________
8. ______________________
9. ______________________
10. ______________________

God's Way of Love

The children at the Home on the Range ranch learned ways to love one another as God commanded us. The last seven of the Ten Commandments teach about the ways God wants us to love and respect others and ourselves.

The Fourth Commandment teaches that we are to honor our parents. The Fourth Commandment is:

> *Honor your father and your mother.*
>
> Exodus 20:12

We honor our parents when we listen carefully to what they say and we **obey** them. We honor our parents when we show them how much we appreciate what they do for us. We show we honor them when we say, "Thank you." We can say "thank you" when we care for our clothes, our books, our food, our homes, and all the things they provide for us.

Faith Focus

How do the last seven of the Ten Commandments help us show our love for ourselves and for other people?

Faith Vocabulary

obey
To obey means to choose to follow the guidance of someone who is helping us live according to God's Laws.

covet
To covet means to wrongfully want something that belongs to someone else.

Discuss some of the ways family members honor and respect one another. With your classmates, make a Top Ten list of ways.

1. ______________________
2. ______________________
3. ______________________
4. ______________________
5. ______________________
6. ______________________
7. ______________________
8. ______________________
9. ______________________
10. ______________________

Personas de fe

Santa Francisca Cabrini

Francisca Cabrini trataba a las personas con respeto y amor. Llegó a los Estados Unidos de Italia y se hizo ciudadana. Construyó hospitales para cuidar a los enfermos y hogares para cuidar a los niños que no tenían familia. Francisca Cabrini fue la primera ciudadana estadounidense que fue nombrada Santa. La Iglesia celebra su día el 13 de noviembre.

Respetarnos a nosotros mismos y a los demás

Los tres Mandamientos siguientes nos enseñan maneras en que Dios nos llama a respetarnos a nosotros mismos y a los demás.

El Quinto Mandamiento nos enseña que la vida humana es sagrada y pertenece a Dios. Dios da a todos el don de la vida. Dios nos ordena evitar las cosas que sabemos que son peligrosas y pueden herirnos a nosotros o herir a otras personas. El Quinto Mandamiento es:

No mates.

Éxodo 20:13

El Sexto Mandamiento enseña que un marido y su esposa deben siempre amarse y honrarse mutuamente. Este Mandamiento también enseña que debemos respetar nuestro cuerpo y el de los demás como algo sagrado, o santo. El Sexto Mandamiento es:

No cometas adulterio.

Éxodo 20:14

El Séptimo Mandamiento enseña que debemos respetar lo que pertenece a los demás. El Séptimo Mandamiento es:

No robes.

Éxodo 20:15

Debemos tratar a los demás con imparcialidad y justicia. Debemos usar apropiadamente las cosas que nos prestan y devolverlas cuando terminamos.

¿Qué nos enseñan el Quinto, el Sexto y el Séptimo Mandamiento acerca del respeto por nosotros y por los demás?

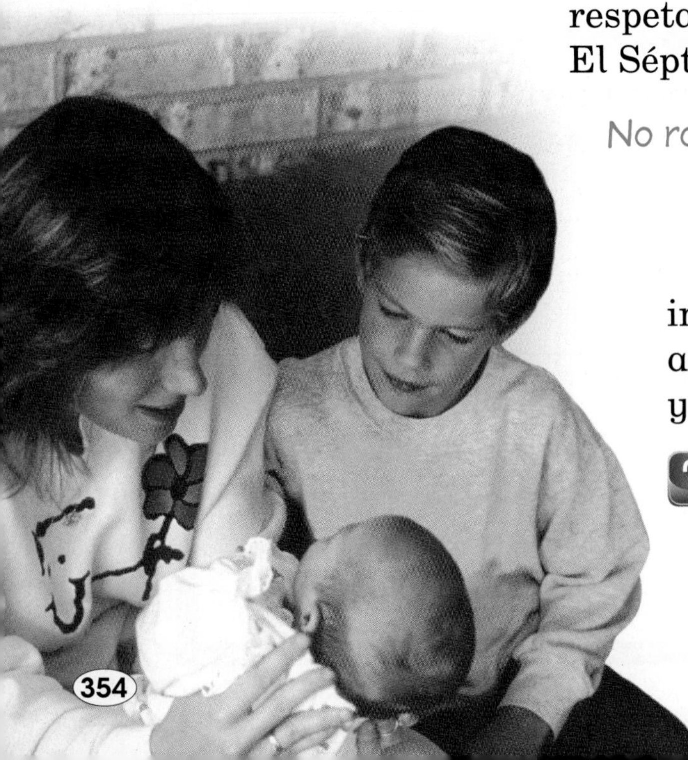

Respecting Ourselves and Others

The next three Commandments teach us ways God calls us to respect ourselves and others.

The Fifth Commandment teaches that all human life is sacred and belongs to God. God gives everyone the gift of life. God commands us to avoid doing things that we know are dangerous and can harm us or other people. The Fifth Commandment is:

You shall not kill.

Exodus 20:13

The Sixth Commandment teaches that a husband and wife are always to love and honor each other. This Commandment also teaches that we are to respect our bodies and those of others as sacred, or holy. The Sixth Commandment is:

You shall not commit adultery.

Exodus 20:14

The Seventh Commandment teaches that we respect what belongs to other people. The Seventh Commandment is:

You shall not steal.

Exodus 20:15

We are to treat people fairly and justly. We use the things we borrow properly and return them when we are finished.

? What do the Fifth, Sixth, and Seventh Commandments teach us about respect for ourselves and others?

Faith-Filled People

Saint Frances Cabrini

Frances Cabrini treated people with respect and love. She came to the United States from Italy and became a citizen. She built hospitals to care for the sick and homes to care for children without families. Frances Cabrini was the first American citizen to be named a Saint. The Church celebrates her feast day on November 13.

Los católicos creen

La familia cristiana

La familia cristiana es como una iglesia. Es una comunidad pequeña del Pueblo de Dios. Por eso, la Iglesia dice que la familia cristiana es una iglesia del hogar. Empezamos a aprender los Diez Mandamientos en casa con nuestra familia.

Otras maneras de mostrar respeto

Los tres últimos Mandamientos nos enseñan a respetar la verdad, el Sacramento del Matrimonio y las pertenencias de los demás.

El Octavo Mandamiento enseña que debemos ser sinceros. El Octavo Mandamiento es:

No atestigües en falso contra tu prójimo.

Éxodo 20:16

No debemos decir mentiras. No debemos lastimar a las personas al decir cosas acerca de ellas.

El Noveno Mandamiento enseña que todos deben respetar el matrimonio entre un hombre y una mujer. El Noveno Mandamiento es:

No codicies la mujer de tu prójimo.

Basado en Éxodo 20:17

El Décimo Mandamiento enseña que debemos alabar a Dios por todo. El Décimo Mandamiento es:

No codicies nada que sea de tu prójimo.

Basado en Éxodo 20:17

Debemos compartir nuestras cosas con las personas, en especial con los necesitados.

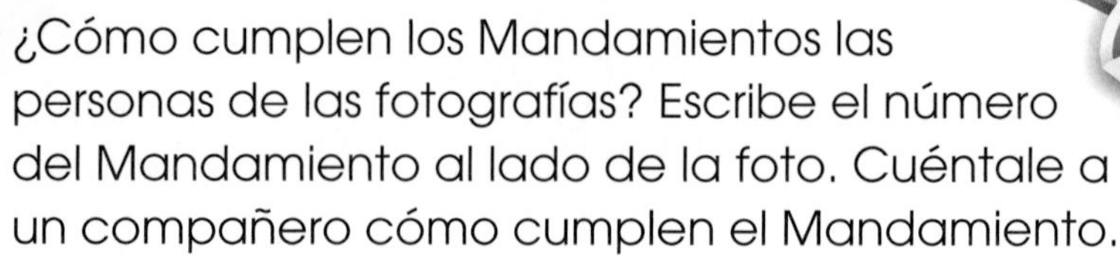

Actividad

¿Cómo cumplen los Mandamientos las personas de las fotografías? Escribe el número del Mandamiento al lado de la foto. Cuéntale a un compañero cómo cumplen el Mandamiento.

More Ways to Show Respect

The final three of the Commandments teach us to respect the truth, the Sacrament of Matrimony, and what belongs to others.

The Eighth Commandment teaches that we be honest. The Eighth Commandment is:

> *You shall not bear false witness against your neighbor.*
>
> EXODUS 20:16

We are not to tell lies. We are not to hurt people by the things we say about them.

The Ninth Commandment teaches that everyone is to respect the marriage of a man and a woman. The Ninth Commandment is:

> *You shall not covet your neighbor's wife.*
>
> EXODUS 20:17

The Tenth Commandment teaches that we are to bless God for everything. The Tenth Commandment is:

> *You shall not covet your neighbor's goods.*
>
> EXODUS 20:17

We are to share our things with people, especially with people in need.

Catholics Believe

The Christian Family

The Christian family is like a church. It is a small community of the People of God. That is why the Church says that the Christian family is a church of the home. We begin to learn the Ten Commandments at home with our families.

Activity

How are the people in the photos keeping the Commandments? Write the number of the Commandment by the photo. Tell a partner how they keep the Commandment.

Yo sigo a Jesús

Puedes vivir los Diez Mandamientos todos los días. Debes ser amable y generoso. Debes ser confiable y sincero. Debes respetar a tu familia y a tus amigos. Cuando haces todas estas cosas, vives los Diez Mandamientos.

Actividad

¡Las leyes de Dios dan vida!

Diseña un cartel acerca de vivir los Diez Mandamientos. Crea un eslogan y agrega palabras o imágenes que animen a tu familia y a tus amigos a mostrar respeto unos a otros.

Esta semana trataré de usar la continencia para tomar buenas decisiones acerca de respetarme a mí mismo y a los demás. Yo voy a

____

____.

Reza: "Espíritu Santo, ayúdame a tomar buenas decisiones. Ayúdame a ser un mejor discípulo de Jesús. Amén".

You can live the Ten Commandments every day. You are to be kind and generous. You are to be trustworthy and honest. You are to respect your family and your friends. When you do all these things, you are living the Ten Commandments.

Activity

God's Laws Give Life!

Design a poster about living the Ten Commandments. Create a slogan and add words or images that will encourage your family and friends to show respect for one another.

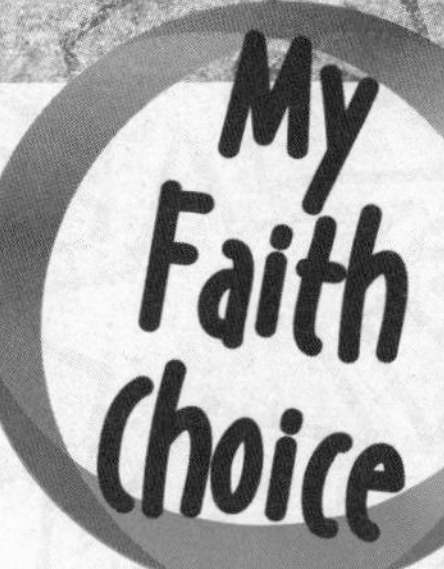

This week I will try to make use of self-control to make good decisions to respect myself and others. I will

____

____.

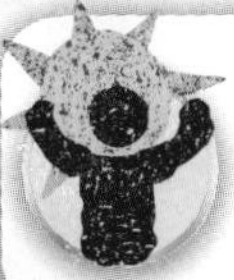

Pray, "Holy Spirit, help me to make good decisions. Help me to be a better disciple of Jesus. Amen."

PARA RECORDAR

1. Los siete últimos de los Diez Mandamientos nos enseñan cómo amar y respetar a los demás y a nosotros mismos.
2. Nos enseñan a honrar y respetar a las personas y las cosas que les pertenecen.
3. Nos enseñan a ser sinceros y confiables, amables y generosos.

Repaso del capítulo

Escribe el número de Mandamiento que se sigue en cada oración.

_______ Tratamos a las personas de manera imparcial.

_______ Escuchamos atentamente a nuestros padres y los obedecemos.

_______ Decimos la verdad sobre los demás.

_______ Evitamos las cosas peligrosas que pueden dañarnos.

Rezamos por los demás

Usemos el lenguaje de señas mientras rezamos juntos esta oración de intercesión.

Líder Señor, escucha nuestra oración.

Todos **Señor, escucha nuestra oración.**

Líder Nombremos en silencio a alguien por quien nos gustaría rezar. *(Pausa.)* Oremos.

Todos **Señor, escucha nuestra oración.**

Líder Señor, envía tu Espíritu Santo para que nos guíe y podamos ayudar a los que amamos.

Todos **Señor, escucha nuestra oración.**

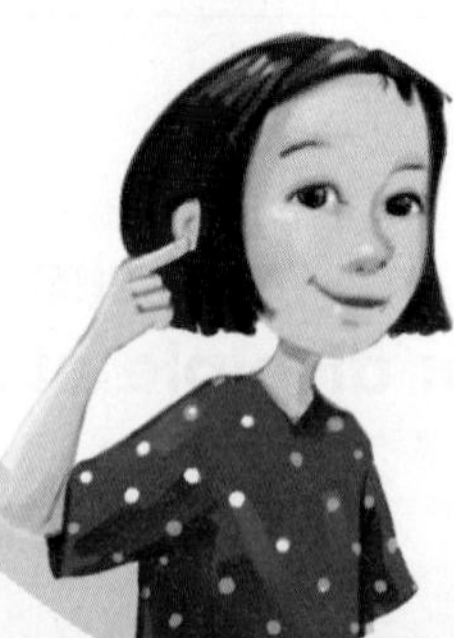

Chapter Review

Write the number of the Commandment being followed in each sentence.

_______ We treat people fairly.

_______ We listen carefully to our parents and obey them.

_______ We tell the truth about others.

_______ We avoid dangerous things that can harm us.

TO HELP YOU REMEMBER

1. The last seven of the Ten Commandments teach us how to love and respect others and ourselves.
2. They teach us to honor and respect people and the things that belong to them.
3. They teach us to be honest and truthful, kind and generous.

We Pray for Others

Let us use sign language as we pray this prayer of intercession together.

Leader Lord, hear our prayer.

All **Lord, hear our prayer.**

Leader Quietly name someone for whom you would like to pray. *(Pause.)* Let us pray.

All **Lord, hear our prayer.**

Leader Lord, send your Holy Spirit to guide us in how to help those we love.

All **Lord, hear our prayer.**

Con mi familia

Esta semana...

En el capítulo 19, "Ámense los unos a los otros," su niño aprendió que:

- Los Mandamientos, del Cuarto al Décimo, nos enseñan que debemos tratar a todas las personas y tratarnos nosotros mismos como hijos de Dios.
- Estos Mandamientos nos enseñan que debemos respetarnos y honrarnos a nosotros mismos y los unos a los otros. Nos enseñan a ser sinceros y confiables, amables y generosos.
- El hábito de la continencia nos ayuda a respetar a los demás y a nosotros mismos.

Para saber más sobre otras enseñanzas de la Iglesia, consulten el *Catecismo de la Iglesia Católica,* 2196, 2217–2246, 2258–2317, 2331–2391, 2401–2449, 2464–2503, 2514–2527, 2534–2550; y el *Catecismo Católico de los Estados Unidos para los Adultos,* páginas 295–489.

Compartir la Palabra de Dios

Lean juntos 1.ª Juan 4:7-11. Enfaticen que Dios nos encomienda amarnos a nosotros mismos y a las demás personas como Él nos ama.

Vivimos como discípulos

El hogar cristiano con la familia es una escuela de discipulado. Elijan una de las siguientes actividades para hacer en familia, o creen una actividad similar ustedes mismos.

- Su niño ha aprendido este año los doce Frutos del Espíritu Santo. Estos son: caridad, gozo, paz, paciencia, longanimidad, bondad, benignidad, modestia, fidelidad, mansedumbre, castidad y continencia. Son los signos de que seguimos las leyes de Dios. Creen una tabla para su casa. Anoten la lista de los Frutos en la columna izquierda, y el nombre de cada miembro de la familia en la parte superior. Cada vez que alguno de ustedes note que otro muestra una de estas cualidades, coloquen una marca de color en la casilla correspondiente. Los hábitos del discipulado se aprenden día a día.
- Ayuden a su niño a memorizar los Diez Mandamientos. Son reglas necesarias para la vida cristiana.

Nuestro viaje espiritual

Las oraciones de intercesión por las necesidades de los demás son parte de la vida cristiana. Recen en familia la oración de la página 360 esta semana y en otras oportunidades.

Para hallar más ideas sobre las maneras en que su familia puede vivir como discípulos de Jesús, visiten **seanmisdiscipulos.com**

With My Family

This Week...

In chapter 19, "Love One Another," your child learned that:

- ▶ The Fourth through Tenth Commandments teach us that we are to treat all people and ourselves as children of God.
- ▶ These Commandments teach us that we are to respect and honor ourselves and others. They teach us to be honest and truthful, kind and generous.
- ▶ The habit of self-control helps us to respect others and ourselves.

For more about related teachings of the Church, *see the Catechism of the Catholic Church*, 2196, 2217–2246, 2258–2317, 2331–2391, 2401–2449, 2464–2503, 2514–2527, 2534–2550; and the *United States Catholic Catechism for Adults*, pages 373–457.

Sharing God's Word

Read 1 John 4:7-11 together. Emphasize that God commands us to love ourselves and other people as he loves us.

We Live as Disciples

The Christian home and family is a school of discipleship. Choose one of the following activities to do as a family or design a similar activity of your own.

- ▶ Your child has learned this year about twelve Fruits of the Holy Spirit. They are love, joy, peace, patience, kindness, goodness, generosity, modesty, faithfulness, gentleness, chastity and self-control. They are the signs that we are following God's laws. Create a chart for your home. Place the list of Fruits down the left column, and the name of each family member across the top. Every time each of you notices one another exhibiting one of these qualities, place a colored mark in the appropriate box under their name. The habits of discipleship are learned day by day.
- ▶ Help your child to memorize the Ten Commandments. They are necessary rules for Christian living.

Our Spiritual Journey

Prayers of Intercession for the needs of others are part of the Christian life. Pray the prayer on page 361 this week and after with your family.

For more ideas on ways your family can live as disciples of Jesus, visit **BeMyDisciples.com**

CAPÍTULO 20

Lo que vendrá

En este capítulo el Espíritu Santo te invita a ▶

INVESTIGAR la historia de Nuestra Señora de La Vang.

DESCUBRIR la enseñanza de Jesús acerca del Gran Mandamiento.

DECIDIR cómo vivirás el Gran Mandamiento.

El Gran Mandamiento

¿Cómo demuestras tu amor por los demás?

En la Última Cena, Jesús sabía que pronto lo moriría. Quería que sus discípulos aprendieran a amar a Dios y a las demás personas como Él los amaba. Escucha lo que les enseñó:

"Les digo que se amen unos a otros como yo los he amado. No hay amor más grande que dar la vida por los amigos".

BASADO EN JUAN 15:12–13

¿Cómo demostró Jesús su amor por su Padre y por nosotros?

Looking Ahead

In this lesson the Holy Spirit will help you to ▶

EXPLORE the story of Our Lady of La Vang.

DISCOVER Jesus' teaching on the Great Commandment.

DECIDE how you will live the Great Commandment.

CHAPTER 20

The Great Commandment

❓ How do you show your love to others?

At the Last Supper, Jesus knew that he would soon be put to death. He wanted his disciples to know how to love God and other people as he loved them. Listen to what he taught them:

"I tell you to love each other as I have loved you. The greatest way to show love for your friends is to die for them."

BASED ON JOHN 15:12–13

❓ How did Jesus show his love for his Father and for us?

Poder de los discípulos

Prudencia

La prudencia nos ayuda a hacer buenas elecciones. La prudencia nos ayuda a diferenciar el bien del mal. Las decisiones prudentes nos ayudan a crecer en la vivencia de nuestra fe católica.

La Iglesia sigue a Jesús

Nuestra Señora de La Vang

La historia de nuestra Iglesia está formada por muchas personas que murieron por su amor a Dios. Estas personas se llaman mártires. Esto significa que dieron la vida por su profundo amor a Dios.

Algunos mártires son originarios de Vietnam. Su historia muestra su prudente amor por Dios. Muchos estaban enfermos y escondidos en la selva, cerca de la ciudad de Hue. Una noche, mientras estaban rezando, apareció una bella dama. Les enseñó a hacer remedios con las plantas que crecían en el lugar. Las plantas se llamaban La Vang.

En esa época, estaba prohibido por la ley rezar o creer en Jesús. Como se negaron a rechazar su fe, más de cien mil vietnamitas murieron como mártires en aquel tiempo.

Los pobladores de La Vang construyeron una iglesia con hojas y paja de arroz. La dedicaron a María, Nuestra Señora de La Vang.

Hoy, miles de católicos vietnamitas se reúnen para honrar a María y recordar a Nuestra Señora de La Vang.

¿Qué hacían las personas en la selva? ¿Qué sucedió mientras estaban allí?

The Church Follows
Jesus

Disciple Power

Prudence

Prudence helps us to make good choices. Prudence helps us to decide between good and bad. Prudent decisions help us grow in living our Catholic faith.

Our Lady of La Vang

The story of our Church is made up of many people who died because of their love for God. These people are called martyrs. This means they gave up their life because of their deep love for God.

Some martyrs came from Vietnam. Their story shows their prudent love for God. Many were sick and hiding in the jungle near the city of Hue. One night while they were praying, a beautiful lady appeared. She taught the people how to make medicines from the plants that grew in the area. The plants were called La Vang.

At that time, it was against the law for anyone to pray or believe in Jesus. Because they refused to deny their faith, more than 100,000 Vietnamese people died as martyrs during this time.

The people of La Vang built a church made out of leaves and rice straw. They dedicated it to Mary, Our Lady of La Vang.

Today, thousands of Vietnamese Catholics gather to honor Mary and remember Our Lady of La Vang.

? What were the people doing in the jungle? What happened while they were there?

Enfoque en la fe
¿Cómo podemos mostrar que somos amigos de Dios?

Vocabulario de fe

Alianza
La Alianza es el acuerdo solemne y la promesa de amistad hecha entre Dios y su pueblo.

Gran Mandamiento
El Gran Mandamiento nos enseña a amar a Dios y a amar a los demás como a nosotros mismos.

La Alianza de amor

En el principio mismo de La Biblia, leemos de una promesa muy especial. La Biblia nombra a las primeras personas que Dios creó: Adán y Eva.

Adán y Eva prometieron obedecer a Dios. Pero no cumplieron su promesa. Llamamos Pecado Original a esta promesa rota. Adán y Eva perdieron el don de la santidad que Dios les había dado.

Después de que Adán y Eva pecaron, Dios les hizo una promesa especial. Esta promesa se llama **Alianza**. Dios prometió que enviaría a alguien que haría que Él y las personas fueran amigos otra vez. Él siempre amaría a todas las personas.

Actividad

Marca con (√) junto a las maneras que muestran que cumples tu promesa de vivir los Diez Mandamientos.

____ Participar en la Misa de los domingos.

____ Honrar a mis padres.

____ Decir la verdad.

____ Jugar limpio en el recreo.

____ Respetar las pertenencias de los demás.

The Covenant of Love

In the very beginning of the Bible we read about a very special promise. The Bible names the first people God created: Adam and Eve.

Adam and Eve promised to obey God. But they did not keep their promise. We call this broken promise Original Sin. Adam and Eve lost the gift of holiness that God had given them.

After Adam and Eve sinned, God made Adam and Eve a special promise. This promise is called the **Covenant**. God promised he would send someone to make people and God friends again. He would always love all people.

Faith Focus
How can we show that we are friends of God?

Faith Vocabulary

Covenant
The Covenant is the solemn agreement and promise of friendship made between God and his people.

Great Commandment
The Great Commandment teaches us to love God and to love our neighbors as ourselves.

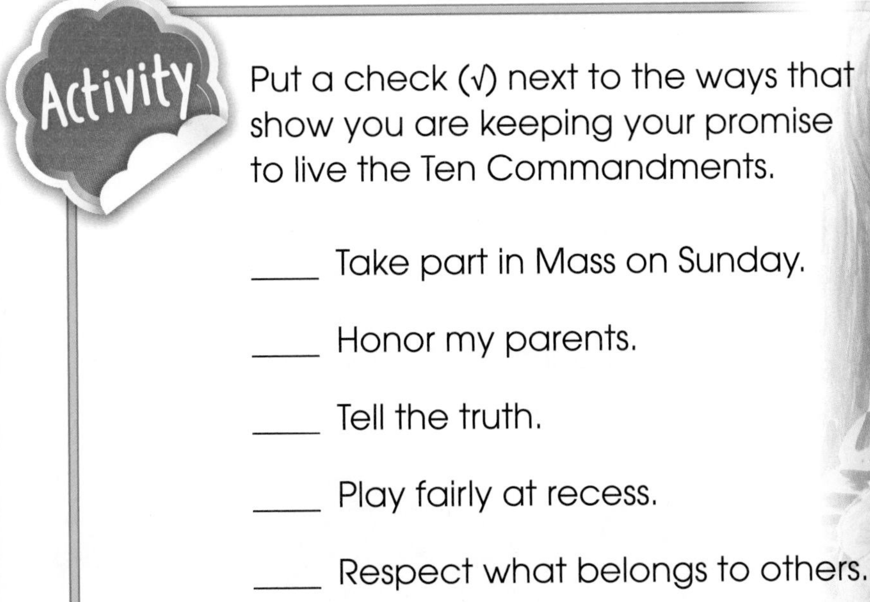

Activity

Put a check (√) next to the ways that show you are keeping your promise to live the Ten Commandments.

____ Take part in Mass on Sunday.

____ Honor my parents.

____ Tell the truth.

____ Play fairly at recess.

____ Respect what belongs to others.

Personas de fe

Dorothy Day

Dorothy Day nos enseñó a vivir el Gran Mandamiento. Su vida se ha descrito de esta manera: "Tanto amor, tanto sacrificio— todo solo por Él". Dorothy llevó su vida de amor a Dios amando y cuidando a los necesitados.

El Gran Mandamiento

Dios cumplió su promesa. Envió a su Hijo, Jesús. Jesús nos hizo otra vez amigos de Dios. Enseñó lo que significa vivir la Alianza. Vivimos la Alianza cuando obedecemos los Mandamientos de Dios.

Un día un maestro de la Ley de Dios se acercó a Jesús. Le preguntó cuál era el Mandamiento más importante. Lee lo que sucedió:

> *Jesús respondió: "Amarás a Dios con todo tu corazón, con toda tu alma y con toda tu mente. Este es el gran mandamiento, el primero". Pero Jesús no se detuvo allí y continuó: "Hay otro muy parecido: Amarás a tu prójimo como a ti mismo. Toda la Ley depende de en estos dos mandamientos".*
>
> Basado en Mateo 22:35–40

Estos dos Mandamientos de Dios constituyen el **Gran Mandamiento**. Cuando vivimos el Gran Mandamiento, vivimos la Alianza. Mantenemos nuestras promesas de amar a Dios y de amar a los demás como Dios los ama.

Actividad

¿Por qué la respuesta de Jesús al maestro se llama Gran Mandamiento? Cuéntaselo a un compañero.

The Great Commandment

God kept his promise. He sent his Son, Jesus. Jesus made us friends with God again. He taught what it means to live the Covenant. We live the Covenant when we obey God's Commandments.

One day a teacher of God's Law came to Jesus. He asked Jesus which was the greatest of the Commandments. Read what happened.

> *Jesus answered, "'Love God with all your heart, soul, and mind.' This is the greatest and the first commandment."' Jesus did not stop there. He continued, "The second commandment is like it: 'You shall love your neighbor as yourself.' The whole law depends on these two commandments."*
>
> Based on Matthew 22:35–40

These two Commandments of God make up the **Great Commandment**. When we live the Great Commandment, we live the Covenant. We keep our promises to love God and to love people as God loves them.

Faith-Filled People

Dorothy Day

Dorothy Day taught us to live the Great Commandment. Her life has been described this way, "So much love—so much sacrifice—all for [God] alone." Dorothy lived her life loving God by loving and caring for people in need.

Activity

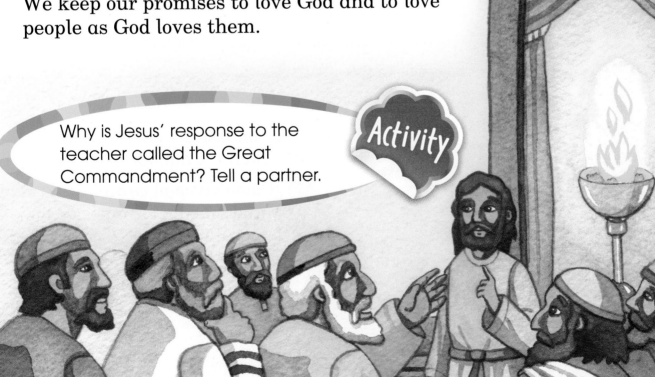

Why is Jesus' response to the teacher called the Great Commandment? Tell a partner.

Los católicos creen

Preceptos de la Iglesia

La Iglesia nos guía de muchas maneras para que vivamos las dos partes del Gran Mandamiento. Una manera en que ha hecho esto es dándonos los preceptos de la Iglesia. Uno de los preceptos de la Iglesia es participar de la Misa los domingos y los días de precepto.

Ama a Dios y a todas las personas

El Gran Mandamiento tiene dos partes. La primera parte dice que debemos amar a Dios. La segunda parte dice que debemos amar a las demás personas como a nosotros mismos. Estas dos partes forman un Gran Mandamiento.

Jesús enseñó claramente que debemos vivir las dos partes del Gran Mandamiento. Ambas están relacionadas. No podemos mostrar solo nuestro amor por Dios. Es necesario hacer algo más que rezar y decirle a Dios que lo amamos. También necesitamos mostrar nuestro amor por Dios en la manera en que nos tratamos a nosotros mismos y en que tratamos a los demás. Recuerda que Dios nos dice en la Biblia:

Si alguien dice "Yo amo a Dios", y odia a su hermano, es un mentiroso.

Basado en 1.ª Juan 4:20

Jesús también nos dice que no debemos amar solo a las personas que nos caen bien. Él nos enseñó que amar a las personas incluye amar a nuestros enemigos. Él dijo:

"Amen a sus enemigos, hagan el bien a los que los odian, bendigan a los que los maldicen, rueguen por los que los maltratan".

Lucas 6:27–28

Esta no es una cosa fácil de hacer. El Espíritu Santo te ayudará.

¿Cómo viven el Gran Mandamiento los niños de las fotografías?

Love God and All People

The Great Commandment has two parts. The first part is that we are to love God. The second part is that we are to love other people as we love ourselves. These two parts form one Great Commandment.

Jesus clearly taught that we must live both parts of the Great Commandment. Both parts are connected together. We cannot only show our love for God. We need to do more than pray and tell God we love him. We also need to show our love for God by the way we treat ourselves and other people. Remember what God tells us in the Bible:

> *If anyone says, "I love God," but hates anyone, he or she is a liar.*
>
> Based on 1 John 4:20

Jesus also tells us that we are not only to love people we like. He taught us that loving people includes loving our enemies. He said,

> *"Love your enemies, do good to those who hate you, bless those who curse you, pray for those who mistreat you."*
>
> Luke 6:27–28

This is not an easy thing to do. The Holy Spirit will help you.

? How are the children in the pictures living the Great Commandment?

Catholics Believe

Precepts of the Church

The Church guides us in living both parts of the Great Commandment in many ways. One way she has done this is by giving us the precepts of the Church. One of the precepts of the Church is to take part in Mass on Sundays and holy days of obligation.

Yo sigo a Jesús

El Espíritu Santo te está enseñando siempre a vivir el Gran Mandamiento. Cuando rezas y participas de la Misa, muestras tu amor por Dios. Cuando tratas a los demás con justicia, estás cumpliendo el Gran Mandamiento. De ambas maneras eres prudente.

Actividad

Vivir el Gran Mandamiento

Escribe una quintilla, un poema de cinco versos, acerca de cómo puedes vivir el Gran Mandamiento.

Escribe dos palabras que describan el título.

_______________ _______________

Escribe tres **acciones** que describan el título.

_______________ _______________ _______________

Escribe cuatro palabras que describan un **sentimiento** acerca del título.

_____________ _____________ _____________ _____________

Escribe otra palabra para Gran Mandamiento.

____

Esta semana, mostraré prudencia en la manera en que trato de vivir el Gran Mandamiento. Yo voy a

____

____.

Pide al Espíritu Santo que te ayude a aprender a amar más a Dios y al prójimo todos los días. Habla de lo que te resulta difícil de hacer, y el Espíritu Santo te ayudará.

The Holy Spirit is always teaching you to live the Great Commandment. When you pray and take part in Mass, you show your love for God. When you treat others fairly, you are keeping the Great Commandment. In both ways you are being prudent.

Activity

Living the Great Commandment

Write a cinquain, a five-line verse, about how you can live the Great Commandment.

Write two words that describe the title.

__________ __________

Write three **action** words that describe the title.

__________ __________ __________

Write four words that describe a **feeling** about the title.

__________ __________ __________ __________

Write another word for Great Commandment.

____

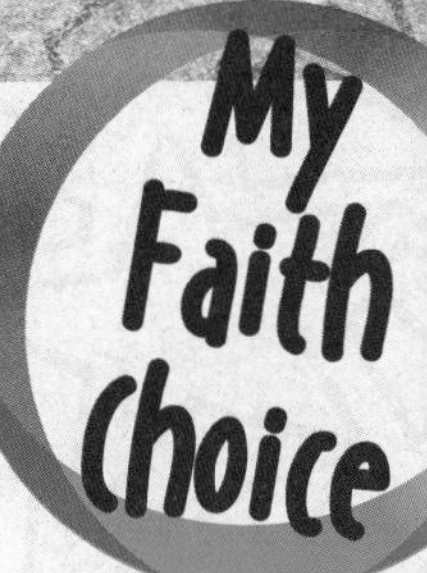

This week I will show prudence in the way I try to live the Great Commandment. I will

____

______________________________.

Ask the Holy Spirit to help you learn to love God and neighbors more every day. Talk about what is hard for you to do, and the Holy Spirit will help you.

▶ **PARA RECORDAR**

1. Mostramos que somos amigos de Dios cuando cumplimos nuestra promesa de vivir la Alianza.
2. Vivimos la Alianza cuando amamos a Dios con todo nuestro corazón.
3. Vivimos la Alianza cuando amamos a los demás como a nosotros mismos.

Repaso del capítulo

Encierra en un círculo V si el enunciado es verdadero. Encierra en un círculo F si el enunciado es falso.

1. Pecado Original es el nombre que le damos al incumplimiento de la promesa a Dios de Adán y Eva.

   V **F**

2. El Mandamiento es el acuerdo solemne de amistad hecho entre Dios y su pueblo.

   V **F**

3. El Gran Mandamiento nos muestra cómo vivir una vida santa y hallar la verdadera felicidad con Dios ahora en la Tierra y para siempre en el Cielo.

   V **F**

Acto de caridad

El Gran Mandamiento nos enseña a amar a Dios y a amar a los demás. Recemos juntos un acto de caridad.

Dios mío, te amo con todo mi corazón,
con toda mi alma y con toda mi mente.
Ayúdame a amar a los demás como a mí mismo.
Enséñame y ayúdame a vivir como
Jesús enseñó. Amén.

Chapter Review

Circle the T beneath the statement if it is true. Circle the F if the statement is false.

1. Original Sin is the name we give to Adam and Eve breaking their promise to God.

T **F**

2. The Commandment is the solemn agreement of friendship made between God and his people.

T **F**

3. The Great Commandment shows us how to live a holy life and find true happiness with God now on Earth and forever in Heaven.

T **F**

TO HELP YOU REMEMBER

1. We show we are friends of God when we keep our promise to live the Covenant.
2. We live the Covenant when we love God with our whole hearts.
3. We live the Covenant when we love other people as we love ourselves.

Act of Love

The Great Commandment teaches us to love God and love others. Let us pray an act of love together.

God, I love you
with all my heart, soul, and mind.
Help me love others as I love myself.
Teach me and help me to live as Jesus taught. Amen.

Con mi familia

Esta semana...

En el capítulo 20, "El Gran Mandamiento," su niño aprendió que:

- La Alianza es un acuerdo solemne de amistad hecho entre Dios y su pueblo.
- La Alianza incluye la promesa de enviar a alguien a restaurar a todas las personas a una vida de amistad y felicidad con Dios ahora y para siempre en el Cielo.
- Dios cumplió esta promesa y envió a su Hijo, Jesús, la Alianza nueva y eterna.
- Jesús reveló que vivimos la Alianza cuando vivimos el Gran Mandamiento.
- La prudencia es la virtud que nos ayuda a tomar buenas decisiones.

Para saber más sobre otras enseñanzas de la Iglesia, consulten el *Catecismo de la Iglesia Católica*, 54–67, 2052–2055 y 2083; y el *Catecismo Católico de los Estados Unidos para los Adultos*, páginas 367.

Compartir la Palabra de Dios

Lean juntos Mateo 22:34–40, la enseñanza de Jesús acerca del Gran Mandamiento. O lean la adaptación del relato de la página 324. Enfaticen que Jesús enseñó que todos los Diez Mandamientos están resumidos en el Gran Mandamiento.

Vivimos como discípulos

El hogar cristiano con la familia es una escuela de discipulado. Elijan una de las siguientes actividades para hacer en familia, o creen una actividad similar ustedes mismos.

- Comenten cómo vive su familia el Gran Mandamiento. En familia, elijan algo que pueden hacer esta semana para vivir el Gran Mandamiento de una manera nueva.
- **Cuelguen una tabla** en el refrigerador. Anoten varias maneras en que los miembros de la familia pueden vivir el Gran Mandamiento. Animen a todos los miembros de la familia a elegir una de las sugerencias cada mañana y a ponerla en práctica durante el día.

Nuestro viaje espiritual

Jesús enseñó claramente que el discipulado incluye sacrificio. El sacrificio de Jesús en la Cruz revela que el sacrificio es la mayor muestra de amor. ¿En qué medida adoptan el sacrificio como un acto voluntario de amor? Recen en familia el Acto de caridad como recordatorio de que Dios merece sus sacrificios.

Para hallar más ideas sobre las maneras en que su familia puede vivir como discípulos de Jesús, visiten **seanmisdiscipulos.com**

With My Family

This Week...

In chapter 20, "The Great Commandment," your child learned that:

- The Covenant is the solemn agreement of friendship made between God and his people.
- The Covenant included the promise to send someone to restore all people to a life of friendship and happiness with God now and forever in Heaven.
- God fulfilled this promise and sent his Son, Jesus, the new and everlasting Covenant.
- Jesus revealed that we live the Covenant when we live the Great Commandment.
- Prudence is the virtue that helps us make good decisions.

For more about related teachings of the Church, see the *Catechism of the Catholic Church*, 54–67, 2052–2055, and 2083; and the *United States Catholic Catechism for Adults*, page 345.

Sharing God's Word

Read Matthew 22:34–40 together, Jesus' teaching on the Great Commandment. Or read the adaptation of the story on page 325. Emphasize that Jesus taught that all of the Ten Commandments are summarized in the Great Commandment.

We Live as Disciples

The Christian home and family is a school of discipleship. Choose one of the following activities to do as a family or design a similar activity of your own.

- Talk about how your family is living the Great Commandment. As a family, choose one thing you can do this week to live the Great Commandment in a new way.
- **Hang a chart** on your refrigerator. Write down several ways that family members can live the Great Commandment. Encourage every family member to choose one of the suggestions each morning and put it into practice during the day.

Our Spiritual Journey

Jesus clearly taught that discipleship includes sacrifice. Jesus' sacrifice on the Cross reveals that sacrifice is the highest form of love. To what extent is sacrifice embraced by you as a freely given act of love? Pray the Act of Love with your family as a reminder that God is deserving of your sacrifices.

For more ideas on ways your family can live as disciples of Jesus, visit **BeMyDisciples.com**

Unidad 5: **Repaso** Nombre ______________________

A. Elije la mejor palabra

Completa los espacios en blanco con la mejor opción de la lista.

Gran Mandamiento	Octavo	
Diez Mandamientos	gracia	Quinto

1. La ________________ de Dios es el don de Dios que nos hace partícipes de la vida de la Santísima Trinidad.

2. El ________________________ nos dice que amemos a Dios y a nuestro prójimo como a nosotros mismos.

3. Los ________________________ son las leyes que nos enseñan a vivir la Alianza de Dios.

4. El ________________ Mandamiento nos enseña a respetar toda vida humana porque es sagrada.

5. El ________________ Mandamiento nos enseña a ser sinceros y a decir la verdad.

B. Muestra lo que sabes

Une las partes de las oraciones de la Columna A con las partes correctas de la Columna B .

Columna A		Columna B
1. Los tres primeros Mandamientos	_____	**a.** nos hace santos.
2. Los siete últimos Mandamientos	_____	**b.** nos enseñan a amar a Dios.
3. La gracia santificante	_____	**c.** nos enseñan a amar y respetar a los demás y amarnos y respetarnos a nosotros mismos.
4. La gracia actual	_____	**d.** nos ayuda a vivir una vida santa.
5. El Séptimo Mandamiento	_____	**e.** nos dice que tratemos a las personas con justicia.

Unit 5 Review

Name ______________________

A. Choose the Best Word

Fill in the blanks, using the best choice from the Word Bank.

Great Commandment	Eighth	
Ten Commandments	grace	Fifth

1. God's ____________ is the gift of God making us sharers in the life of the Holy Trinity.

2. The ________________ tells us to love God and love our neighbor as ourselves.

3. The ________________ are the laws that teach us how to live God's Covenant.

4. The ____________ Commandment teaches us to respect all human life as sacred.

5. The ____________ Commandment teaches us to be honest and tell the truth.

B. Show What You Know

Match the sentence parts in Column A with the correct sentence parts in Column B.

Column A		Column B
1. The first three Commandments	____	a. makes us holy.
2. The last seven Commandments	____	b. teach us to love God.
3. Sanctifying grace	____	c. teach us to love and respect others and ourselves.
4. Actual grace	____	d. helps us live a holy life.
5. The Seventh Commandment	____	e. tells us to treat people fairly.

C. La Escritura y tú

¿Cuál fue tu relato preferido acerca de Jesús en esta unidad? Dibuja algo que sucedió en el relato. Junto a tu dibujo, escribe el título del relato y cuenta algo que ocurrió en él. Compártelo con tu clase.

D. Sé un discípulo

1. *¿Acerca de qué Santo o persona virtuosa disfrutaste aprender más en esta unidad? Escribe el nombre aquí. Escribe algo acerca de la persona que admiras. Cuenta a tu clase lo que esta persona hizo para seguir a Jesús.*

2. *Recuerda las virtudes y dones que aprendiste en Poder de los discípulos de esta unidad. Escribe sobre uno que estás poniendo en práctica para ser un buen discípulo de Jesús. Di cómo lo usas para seguir a Jesús. Comparte tu respuesta con un compañero.*

C. Connect with Scripture

What was your favorite story about Jesus in this unit? Draw something that happened in the story. Next to your drawing, write the name of the story and tell one thing that happened in it. Share with your class.

D. Be a Disciple

1. *What Saint or holy person did you enjoy hearing about in this unit? Write the name here. Write something about the person that you admire. Tell your class what this person did to follow Jesus.*

2. *Recall the virtues and gifts that you learned about in Disciple Power in this unit. Write about one that you are practicing so you can be a good disciple of Jesus. Tell how you are using it to follow Jesus. Share your answer with a partner.*

América Latina: Carnaval

Cada año, alrededor de un mes o más antes de Cuaresma, se celebran carnavales por toda España y en la mayoría de las naciones de América Latina. En estos días las personas disfrutan de comidas, bailes, desfiles y otras maneras de celebrar con alegría.

El nombre "Carnaval" viene de la palabra *"carnevale"* que significa "adiós a la carne". Por muchos siglos, los católicos no comían carne en ciertos días. Todavía hoy en día, los adultos no comen carne el Miércoles de Ceniza, el Viernes Santo y todos los viernes de Cuaresma. Como ayunar y evitar la carne, o abstenerse de ella, están muy asociados con la Cuaresma, este puede ser el origen del nombre y el tiempo de carnaval. Las personas pueden consumir toda la carne antes del Miércoles de Ceniza, al comienzo de la Cuaresma.

Se cree que las celebraciones de carnaval comenzaron mucho antes de la época de Jesús. Hace tiempo, las personas hacían una gran celebración para recibir la primavera. Celebrar el Carnaval hoy en día les dice a los demás cuánto disfrutan los católicos del don de Dios de la vida. En América Latina, el carnaval más conocido es el de Río de Janeiro, Brasil, pero existen tradiciones de carnaval en casi todos los países de la región.

 ¿Por qué los católicos de América Latina celebran el Carnaval hoy en día?

Latin America: Carnival

Each year, during the month or so before Lent, carnivals are celebrated throughout Spain and most Latin American nations. On these days the people enjoy food, dancing, parades, and other forms of joyful celebration.

The name "Carnival" comes from the word "*carnevale*" that means "good-bye to meat." For many centuries, Catholics did not eat meat on certain days. Even today, adults do not eat meat on Ash Wednesday, Good Friday, and all the Fridays during Lent. Since fasting and avoiding, or abstaining, from meat are closely associated with Lent, this may be the origin of the name and season of carnival. The people would use up all their meat before Ash Wednesday, the beginning of Lent.

Some believe carnival celebrations go back long before the time of Jesus. Long ago people had a great celebration to welcome spring. Celebrating Carnival today tells others how much Catholics enjoy God's gift of life. In Latin America, the best-known celebration of Carnival is in Rio de Janeiro, Brazil, but Carnival happens in almost every Latin American country.

? Why do Latin American Catholics celebrate Carnival today?

Testimonio y oración de Esteban

Esteban era diácono. Estaba lleno del Espíritu Santo. Algunas personas sentían celos de él. Decían mentiras acerca de él a los sumos sacerdotes judíos. Los sumos sacerdotes no sabían qué pensar acerca de Esteban. Le preguntaron:

"¿Es verdad que no observas nuestras leyes?

Esteban explicó que él amaba la ley de Dios. Les dijo a los líderes que cuando ellos condenaron a muerte a Jesús, habían matado al ¡líder más grandioso de Dios!

Esto los enfureció. Empujaron a Esteban y comenzaron a lanzarle piedras. Esteban los perdonó: "Señor, no les tomes en cuenta este pecado". Luego gritó: "Recibe mi espíritu", y murió.

Había un joven observando lo que sucedió ese día. Su nombre era Saulo.

Basado en Hechos 6:8–15, 7:54–60

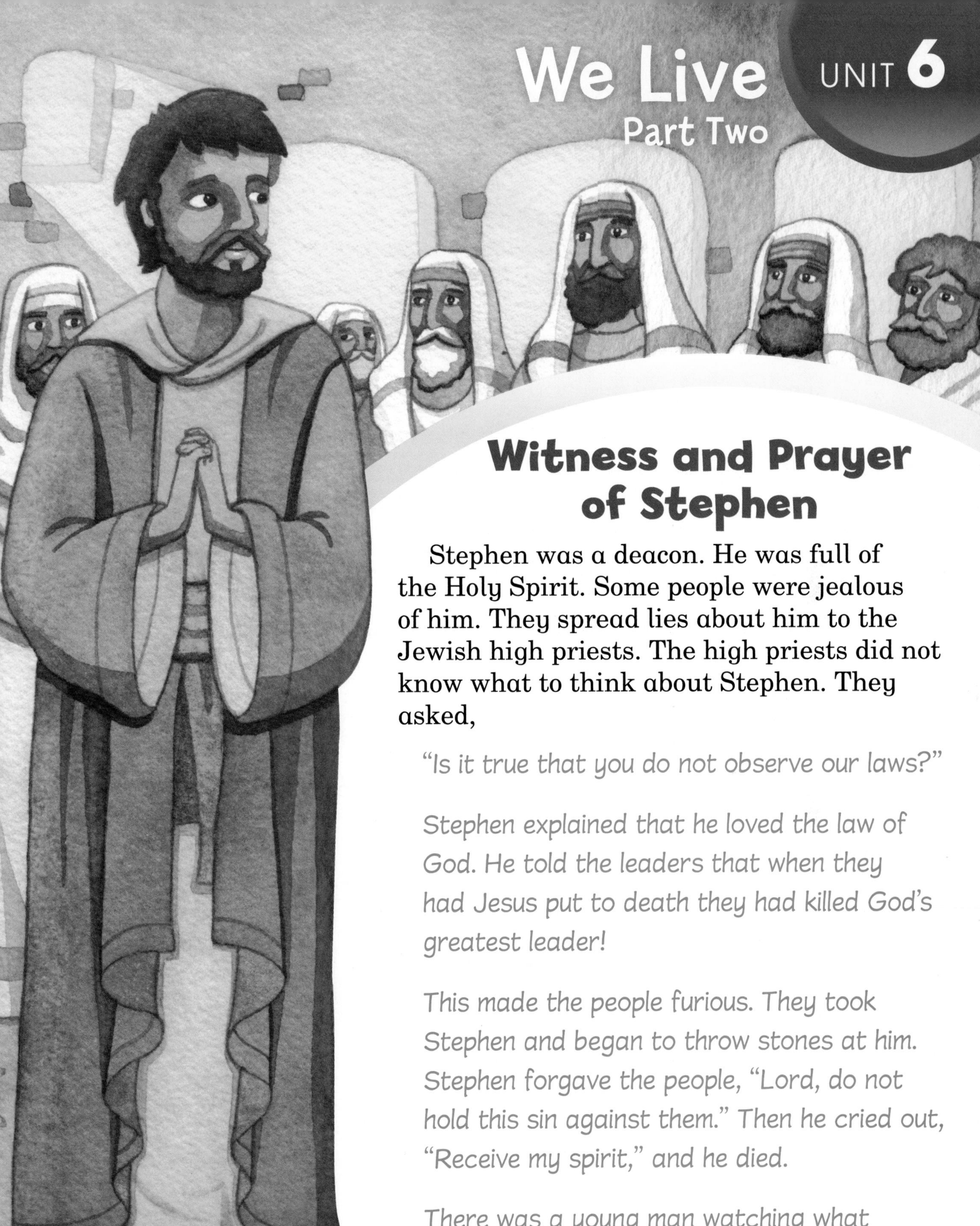

Witness and Prayer of Stephen

Stephen was a deacon. He was full of the Holy Spirit. Some people were jealous of him. They spread lies about him to the Jewish high priests. The high priests did not know what to think about Stephen. They asked,

"Is it true that you do not observe our laws?"

Stephen explained that he loved the law of God. He told the leaders that when they had Jesus put to death they had killed God's greatest leader!

This made the people furious. They took Stephen and began to throw stones at him. Stephen forgave the people, "Lord, do not hold this sin against them." Then he cried out, "Receive my spirit," and he died.

There was a young man watching what happened that day. His name was Saul.

Based on Acts 6:8–15, 7: 54–60

Lo que he aprendido

¿Qué es lo que ya sabes acerca de estos dos términos de fe?

reverencia

____

____

El Padre nuestro

____

____

Vocabulario de fe para aprender

Escribe **X** junto a las palabras de fe que sabes. Escribe **?** junto a las palabras de fe que necesitas aprender mejor.

Palabras de fe

____ misioneros

____ credos

____ promesas del Bautismo

____ paciencia

____ Bienaventuranzas

____ solidaridad

Tengo una pregunta

¿Qué preguntas te gustaría hacer acerca de los misioneros?

____

____

____

What I Have Learned

What is something you already know about these two faith terms?

reverence

____

____

The Lord's Prayer

____

____

Faith Words to Know

Put an **X** next to the faith terms you know. Put a **?** next to faith terms you need to learn more about.

Faith Words

____ missionaries ____ patience

____ creeds ____ Beatitudes

____ Baptism promises ____ solidarity

Questions I Have

What questions would you like to ask about missionaries?

____

____

____

CAPÍTULO 21

Lo que vendrá

En este capítulo el Espíritu Santo te invita a ▶

INVESTIGAR cómo una mujer empezó a creer en Dios.

DESCUBRIR misioneros que ayudaron a edificar la Iglesia.

DECIDIR cómo puedes compartir tu fe con reverencia.

Testigos de la fe

¿Cómo es aprender algo nuevo? ¿Cuándo has descubierto algo sobre ti mismo que no sabías?

Algunas veces se abren nuestros ojos cuando entendemos algo de una manera nueva. Un día, Jesús curó a un ciego. Escucha lo que dijo el ciego después de ser curado:

"Solo sé una cosa. ¡Yo era ciego y ahora veo!".

BASADO EN JUAN 9:25

¿Cuándo has visto o entendido algo de una manera nueva?

Looking Ahead

In this lesson the Holy Spirit will help you to ▶

EXPLORE how one woman began to believe in God.

DISCOVER missionaries who helped build up the Church.

DECIDE how you will share your faith with reverence.

CHAPTER 21

Witnesses of Faith

What is it like to learn something new? When have you discovered something about yourself that you never knew before?

Sometimes our eyes are opened when we understand something in a new way. One day, Jesus healed a blind man. Listen to what the blind man said after being healed:

> *"One thing I do know. I was blind but now I see!"*
>
> BASED ON JOHN 9:25

When have you seen something or understood something in a new way?

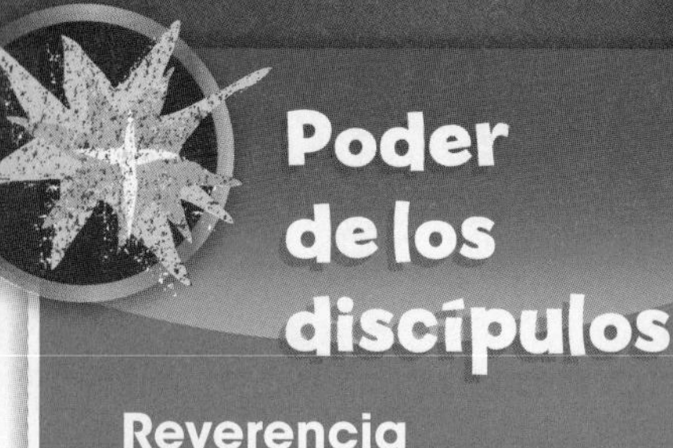

Poder de los discípulos

Reverencia

Cuando tenemos el don de la reverencia, mostramos honor y respeto por las personas y las cosas a nuestro alrededor. Entendemos y vemos cuánto las valora Dios. Cuando tratamos a alguien con reverencia, honramos su dignidad.

La Iglesia sigue a **Jesús**

Conversión a Dios

A veces llegamos a conocer a Dios de maneras inesperadas. Eso es lo que le pasó a Edith Stein.

Edith creció en Polonia en una familia judía. Le encantaba leer, aprender e ir a la escuela. Cuando tenía 14 años, decidió que no creía en Dios. Siguió aprendiendo y estudiando. Fue maestra de filosofía. La filosofía es el estudio del significado de las cosas. Ayudaba a los estudiantes a hacer preguntas acerca de Dios y del mundo. Deseaba ser la persona más honesta y veraz posible.

Cuando Edith cumplió treinta y un años, leyó la vida de Santa Teresa de Ávila (Teresa de Jesús). Santa Teresa fue una hermana carmelita de España. La fe de Santa Teresa ayudó a Edith a sentir nuevamente reverencia por Dios. Se hizo católica y, diez años después, hermana Carmelita. Adoptó el nombre de Santa Teresa convirtiéndose en la Hermana Teresa Benedicta de la Cruz. Fue nombrada Santa en 1998.

? ¿Quién te ayudó a creer en Dios? ¿Cómo te ayudan a que lo conozcas mejor?

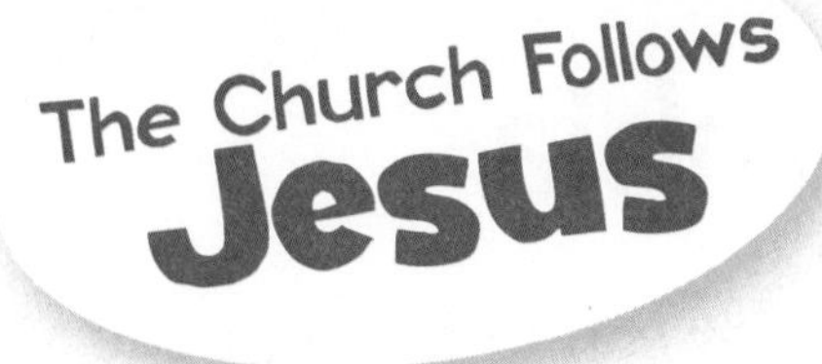
The Church Follows
Jesus

Conversion to God

Sometimes we get to know God in unexpected ways. That is what happened to Edith Stein.

Edith grew up in Poland in a Jewish family. She loved reading and learning and going to school. When she was 14 years old, Edith decided that she did not believe in God. She continued to learn and study. She became a teacher of philosophy. Philosophy is the study of the meaning of things. She helped students ask questions about God and the world. She wanted to be the most honest and true person she could be.

When Edith was thirty-one years old, she read about the life of Saint Teresa of Ávila (Teresa of Jesus). Saint Teresa was a Carmelite sister from Spain. The faith of Saint Teresa helped Edith have reverence for God again. She became Catholic and ten years later, Edith became a Carmelite sister. She took on Saint Teresa's name and became Sister Teresa Benedicta of the Cross. She was named a Saint in 1998.

? Who helps you believe in God? How do they help you come to know him better?

Disciple Power

Reverence

When you have the gift of reverence, you show honor and respect to the people and things around you. You understand and see how much God values them. When you treat someone with reverence, you honor their dignity.

Enfoque en la fe
¿Cómo nos cambia la fe?

Vocabulario de fe
misioneros
Los misioneros católicos son seguidores de Jesús que son enviados a compartir su amor más allá de donde vivan. Siguen el mandato de Jesús de hacer discípulos a todos los pueblos. Los misioneros actúan como Jesús dondequiera que vayan.

La fe nos cambia

¡Dios nos puede sorprender con la fe! Él puede ayudarnos a verlo a Él y a su amor por nosotros de manera más clara. Eso es lo que le pasó a Saulo.

Saulo era un fariseo que con el tiempo se convirtió en seguidor de Jesús. Los fariseos seguían muy estrictamente las Leyes de Dios. Después de la Ascensión de Jesús, Saulo pensó que los seguidores de Jesús hablaban contra las leyes de Dios. Quería arrestarlos. Así que viajó a la ciudad de Damasco para llevarlos a juicio. Esto es lo que sucedió:

De repente, lo envolvió una luz que venía del cielo. Lo cegó, y cayó al suelo. Escuchó una voz que le dijo: "Saulo, ¿por qué me persigues?" Saulo preguntó: "¿Quién eres tú?" La voz respondió: "Yo soy Jesús. Cuando persigues a mis seguidores, me persigues a mí. Levántate y entra en Damasco". Saulo fue bautizado y se convirtió en seguidor de Jesús.

BASADO EN HECHOS DE LOS APÓSTOLES 9:3–6, 8, 18

Al igual que Edith Stein, la renovación de la fe de Saulo le cambió la vida para siempre. A Saulo se lo conoce como Pablo. Se hizo misionero de Cristo.

Eres un reportero que viaja en el tiempo para entrevistar a Saulo en Damasco. Prepara la entrevista escribiendo aquí las preguntas.

____

____

____

Faith Changes Us

God can surprise us with faith! He can help us see him and his love for us more clearly. That is what happened to Saul.

Saul was a Pharisee who eventually became a follower of Jesus. The Pharisees followed God's laws very strictly. After Jesus' Ascension, Saul thought Jesus' followers were speaking against God's Laws. He wanted to arrest them. So, he traveled to the city of Damascus to bring them to trial. This is what happened next.

Suddenly, a great light shone around Saul. He was blinded and fell to the ground. Saul heard a voice say, "Saul, why are you hurting me?" Saul asked, "Who are you?" The voice said, "I am Jesus. When you hurt my followers, you hurt me. Get up and go into Damascus." Saul was baptized and became a follower of Jesus.

BASED ON ACTS OF THE APOSTLES 9:3–6, 8, 18

Like Edith Stein, Saul's new found faith changed his life forever. Saul became known as Paul. He became a missionary for Christ.

Faith Focus
How does faith change us?

Faith Vocabulary
missionaries
Catholic missionaries are followers of Jesus who are sent to share his love beyond where they live. They follow Jesus' command to make disciples of all nations. Missionaries act as Jesus wherever they go.

You are a news reporter going back in time to interview Saul in Damascus. Prepare for the interview by writing questions here.

____

____

____

Los católicos creen

Los santos de Dios

La Iglesia es una, santa, católica y apostólica. Estos son los cuatro Atributos o cualidades esenciales de la Iglesia. La Iglesia es santa porque Jesús, el Santo de Dios, es la cabeza de su Cuerpo, la Iglesia.

Mujeres de fe

Muchos cristianos de la Iglesia primitiva compartieron la Buena Nueva de Jesús como lo hizo Pablo. Entre esos cristianos había mujeres discípulas de Jesús.

El Evangelio de Lucas nos cuenta acerca de las mujeres que acompañaron a Jesús.

> [Jesús] iba con sus doce discípulos y algunas mujeres a quienes había curado de espíritus malos o enfermedades. Entre ellas estaba María Magdalena, de la que había sacado siete demonios; Juana, la mujer de Cuza, un administrador de Herodes; Susana, y varias otras que atendían a Jesús y sus discípulos con sus propios recursos.
>
> Basado en Lucas 8:1–3

Más tarde, María Magdalena, Juana y María, la madre de Santiago, compartieron la Buena Nueva de la Resurrección con los Apóstoles.

¿Qué mujeres te han ayudado a aprender acerca de Jesús?

Women of Faith

Many Christians in the early Church shared the Good News of Jesus as Paul did. Among those Christians were women disciples of Jesus.

Luke's Gospel tells us about women who accompanied Jesus.

> [Jesus] took his twelve disciples with him, along with some women who had been cured of evil spirits and diseases. Among them were Mary Magdalene, from whom he had cast out seven demons; Joanna, the wife of Chuza, Herod's business manager; Susanna; and many others who were contributing their own resources to support Jesus and his disciples.
>
> BASED ON LUKE 8:1–3

Later, Mary Magdalene, Joanna, and Mary, the mother of James, shared the Good News of the Resurrection with the Apostles.

? Who are the women who have helped you learn about Jesus?

Catholics Believe

Holy People of God

The Church is one, holy, catholic, and apostolic. These are the four Marks, or essential qualities of the Church. The Church is holy because Jesus, the Holy One of God, is the Head of his Body, the Church.

Personas de fe

San Juan Neumann

San Juan Neumann fue un misionero. Fue miembro de los Redentoristas. Los Redentoristas son una comunidad religiosa de hombres comprometidos con la prédica del Evangelio a los pobres. El Padre Juan fue Obispo de Filadelfia y ayudó a expandir las escuelas católicas. Es el primer obispo nombrado Santo.

Discípulos misioneros de Jesús

En el camino a Damasco, Jesús invitó a Pablo a salir de la oscuridad y ver con ojos de fe. Así es la fe. Es como una semilla plantada en el oscuro suelo. La semilla crece en la oscuridad. De pronto, se abre paso a través de la tierra hacia la luz. La luz del sol alimenta la semilla. La semilla cambia y crece.

Los **misioneros** cristianos viajan con frecuencia a un país diferente del suyo para enseñar acerca de Jesús. Ayudan a la luz a nutrir las semillas de fe presentes en las personas del mundo. Los obispos, los sacerdotes, los diáconos, los hermanos y las hermanas religiosos y los laicos sirven a la Iglesia como misioneros.

Actividad

Compartimos el Evangelio

Elige un compañero e imagina que eres Pablo o una de las discípulas o un misionero. Imagina que estás de visita en una ciudad para contar a las personas acerca de Jesús. Escribe lo que les dirías a las personas.

____

____

____

____

____

____

____

____

Missionary Disciples of Jesus

On the road to Damascus, Jesus invited Paul to come out of darkness and see with eyes of faith. That is how faith is. It is like a seed planted in dark ground. The seed grows through the darkness. Suddenly, it breaks through the earth into the light. The sun's light feeds the seed. The seed changes and grows.

Christian **missionaries** often travel to a country different from their own to teach about Jesus. They help the light to nourish the seeds of faith present in people all over the world. Bishops, priests, deacons, religious brothers and sisters, and laypeople serve the Church as missionaries.

Faith-Filled People

Saint John Neumann

Saint John Neumann was a missionary. He was a member of the Redemptorists. The Redemptorists are a religious community of men committed to preaching the Gospel to the poor. Father John became Bishop of Philadelphia and helped to expand the Catholic schools. He is the first bishop to be named a Saint.

Activity

Sharing the Gospel

Choose a partner and imagine that you are Paul, one of the women disciples, or a missionary. Pretend you are visiting a town to tell people about Jesus. Write what you would say to the people.

____

____

____

____

____

____

____

____

Yo sigo a Jesús

No tienes que viajar lejos para ser misionero. Puedes ser misionero en el mismo lugar donde vives. Puedes compartir todos los días la Buena Nueva de Jesús con los demás.

Actividad

Compartimos la Buena Nueva

Completa las siguientes oraciones. Nombra maneras en las que puedes compartir la Buena Nuteva de Jesús.

Puedo ayudar a que mi familia conozca y ame a Jesús mejor cuando yo

____

____.

Puedo ayudar a que mis amigos conozcan y amen a Jesús mejor cuando yo

____

____.

Esta semana compartiré con ellos mi fe en Jesús y mi reverencia por los demás. Yo voy a

____

____.

Reza: "Amado Dios, ayuda a aquellos que no creen en ti para que tengan fe. Amén".

You do not have to travel far to be a missionary. You can be a missionary right where you live. You can share the Good News of Jesus with others every day.

Activity

Sharing the Good News

Complete the following sentences. Name ways you can share the Good News of Jesus.

I can help my family know and love Jesus better when I

____

______________________________.

I can help my friends know and love Jesus better when I

____

______________________________.

This week I will share my faith in Jesus and my reverence for others with them. I will

____

______________________________.

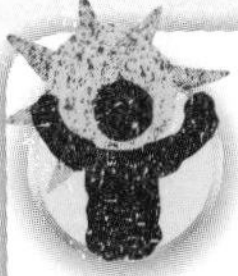

Pray, "Dear God, help those who do not believe in you to have faith. Amen."

PARA RECORDAR

1. Saulo se convirtió en uno de los discípulos de Jesús y fue conocido como Pablo.
2. Las discípulas también acompañaron a Jesús y a los Apóstoles.
3. Los misioneros viajan por todo el mundo para ayudar a las personas a conocer a Jesús.

Repaso del capítulo

Escribe √ junto a los enunciados verdaderos. Escribe una X junto a los enunciados falsos. Cuenta a un compañero cómo corregir los enunciados falsos.

_____ **1.** Saulo fue a Roma para arrestar a los cristianos.

_____ **2.** Pedro y Pablo ayudaron a preparar el cuerpo de Jesús para sepultarlo.

_____ **3.** Los misioneros viven en silencio y son devotos de la oración privada.

_____ **4.** La conversión de Santa Teresa Benedicta de la Cruz es un signo del don de fe en el trabajo.

Creemos en Jesús

Líder Profesamos nuestra fe en Jesús. Señor Jesús, no podemos verte, aun así creemos.

Lado 1 Anunciamos tu Muerte, proclamamos tu Resurrección

Todos **¡Ven, Señor Jesús!**

Líder Santo Dios, tus Santos y tus misioneros difunden el Evangelio por todo el mundo. Celebramos a todos los seguidores de Cristo.

Lado 2 Anunciamos tu Muerte, proclamamos tu Resurrección.

Todos **¡Ven, Señor Jesús!**

Aclamación Memorial
Misal Romano

Chapter Review

Write a √ on the line next to the true statements. Write an X next to the false statements. Tell a partner how to correct any false statements.

_____ **1.** Saul went to Rome to arrest Christians.

_____ **2.** Peter and Paul helped prepare Jesus' body for burial.

_____ **3.** Missionaries live in silence and are devoted to private prayer.

_____ **4.** Saint Teresa Benedicta of the Cross' conversion is a sign of the gift of faith at work.

TO HELP YOU REMEMBER

1. Saul became one of Jesus' disciples and became known as Paul.
2. Women disciples also accompanied Jesus and the Apostles.
3. Missionaries travel all over the world to help people come to know Jesus.

We Believe in Jesus

Leader Let us profess our faith in Jesus. Lord Jesus, we cannot see you, yet we do believe.

Side 1 We proclaim your Death, O Lord, and profess your Resurrection

All **until you come again!**

Leader Holy God, your Saints and missionaries spread your Gospel throughout the world. We celebrate all who are followers of Christ.

Side 2 We proclaim your Death, O Lord, and profess your Resurrection

All **until you come again!**

Memorial Acclamation
Roman Missal

Con mi familia

Esta semana...

En el capítulo 21, "Testigos de la fe," su niño aprendió que:

- La experiencia de Saulo camino a Damasco inició su conversión. Quien alguna vez fuera perseguidor de los cristianos, se convirtió luego en un gran misionero de Cristo.
- Las discípulas, como Juana y María Magdalena, acompañaron a Jesús y a los Apóstoles, prepararon el cuerpo de Jesús para sepultarlo y fueron los primeros testigos de la Resurrección.
- El don de la reverencia nos ayuda a honrar y respetar a las personas y a las cosas que nos rodean. Cuando reverenciamos a alguien, honramos la dignidad de esa persona.

Para saber más sobre otras enseñanzas de la Iglesia, consulten el *Catecismo de la Iglesia Católica*, 811–812, 849–867, y el *Catecismo Católico de los Estados Unidos para los Adultos*, páginas 135–150.

Compartir la Palabra de Dios

Lean juntos Hechos de los Apóstoles 9:1–20 (Jesús llama a Saulo para que sea su discípulo) o lean la adaptación del relato en la página 394. Enfaticen que Pablo se convirtió en misionero y habló a los demás, con todo su corazón y todas sus fuerzas, acerca de Jesús.

Vivimos como discípulos

El hogar cristiano con la familia es una escuela de discipulado. Elijan una de las siguientes actividades para hacer en familia, o creen una actividad similar ustedes mismos.

- Esta semana usen el Internet con su niño para descubrir más acerca de los dos santos que aprendió: Santa Teresa Benedicta de la Cruz (Edith Stein) y San Juan Neumann.
- Cuando vayan a Misa esta semana, lleven a casa el boletín parroquial. Miren el boletín para saber las muchas maneras en las que su parroquia comparte la Buena Nueva de Jesús.

Nuestro viaje espiritual

Reverencia es el poder y el don del Espíritu Santo activo en nosotros, que nos permite ver la sagrada dignidad de Dios y de todas las personas, incluso de nosotros mismos. Nos ayuda a tratar a los demás con el respeto y la honra que esa dignidad merece. Hagan su viaje espiritual mirando con ojos de reverencia. Usen la Aclamación Memorial de la página 402 con la oración familiar para que los ayude a ustedes y a su niño a aprender este nuevo texto de la Misa. Estas palabras muestran reverencia por el Salvador.

Para hallar más ideas sobre las maneras en que su familia puede vivir como discípulos de Jesús, visiten **seanmisdiscipulos.com**

With My Family

This Week...

In chapter 21, "Witnesses of Faith," your child learned that:

- Saul's experience on the road to Damascus began his conversion. Once a persecutor of Christians, he became a great missionary for Christ.
- Women disciples, such as Joanna and Mary Magdalene, accompanied Jesus and the Apostles, prepared Jesus' body for burial, and were the first witnesses of the Resurrection.
- The gift of reverence helps us honor and respect the people and things around us. When we revere someone, we honor that person's dignity.

For more about related teachings of the Church, see the *Catechism of the Catholic Church*, 811–812, 849–867; and the *United States Catholic Catechism for Adults*, pages 125–139.

Sharing God's Word

Read Acts of the Apostles 9:1–20 (Jesus calling Saul to be his disciple) together, or read the adaptation of the story on page 395. Emphasize that Paul became a missionary and told others about Jesus with his whole heart and strength.

We Live as Disciples

The Christian home and family is a school of discipleship. Choose one of the following activities to do as a family or design a similar activity of your own.

- With your child, use the Internet this week to discover more about the two saints your child learned about this week: Saint Teresa Benedicta of the Cross (Edith Stein) and Saint John Neumann.
- When you take part in Mass this week, bring home the parish bulletin. Look through the bulletin to discover the many ways your parish shares the Good News of Jesus.

Our Spiritual Journey

Reverence is the power and gift of the Holy Spirit active within us that enables us to see the sacred dignity of God and all people, including ourselves. It helps us to treat others with the respect and honor that dignity deserves. Travel your spiritual journey seeing with the eyes of reverence. Use the Memorial Acclamations on page 403 with your family prayer to help you and your children learn this new wording from the Mass. These words show reverence for the Savior.

For more ideas on ways your family can live as disciples of Jesus, visit **BeMyDisciples.com**

CAPÍTULO 22

Lo que vendrá

En este capítulo el Espíritu Santo te invita a ▶

INVESTIGAR la vida de un sacerdote y sus amigos que murieron por Cristo.

DESCUBRIR los credos que profesamos como Iglesia.

DECIDIR cómo aprenderás y vivirás lo que la Iglesia cree.

Los Credos

¿Cómo compartes tu fe con los demás?

Los escritos del Nuevo Testamento nos hablan acerca de vivir nuestra fe:

> *Sigamos observando a Jesús. Él es el autor de la fe. Él también la hace perfecta. Él no le prestó atención a la humillación de la cruz. Él sufrió allí por el gozo que anticipaba.*
>
> Basado en Hebreos 12:2

¿Acerca de qué persona virtuosa o de qué Santo has aprendido que haya sufrido por vivir su fe en Jesús?

Looking Ahead

In this lesson the Holy Spirit will help you to ▶

EXPLORE the life of a priest and his friends who died for Christ.

DISCOVER the creeds we profess as a Church.

DECIDE how you will learn and live what the Church believes.

CHAPTER 22

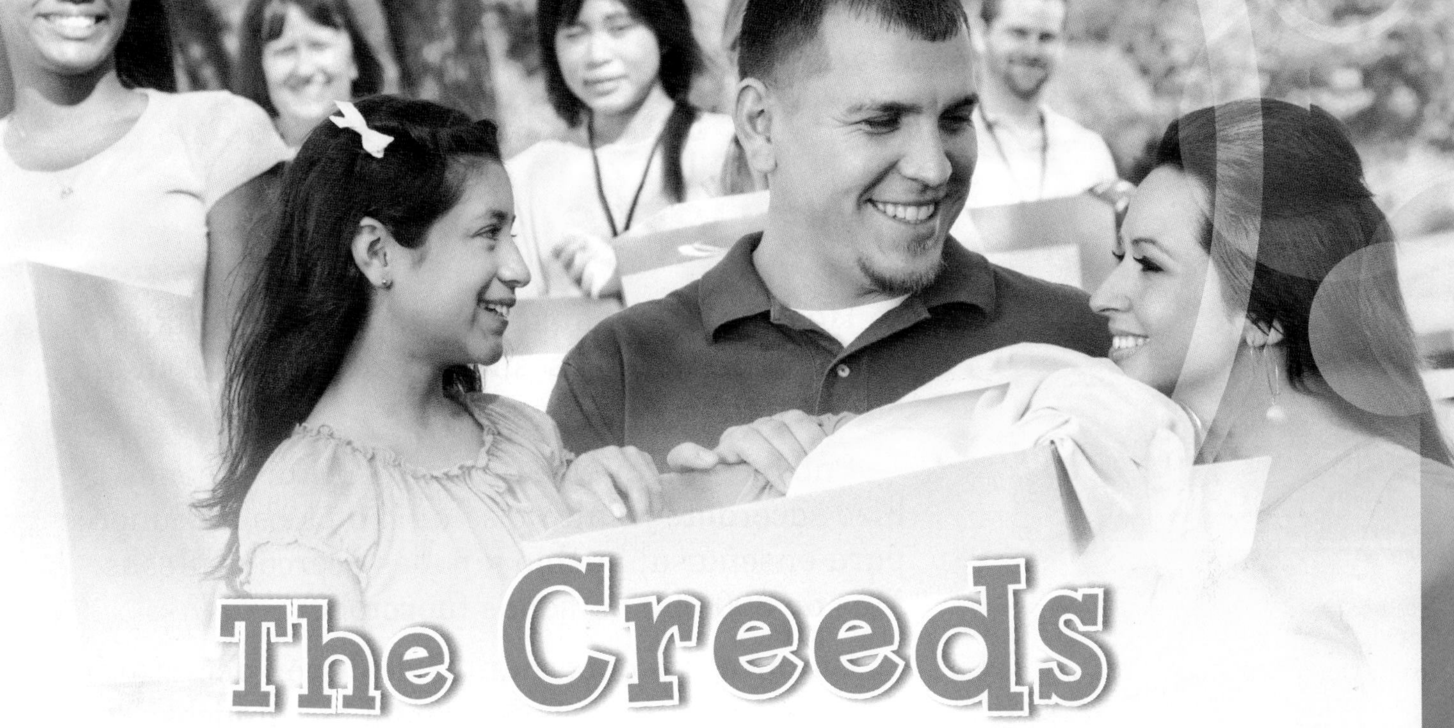

The Creeds

How do you share your faith with others?

The letters in the New Testament tell us about living our faith:

Let us keep looking to Jesus. He is the author of faith. He also makes it perfect. He paid no attention to the shame of the cross. He suffered there because of the joy he was looking forward to.

BASED ON HEBREWS 12:2

What holy person or Saint have you learned about who has suffered for living their faith in Jesus?

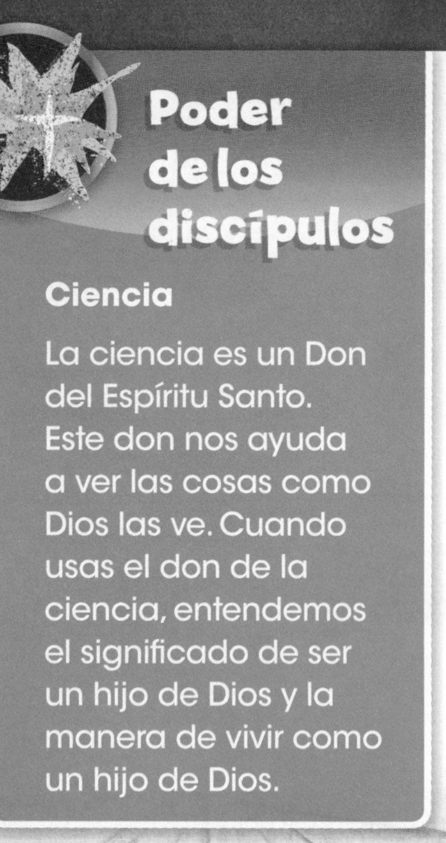

Poder de los discípulos

Ciencia

La ciencia es un Don del Espíritu Santo. Este don nos ayuda a ver las cosas como Dios las ve. Cuando usas el don de la ciencia, entendemos el significado de ser un hijo de Dios y la manera de vivir como un hijo de Dios.

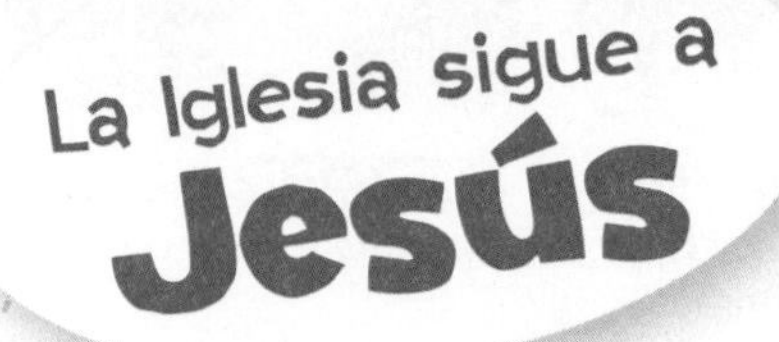
La Iglesia sigue a
Jesús

Profesar la fe hasta la muerte

Hace mucho tiempo, en Japón, Pablo Miki y sus amigos fueron asesinados por profesar su fe en Jesucristo.

Pablo era el hijo de un líder militar japonés. Se hizo sacerdote jesuita y se unió a otros misioneros para enseñar al pueblo japonés acerca de Jesús. Más de 300,000 personas fueron bautizadas.

Entonces los gobernantes de Japón decretaron ilegal ser cristiano en ese país. Los católicos tuvieron que dejar de practicar su fe por temor a perder su vida. El Padre Pablo se rehusó a decir que no creía en Jesucristo. Por eso, el 5 de febrero de 1575 fue crucificado junto con otros veinticinco católicos.

El Padre Pablo ha sido nombrado Santo de la Iglesia. Él dio gracias a Dios y animó a sus amigos a que tuvieran fe. Perdonó a los líderes del gobierno que los mataban. Todos murieron como fieles discípulos.

? ¿Serías tan valiente de ser seguidor de Jesús si fuera difícil de serlo? Coméntalo con un amigo.

Sitio de los 26 mártires cristianos, Nagasaki, Región de Kyushu, Japón

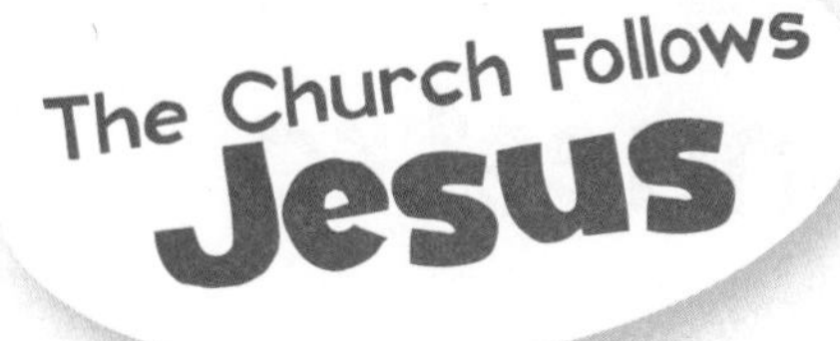
The Church Follows
Jesus

Professing Faith Until Death

A long time ago, in Japan, Paul Miki and his friends were killed because they professed their faith in Jesus Christ.

Paul was the son of a Japanese military leader. He became a Jesuit priest and joined with other missionaries to teach the Japanese people about Jesus. Over 300,000 people were baptized.

Then the rulers of Japan made it illegal to be a Christian in Japan. Catholics had to stop practicing their faith for fear for their lives. Father Paul refused to say that he did not believe in Jesus Christ. So, on February 5, 1575, he was crucified with twenty-five other Catholics.

Father Paul has been named a Saint of the Church. He gave thanks to God and encouraged his friends to have faith. He forgave the government leaders who were killing them. They all died as faithful disciples.

? Would you be brave enough to be a follower of Jesus if it were hard to do? Share with a friend.

Disciple Power

Knowledge

Knowledge is a Gift of the Holy Spirit. This gift helps us to see things as God sees them. When you use the gift of knowledge, you come to understand what it means to be a child of God and how to live as a child of God.

Site of the 26 Christian Martyrs, Nagasaki, Kyushu Region, Japan

Enfoque en la fe
¿Por qué rezamos con credos?

Vocabulario de fe

credos
Los credos son enunciados de lo que cree una persona o un grupo.

Credo de los Apóstoles
El Credo de los Apóstoles es un resumen breve de la creencia de la Iglesia desde el tiempo de los Apóstoles.

Entregamos nuestro corazón a Dios

San Pablo Miki y sus compañeros rezaron en la cruz cuando los asesinaron. Rezar es una de las cosas más importantes que hacemos como católicos. Es una de las maneras en la que vivimos y crecemos en nuestra fe.

El Espíritu Santo que está en nuestro corazón nos ayuda y nos enseña a rezar. San Pablo Apóstol escribió:

> *No sabemos rezar como debemos, pero el Espíritu Santo nos ayuda.*
>
> Basado en Romanos 8:26

Actividad

Escribe algo por lo que te gustaría rezar a diferentes horas del día.

Rezamos durante el día

Mañana ______________________________

Mediodía ______________________________

Tarde ______________________________

Anochecer ______________________________

Antes de acostarnos ______________________________

We Give Our Hearts to God

Saint Paul Miki and his friends prayed on the cross as they were killed. Praying is one of the most important things we do as Catholics. It is one of the ways we live our faith and grow in faith.

The Holy Spirit who is in our hearts helps and teaches us to pray. Saint Paul the Apostle wrote,

> *We do not know how to pray as we ought, but the Holy Spirit helps us.*
>
> BASED ON ROMANS 8:26

Faith Focus
Why do we pray with creeds?

Faith Vocabulary

creeds
Creeds are statements of what a person or a group believes.

Apostles' Creed
The Apostles' Creed is a brief summary of what the Church has believed from the time of the Apostles.

Activity

Write down something you would like to pray for at different times during the day.

Praying During the Day

Morning ______________________

Noon ______________________

Afternoon ______________________

Evening ______________________

Bedtime ______________________

Personas de fe

Santa Bernardita

Bernardita creció en Lourdes, Francia. La Santísima Virgen María se le apareció muchas veces. Las personas iban a ver, pero no podían ver ni oír a María. Se burlaban de Santa Bernardita, pero eso solo hizo que su fe fuera más fuerte. María le pidió a Santa Bernardita que le dijera a las personas que rezaran.

Rezamos el Credo en la Misa

La Iglesia enuncia lo que cree en sus credos. La Iglesia tiene muchos **credos** o enunciados de la fe de la Iglesia. Cuando rezamos los credos de la Iglesia, profesamos nuestra fe.

El Credo que rezamos generalmente durante la Misa de los domingos se llama Credo de Nicea. Nos ponemos de pie y nos unimos a los demás para rezar en voz alta lo que creemos. Decimos que creemos lo que la Iglesia cree. Profesamos la fe de la Iglesia.

San Pablo Apóstol enseñó algo muy importante acerca de nuestra fe. Enseñó que la fe es un gran don de Dios. Escribió:

Nadie puede creer y decir que Jesús es Dios sin la ayuda del Espíritu Santo.

Basado en 1.ª Corintios 12:3

? ¿Cuáles son las verdades en las que decimos que creemos cuando recitamos el Credo de Nicea?

We Pray the Creed at Mass

The Church states what she believes in the creeds of the Church. The Church has many **creeds**, or statements of the faith of the Church. When we pray the creeds of the Church, we profess our faith.

The creed we usually pray during Mass on Sundays is called the Nicene Creed. We stand and join with others and pray out loud what we believe. We say that we believe what the Church believes. We profess the faith of the Church.

Saint Paul the Apostle taught something very important about our faith. He taught that faith is a great gift from God. He wrote:

No one can believe and say Jesus is God without the help of the Holy Spirit.

Based on 1 Corinthians 12:3

? What are some truths that we say we believe when we recite the Nicene Creed?

Faith-Filled People

Saint Bernadette

Bernadette grew up in Lourdes, France. The Blessed Virgin Mary appeared to her many times. People came to watch, but they could not see or hear Mary. People made fun of Bernadette, but her faith only grew stronger. Mary asked Bernadette to tell people to pray.

Los católicos creen

Promesas del Bautismo

En el Bautismo, aquellos que van a ser bautizados prometen vivir como hijos de Dios y hacer una profesión de fe. Todas las Pascuas, nos unimos a la Iglesia entera y renovamos las promesas que hacemos en el Bautismo. Prometemos vivir nuestra fe.

El Credo de los Apóstoles

La Iglesia tiene muchos credos. La Iglesia también reza el **Credo de los Apóstoles**. El Credo de los Apóstoles es uno de los credos más antiguos de la Iglesia. El Credo de los Apóstoles es un resumen corto de lo que la Iglesia ha creído desde la época de los Apóstoles.

Podemos rezar el Credo de los Apóstoles y los otros credos a solas o todos juntos, como una comunidad de la Iglesia. Rezar los credos de la Iglesia nos ayuda a crecer como familia eclesiástica. Nos ayuda a recordar quiénes somos como Iglesia.

Actividad

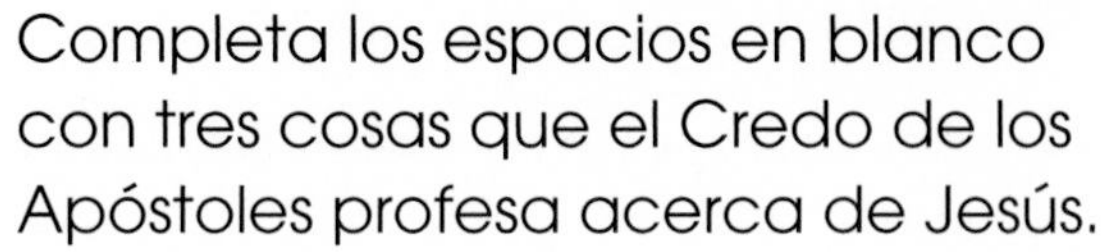

Completa los espacios en blanco con tres cosas que el Credo de los Apóstoles profesa acerca de Jesús.

- ______________________________
- ______________________________
- ______________________________

LOVE ONE ANOTHER
AS I HAVE LOVED YOU.

The Apostles' Creed

The Church has many creeds. The Church also prays the **Apostles' Creed**. The Apostles' Creed is one of the oldest creeds of the Church. The Apostles' Creed is a brief summary of what the Church has believed from the time of the Apostles.

We can pray the Apostles' Creed and the other creeds alone or together as a Church community. Praying the creeds of the Church helps us grow as a Church family. It helps us remember who we are as a Church.

Catholics Believe

Baptismal Promises

At Baptism, those about to be baptized both promise to live as God's children and make a profession of faith. Every Easter we join with the whole Church and renew the promises we made at Baptism. We promise to live our faith.

Activity

Fill in the blanks with three things the Apostles' Creed professes about Jesus.

- ____________________________
- ____________________________
- ____________________________

LOVE ONE ANOTHER
AS I HAVE LOVED YOU.

Yo sigo a Jesús

Perteneces a la Iglesia Católica. Cuando vives la fe de la Iglesia, estás dando tu corazón a Dios.

Actividad

¡Yo creo!

Diseña una valla que exprese lo que crees como católico.

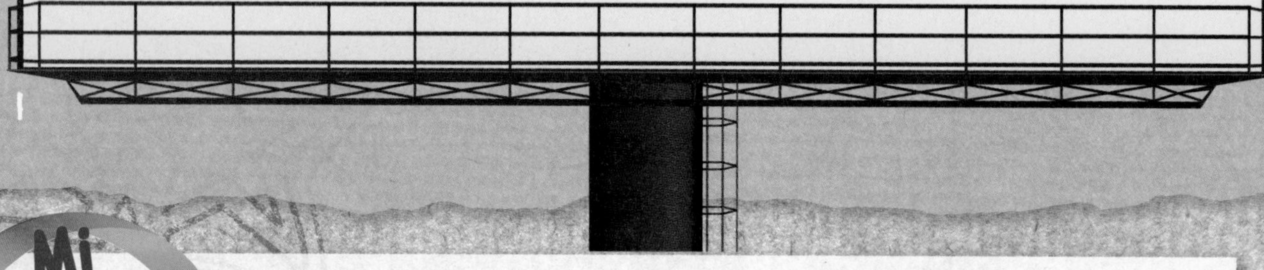

Mi elección de fe

Esta semana aprenderé un poco más acerca de lo que cree la Iglesia y viviré lo que la Iglesia cree. Yo voy a

____

____.

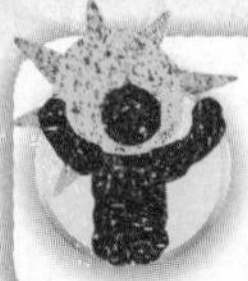

Reza: "Amado Dios, gracias por el don de la fe. Ayúdame a responderte con amor. Amén".

You belong to the Catholic Church. When you live the faith of the Church, you are giving your heart to God.

I Believe!

Design a billboard that tells what you believe as a Catholic.

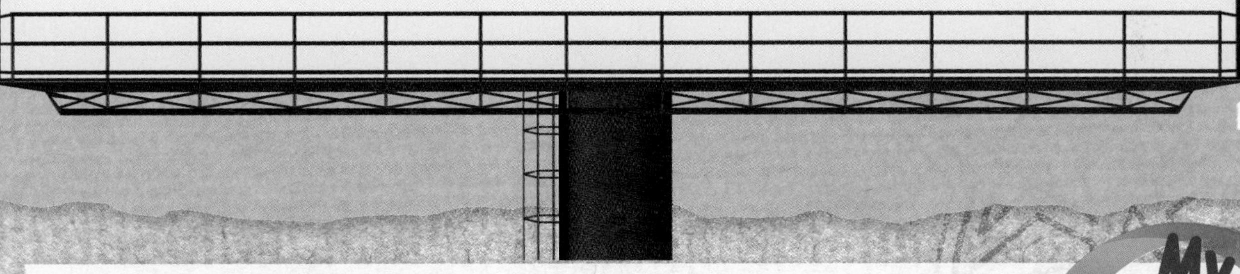

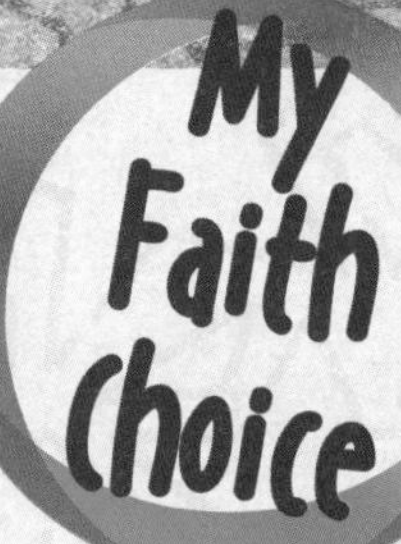

This week I will learn a little more about what the Church believes, and I will live what the Church believes. I will

____

____.

Pray, "Dear God, thank you for the gift of faith. Help me to respond to you with love. Amen."

PARA RECORDAR

1. Profesamos lo que creemos acerca de Dios cuando rezamos los credos de la Iglesia.
2. El Credo de los Apóstoles es un resumen breve de lo que la Iglesia ha creído desde los tiempos de los Apóstoles.
3. Rezar los credos de la Iglesia nos ayuda a crecer como familia eclesiástica.

Repaso del capítulo

Usa las letras de la palabra PROFESAR para escribir otras palabras acerca de lo que la Iglesia Católica cree.

P

R

O

F

E

S

A

R

A ti, oh Dios

Los himnos son canciones de fe. La Iglesia canta un himno llamado Te Deum *para que en ciertos días podamos profesar nuestra fe en Dios.*

Líder Oremos juntos parte de este himno.

Grupo 1 A ti, oh Dios, te alabamos. A ti, Señor, te reconocemos.

Todos **¡Oh Dios, te alabamos!**

Grupo 2 A ti eterno Padre, te venera toda la creación.

Todos **¡Oh Dios, te alabamos!**

Grupo 2 Salva a tu pueblo, Señor, y llévanos a la vida eterna.

Todos **Amén.**

BASADO EN EL *TE DEUM*, ANTIGUO HIMNO DE LA IGLESIA

Chapter Review

Use the letters in the word PROFESS to write words about what the Catholic Church believes.

P

R

O

F

E

S

S

TO HELP YOU REMEMBER

1. We profess what we believe about God when we pray the creeds of the Church.
2. The Apostles' Creed is a brief summary of what the Church has believed since the time of the Apostles.
3. Praying the creeds of the Church helps us grow as a Church family.

You Are God

Hymns are songs of faith. The Church sings a hymn called the Te Deum so that on certain days, we can profess our faith in God.

Leader Let us pray part of this hymn together.

Group 1 You are God: we praise you. You are the Lord: we honor you.

All **O God, we praise you!**

Group 2 You are the eternal Father.
All creation worships you.

All **O God, we praise you.**

Group 2 Come then, Lord, help your people, and bring us to everlasting life.

All **Amen.**

Based on the *Te Deum*, an ancient church hymn

Con mi familia

Esta semana...

En el capítulo 22, "Los Credos," su niño aprendió que:

- Los credos de la Iglesia resumen la fe de la Iglesia.
- El Credo de los Apóstoles es uno de los credos más antiguos de la Iglesia Católica. No lo escribieron los Apóstoles. Es un resumen de la fe entregado a la Iglesia en los tiempos apostólicos.
- Cuando profesamos nuestra fe, no la profesamos sencillamente a solas. Profesamos nuestra fe en oración con la ayuda del Espíritu Santo.
- La ciencia es un Don del Espíritu Santo. Este don nos ayuda a llegar a ver las cosas como Dios las ve. Entendemos qué significa vivir como hijo de Dios.

Para saber más sobre otras enseñanzas de la Iglesia, consulten el *Catecismo de la Iglesia Católica,* 2650–2672, y el *Catecismo Católico de los Estados Unidos para los Adultos,* páginas 37–69.

Compartir la Palabra de Dios

Lean juntos 1.ª Corintios 15:3-11. Enfaticen que Pablo registró uno de los credos más antiguos de la Iglesia.

Vivimos como discípulos

El hogar cristiano con la familia es una escuela de discipulado. Elijan una de las siguientes actividades para hacer en familia, o creen una actividad similar ustedes mismos.

- Esta semana recen todos los días el Credo de los Apóstoles como oración en familia. Rezar esta oración a diario ayudará a que su familia crezca en su identidad de familia católica.
- Escriban un credo familiar. Asegúrense de incluir las creencias de la Iglesia acerca de Dios Padre, del Hijo, del Espíritu Santo, de la Iglesia Católica y de la vida después de la muerte. Recen esta semana el credo familiar a la hora de la cena.

Nuestro viaje espiritual

El viaje espiritual cristiano es un viaje hacia un conocimiento más profundo de Cristo y una mayor intimidad con Él. Esta intimidad con Cristo nos guía a una intimidad más profunda con Dios Padre y con Dios Espíritu Santo. Esta semana recen las palabras del *Te Deum* de la página 418 para adorar a Dios.

Para hallar más ideas sobre las maneras en que su familia puede vivir como discípulos de Jesús, visiten **seanmisdiscipulos.com**

With My Family

This Week...

In chapter 22, "The Creeds," your child learned that:

- The creeds of the Church summarize the faith of the Church.
- The Apostles' Creed is one of the main creeds of the Catholic Church. The Apostles did not write it. It is a summary of the faith handed on to the Church from apostolic times.
- When we profess our faith, we do not profess it simply on our own. We profess our faith in prayer with the help of the Holy Spirit.
- Knowledge is a Gift of the Holy Spirit. This gift helps us come to see things as God sees them. We understand what it means to live as a child of God.

For more about related teachings of the Church, see the *Catechism of the Catholic Church*, 2650–2672; and the *United States Catholic Catechism for Adults*, pages 35–63.

Sharing God's Word

Read 1 Corinthians 15:3-11 together. Emphasize that Paul recorded one of the earliest creeds of the Church.

We Live as Disciples

TThe Christian home and family is a school of discipleship. Choose one of the following activities to do as a family or design a similar activity of your own.

- Pray the Apostles' Creed every day this week for family prayer. Praying this prayer daily will help your family grow in your identity as a Catholic family.
- Write a family creed. Be sure to include the Church's beliefs about God the Father, Son, the Holy Spirit, the Catholic Church, and life after death. Pray your family creed at dinnertime this week.

Our Spiritual Journey

The Christian faith journey is a journey into a deeper knowing of Christ and a deeper intimacy with him. This intimacy with Christ leads to a deeper intimacy with God the Father and God the Holy Spirit. Pray the words of the *Te Deum* on page 419 to praise God this week.

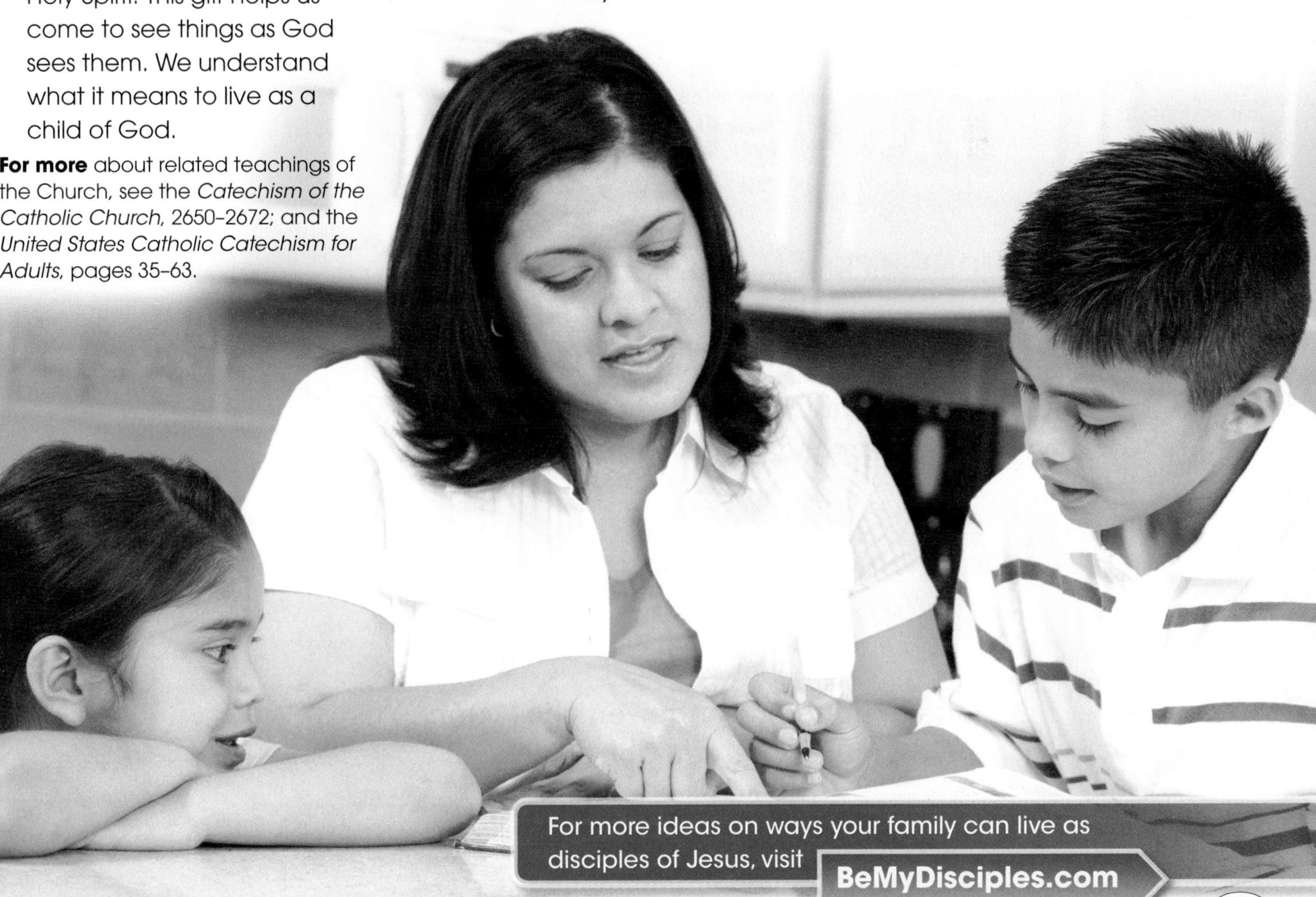

For more ideas on ways your family can live as disciples of Jesus, visit **BeMyDisciples.com**

CAPÍTULO 23

Lo que vendrá

En este capítulo el Espíritu Santo te invita a ▶

INVESTIGAR cómo una familia sin techo encontró un nuevo hogar.

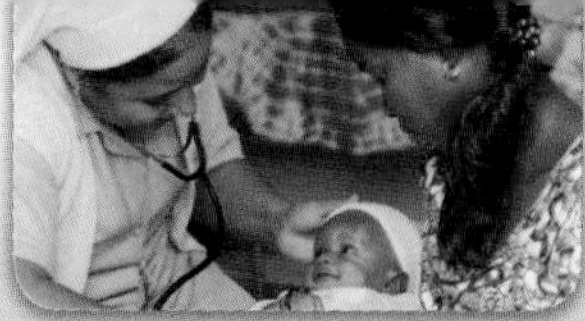

DESCUBRIR qué son las Bienaventuranzas y lo que significan.

DECIDIR cómo serás paciente y vivirás las Bienaventuranzas.

Vivir nuestra fe

¿Cuándo has sentido ganas de abandonar algo que habías empezado? ¿Qué hiciste?

En su carta a la Iglesia de Corinto, Pablo les dice a los seguidores de Jesús que no se den por vencidos. Escucha lo que dice:

Dios es fiel. Siempre estará con ustedes y les dará la gracia de hacer o decir lo correcto.

BASADO EN 1.ª CORINTIOS 10:13

¿Qué te ayuda a confiar en Dios cuando es difícil vivir como seguidor de Jesús?

Looking Ahead

In this lesson the Holy Spirit will help you to ▶

EXPLORE how a homeless family found a new home.

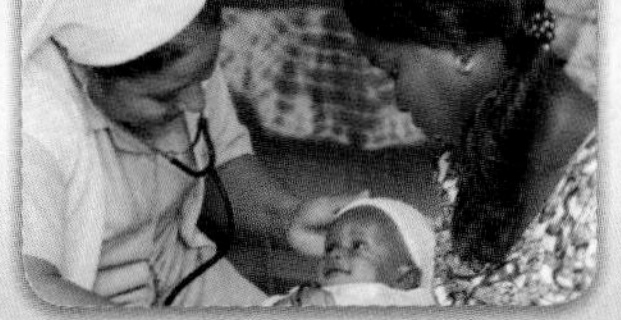

DISCOVER what the Beatitudes are and what they mean.

DECIDE how you will be patient and live the Beatitudes.

CHAPTER 23

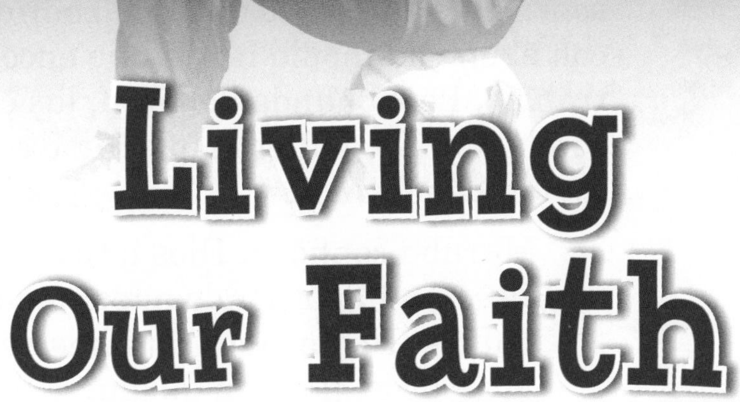

Living Our Faith

? When have you ever felt like giving up on something you started? What did you do?

In his letter to the Church in Corinth, Paul tells the followers of Jesus not to give up. Listen to what he says:

God is faithful. He will always be with you and give you the grace to do or say the right thing.

BASED ON 1 CORINTHIANS 10:13

? What helps you to trust God when it is difficult to live as a follower of Jesus?

Poder de los discípulos

Paciencia

Cuando practicamos la virtud de la paciencia, podemos seguir haciendo nuestro trabajo, sin importar cuán difícil sea.

La Iglesia sigue a
Jesús

Caridades Católicas en Estados Unidos

Maruba se había emocionado mucho cuando ganó la Lotería de Visas de Diversidad en Togo, África. ¡Sus tres hijos y su esposo podrían ahora mudarse legalmente a los Estados Unidos! El sobrino de su esposo dijo que podrían quedarse con él en Oklahoma hasta que encontraran trabajo. Pero cuando llegaron, las cosas habían cambiado. No pudieron quedarse con él. No tenían dónde vivir.

Maruba confió en Dios y tuvo paciencia. Buscó un lugar donde quedarse y pronto halló el Hogar para familias de Caridades Católicas. ¡Podían quedarse allí durante 30 días e incluía las comidas! Pudieron buscar trabajo. Los niños pudieron dormir seguros.

Maruba y su esposo eran católicos. Un voluntario les dio la bienvenida a la Iglesia Católica de San Lucas. La parroquia los ayudó a encontrar un apartamento. Maruba dijo: "Estamos bendecidos. Dios está aquí. Soy tan feliz".

¿Qué te hace sentir bendecido? Comenta tu respuesta con un amigo.

The Church Follows
Jesus

Catholic Charities USA

Maruba had been so excited when she won the Diversity Immigration Lottery back in Togo, Africa. Her three children and husband could now legally move to the United States! Her husband's nephew said they could stay with him in Oklahoma until they found jobs. But when they arrived, things had changed. They could not stay with him. They had no place to live.

Maruba trusted God and was patient. She looked for a place to stay and soon found the Catholic Charities' *Family Home*. They could stay there for 30 days with meals! They could look for work. The children could sleep safely.

Maruba and her husband were Catholic. A volunteer welcomed them to Saint Luke's Catholic Church. The parish helped them find an apartment. "We are blessed," Maruba said. "God is here. I am so happy."

? What helps you feel blessed? Share your answers with a friend.

Disciple Power

Patience

When we practice the virtue of patience, we are able to keep doing our work, no matter how hard it might be.

Enfoque en la fe
¿Cómo nos ayudan las Bienaventuranzas a vivir como fieles seguidores de Jesús?

Vocabulario de fe

Bienaventuranzas
Las Bienaventuranzas son las enseñanzas de Jesús acerca de cómo vivir y hallar la verdadera felicidad con Dios. Nos cuentan cómo seremos bendecidos por Dios y cómo seremos felices con Él en su reino.

Somos bendecidos

Jesús, el Hijo de Dios, enseñó a las personas que el amor de Dios siempre les era fiel. Un día una multitud siguió a Jesús hasta la ladera de una montaña. Él empezó a enseñarles.

"Benditos los que tienen el espíritu del pobre,
porque de ellos es el Reino de los Cielos.
Benditos los que lloran,
porque recibirán consuelo.
Benditos los pacientes,
porque recibirán la tierra en herencia.
Benditos los que tienen hambre y sed de justicia,
porque serán saciados.
Benditos los compasivos,
porque obtendrán misericordia.
Benditos los de corazón limpio,
porque verán a Dios.
Benditos los que trabajan por la paz,
porque serán reconocidos como hijos de Dios.
Benditos los que sufren por mi causa,
porque de ellos es el Reino de los Cielos.

BASADO EN MATEO 5:3–10

Actividad

Describe una persona que conozcas o que sepas que es un buen ejemplo de cómo vivir las Bienaventuranzas. ¿Qué hace esta persona?

Nombre: ______________________ Bienaventuranza: ______________________

Vive esta Bienaventuranza al ______________________________________

We Are Blessed

Jesus, the Son of God, taught people that God's love was always faithful to them. One day a crowd followed Jesus up a mountainside. He began to teach them.

"Blessed are the poor in spirit.
The Kingdom of Heaven is theirs.
Blessed are those who mourn.
They will be comforted.
Blessed are the meek.
They will inherit the whole earth.
Blessed are those who hunger and thirst for justice.
They will be satisfied.
Blessed are those who are merciful.
They will receive mercy.
Blessed are those who have God in their hearts.
They will see God.
Blessed are those who work for peace.
They will be called the children of God.
Blessed are those who suffer for my sake.
The Kingdom of Heaven is theirs.

BASED ON MATTHEW 5:3–10

Faith Focus
How do the Beatitudes help us live as faithful followers of Jesus?

Faith Vocabulary
Beatitudes
The Beatitudes are Jesus' teachings about how to live and find real happiness with God. They tell us how we will be blessed by God and happy with him in his kingdom.

Describe a person you know or know about who is a good example of living the Beatitudes. What does this person do?

Name: ____________________ Beatitude: ______________________________

Lives this Beatitude by ____________________________________

Personas de fe

Santa Paulina del Corazón Agonizante de Jesús

Santa Paulina emigró con su familia de Italia a Brasil. Allí fundó a las Hermanitas de la Inmaculada Concepción para servir a los pobres, los enfermos y los ancianos. Sufrió de diabetes toda su vida. Es la primera ciudadana brasileña en ser nombrada Santa. Su día es el 9 de julio.

Bendecido por Dios

Algunas personas de la época de Jesús estaban en búsqueda de una clase de felicidad diferente de la que enseñaba Jesús. Cuando comprendemos el significado de las Bienaventuranzas, somos capaces de entender mejor lo que Jesús enseñó. De esto hablaba Jesús:

1. **Los que tienen el espíritu del pobre** no confían en que pueden lograrlo por sus medios. Ponen toda su confianza en Dios.
2. **Los que lloran** están tristes por el sufrimiento y la injusticia que ven. Son fuertes porque saben que Dios está siempre con ellos.
3. **Los pacientes** tienen paciencia y consideración. Tratan con respeto a los demás.
4. **Los que tienen hambre y sed de justicia** se aseguran de que se trate a todos justamente.
5. **Los compasivos** son amables con los demás.
6. **Los de corazón limpio** ponen a Dios por sobre todas las personas y todas las cosas de su vida.
7. **Los que trabajan por la paz** tratan de resolver los problemas sin herir a nadie.
8. **Los que hacen lo correcto** harán lo que Dios quiere, aun cuando sea difícil.

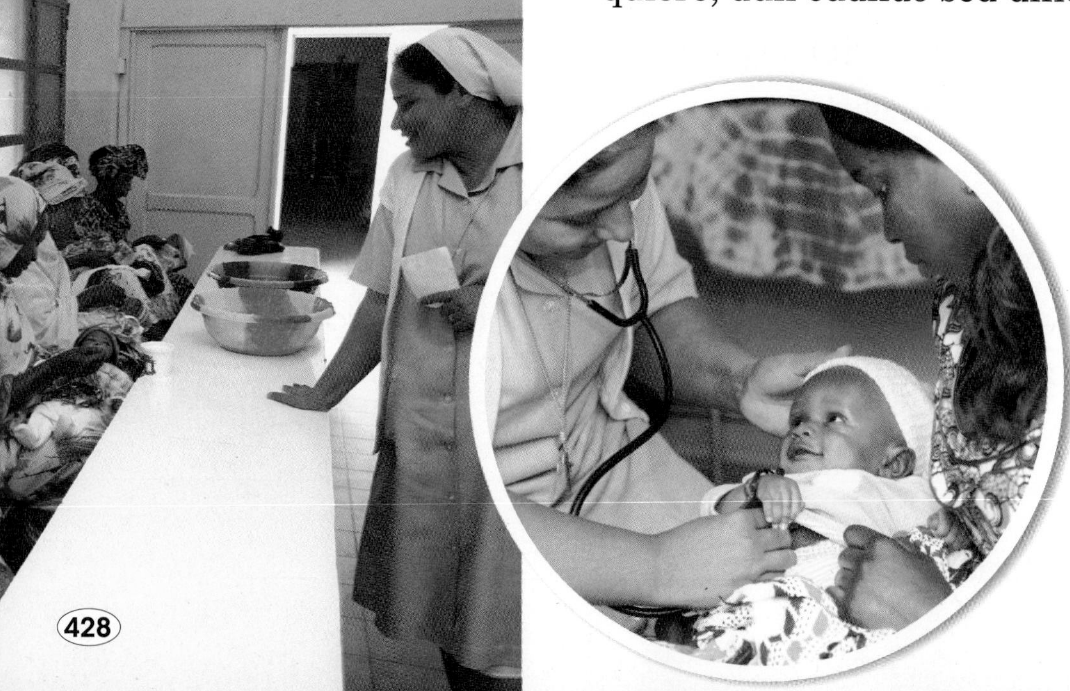

Blessed by God

Some people in Jesus' time were looking for a different kind of happiness than the happiness Jesus was teaching. When we understand the meaning of the Beatitudes, we are able to better understand what Jesus was teaching. Here is what Jesus was talking about:

1. **The poor in spirit** do not trust that they can make it on their own. They place all their trust in God.
2. **Those who mourn** are sad over the suffering and injustice they see. They are strong because they know God is always with them.
3. **The meek** are patient and considerate. They treat others with respect.
4. **Those who hunger and thirst for righteousness** make sure everyone is treated fairly.
5. **The merciful** are kind to others.
6. **The clean of heart** place God above everyone and everything else in their lives.
7. **Peacemakers** try to solve problems without hurting anyone.
8. **Those who do what is right** will do what God wants, even when it is very difficult.

Faith-Filled People

Saint Pauline of the Suffering Heart of Jesus

Saint Pauline immigrated with her family to Brazil from Italy. She founded the Little Sisters of the Immaculate Conception to serve people who were poor, sick, and elderly. She suffered with diabetes her whole life. She is the first Brazilian citizen to be named a Saint. Her feast day is July 9.

Los católicos creen

Slidaridad

La solidaridad significa conectarse con todas las personas de la sociedad. Cada uno de nosotros debemos trabajar por lo que es bueno y lo que es mejor para todos. La Iglesia está comprometida con el bienestar de las personas.

Cumplir las Bienaventuranzas

Jesús predicó las **Bienaventuranzas** para mostrarnos el camino al Reino de Dios. Jesús sabía que las personas trataban de cumplir las Leyes de Dios. Quería ayudarlos a entender lo que realmente significan.

Las Bienaventuranzas nos ayudan a entender lo que significa verdaderamente vivir los Diez Mandamientos. Nos dicen lo que sucede cuando seguimos las Leyes de Dios. Viviremos como Dios quiere que vivamos. Seremos bendecidos por Él.

No siempre es fácil seguir las Bienaventuranzas. No siempre es fácil compartir y perdonar. No siempre es fácil ser amable y justo. Jesús lo sabía y nos dijo que no sería fácil. Pero si lo hacemos, el amor de Dios crecerá en nuestro corazón. Sabremos lo que significa ser feliz ahora y en el Cielo.

 ¿Qué Bienaventuranza te ayudaría a ser más paciente? ¿Por qué?

Escribe el titular de un periódico acerca de alguien que viva las Bienaventuranzas. Haz un dibujo para acompañar el relato.

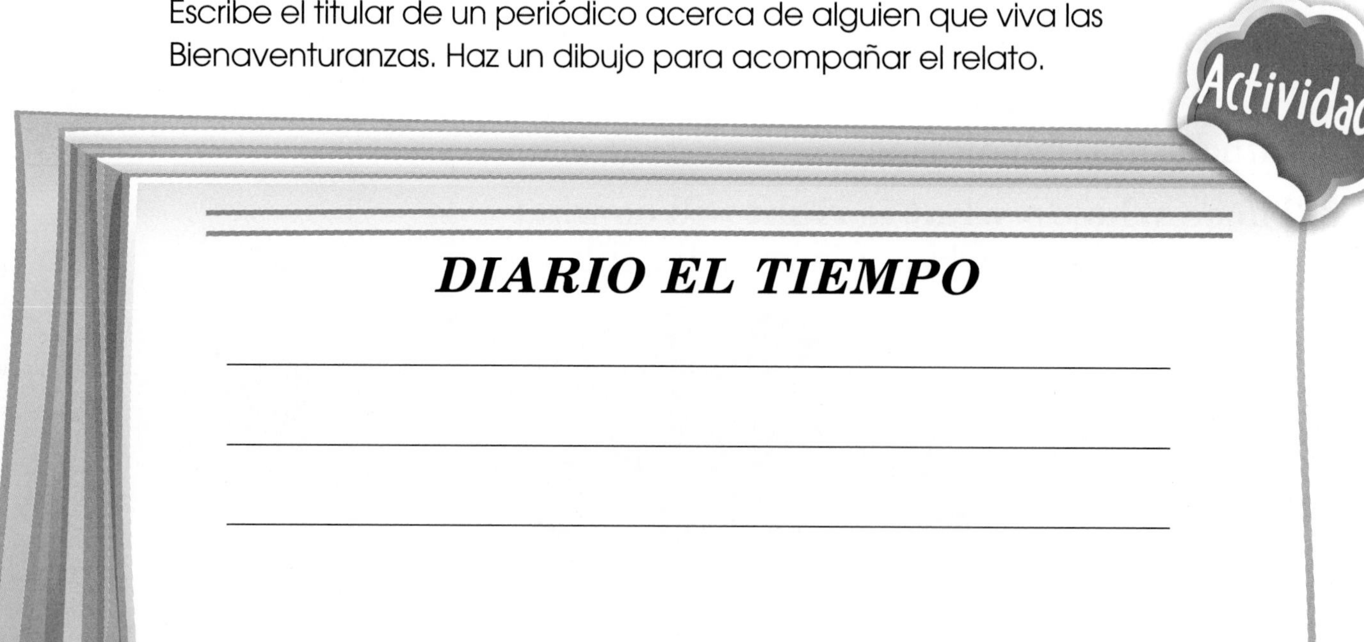

Following the Beatitudes

Jesus preached the **Beatitudes** to show us the way to God's Kingdom. Jesus knew people were trying to keep God's Laws. He wanted to help them understand what that really means.

The Beatitudes help us understand what it really means to live the Ten Commandments. They tell us what will happen when we follow God's Laws. We will live as God wants us to live. We will be blessed by him.

It is not always easy to follow the Beatitudes. It is not always easy to share and to forgive. It is not always easy to be kind and fair. Jesus knew this and told us that it would not be easy. But if we do, God's love will grow in our hearts. We will know what it means to be happy now and in Heaven.

? Which Beatitude would help you to be more patient? Why?

Catholics Believe

Solidarity

Solidarity means to be connected to all the people in society. Everyone should work for what is good and best for everyone. The Church is committed to the good of all people.

Write a newspaper headline about someone living the Beatitudes. Draw a picture to accompany the story.

THE DAILY TIMES

____

____

____

Yo sigo a Jesús

Cuando vives las Bienaventuranzas, les muestras a los demás lo que significa ser bendecido y feliz con Dios. Haces lo posible para vivir como discípulo de Jesús. Tu buen ejemplo ayudará a los demás a seguir a Jesús.

Actividad

Vivir las Bienaventuranzas

Elige una Bienaventuranza que observes en las imágenes de esta página. Escribe qué puedes hacer para vivir esta Bienaventuranza.

Bienaventuranza

Bienaventuranza ________________________

¿Qué puedo hacer? ________________________

____

Mi elección de fe

Esta semana seré paciente y haré lo posible para vivir las Bienaventuranzas. Yo voy a

____

________________________.

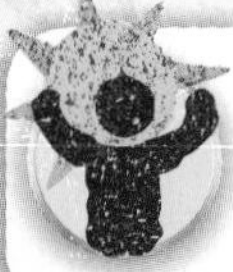

Reza: "Bendeciré al Señor todo el tiempo. Glorificaré a Dios en todo lo que haga" (basado en el Salmo 34:2, 3).

When you live the Beatitudes, you show others what it means to be blessed and happy with God. You try your best to live as a disciple of Jesus. Your good example will help others follow Jesus.

Living the Beatitudes

Activity

Choose a Beatitude that you see being lived in the pictures on the page. Write what you can do to live this Beatitude.

Beatitude

Beatitude ____________________

What can I do? ____________________

____

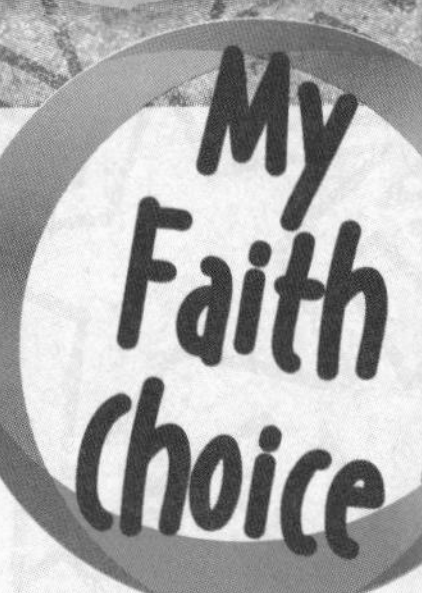

This week I will be patient and try my best to live the Beatitudes. I will

____

____________________.

Pray, "I will bless the Lord at all times. I will give glory to God in all I do" (based on Psalm 34:2, 3).

PARA RECORDAR

1. Las Bienaventuranzas muestran las maneras en que Jesús quiere que vivan sus discípulos.
2. Las Bienaventuranzas enumeran las cualidades y acciones de las personas bendecidas por Dios.
3. Las Bienaventuranzas nos dicen lo que les sucede a las personas que obedecen las Leyes de Dios.

Repaso del capítulo

Escribe en los espacios en blanco el número de las palabras que completan las Bienaventuranzas.

_____ Los que lloran

_____ Los que tienen hambre

_____ Los que sufren por mi causa

_____ Los que son pacientes

_____ Los que son compasivos

1. . . . porque serán saciados.

2. . . . porque recibirán la tierra en herencia.

3. . . . porque obtendrán misericordia.

4. . . . porque recibirán consuelo.

5. . . . porque de ellos es el Reino de los Cielos.

Construimos el Reino de Dios

Reza en francés, el idioma de Togo, África, la respuesta a "Construimos el reino de Dios".

Líder Nuestra verdadera felicidad está con Dios. Cuando vivimos las Bienaventuranzas, ayudamos a construir el Reino de Dios en la Tierra. Pidamos la ayuda de Dios.

Líder Enséñanos a tener el espíritu del pobre para

Todos ***construire le royaume!***
(con-strear leh roy-ome!)

Líder Enséñanos a ser misericordiosos para

Todos ***construir tu reino.***

Líder Enséñanos a trabajar por la paz para

Todos ***construire le royaume!***

Chapter Review

Write the number in the blanks for the words that finish the Beatitudes.

______	Those who mourn	**1.** . . . will be satisfied.
______	Those who hunger	**2.** . . . will inherit the earth.
______	Those who suffer for my sake	**3.** . . . will receive mercy.
		4. . . . will be comforted.
______	Those who are meek	**5.** . . . will inherit the Kingdom of Heaven.
______	Those who are merciful	

TO HELP YOU REMEMBER

1. The Beatitudes show ways Jesus wants his disciples to live.
2. The Beatitudes name the qualities and actions of people blessed by God.
3. The Beatitudes tell us what happens to people who obey God's Laws.

Building God's Kingdom

Pray the response "Build the kingdom!" in French, the language of Togo, Africa.

Leader Our true happiness is with God. When we live the Beatitudes, we help build God's kingdom on Earth. Let us ask for God's help.

Leader Teach us to be poor in spirit so we can

All **construire le royaume!** (con-strear luh roy-ome!)

Leader Teach us to be merciful so we can

All **build your kingdom!**

Leader Teach us to be peacemakers so we can

All **construire le royaume!**

Con mi familia

Esta semana...

En el capítulo 23, "Vivir nuestra fe," su niño aprendió que:

- Jesús les dijo a sus seguidores que si vivían las Bienaventuranzas, descubrirían la verdadera felicidad con Dios en su reino.
- Las Bienaventuranzas nos guían para vivir como lo hizo Jesús. Todos nuestros actos pueden mostrar y preparar el camino para la llegada del Reino de Dios.
- Vivimos en solidaridad cuando vivimos las Bienaventuranzas. Cuidamos de los demás y hacemos lo que es mejor para el otro.
- La paciencia ayuda a pensar en nuestras acciones y a evitar que actuemos precipitadamente. Nos ayuda a esperar el cumplimiento de las promesas de Dios y la llegada del Reino de Dios.

Para saber más sobre otras enseñanzas de la Iglesia, consulten el *Catecismo de la Iglesia Católica,* 1716–1729, y el *Catecismo Católico de los Estados Unidos para los Adultos,* páginas 325–327.

Compartir la Palabra de Dios

Lean juntos Mateo 5:3-12, la enseñanza de Jesús acerca de las Bienaventuranzas. Enfatice que podemos vivir las Bienaventuranzas todos los días aquí en la Tierra. Entonces hallaremos verdadera felicidad, la felicidad que proviene de ser un fiel amigo de Dios.

Vivimos como discípulos

El hogar cristiano con la familia es una escuela de discipulado. Elijan una de las siguientes actividades para hacer en familia, o creen una actividad similar ustedes mismos.

- En los primeros días de la Iglesia, los niños memorizaban oraciones cortas llamadas aspiraciones. Una buena para que aprendan los niños proviene de la oración de la clase de esta semana: "Construimos el Reino de Dios".
- Escriban una bienaventuranza en cada día del calendario de pared. Pidan a los miembros de la familia que recuerden vivir esa bienaventuranza todo el día. Comenten en casa, todas las noches, cómo vivir las Bienaventuranzas marcan la diferencia.

Nuestro viaje espiritual

Rodeados de las muchas bendiciones de la Tierra, podemos perder de vista fácilmente el Origen de esas bendiciones. Adquirir las bendiciones en lugar de vivir en comunión con Dios puede hacernos olvidar el origen de nuestra felicidad. La disciplina espiritual de ayunar y vivir una vida sencilla puede ayudarnos a vivir una vida verdaderamente centrada y descubrir el verdadero significado de ser "bendecido."

Para hallar más ideas sobre las maneras en que su familia puede vivir como discípulos de Jesús, visiten **seanmisdiscipulos.com**

With My Family

This Week...

In chapter 23, "Living Our Faith," your child learned that:

- Jesus told his followers that if they lived the Beatitudes, they would discover true happiness with God in his kingdom.
- The Beatitudes guide us in how to live like Jesus. All our actions can show and prepare the way for the coming of God's kingdom.
- We live in solidarity when we live the Beatitudes. We care for one another and do what is best for one another.
- Patience helps to think about our actions and not act too quickly. It helps us wait in hope for the fulfillment of God's promises and the coming of the Kingdom of God.

For more about related teachings of the Church, see the *Catechism of the Catholic Church*, 1716–1729 and the *United States Catholic Catechism for Adults*, pages 307–309.

Sharing God's Word

Read Matthew 5:3–12 together, Jesus' teaching on the Beatitudes. Emphasize that we can live the Beatitudes every day here on Earth. We will then find real happiness, the happiness that comes from being a faithful friend of God.

We Live as Disciples

The Christian home and family is a school of discipleship. Choose one of the following activities to do as a family or design a similar activity of your own.

- In the earlier days of the Church, children memorized short prayers called aspirations. A good one for children to learn is based on this week's classroom prayer: "Building God's Kingdom."
- Write a Beatitude on each day of your wall calendar. Ask family members to remember to live that Beatitude throughout their day. At home each night, discuss how living the Beatitudes made a difference.

Our Spiritual Journey

Surrounded by the many blessings of the Earth, we can easily lose sight of the Source of those blessings. Acquiring the blessings rather than living in communion with God can make us forget the source of our happiness. The spiritual discipline of fasting and living a simple life can help us live a truly focused life and discover the true meaning of being "blessed."

For more ideas on ways your family can live as disciples of Jesus, visit **BeMyDisciples.com**

CAPÍTULO

24

Lo que vendrá

En este capítulo el Espíritu Santo te invita a ▶

INVESTIGAR cómo una madre rezó por su hijo.

DESCUBRIR cómo Jesús enseñó a sus discípulos a rezar.

DECIDIR cómo confiarás y obedecerás a Dios esta semana.

Rezar como lo hizo Jesús

¿Quién reza por ti? ¿Cómo es saber que rezan por ti?

Imagina que eras parte de la nueva Iglesia en Tesalónica, una ciudad que está en Grecia. Acaba de llegar una carta de otros seguidores de Jesús. Escucha las palabras iniciales de la carta:

> *Damos gracias sin cesar a Dios por ustedes y en todo momento los tenemos presentes en nuestras oraciones.*
>
> Basado en 1.ª Tesalonicenses 1:2

¿Cómo crees que se sintieron los tesalonicenses cuando supieron que Pablo y sus compañeros rezaban por ellos?

Looking Ahead

In this lesson the Holy Spirit will help you to ▶

EXPLORE how a mother prayed for her son.

DISCOVER how Jesus taught his disciples to pray.

DECIDE how you will trust and obey God this week.

CHAPTER 24

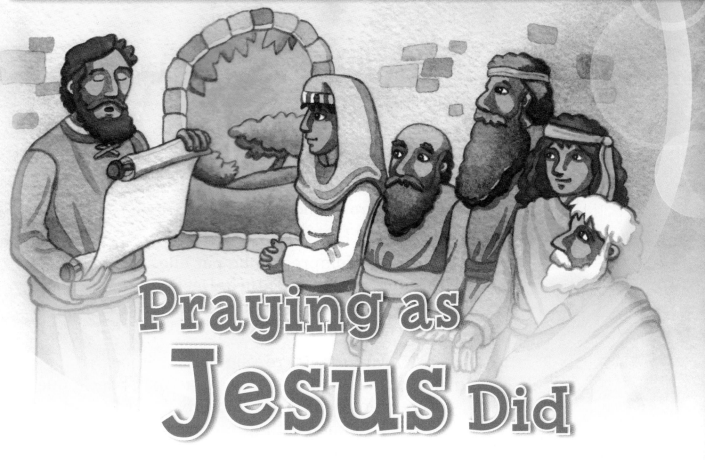

Praying as Jesus Did

Who prays for you? What is it like to know that they pray for you?

Imagine that you were part of the new Church in Thessalonica, a city in the country of Greece. A letter has just arrived from other followers of Jesus. Listen to the opening words of the letter:

We always thank God for all of you and pray for you constantly.

BASED ON 1 THESSALONIANS 1:2

How do you think the Thessalonians felt when they found out Paul and his companions were praying for them?

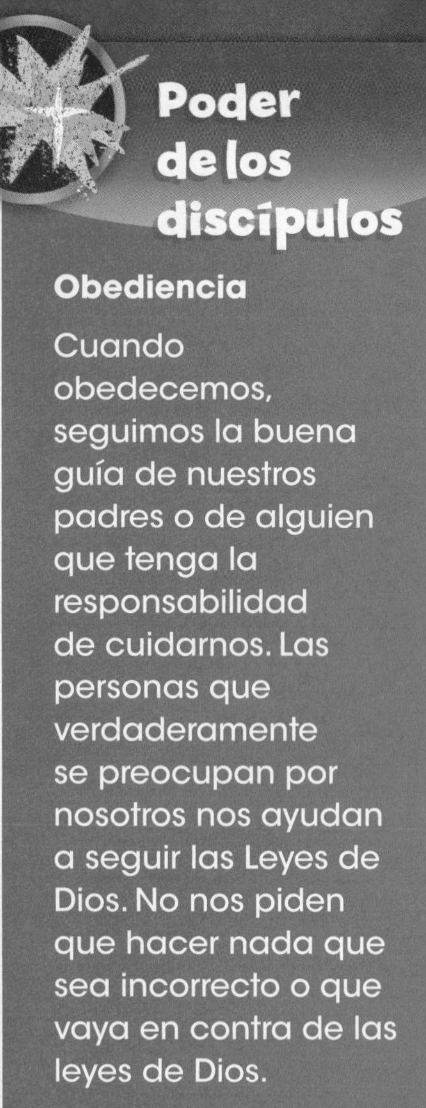

Poder de los discípulos

Obediencia

Cuando obedecemos, seguimos la buena guía de nuestros padres o de alguien que tenga la responsabilidad de cuidarnos. Las personas que verdaderamente se preocupan por nosotros nos ayudan a seguir las Leyes de Dios. No nos piden que hacer nada que sea incorrecto o que vaya en contra de las leyes de Dios.

La Iglesia sigue a
Jesús

Oraciones de una madre

Mónica amaba a su familia. Vivía con su esposo, su madre y sus tres hijos en el norte de África. Pero su marido y su madre no compartían su fe. No la trataban bien.

Mónica siempre rezaba por ellos. Le pedía a Dios que se les presentara. Después de muchos años, su esposo y su madre se hicieron cristianos. ¡Mónica agradeció a Dios!

Mónica también rezaba por sus hijos. Especialmente por su hijo, Agustín. Él decía que no creía en Jesús. Y no siempre obedecía a su madre. Era buen estudiante, pero también le gustaban las fiestas alocadas. Mónica rezó por él para que viviera más como un discípulo de Jesús.

En Milán, Agustín comenzó a creer en Jesús. San Ambrosio, el obispo de Milán, lo bautizó. Mónica murió poco tiempo después de que Agustín se convirtiera en cristiano. Dijo: "Ahora todas mis esperanzas se cumplieron". La Iglesia la nombró Santa. Su día es el 27 de agosto.

? ¿Por quién rezas todos los días? Haz una lista de aquellos a quienes amas y por quienes rezas.

San Agustín y Santa Mónica, de Ary Scheffer.

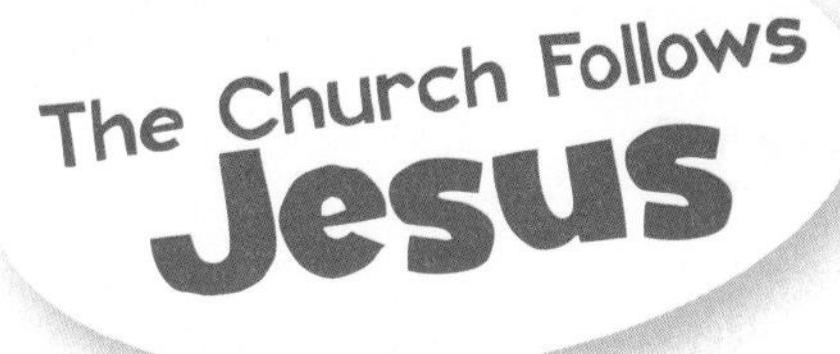
The Church Follows
Jesus

A Mother's Prayers

Monica loved her family. She lived with her husband, his mother and their three children in northern Africa. But her husband and his mother did not share her faith. They did not treat her well.

Monica always prayed for them. She asked God to be present with them. After many years, her husband and his mother both became Christians. Monica thanked God!

Monica also prayed for her children. She prayed especially for her son, Augustine. He said he did not believe in Jesus. He did not always obey her. He was a good student, but he also liked wild parties. Monica prayed for him to live more like a disciple of Jesus.

At Milan, Augustine came to believe in Jesus. Saint Ambrose, the bishop of Milan, baptized him. Monica died shortly after Augustine became a Christian. She said, "All my hopes are now fulfilled." The Church named her a Saint. Her feast day is August 27.

? Whom do you pray for each day? Make a list of those you love and pray for.

Disciple Power

Obedience

When we obey, we follow the good guidance of a parent or someone else who has the responsibility to care for us. People who truly care for us help us follow God's Laws. They do not ask us to do something that is wrong and against God's laws.

Saint Augustine and Saint Monica, by Ary Scheffer.

Enfoque en la fe
¿De qué maneras Jesús nos enseña a rezar?

Vocabulario de fe
santificado
Santificado significa que honramos a algo como santo. El nombre de Dios es santificado.

Confiar en Dios

Mónica sabía cómo rezar por su hijo, Agustín, porque conocía cómo rezaba Jesús. Cuando Jesús estaba en la Tierra, generalmente pasaba tiempo en oración con Dios su Padre. Rezaba cuando empezaba su trabajo. Rezaba cuando eligió a sus discípulos.

La noche antes de morir, Jesús rezó con sus discípulos en la Última Cena. Cuando Jesús estaba agonizando en la Cruz, rezó:

> *"Padre, perdónalos, porque no saben lo que hacen". Justo antes de morir, Jesús dijo: "Padre, en tus manos encomiendo mi espíritu".*
>
> Basado en Lucas 23:34, 46

Jesús enseñó a rezar a las personas como si estuvieran hablándole a un padre amoroso. Jesús fue obediente con Dios. Todas las oraciones de Jesús muestran cuánto confía en su Padre y cuánto lo ama. Confiar es creer que una persona nos ama y siempre será bueno y gentil con nosotros.

Actividad

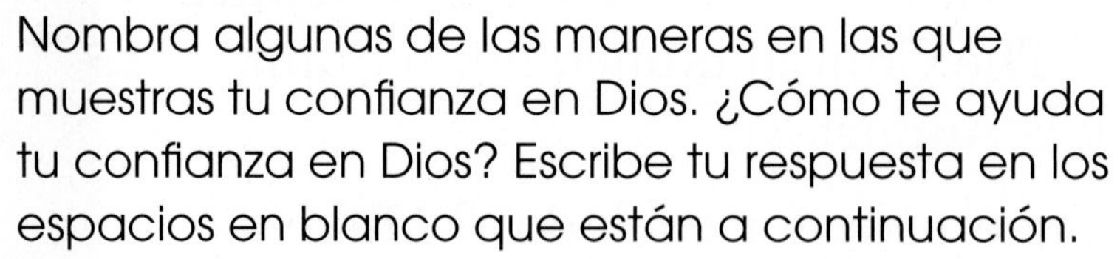

Nombra algunas de las maneras en las que muestras tu confianza en Dios. ¿Cómo te ayuda tu confianza en Dios? Escribe tu respuesta en los espacios en blanco que están a continuación.

____

____

____

____

Trusting God

Faith Focus
What are some ways Jesus teaches us to pray?

Faith Vocabulary
hallowed
Hallowed means to honor something as holy. God's name is hallowed.

Monica knew how to pray for her son, Augustine, because she knew how Jesus prayed. When Jesus was on Earth, he often spent time with God his Father in prayer. He prayed when he began his work. He prayed when he chose his disciples.

On the night before he died, Jesus prayed with his disciples at the Last Supper. When Jesus was dying on the Cross, he prayed,

> *"Father, forgive them. They do not know what they are doing." Just before he died, Jesus said, "Father, I give myself to you."*
>
> Based on Luke 23:34, 46

Jesus taught people to pray as though they were talking to a loving father. Jesus was obedient to God. All of Jesus' prayers show how much he trusts and loves his Father. Trust is believing that a person loves us and will always be good and kind to us.

Activity

Name some of the ways that you show your trust in God. How does your trust in God help you? Write your answers in the spaces below.

____

____

____

____

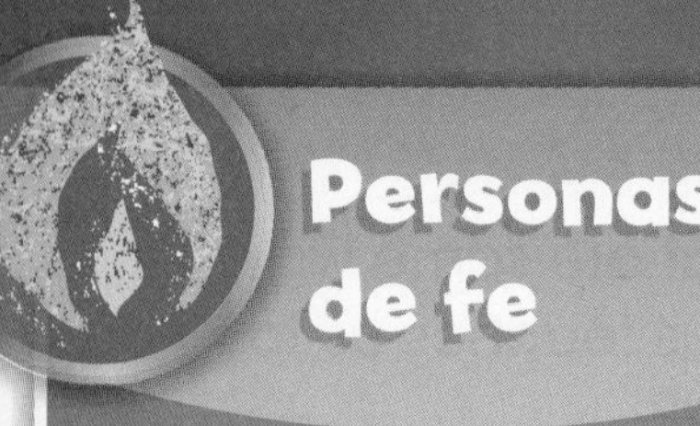

Personas de fe

Santa Teresa de los Andes

Teresa fue una hermana religiosa que vivió en Chile. Vivió en un monasterio y dedicó su vida a la oración. Papa Juan Pablo II la nombró Santa patrona de los jóvenes. La Iglesia celebra el día de Santa Teresa de los Andes el 13 de julio.

Jesús nos enseña el Padre Nuestro

Jesús nos dice que pensemos en Dios como nuestro Padre amoroso. Jesús mostró que confiaba en Dios Padre por su obediencia y por su manera de rezar. Él quiere que nosotros recemos a menudo y que creamos que Dios nos ama.

Cuando Jesús rezaba a su Padre, a veces usaba la palabra "Abbá". Abbá es una palabra del idioma que hablaba Jesús. Es una palabra que mostraba cuánto confiaban los hijos en un padre. Mostraba que Jesús sabía cuánto lo amaba Dios.

Los líderes judíos enseñaban que la oración era una manera de mostrar amor por Dios. Un día los discípulos de Jesús fueron con Él cuando estaba rezando. Cuando terminó, le pidieron a Jesús que les enseñara a rezar. Jesús dijo:

"Cuando recen, digan: 'Padre nuestro'."

Basado en Mateo 6:9

Actividad

La Iglesia reza el Padre Nuestro todos los días. ¿Cuándo rezas el Padre Nuestro? Completa dos días de la semana en los espacios en blanco que están a continuación. Debajo de esos días, escribe las veces que rezas.

Días		
Veces		

Jesus Teaches Us the Our Father

Jesus tells us to think of God as our loving Father. Jesus showed he trusted God the Father by his obedience and how he prayed. He wants us to pray often and believe that God loves us.

When Jesus prayed to his Father, he sometimes used the word "Abba." Abba is a word in the language Jesus spoke. It is a word that showed how much children trusted a parent. It showed that Jesus knew how much God loved him.

Jewish leaders taught that prayer was a way to show love for God. One day, Jesus' disciples were with him when he was praying. When he was finished, they asked Jesus to teach them to pray. Jesus said,

"When you pray, say, 'Our Father.' "

BASED ON MATTHEW 6:9

Faith-Filled People

Saint Teresa of the Andes

Teresa was a religious sister who lived in Chile. She lived in a monastery and devoted her life to prayer. Pope John Paul II named her a patron Saint for young people. The Church celebrates the feast day of Saint Teresa of the Andes on July 13.

Activity

The Church prays the Our Father every day. When do you pray the Our Father? Fill in two days of the week in the spaces below. Underneath the days, write the times when you pray.

Days		
Times		

Los católicos creen

Casas de oración

A veces se llama a las iglesias "casas de oración". También se las llama "casas de Dios". Nos reunimos en nuestra iglesia para rezar juntos y para rezar a solas. Nuestra parroquia nos recuerda que los seguidores de Jesús son personas de oración.

Rezamos el Padre Nuestro

Desde el inicio de la Iglesia, los cristianos han rezado como lo hizo Jesús. Rezar como Jesús nos ayuda a vivir en paz con Dios y con nuestro prójimo.

Jesús enseñó a sus discípulos y a nosotros cómo rezar. Los cristianos siempre han rezado la oración que Jesús enseñó. A esta oración la llamamos la Oración del Señor o el Padre Nuestro. La Oración del Señor resume el mensaje del Evangelio de Jesús.

Cuando rezamos la Oración del Señor, empezamos honrando a Dios. Nos dirigimos a Dios, "Abbá" o Padre, como lo hizo Jesús. Le decimos a Dios que es santo. Decimos: "**Santificado** sea tu nombre".

Luego le pedimos a Dios Padre que nos ayude a vivir como sus hijos. Le pedimos que nos ayude a obedecer su ley. Le pedimos que nos ayude a traer el Reino de Dios que Jesús comenzó.

Rezamos para pedir perdón y la gracia de perdonar a los demás. Lo hacemos cuando compartimos la paz, el amor y la justicia con los demás. Pedimos ayuda para elegir lo correcto. Rezamos para que Dios nos proteja de todas esas cosas que no nos ayudarán a vivir con Él por siempre en el Cielo.

? ¿Cómo resume el Padre Nuestro el mensaje del Evangelio de Jesús?

We Pray the Our Father

From the beginning of the Church, Christians have prayed as Jesus did. Praying like Jesus helps us live in peace with God and with our neighbors.

Jesus taught his disciples and us how to pray. Christians have always prayed the prayer that Jesus taught. We call this prayer the Lord's Prayer, or the Our Father. The Lord's Prayer sums up Jesus' Gospel message.

When we pray the Lord's Prayer, we begin by honoring God. We address God, "Abba," or Father, as Jesus did. We tell God that he is holy. We say, "**Hallowed** be your name."

We then ask God to help us live as his children. We ask him to help us obey his law. We ask him to help us bring about the Kingdom of God that Jesus began.

We pray for forgiveness and the grace to forgive others. We do this when we share peace, love, and justice with others. We ask for help to choose what is right. We pray that God will protect us from all those things that will not help us to live with him forever in Heaven.

? How does the Our Father sum up Jesus' Gospel message?

Catholics Believe

Houses of Prayer

Churches are sometimes called "houses of prayer." They are also called "houses of God." We gather in our church to pray together and to pray alone. Our parish church reminds us that the followers of Jesus are a people of prayer.

Yo sigo a Jesús

El Espíritu Santo te enseña a rezar. Cada vez que rezas, muestras que confías en Dios y en su amor por ti.

Actividad

Rezar siempre

Escribe (√) junto a las maneras en las que rezas. Dibuja una (☆) junto a las maneras en las que te gustaría intentar rezar.

_______________ 1. En casa

_______________ 2. En mi parroquia

_______________ 3. Con mis amigos

_______________ 4. De rodillas

_______________ 5. Con los brazos extendidos

_______________ 6. Todos los días

Esta semana mostraré mi confianza y obediencia a Dios, mi Padre Abbá. Yo voy a

____

____.

Reza: "Querido Dios, ayúdame a confiar en ti todo el tiempo. Ayúdame a seguir tus caminos. Amén".

The Holy Spirit teaches you to pray. Every time you pray you show that you trust in God and his love for you.

Activity

Praying Always

Put a (√) next to the ways you now pray. Put a (☆) next to the ways you would like to try to pray.

_______________ 1. In my home

_______________ 2. At my parish church

_______________ 3. With my friends

_______________ 4. Kneeling down

_______________ 5. With my arms extended

_______________ 6. Every day

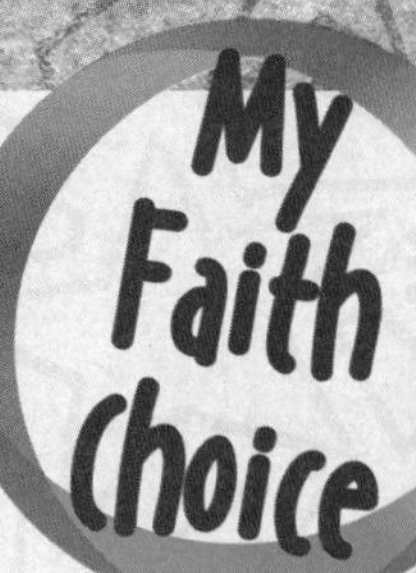

This week I will show my trust and obedience to God, my Abba Father. I will

____

____.

Pray, "Dear God, help me to trust in you at all times. Help me to follow your paths. Amen."

PARA RECORDAR

1. Jesús nos enseñó a hablar y a escuchar a Dios Padre.
2. Jesús nos enseñó a rezar con confianza.
3. Jesús nos dio una oración para pedir lo que necesitamos y perdonar a los demás.

Repaso del capítulo

Une las palabras de la columna A con las palabras de la columna B.

	Columna A	Columna B
________	**1.** Abbá	**a.** La oración que Jesús nos dio
________	**2.** Ofensa	**b.** Una palabra que significa "Padre"
________	**3.** Padre Nuestro	**c.** Honrar algo como santo
________	**4.** Santificado	**d.** Hacer mal a alguien

Santificado sea tu Nombre

Líder *Recemos en inglés palabras del Padre Nuestro, tal como lo hacía Dorothy Day. Las palabras en inglés significan "santificado sea tu Nombre".*

Padre nuestro, que estás en el cielo,

Todos ***Hallowed be thy name.***
(já-loud bí dai néim)

Líder *Thy kingdom come.*
(dai kín-dom cám)

Líder Amoroso Dios, te honramos con nuestras oraciones y confiamos en ti.

Todos ***Hallowed be thy name.***

Líder Tengamos obediencia y amor hacia ti en todo lo que hacemos.

Todos ***Hallowed be thy name.***

Chapter Review

Match the words in Column A with the words in Column B.

	Column A	Column B
________	**1.** Abba	**a.** Prayer Jesus gave us
________	**2.** Trespass	**b.** A word that means "Father"
________	**3.** Our Father	**c.** To honor something as holy
________	**4.** Hallowed	**d.** To do wrong to someone

TO HELP YOU REMEMBER

1. Jesus taught us to talk and listen to God the Father.
2. Jesus taught us to pray with trust.
3. Jesus gave us a prayer to ask for what we need and to forgive others.

Hallowed Be Thy Name

Leader *Let us pray words from the Our Father in Spanish as Saint Teresa of the Andes did. The Spanish words mean "hallowed be your name."*

Our Father, who art in heaven,

All **Santificado sea tu nombre.**
(son-tih-fih-cah-do say-ah too nohm-bray)

Leader Venga tu reino.
(vang-uh too ray-een-o)

Leader Loving God, we honor you and trust you with our prayers.

All **Santificado sea tu nombre.**

Leader May we be obedient and love you in all we do.

All **Santificado sea tu nombre.**

Con mi familia

Esta semana...

En el capítulo 24, "Rezar como lo hizo Jesús," su niño aprendió que:

- Jesús rezaba por sí mismo y por los demás. Jesús compartía con confianza sus pensamientos y sus sentimientos con su Padre.
- Cuando obedecemos, seguimos la buena guía de alguien más que tiene la responsabilidad de cuidarnos. Las personas que verdaderamente nos cuidan, nos ayudan a seguir las Leyes de Dios y no nos piden que hagamos algo que esté mal o en contra de las Leyes de Dios.
- Cuando los discípulos le pidieron a Jesús que les enseñara a rezar, Él les enseñó a rezar el Padre Nuestro.
- Cuando rezamos a Dios Padre, rezamos con la confianza de un niño y nos dirigimos a Dios como Abbá.
- La obediencia nos ayuda a seguir la guía de aquellos a quienes amamos.

Para saber más sobre otras enseñanzas de la Iglesia, consulten el *Catecismo de la Iglesia Católica,* 2558–2567, 2598–2619 y 2700–2719, y el *Catecismo Católico de los Estados Unidos para los Adultos,* páginas 515–530.

Compartir la Palabra de Dios

Lean juntos Mateo 6:9–13, el relato de Jesús enseñando a los discípulos a rezar el Padre Nuestro. Enfaticen que todas las oraciones de Jesús muestran cuánto confía en su Padre.

Vivimos como discípulos

El hogar cristiano con la familia es una escuela de discipulado. Elijan una de las siguientes actividades para hacer en familia, o creen una actividad similar ustedes mismos.

- Jueguen con sus niños el "Juego de la confianza". En este juego, una persona lleva a un miembro de la familia con los ojos vendados a caminar. La persona con los ojos vendados confía en que lo guiarán de manera segura. Al terminar, pasen a la siguiente actividad.
- Cuando Jesús rezaba, ponía su confianza en Dios Padre. Invite a miembros de la familia a hablar acerca de por qué ponen su confianza en Dios.

Nuestro viaje espiritual

El Padre Nuestro es la oración de todos los cristianos. Por siglos se usó como la oración diaria de la Iglesia. Los monjes que no sabían leer, rezaban el Padre Nuestro en lugar de la Liturgia de las Horas. Recen el Padre Nuestro en la mañana antes de irse de casa y al atardecer. Díganle a todos que recen el Padre Nuestro donde quiera que estén al mediodía.

Para hallar más ideas sobre las maneras en que su familia puede vivir como discípulos de Jesús, visiten **seanmisdiscipulos.com**

With My Family

This Week...

In chapter 24, "Praying as Jesus Did," your child learned that:

- Jesus prayed for himself and for others. With trust, Jesus shared his thoughts and feelings with his Father.
- When we obey, we follow the good guidance of someone who has the responsibility to care for us. People who truly care for us help us follow God's Laws and do not ask us to do something that is wrong and against God's Laws.
- When his disciples asked Jesus to teach them to pray, he taught them to pray the Our Father.
- When we pray to God our Father, we pray with childlike trust and address God as Abba.
- Obedience helps us follow the guidance of those who love us.

For more about related teachings of the Church, see the *Catechism of the Catholic Church*, 2558–2567, 2598–2619, 2700–2719; and the *United States Catholic Catechism for Adults*, pages 481–495.

Sharing God's Word

Read Matthew 6:9–13 together, Jesus teaching the disciples the Our Father. Emphasize that Jesus' prayers show how much he trusts his Father.

We Live as Disciples

The Christian home and family is a school of discipleship. Choose one of the following activities to do as a family or design a similar activity of your own.

- Play the "Trust Game" with your children. In this game, one person leads a blindfolded family member on a walk. The blindfolded person trusts that he or she will be led safely. After you finish, follow up with the next activity.
- When Jesus prayed, he placed his trust in God the Father. Invite family members to talk about why they place their trust in God.

Our Spiritual Journey

The Our Father is the prayer of all Christians. For centuries, it was used as the daily prayer of the Church. Monks who could not read prayed the Our Father in place of the Liturgy of the Hours. Pray the Our Father in the morning before everyone leaves home and in the evening. Tell everyone to pray the Our Father wherever they are at noon.

For more ideas on ways your family can live as disciples of Jesus, visit **BeMyDisciples.com**

Unidad 6: **Repaso** Nombre ______________________

A. Elije la mejor palabra

Completa los espacios en blanco con la mejor opción de la lista.

misioneros	Atributos	Santificado
Credo de Nicea	Padre Nuestro	

1. Los ______________________ son católicos seguidores de Jesús enviados a compartir su amor más allá del lugar donde viven.

2. La Iglesia que Jesús nos dio es una, santa, católica

y apostólica. Estos son los cuatro ______________ o cualidades esenciales de la Iglesia.

3. La Oración del Señor o ______________________ resume el mensaje del Evangelio de Jesús.

4. El credo que generalmente rezamos en la Misa los domingos es

el ______________________.

5. ______________ significa "honrar a alguien como santo".

B. Muestra lo que sabes

¡A ver qué tan bien te aventuras con las Bienaventuranzas! Traza una línea que una las partes de las oraciones de la Columna A con las partes correctas de la Columna B para hacer oraciones.

Columna A		**Columna B**
1. Los que tienen el espíritu del pobre	_____	**a.** tienen paciencia y consideración. Tratan a los demás con respeto.
2. Los compasivos	_____	**c.** no confían en que pueden lograrlo por sus medios. Ponen toda su fe en Dios.
3. Los pacientes	_____	**d.** son amables con los demás.

Unit 6 Review

Name ______________________________

A. Choose the Best Word

Fill in the blanks, using the best choice from the Word Bank.

missionaries	Marks	Hallowed
Nicene Creed	Our Father	

1. Catholic ______________________ are followers of Jesus who are sent to share his love beyond where they live.

2. The Church Jesus gave us is one, holy, catholic, and apostolic. These are the four ______________, or essential qualities of the Church.

3. The Lord's Prayer, or ______________________ sums up Jesus' Gospel message.

4. The creed we usually pray at Mass on Sundays is called the ______________________.

5. ______________ means "to honor something as holy."

B. Show What You Know

Check your Beatitude Attitude! Draw a line to connect the sentence parts in Column A with the sentence parts in Column B to make correct sentences.

Column A		**Column B**
1. The poor in spirit	____	**a.** are patient and considerate. They treat others with respect.
2. The merciful	____	**c.** do not trust that they can make it on their own. They place all their trust in God.
3. The meek		
	____	**d.** are kind to others.

C. La Escritura y tú

¿Cuál fue tu relato preferido acerca de Jesús en esta unidad? Dibuja algo que sucedió en el relato. Junto a tu dibujo, escribe el título del relato y cuenta algo que ocurrió en él. Compártelo con tu clase.

D. Sé un discípulo

1. *¿Acerca de qué Santo o persona virtuosa disfrutaste aprender más en esta unidad? Escribe el nombre aquí. Escribe algo acerca de esta persona que admiras. Cuenta a tu clase lo que esta persona hizo para seguir a Jesús.*

2. *Recuerda las virtudes y dones que aprendiste en Poder de los discípulos de esta unidad. Escribe acerca de uno que estás poniendo en práctica para ser un buen discípulo de Jesús. Di cómo lo usas para seguir a Jesús. Comparte tu respuesta con un compañero.*

C. Connect with Scripture

What was your favorite story about Jesus in this unit? Draw something that happened in the story. Next to your drawing, write the name of the story and tell one thing that happened in it. Share with your class.

D. Be a Disciple

1. *What Saint or holy person did you enjoy hearing about in this unit? Write the name here. Write something about the person that you admire. Tell your class what this person did to follow Jesus.*

2. *Recall the virtues and gifts that you learned about in Disciple Power in this unit. Write about one that you are practicing so you can be a good disciple of Jesus. Tell how you are using it to follow Jesus. Share your answer with a partner.*

Devociones populares

América Latina: La Quinceañera

Cuando las jovencitas católicas en América Latina cumplen quince años, la mayoría de ellas celebra la Quinceañera. Esta celebración también es popular en Estados Unidos. La celebración incluye rituales religiosos, tradiciones familiares y clases de formación religiosa.

La jovencita asiste antes de la celebración para aprender más sobre los valores de su Iglesia y de su familia. Cuando llega el día de su Quinceañera, ella se pone un hermoso vestido y una diadema, o una corona brillante. Otras jovencitas la acompañan luciendo también vestidos hermosos. Es posible que la jovencita reciba regalos religiosos como una Biblia, una cruz o un rosario. Un sacerdote o un diácono dirige la celebración en la iglesia y bendice a la jovencita.

A la ceremonia de la iglesia le sigue una fiesta en la casa o en un salón de fiestas. Amigos y parientes se reúnen para saludar a la joven y a su familia. Todos disfrutan de comidas sabrosas, bailes y otros rituales. Durante esta celebración, a veces la joven toma una de sus muñecas de la infancia y se la regala a una hermana o prima más pequeña. Esto es un signo de que ella ya no es una niña y se está convirtiendo en una joven mujer.

¿Cuál crees que es la parte más divertida de una fiesta de Quinceañera? ¿Cuál es la parte más importante?

Latin America: The Quinceañera

When young Catholic girls in Latin America are fifteen years old, most of them celebrate the Quinceañera. This celebration is also popular in the United States. The celebration includes religious rituals, family traditions, and faith formation classes.

The young girl attends before the celebration to learn more about her Church's and her family's values. When the day of her Quinceañera arrives, she wears a beautiful gown and a tiara, or sparkling crown. Other young girls accompany her wearing beautiful dresses too. The young girl may receive religious gifts such as a Bible, a cross, or a rosary. A priest or deacon leads the celebration in the church and blesses the young girl.

A party held at home or in a hall follows the church ceremony. Friends and relatives gather to greet the girl and her family. Everyone enjoys tasty foods, dancing, and other rituals. During this celebration, the girl may take one of her childhood dolls and give it to a younger sister or cousin. This is a sign that she is no longer a child and is becoming a young woman.

? What do you think the most enjoyable part of a Quinceañera would be? Which is the most important part?

El año de la gracia

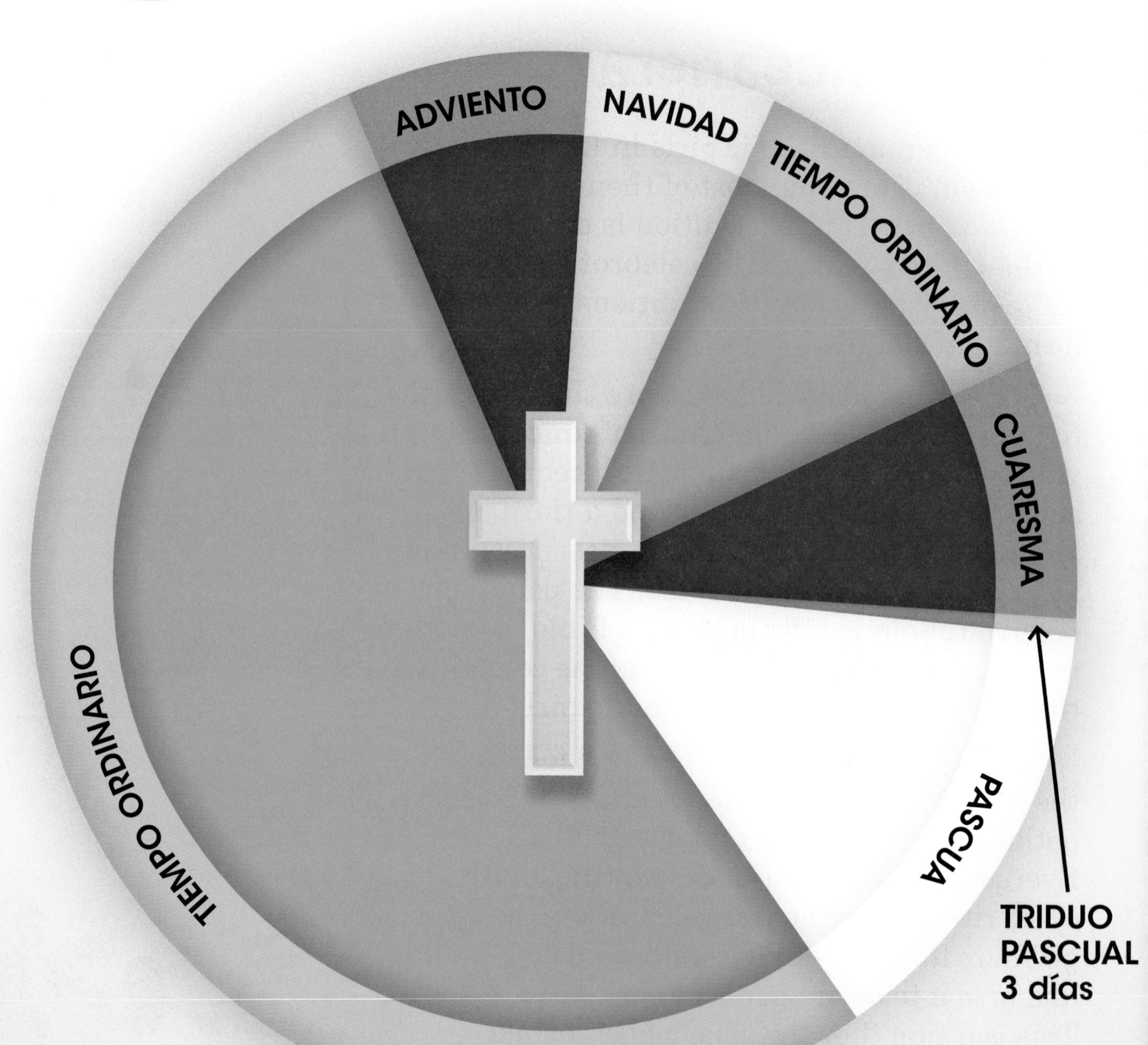

The Year of Grace

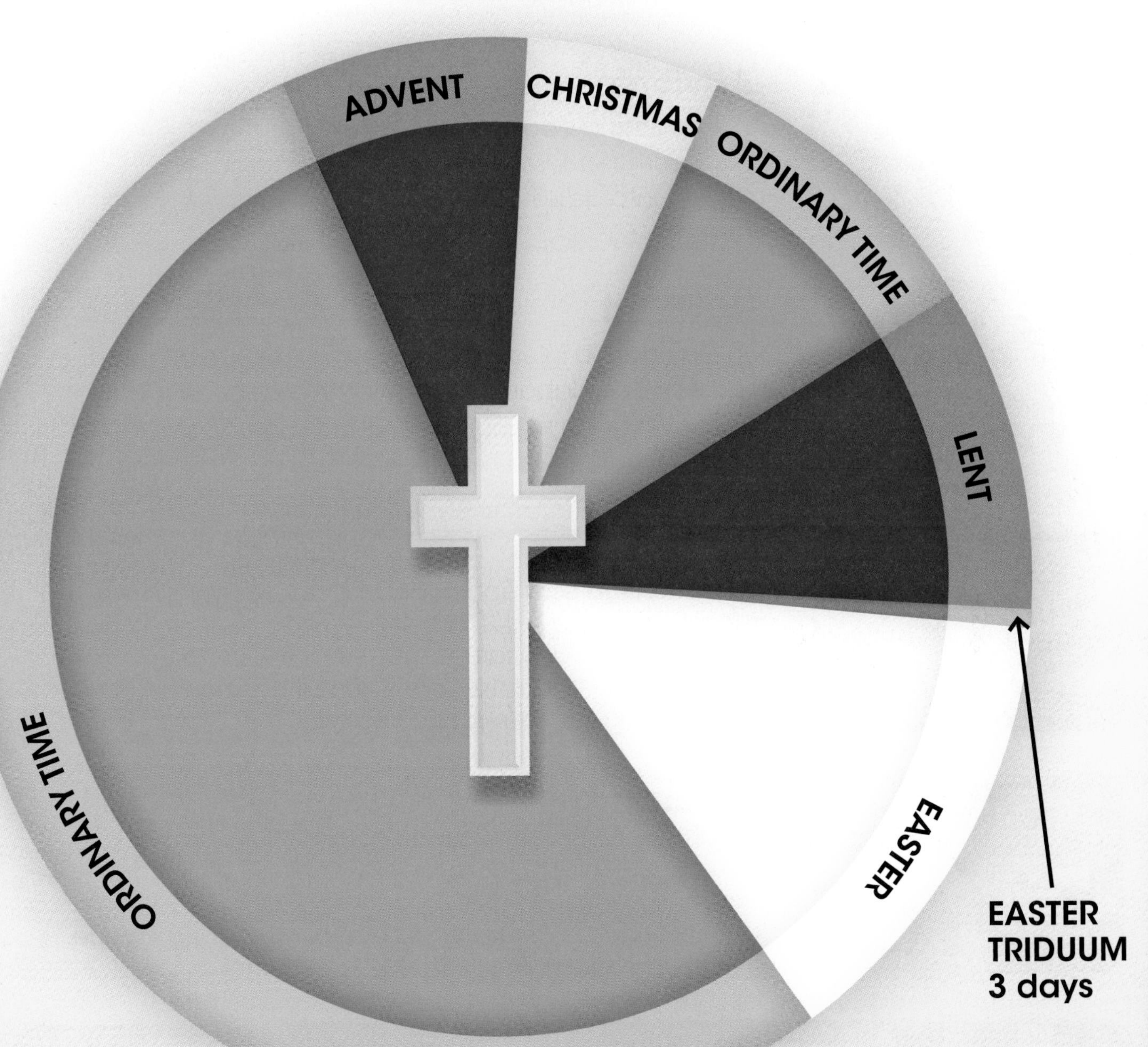

El año litúrgico

El año eclesiástico de oración y adoración se llama año litúrgico.

Marca (✓) en tu tiempo o época preferido del año eclesiástico. Cuéntale a tu clase algo que sepas acerca de él.

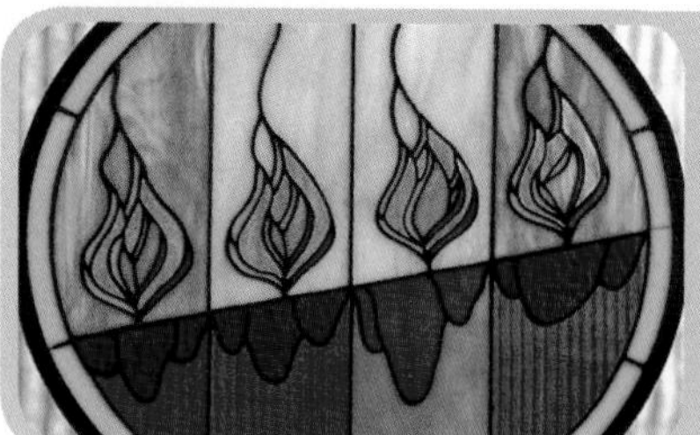

Adviento

El **Adviento** da comienzo al año eclesiástico. Preparamos nuestro corazón para recordar el nacimiento de Jesús. El color del Adviento es el morado.

Navidad

En **Navidad** la Iglesia celebra el nacimiento de Jesús, Hijo de Dios. Alabamos y damos gracias a Dios Padre por enviarnos a su Hijo, Jesús. El color de la Navidad es el blanco.

Cuaresma

La **Cuaresma** es la época del año eclesiástico en que recordamos que Jesús murió por nosotros. Hacemos sacrificios para ayudarnos a recordar nuestro amor por Dios y por los demás. Nos preparamos para la Pascua. El color de la Cuaresma es el morado.

Pascua

Durante el tiempo de **Pascua** celebramos que Jesús resucitó de entre los muertos. Jesús nos dio el don de una nueva vida. Durante cincuenta días, recordamos la Resurrección de Jesús y participamos de ella. El color de la Pascua es el blanco.

Tiempo Ordinario

El **Tiempo Ordinario** es la etapa más larga del año eclesiástico. Aprendemos a vivir como seguidores de Jesús. El color del Tiempo Ordinario es el verde.

The Liturgical Year

The Church's year of prayer and worship is called the liturgical year.

Check (✓) your favorite season or time of the Church's year. Tell your class one thing you know about it.

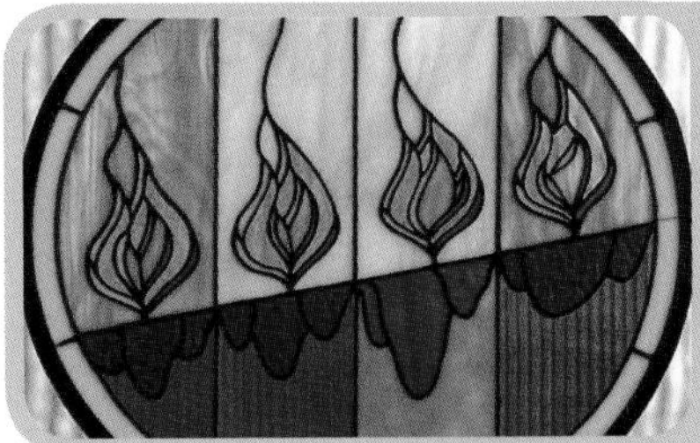

Advent

Advent begins the Church's year. We get our hearts ready to remember the birth of Jesus. The color for Advent is purple.

Christmas

At **Christmas** the Church celebrates the birth of Jesus, God's Son. We praise and thank God the Father for sending us his Son, Jesus. The color for Christmas is white.

Lent

Lent is the time of the Church's year we remember Jesus died for us. We make sacrifices to help us remember our love for God and others. We prepare for Easter. The color for Lent is purple.

Easter

During the **Easter** season we celebrate that Jesus was raised from the dead. Jesus gave us the gift of new life. For fifty days, we remember and share in Jesus' Resurrection. The color for Easter is white.

Ordinary Time

Ordinary Time is the longest time of the Church's year. We learn to live as followers of Jesus. The color for Ordinary Time is green.

Enfoque en la fe
¿Cómo viven los Santos una vida santa?

Palabra de Dios
Este es el Evangelio para la Solemnidad de Todos los Santos. Pide a tu familia que lo lea contigo. Comenta con ellos la lectura.

Evangelio
Mateo 5:1-12a

Solemnidad de Todos los Santos

Los Santos son las personas que aman a Dios por sobre todos los demás y por sobre todas las cosas. Viven como hijos de Dios practicando la virtud.

Los Santos del Cielo viven con Dios y con Jesús. Rezan por nosotros para que llevemos una vida virtuosa y algún día nos unamos con ellos a Dios en el Cielo. Nos recuerdan que todos podemos ser Santos.

La Iglesia enseña que todos sus miembros son santos. Esto se llama Comunión de los Santos. Incluye a los que viven en la Tierra y a todos los que han muerto y viven en el Cielo con Dios. La Comunión de los Santos también incluye a todos los que han muerto, pero que todavía no están preparados para ir al Cielo. Estas almas están en el Purgatorio, donde tienen la oportunidad de crecer en el amor de Dios.

La Iglesia honra a todos los Santos que están en el Cielo con un día especial llamado Solemnidad de Todos los Santos. Celebramos este día de precepto el 1 de noviembre.

Este día vamos a Misa y rezamos:

"Alegrémonos en el Señor, al celebrar la solemnidad de Todos los Santos, por la cual se alegran los ángeles y alaban al Hijo de Dios."

ANTÍFONA DE ENTRADA, SOLEMNIDAD DE TODOS LOS SANTOS

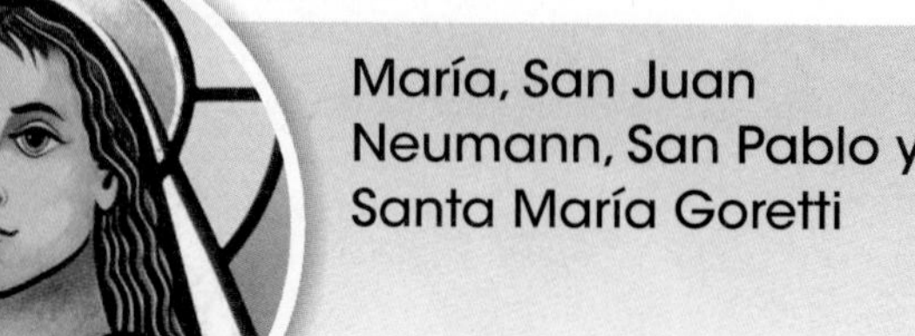
María, San Juan Neumann, San Pablo y Santa María Goretti

Solemnity of All Saints

Saints are those people who love God more than anyone or anything else. They live as children of God by practicing virtue.

The Saints in Heaven live with God and Jesus. They pray for us so we that will live virtuous lives and someday join them with God in Heaven. The Saints remind us that everyone can be holy.

The Church teaches that all her members are Saints. This is called the Communion of Saints. It includes all those living on Earth and all of those who have died and are living in Heaven with God. The Communion of Saints also includes all of those who have died but are not yet ready for Heaven. These souls are in Purgatory, where they have the opportunity to grow in love of God.

The Church honors all of those Saints who are in Heaven with a special feast called the Solemnity of All Saints. We celebrate this holy day of obligation on November 1.

On this day we go to Mass and pray,

"Let us all rejoice in the Lord,
as we can celebrate the feast day in honor
of all the Saints,
at whose festival the Angels rejoice
and praise the Son of God."

ENTRANCE ANTIPHON, SOLEMNITY OF ALL SAINTS

Faith Focus
How do Saints live holy lives?

The Word of the Lord
This is the Gospel for the Solemnity of All Saints. Ask your family to read it with you. Talk about the reading with them.

Gospel
Matthew 5:1–12a

Mary, Saint John Neumann, Saint Paul, and Saint Maria Goretti

La santidad es nuestra

Las virtudes son los hábitos de hacer cosas buenas. Los Santos nos enseñan cómo debemos actuar porque ellos vivieron las virtudes. Tenían el hábito de hacer cosas buenas por Dios, por los demás y por ellos mismos. Este es el significado de ser santo.

En cada uno de los siguientes pergaminos, anota una lista de cosas buenas que puedes hacer por Dios, por los demás y por ti mismo.

Esta semana imitaré a mi Santo preferido y haré cosas buenas por Dios y por los demás. Yo voy a

____

____.

Recuerda a los Santos del Cielo, que nos cuidan.
Reza: "Queridos amigos de Dios, ayúdenme a vivir las virtudes en todo momento y en todo lugar. Amén".

Holiness is Ours

Virtues are habits of doing good things. The Saints teach us how to act because they lived the virtues. They were in the habit of doing good things for God, for others, and for themselves. This is what it means to be holy.

On each of the scrolls below list some of the good things you can do for God, for others, and for yourself.

This week I will imitate my favorite Saint and do good things for God and others. I will

____

____.

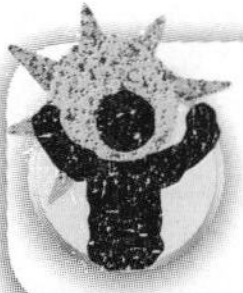

Remember the Saints in Heaven who care for us. Pray, "Dear friends of God, help me to always and everywhere live the virtues. Amen."

Enfoque en la fe
¿Quiénes son algunas de las personas que nos preparan para la venida de Jesús?

Palabra de Dios
Elige la lectura del Evangelio de este año para el primer domingo de Adviento. Léela y coméntala con tu familia.

Año A
Mateo 24:37–44

Año B
Marcos 13:33–37

Año C
Lucas 21:25–28, 34–36

A la vista
El vitral muestra un Árbol de Jesé con imágenes de muchos antepasados de Jesús.

Adviento

Tú conoces el nombre de tus padres, tus abuelos, tus tías y tus tíos. Ellos forman parte de tu árbol genealógico. Un árbol genealógico te ayuda a recordar a los miembros de tu familia.

Durante el Adviento, hacemos un árbol genealógico para prepararnos para la Navidad. Nos ayuda a recordar a las personas que le prepararon el camino a Jesús. A este árbol lo llamamos Árbol de Jesé. Jesé era un pastor de Belén. También era el padre del Rey David, un antepasado de Jesús. En el Árbol de Jesé, colgamos símbolos que nos recuerdan a las personas que le prepararon el camino a Jesús.

Recordamos a Adán y Eva, y a Noé. Recordamos a Abrahán y Sara, y a Moisés y a David. Recordamos a Juan Bautista, que anunció la venida de Jesús. Recordamos a María y José, que recibieron a Jesús la primera noche de Navidad.

Advent

You know the names of your parents and grandparents and aunts and uncles. They are part of your family tree. A family tree helps you remember the people in your family.

During Advent we make a family tree to prepare for Christmas. It helps us remember the people who prepared the way for Jesus. We call this tree a Jesse Tree. Jesse was a shepherd from Bethlehem. He was also the father of King David, an ancestor of Jesus. We hang symbols on the Jesse Tree to remind us of the people who prepared the way for Jesus.

We remember Adam and Eve and Noah. We remember Abraham and Sarah and Moses and David. We remember John the Baptist, who announced the coming of Jesus. We remember Mary and Joseph, who welcomed Jesus on the first Christmas night.

Faith Focus
Who are some of the people that prepared us for Jesus' coming?

The Word of the Lord
Choose this year's Gospel reading for the First Sunday of Advent. Read and discuss it with your family.

Year A
Matthew 24:37–44

Year B
Mark 13:33–37

Year C
Luke 21:25–28, 34–36

What You See
The stained glass shows a Jesse Tree filled with images of many ancestors of Jesus.

Darle la bienvenida a Jesús

Decora el árbol de Navidad. En cada estrella, escribe el nombre de alguien que te ayuda a prepararte para la venida de Jesús en Navidad. Envía a una de las personas que nombraste una tarjeta de agradecimiento por compartir su fe contigo.

____

____

____

En este tiempo de Adviento honraré a los antepasados de Jesús preparándole el camino a Jesús. Yo voy a

____

____.

Reza: "Querido Jesús, ¡prepararé el camino para ti! Amén".

Welcoming Jesus

Decorate the Christmas tree. In each star, write the name of someone who helps you prepare for the coming of Jesus at Christmas. Send one of the people you name a thank-you card for sharing his or her faith with you.

____

____

____

My Faith Choice

This season of Advent I will honor Jesus' ancestors by preparing the way for Jesus. I will

____

____.

Pray, "Dear Jesus, I will prepare the way for you! Amen."

Enfoque en la fe
¿Cómo preparó Dios a María para que fuera la Madre de Jesús, el Salvador del mundo?

Palabra de Dios
Esta es la primera lectura para la Solemnidad de la Inmaculada Concepción. Pide a tu familia que la lea contigo. Comenta con ellos la lectura.

Génesis 3:9-15, 20

La Inmaculada Concepción

Dios Padre eligió a María para que fuera la madre de Jesús, el Hijo de Dios. Dios Espíritu Santo preparó a María para esta función. Le dio los dones o gracias que necesitaba para ser la madre de nuestro Salvador. Cuando Dios envió al ángel Gabriel a María, este le dijo:

Alégrate, llena de gracia, el Señor está contigo.

LUCAS 1:28

María se preguntaba qué quería decir el ángel, pero este le dijo que no tuviera miedo. Le explicó que Dios la había elegido para que fuera madre de Jesús, el Salvador del mundo. Como María estaba llena de gracia, dijo sí a Dios.

Dios la había mantenido libre del Pecado Original desde el primer momento de su vida. A esto le decimos la Inmaculada Concepción de María.

Llamamos a María "Inmaculada". Ella estaba llena de la gracia de Dios. Su fe en Dios y su amor por Él eran tan fuertes que nunca pecó. María es la Santa más importante. María, nuestra Bienaventurada Madre, es el modelo para todos los cristianos.

Todos los años, el 8 de diciembre, la Iglesia celebra la Solemnidad de la Inmaculada Concepción. Ese día honramos a María, que vivió siempre sin pecado.

Madre de la Divina Gracia, siglo XX (bordado)

The Immaculate Conception

Faith Focus

How did God prepare Mary to be the Mother of Jesus, the Savior of the world?

The Word of the Lord

This is the First Reading for the Solemnity of the Immaculate Conception. Ask your family to read it with you. Talk about the reading with them.

Genesis 3:9–15, 20

God the Father chose Mary to be the mother of Jesus, the Son of God. God the Holy Spirit prepared Mary for this role. He gave her the gifts, or graces, needed to be the mother of our Savior. When God sent the angel Gabriel to Mary, Gabriel said to her,

> *Hail, favored one! The Lord is with you.*
>
> Luke 1:28

Mary wondered what the angel meant, but the angel told Mary not to be afraid. The angel told her she was chosen by God to be the mother of Jesus, the Savior of the world. Because she was filled with grace, Mary said yes to God.

God kept Mary free from Original Sin from the first moment of her life. We call this the Immaculate Conception of Mary.

We call Mary "Mary Immaculate." She was always filled with God's grace. Mary's faith and love for God was so strong, she never sinned. Mary is the greatest Saint. Mary, our Blessed Mother, is the model for all Christians.

Every year on December 8, the Church celebrates the Solemnity of the Immaculate Conception. On that day, we honor Mary, who was always without sin.

Mother of Divine Grace
20th Century (textile)

Ave, María

Colorea y decora las palabras Ave, María *del estandarte.*
Ave es una palabra latina para "salve".

Ave,
María

María Inmaculada,
cantamos tus alabanzas.
Tú reinas ya en el Cielo
con Jesús, nuestro Rey.
¡Ave, Ave, Ave María!
¡Ave, Ave, Ave María!

Esta semana seguiré el ejemplo de María Inmaculada. Yo voy a

____

____.

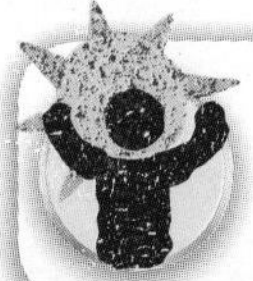

Reza: "María, ayúdame a evitar el pecado y a vivir siempre con amor. Amén".

Ave, Maria

Color and decorate the words Ave Maria *in the banner. Ave is the Latin word for "Hail."*

Ave
Maria

Immaculate Mary,
your praises we sing.
You reign now in Heaven
with Jesus our King.
Ave, Ave, Ave, Maria!
Ave, Ave, Maria!

This week I will follow the example of Immaculate Mary.
I will

____

____.

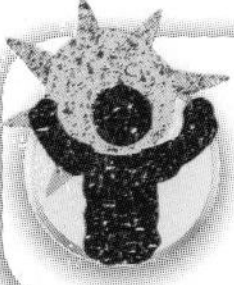

Pray, "Mary, help me to avoid sin and to live always with love. Amen."

Enfoque en la fe

¿Por qué la Santísima Virgen María es la Madre de todos los Pueblos?

Palabra de Dios

Esta es la lectura del Evangelio para el Día de Nuestra Señora de Guadalupe. Pide a tu familia que la lea contigo. Comenta con ellos la lectura.

LUCAS 1:39–48

Nuestra Señora de Guadalupe

Todos los años celebramos el Día de Nuestra Señora de Guadalupe el 12 de diciembre. Ese día nuestra Bienaventurada Madre, María, apareció ante Juan Diego.

Juan Diego vivía en México y era miembro del pueblo azteca. Un día, cuando iba a Misa, la Santísima Virgen María apareció ante él, cerca de una colina llamada Tepeyac. Le habló en la lengua materna de Diego. Quería que todo el mundo supiera que ella ama a todas las personas de todos los pueblos. Todas las personas son hijos e hijas de Dios.

La Bienaventurada Madre envió a Juan a ver al obispo de México para pedirle que construyera una iglesia en la colina. Al principio, el obispo no le creyó a Juan. Entonces, María mandó a Juan Diego a recolectar rosas de la ladera, aunque era invierno. Acomodó las rosas en su capa, llamada *tilma*. Cuando Juan abrió la capa, el obispo y todos los presentes vieron la imagen de una princesa azteca. Era una imagen de María.

Hoy una gran iglesia, llamada basílica, se eleva en la colina donde María apareció ante Juan Diego. Es la Basílica de Nuestra Señora de Guadalupe, que todos los años recibe visitantes de todo el mundo.

Our Lady of Guadalupe

Ever year we celebrate the Feast of Our Lady of Guadalupe on December 12. It is the day our Blessed Mother, Mary, appeared to Juan Diego.

Juan Diego lived in Mexico and was a member of the Aztec people. One day as he was walking to Mass, the Blessed Virgin Mary appeared to him near a hill called Tepeyac. Mary spoke to Juan Diego in his native language. She wanted all people to know she loves everyone in every nation. All people are God's children.

The Blessed Mother sent Juan to the bishop of Mexico to ask him to build a church on the hill. At first, the bishop did not believe Juan. So Mary sent Juan Diego to gather roses from the hillside, even though it was winter. She arranged the roses in his cloak, called a *tilma*. When Juan unwrapped his cloak, the bishop and all those present saw an image of an Aztec princess. It was an image of Mary.

Today a great church, called a basilica, stands on the hill where Mary appeared to Juan Diego. It is called the Basilica of Our Lady of Guadalupe. People from all over the world come to visit it every year.

Faith Focus

Why is the Blessed Virgin Mary the Mother of all Nations?

The Word of the Lord

This is the Gospel reading for the Feast of Our Lady of Guadalupe. Ask your family to read it with you. Talk about the reading with them.

Luke 1:39–48

Una imagen de María

Las rosas nos recuerdan a Nuestra Señora de Guadalupe. Nos ayudan a recordar que María es la Madre de Dios y la Madre de Jesús. También nos ayudan a recordar que todas las personas son hijos e hijas de Dios y merecen respeto.

En varios pétalos de la rosa, escribe una manera en que puedes mostrar amor por los demás.

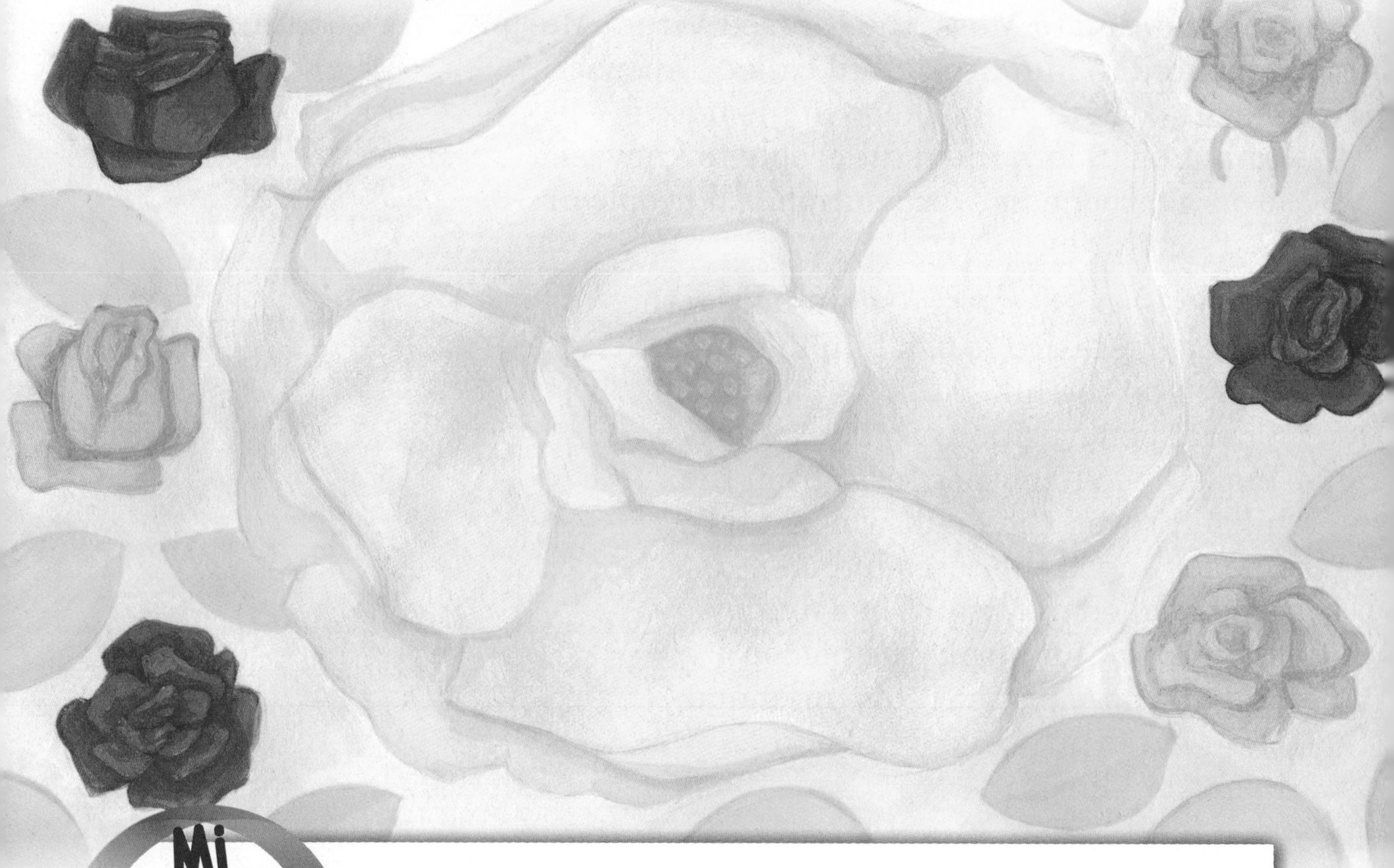

Mi elección de fe

Esta semana mostraré respeto por los demás, como María pide que lo haga. Yo voy a

____

____.

Reza: "Nuestra Señora de Guadalupe, reza por nosotros. Ayúdanos a tratarnos como hermanos y hermanas. Amén".

An Image of Mary

Roses remind us of Our Lady of Guadalupe. They help us to remember that Mary is the Mother of God and the Mother of Jesus. It also helps us to remember that all people are God's children and worthy of respect.

On several rose petals, write one way you can show love for others.

My Faith Choice

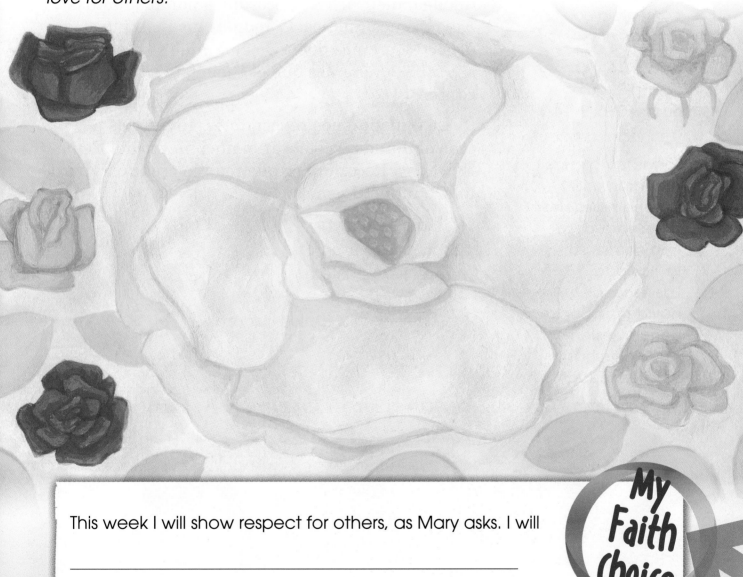

This week I will show respect for others, as Mary asks. I will

____

____.

Pray, "Our Lady of Guadalupe, pray for us. Help us to treat one another as brothers and sisters. Amen."

Enfoque en la fe

¿Cómo celebramos la llegada de Jesús?

Palabra de Dios

Esta es la lectura del Evangelio para la Misa del Día de Navidad. Léela y coméntala con tu familia.

Años A, B y C

Juan 1:1–18 o
Juan 1:1–5, 9–14

A la vista

Todas las iglesias preparan una escena navideña, o pesebre, desde que comienza la Navidad. Las escenas navideñas, por lo general, están en exhibición hasta la Solemnidad de Epifanía, el 6 de enero.

Navidad

¡La Navidad es un tiempo para alegrarse! Cuando Jesús nació, los ángeles y los pastores se alegraron. También la Misa del Día de Navidad nos invita a alegrarnos.

Usamos toda la creación para que nos ayude a alegrarnos. Decoramos pan y galletas. Envolvemos regalos. Colgamos luces en nuestro árbol. Queremos que todo el mundo se alegre y sea feliz. Queremos que el Cielo y la naturaleza canten.

En Navidad nos regocijamos. Invitamos a todo el mundo a celebrar el nacimiento del Rey y Salvador. Recordamos que toda la creación vivirá feliz y unida. Leemos:

El lobo habitará
con el cordero...,
el ternero comerá
al lado del león
y un niño chiquito los cuidará.

Basado en Isaías 11:6

Christmas

Christmas is a time to rejoice! When Jesus was born, angels and shepherds rejoiced. The Mass for Christmas Day invites us to rejoice too.

We use all of creation to help us rejoice. We decorate bread and cookies. We wrap packages. We put lights on our trees. We want the whole world to rejoice and be glad. We want Heaven and nature to sing.

On Christmas we rejoice. We invite the whole world to celebrate the birth of the newborn King and Savior. We remember that all of creation will happily live with one another. We read:

The wolf shall be a guest
of the lamb, . . .
The calf and the young lion shall
browse together,
with a little child to guide them.

BASED ON ISAIAH 11:6

Faith Focus
How do we celebrate the arrival of Jesus?

The Word of the Lord
This is the Gospel reading for the Mass on Christmas Day. Read and discuss it with your family.

Years A, B, and C
John 1:1–18
or John 1:1–5, 9–14

What You See
Every church displays a Nativity scene, or crèche, beginning on Christmas. Nativity scenes usually remain on display until the Solemnity of the Epiphany on January 6.

Bendición de los árboles

Esta es una oración que tú y tu familia pueden rezar para bendecir el árbol de Navidad el Día de Navidad.

Líder Nuestro auxilio está en el nombre del Señor,

Todos **que hizo el Cielo y la Tierra.**

Lector 1 ¡Canten al Señor un canto nuevo, canten al Señor toda la tierra! Bendigan su nombre, su salvación anuncien día a día.

Todos **Canten al Señor un canto nuevo.**

Lector 2 ¡Gozo en los cielos, júbilo en la tierra, bramido del mar y del mundo marino! Muestren su júbilo el campo y todos sus frutos.

Todos **Canten al Señor un canto nuevo.**

Lector 3 Lancen vivas los árboles del bosque delante del Señor, porque ya viene, porque ya viene a juzgar a la tierra.

Líder Oh, Señor, bendice este árbol. Haz que brille con luz. Que sus adornos celebren tu venida entre nosotros. Te lo pedimos en el nombre de Jesús, tu Hijo, nacido de la Virgen María para nosotros.

Todos **Amén.**

Basada en Salmo 96:1, 2, 11–13

Esta semana mostraré gozo por el nacimiento de Jesús. Yo voy a

____

____.

Reza: "Jesús ha nacido. Me alegraré y seré feliz. Amén".

A Blessing for Trees

Here is a prayer you and your family may use to bless your Christmas tree on Christmas Day.

Leader	Our help is in the name of the Lord.
All	**Who made Heaven and Earth.**
Reader 1	Sing to the Lord a new song. Sing to the Lord, all the Earth. Bless his name; announce his salvation day after day.
All	**Sing to the Lord a new song.**
Reader 2	Let the heavens be glad and the Earth rejoice; let the sea and what fills it resound; let the plains be joyful and all that is in them.
All	**Sing to the Lord a new song.**
Reader 3	Let all the trees of the forest rejoice before the Lord who comes, who comes to govern the Earth.
Leader	O Lord, bless this tree. Let it shine with light. May its decorations celebrate your coming among us. We ask this in the name of Jesus, your Son, born of the Virgin for us.
All	**Amen.**

BASED ON PSALM 96:1, 2, 11–13

This week I will show my joy for the birth of Jesus. I will

____

____.

Pray, "Jesus is born. I will rejoice and be glad. Amen."

Enfoque en la fe
¿Por qué llamamos a María Madre de Dios?

Palabra de Dios
Elige una de las lecturas para la Solemnidad de María, Madre de Dios. Léela y coméntala con tu familia.

Primera lectura
Números 6:22–27

Segunda lectura
Gálatas 4:4–7

Evangelio
Lucas 2:16–21

María, Madre de Dios

La Navidad es un tiempo para celebrar el nacimiento de Jesús, nuestro Salvador e Hijo de Dios. También es un tiempo para celebrar el don de la madre de Jesús, la Santísima Virgen María.

Jesús, el único Hijo de Dios, es el Salvador del mundo. Como María es la madre de Jesús, que es verdaderamente Dios, María es verdaderamente la Madre de Dios.

El Día de Año Nuevo, el 1 de enero, celebramos la Solemnidad de María, Madre de Dios. En este día de precepto nos reunimos para la Misa. Honramos a María por decir sí al amor de Dios. Le damos gracias por haber aceptado convertirse en la madre de Jesús por el poder del Espíritu Santo. Empezamos el Año Nuevo alabando a Dios por enviarnos a Jesús al mundo como nuestro Salvador. ¡Alabamos y damos gracias a Dios por darle a María este honor tan inmenso!

Mary, Mother of God

Christmas is a time for celebrating the birth of Jesus, our Savior and God's Son. The Christmas season is also a time for celebrating the gift of Jesus' mother, the Blessed Virgin Mary.

Jesus, the only Son of God, is the Savior of the world. Because Mary is the mother of Jesus, who is truly God, Mary is truly the Mother of God.

On New Year's Day, January 1, we celebrate the Solemnity of Mary, the Holy Mother of God. On this holy day of obligation, we gather for Mass. We honor Mary for saying yes to God's love. We thank her for agreeing to become the mother of Jesus through the power of the Holy Spirit. We begin our New Year praising God for sending Jesus into the world as our Savior. We praise and thank God for giving Mary such a great honor!

Faith Focus
Why do we call Mary the Mother of God?

The Word of the Lord
Choose one of the readings for the Solemnity of Mary, the Holy Mother of God. Read and discuss it with your family.

First Reading
Numbers 6:22–27

Second Reading
Galatians 4:4–7

Gospel
Luke 2:16–21

Honrar a María

El Ángelus es una oración que los católicos han rezado durante casi mil años. Honra a María por decir "sí" al plan de Dios para ella. La palabra "ángelus" significa "el ángel".

Decora el borde de la oración del Ángelus. Rézala con la clase. Llévala a casa para rezarla con tu familia.

Ángelus

Líder — El ángel del Señor anunció a María.

Todos — **Y concibió por obra y gracia del Espíritu Santo. Dios te salve, María...**

Líder — He aquí la esclava del Señor.

Todos — **Hágase en mí según tu palabra. Dios te salve, María...**

Líder — Y el Verbo de Dios se hizo carne.

Todos — **Y habitó entre nosotros. Dios te salve, María...**

Líder — Ruega por nosotros, Santa Madre de Dios,

Todos — **para que seamos dignos de alcanzar las promesas de Jesucristo.**

Esta semana le rezaré a María todos los días:

- ❍ camino a la escuela
- ❍ durante el recreo
- ❍ antes de acostarme

Reza: "¡Te honramos y te bendecimos, María! Ayúdanos a seguir a tu Hijo, Jesús. Amén".

Honoring Mary

The Angelus is a prayer that Catholics have prayed for almost 1000 years. It honors Mary for saying "yes" to God's plan for her. The word "angelus" means "the angel."

Decorate the border around the Angelus prayer. Pray it as a class. Take it home to pray with your family.

The Angelus

Leader The angel of the Lord declared unto Mary,

All **And she conceived of the Holy Spirit. Hail Mary . . .**

Leader Behold the handmaid of the Lord,

All **Be it done unto me according to your Word. Hail Mary . . .**

Leader And the Word was made flesh,

All **And dwelt among us. Hail, Mary . . .**

Leader Prayer for us, holy Mother of God.

All **That we may be made worthy of the promises of Christ.**

This week I will pray to Mary every day

- ❍ on the way to school
- ❍ during recess
- ❍ before bedtime

Pray, "We honor and praise you, Mary. Help us to follow your Son, Jesus. Amen."

Enfoque en la fe
¿Por qué Jesús da la bienvenida a todos los que se acercan a Él?

Palabra de Dios
Esta es la lectura del Evangelio para la Solemnidad de la Epifanía. Pide a tu familia que la lea contigo. Comenta con ellos la lectura.

Años A, B y C
Mateo 2:1–12

Epifanía

Durante el tiempo de Navidad, disfrutamos visitando a nuestros seres queridos. A veces ellos recorren largas distancias solo para vernos. A veces traen regalos. Lo más importante es que nos saludan con amor.

Cuando Jesús nació, en Belén, los Reyes Magos querían visitar al rey recién nacido. Estos hombres sabios vieron una gran estrella en el cielo. Siguieron la luz de la estrella hasta el lugar donde Jesús había nacido.

Cuando vieron al bebé Jesús con su madre, María, hicieron una reverencia. Este era un signo de respeto y honra. Luego le dieron a Jesús regalos de oro, incienso y mirra.

Vamos a Misa el domingo de Epifanía. Rezamos para que Jesús guíe siempre nuestro camino con su luz, como la estrella guió a los Reyes Magos.

Como ellos, recibimos con amor a Jesús en nuestro corazón. Jesús da la bienvenida a todos los que se acercan a Él porque nos ama a todos.

Epiphany

During the Christmas season, we enjoy visiting our loved ones. Sometimes they travel a long distance just to see us. Sometimes they bring gifts. Most importantly, they greet us with love.

When Jesus was born in Bethlehem, the Magi wanted to visit with the newborn king. These wise men saw a great star in the sky. They followed the light of the star to the place where Jesus was born.

When they saw the baby Jesus with his mother, Mary, they bowed down. This was a sign of respect and honor. Then they gave Jesus their gifts of gold, frankincense, and myrrh.

We go to Mass on Epiphany Sunday. We pray that Jesus will always guide our way with his light, just as the star guided the Magi.

Like the Magi, we welcome Jesus into our hearts with love. Jesus welcomes everyone who comes to him because he loves us all.

Faith Focus

Why does Jesus welcome all who come to him?

The Word of the Lord

This is the Gospel reading for the Solemnity of the Epiphany. Ask your family to read it with you. Talk about the reading with them.

Years A, B, and C
Matthew 2:1–12

Invitar a Jesús

Piensa en todas las veces que vas de visita a la casa de alguien. O en las veces que tienes visitas en tu casa. ¿Cómo las recibes?

Ahora imagina que eres uno de los Reyes Magos. ¿Cómo recibirías a Jesús en el mundo? Dibújate como si fueras uno de los Reyes Magos en el espacio de abajo.

Esta semana, recibiré a Jesús en mi corazón. Yo voy a

____

____.

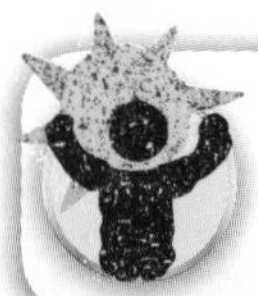

Reza: "¡Jesús, ven a mi corazón y quédate siempre conmigo! Amén".

Inviting Jesus In

Think of the many times you were a visitor to someone's home. Or the times you had visitors to your home. How did you welcome them?

Now imagine you were one of the Magi. How would you welcome Jesus into the world? In the space below, draw yourself as one of the Magi.

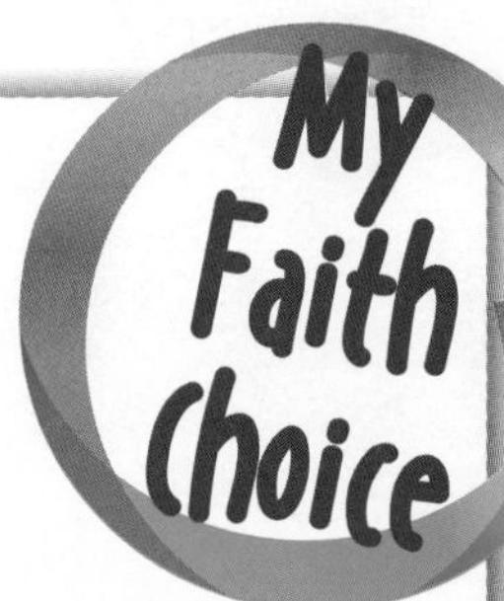

This week I will welcome Jesus into my heart. I will

____

____.

Pray, "Jesus, come into my heart and stay with me always! Amen."

Miércoles de Ceniza

Enfoque en la fe
¿Por qué el Miércoles de Ceniza nos hacen la Señal de la Cruz con cenizas sobre nuestra frente?

Palabra de Dios
Elije una de las lecturas para el Miércoles de Ceniza. Léela y coméntala con tu familia.

Primera lectura
Joel 2:12–18

Segunda lectura
2.ª Corintios 5:20–6: 2

Evangelio
Mateo 6:1–6, 16–18

Hay señales por todos lados. Las señales nos dicen muchas cosas. Nos muestran los nombres de edificios y caminos. Nos dan indicaciones. Nos recuerdan detenernos o avanzar.

Cuando nos bendecimos y hacemos la Señal de la Cruz, nos recordamos que estamos bautizados. Somos los hijos de Dios Padre. Somos discípulos de Jesucristo, el Hijo de Dios. Somos templos del Espíritu Santo.

Con el Miércoles de Ceniza empezamos el tiempo de Cuaresma. Nos hacen una cruz con cenizas en nuestra frente. Las cenizas son señal de arrepentimiento. Quiere decir que mostramos que estamos arrepentidos de nuestros pecados. Estamos arrepentidos de no vivir como hijos de Dios. Es una señal de que queremos hacer un mayor esfuerzo.

Cuando recibimos las cenizas el Miércoles de Ceniza, el sacerdote nos dice que nos apartemos del pecado y seamos fieles al Evangelio. Se nos recuerda que debemos seguir el ejemplo de Jesús. Durante el tiempo de Cuaresma, ayunamos, rezamos y hacemos obras de caridad. La Cuaresma es un tiempo para recordar la Cruz de Cristo y prepararse para la alegría de la Pascua.

Ash Wednesday

Signs are everywhere. Signs tell us many things. They show us the names of buildings and roads. They give us directions. They remind us to stop and go.

When we bless ourselves and pray the Sign of the Cross, we remind ourselves that we are baptized. We are children of God the Father. We are disciples of Jesus Christ, the Son of God. We are temples of the Holy Spirit.

On Ash Wednesday we begin the season of Lent. A cross is made with ashes on our forehead. Ashes are a sign of repentance. This means we show we are sorry for our sins. We are sorry for not living as a child of God. It is a sign that we want to try harder.

As we receive our ashes on Ash Wednesday, the priest tells us to turn away from sin and be faithful to the Gospel. We are reminded that we are to follow Jesus' example. During the season of Lent we fast and pray and do acts of charity. Lent is a time to remember the Cross of Christ and prepare for the joy of Easter.

Faith Focus
Why is the sign of the cross made on our forehead with ashes on Ash Wednesday?

The Word of the Lord
Choose one of the readings for Ash Wednesday. Read and discuss it with your family.

First Reading
Joel 2:12–18

Second Reading
2 Corinthians 5:20–6:2

Gospel
Matthew 6:1–6, 16–18

La Cruz de Cristo

Crea una Cruz de Cuaresma eligiendo cuatro acciones que harás en la Cuaresma. Mira la lista de palabras si necesitas ayuda. Escribe una acción en cada parte de la cruz. Luego decora la cruz.

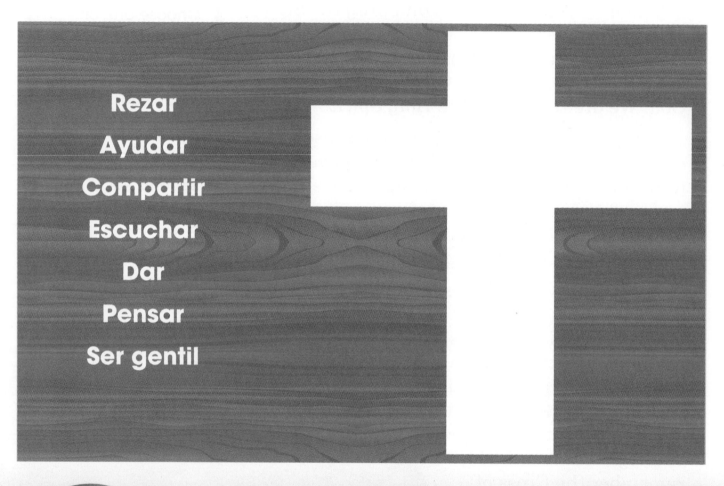

Rezar

Ayudar

Compartir

Escuchar

Dar

Pensar

Ser gentil

Esta semana recordaré el amor de Jesús por mí y trataré de vivir como hijo de Dios. Yo voy a

____

____.

Reza: "Ten piedad de mí, oh Señor. Ayúdame a tomar buenas decisiones. Amén".

The Cross of Christ

Create a Lenten Cross by choosing four actions you will do for Lent. If you need help, look at the list of words. Write an action on each part of the cross. Then decorate the cross.

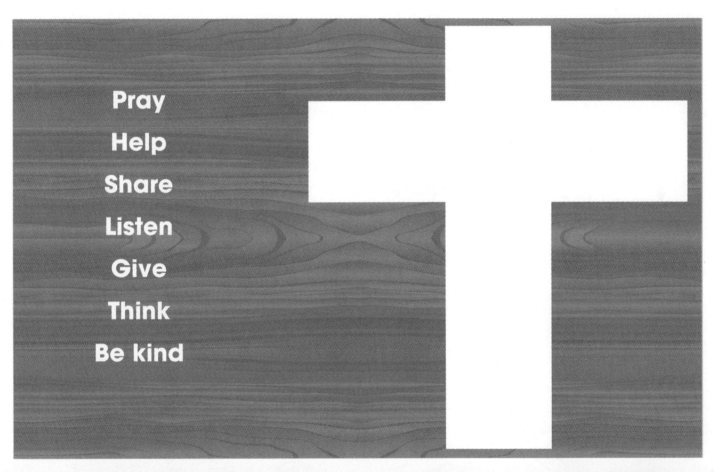

Pray

Help

Share

Listen

Give

Think

Be kind

This week I will remember Jesus' love for me and try to live as a child of God. I will

____

____.

Pray, "Have mercy on me, O God. Help me make good choices. Amen."

Enfoque en la fe
¿Qué hacemos durante la Cuaresma?

Palabra de Dios
Elige la lectura del Evangelio de este año que corresponda al primer domingo de Cuaresma. Léela y coméntala con tu familia.

Año A
Mateo 4:1–11

Año B
Marcos 1:12–15

Año C
Lucas 4:1–13

Cuaresma

Piensa en algo maravilloso que sucederá pronto en tu vida. ¿Celebrarás tu cumpleaños? ¿Te irás de viaje? ¿Verás nuevamente a un amigo? ¿Qué harás para prepararte para este acontecimiento?

Durante la Cuaresma, nos preparamos para un acontecimiento maravilloso. Nos preparamos para la Pascua. Hacemos un esfuerzo por dedicar tiempo y trabajo a ayudar a los demás. También ayunamos, o renunciamos a algo, y tratamos de rezar más.

Durante la Cuaresma, también nos preparamos para dar la bienvenida a la Iglesia a nuevos miembros en la Vigilia Pascual. Nos preparamos para renovar nuestras promesas bautismales y para parecernos más a Jesús.

De esta manera, nos preparamos para la maravillosa celebración de la Pascua.

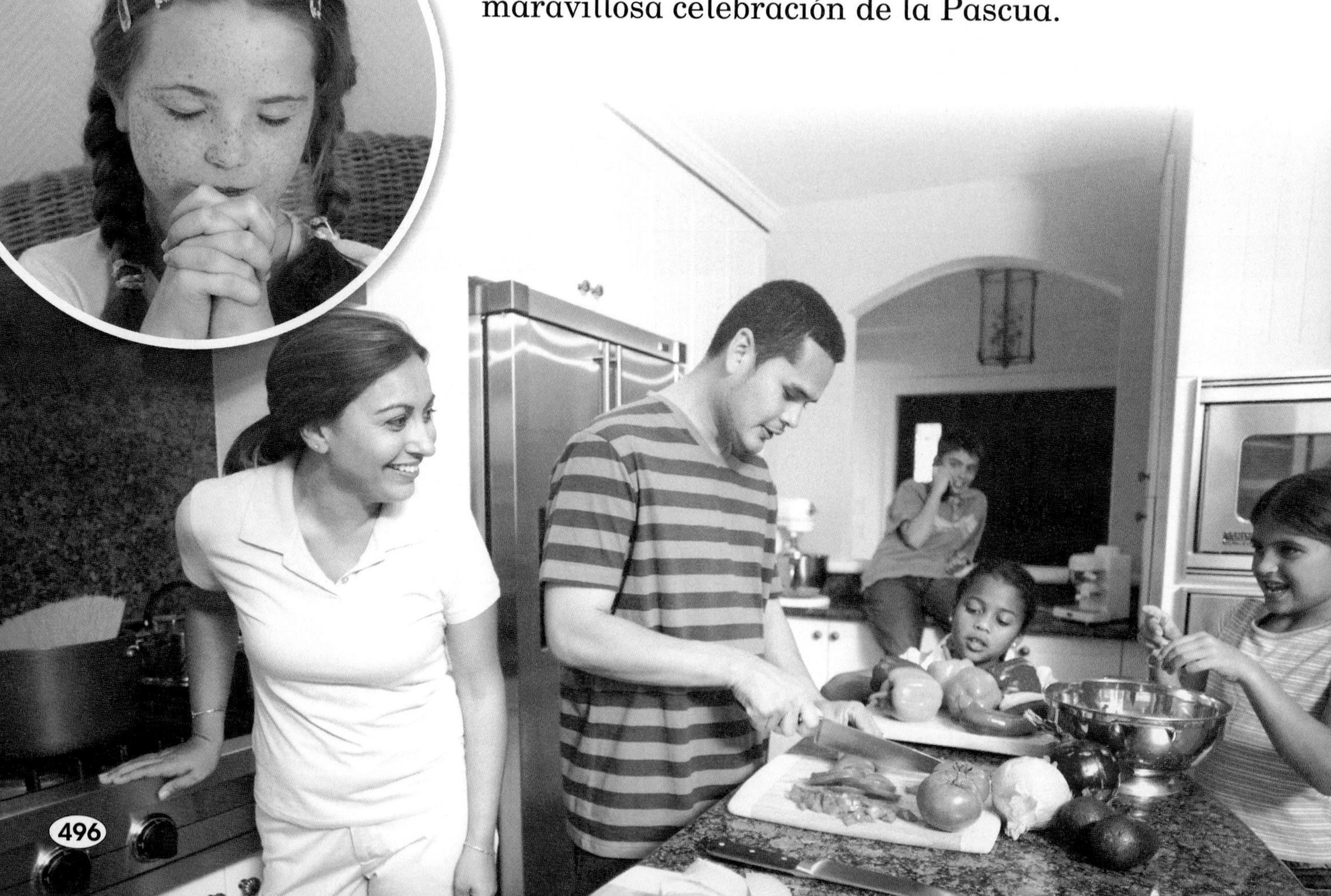

Lent

Think of a wonderful thing that will happen soon in your life. Will you celebrate your birthday? Will you go on a trip? Will you see a friend again? What will you do to prepare for this event?

During Lent we prepare for a wonderful happening. We get ready for Easter. We try extra hard to give time and effort to help others. We also fast, or give up something, and we try to pray more.

During Lent we also get ready to welcome new members into the Church at the Easter Vigil. We prepare ourselves to renew our baptismal promises and to become more like Jesus.

In these ways we prepare for the wonderful celebration of Easter.

Faith Focus
How do we spend our time during Lent?

The Word of the Lord
Choose this year's Gospel reading for the First Sunday of Lent. Read and discuss it with your family.

Year A
Matthew 4:1–11

Year B
Mark 1:12–15

Year C
Luke 4:1–13

Camino a la Pascua

Escribe ✔ junto a los enunciados de cada recuadro que cumplirás durante la Cuaresma para prepararte para la Pascua. Lleva una lista de todas las cosas que harás. Cuélgala donde la veas todos los días.

Mis promesas cuaresmales

Yo voy a

_____ sonreír a alguien que esté triste.

_____ decir palabras amables a alguien que me ama.

_____ ayudar a alguien que lo necesite.

_____ agradecer a alguien que me haya ayudado.

_____ (Otra) ______________________.

Renunciaré a

_____ la merienda durante el día.

_____ mi programa preferido de televisión.

_____ pelear.

_____ un mal hábito.

_____ (Otra) ______________________.

Rezaré por

______________________________,

______________________________,

______________________________,

______________________________.

Durante este tiempo de Cuaresma, trabajaré con más esfuerzo especialmente en una de las acciones que elija. Yo voy a

____

______________________________.

Reza: "Señor, ayúdame a rezar, a hacer sacrificio y a hacer el bien para prepararme para la Pascua. Amén".

On the Way to Easter

Put a ✔ next to the things in each box that you will do during Lent to prepare for Easter. Keep a list of all things you will do. Hang it where you will see it each day.

My Lenten Promises

I will give

____ a smile to someone who looks sad.

____ kind words to someone who loves me.

____ help to someone in need.

____ thanks to someone who has helped me.

____ (Other) ____________________.

I will give up

____ a snack during the day.

____ a favorite TV show.

____ arguing.

____ a bad habit.

____ (Other) ____________________.

I will pray for

____________________________,

____________________________,

____________________________,

____________________________.

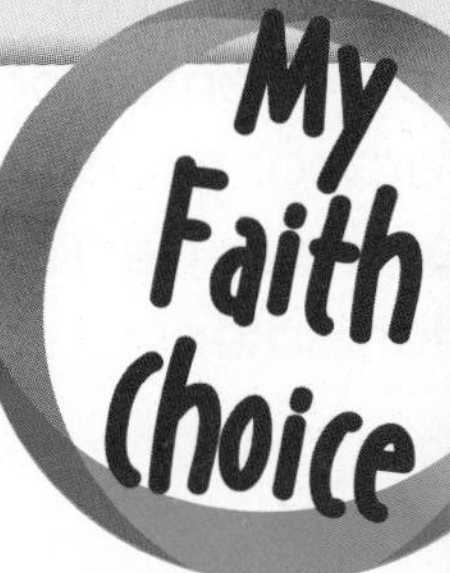

During this season of Lent, I will work especially hard at one of the actions I chose. I will

____

____.

Pray, "Lord, help me to pray, sacrifice, and do good to prepare for Easter. Amen."

Domingo de Ramos de la Pasión del Señor

Enfoque en la fe
¿Qué acontecimiento recuerdas del Domingo de Ramos de la Pasión del Señor?

Palabra de Dios
Elige la lectura del Evangelio de este año para el Domingo de Ramos de la Pasión del Señor. Léela y coméntala con tu familia.

Año A
Mateo 26: 14–27, 66 o
Mateo 27:11–54

Año B
Marcos 14:1–15:47 o
Marcos 15:1–39

Año C
Lucas 22:14–23:56 o
Lucas 23:1–49

A la vista
En este día, generalmente marchamos en procesión con el celebrante y llevamos ramas de palmas. Lo hacemos para recrear y recordar la entrada de Jesús en Jerusalén.

Cuando viene alguien importante a la escuela o a la ciudad, lo celebras. Saludas a la persona y haces cosas especiales.

Hace muchos años, los niños dieron la bienvenida a Jesús en Jerusalén. Lo hicieron el día que llamamos Domingo de Ramos de la Pasión del Señor.

La celebración del Domingo de Ramos de la Pasión del Señor da comienzo a la Semana Santa. Ese día llevamos palmas y recordamos el día en el que Jesús entró a la ciudad de Jerusalén. Las personas lo celebraron y le dieron la bienvenida. Gritaban: "¡Hosanna!". Agitaban ramas de palmas. Extendieron los mantos sobre el camino para que fuera más suave y menos polvoriento para Jesús.

Palm Sunday of the Passion of the Lord

When someone important comes to your town or school, you celebrate. You greet the person and do special things.

Many years ago children welcomed Jesus to Jerusalem. They did this on the day we call Palm Sunday of the Passion of the Lord.

The celebration of Palm Sunday of the Passion of the Lord begins Holy Week. On that day we carry palms and remember the day Jesus came into the city of Jerusalem. People welcomed him and cheered. They called out, "Hosanna!" They waved palm branches. They spread their cloaks on the road to make the path smooth and less dusty for Jesus.

Faith Focus
What event do we remember on Palm Sunday of the Passion of the Lord?

The Word of the Lord
Choose this year's Gospel reading for Palm Sunday of the Passion of the Lord. Read and discuss it with your family.

Year A
Matthew 26:14–27:66 or Matthew 27:11–54

Year B
Mark 14:1–15:47 or Mark 15:1–39

Year C
Luke 22:14–23:56 or Luke 23:1–49

What You See
On this day we often march in a procession with the celebrant and carry palm branches. We do this to re-create and remember Jesus' entry into Jerusalem.

Dar la bienvenida a Jesús

Trabaja con tres o cuatro compañeros. Practica esta obra. Haz una dramatización para todo el grupo.

Acto 1

Lector Una vez, Jesús dio la bienvenida a los niños como tú. Las madres y los padres llevaron sus niños a Jesús para que los bendijera.

Apóstoles Jesús está muy ocupado. ¡Apártense!

Jesús No. Dejen que los niños vengan. El reino de los cielos pertenece a los niños como estos.

Acto 2

Lector Más tarde Jesús entró a la ciudad de Jerusalén en un burro. Los niños estaban allí. Aclamaban a Jesús y lo celebraban. Lo recordaban y le ofrecieron sus alabanzas.

Niños ¡Toda la gloria, la alabanza y el honor sean para ti, Rey, Redentor! A quien los labios de los niños alababan con dulces hosannas.

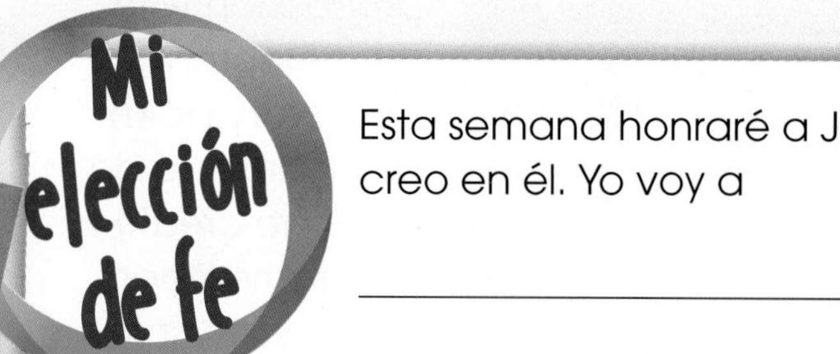

Mi elección de fe

Esta semana honraré a Jesús como mi Rey y mostraré que creo en él. Yo voy a

____

____.

Reza: "¡Hosanna a nuestro Rey y Salvador! Amén".

Welcoming Jesus

Work with three or four partners. Practice this play. Act out the play for the whole group.

Act 1

Reader Once Jesus welcomed children just like you. Moms and dads brought their children to Jesus to be blessed.

Apostles Jesus is very busy. Stay away!

Jesus No. Let the children come. The kingdom of heaven belongs to children just like these.

Act 2

Reader Later Jesus entered the city of Jerusalem on a donkey. The children were there. They cheered and cheered for Jesus. They remembered him and offered their praises.

Children All glory, laud and honor
To thee, Redeemer, King!
To whom the lips of children
Made sweet hosannas ring.

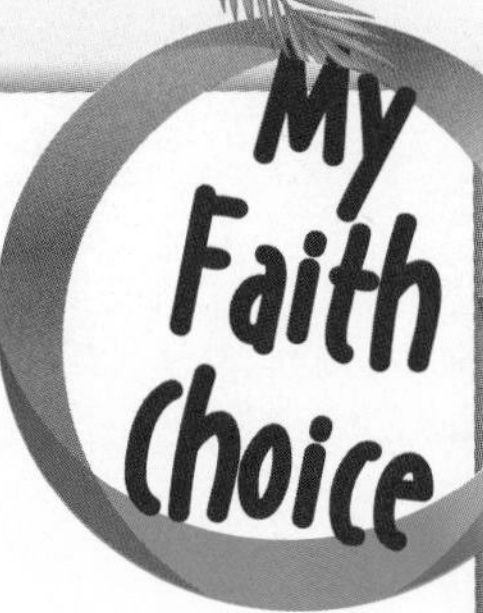

My Faith Choice

This week I will honor Jesus as my King and show that I believe in him. I will

____

____.

Pray, "Hosanna to our King and Savior! Amen."

Enfoque en la fe
¿Qué celebramos en la Misa de la Cena del Señor?

Palabra de Dios
Elige una de las lecturas de la Sagrada Escritura que corresponda al Jueves Santo. Léela y coméntala con tu familia.

Primera lectura
Éxodo 12:1-8, 11-14

Segunda lectura
1.ª Corintios 11:23-26

Evangelio
Juan 13:1-15

Jueves Santo

Los tres días anteriores al Domingo de Pascua son de gran celebración. Se los llama Triduo Pascual. La palabra *triduo* significa "tres días".

La celebración del Triduo Pascual comienza el Jueves Santo con la celebración nocturna de la Misa de la Cena del Señor. La Iglesia recuerda la primera vez que Jesús tomó el pan y el vino y dijo: "Este es mi cuerpo" y "Esta es mi sangre". Recordamos que Jesús nos dio la Eucaristía.

La lectura del Evangelio del Jueves Santo nos dice que Jesús lavó los pies de los discípulos en la Última Cena. El lavado de los pies de los discípulos nos muestra que Jesús sirvió a los demás. Todos los que participamos del Cuerpo y la Sangre de Cristo también debemos servir a los demás como lo hizo Jesús.

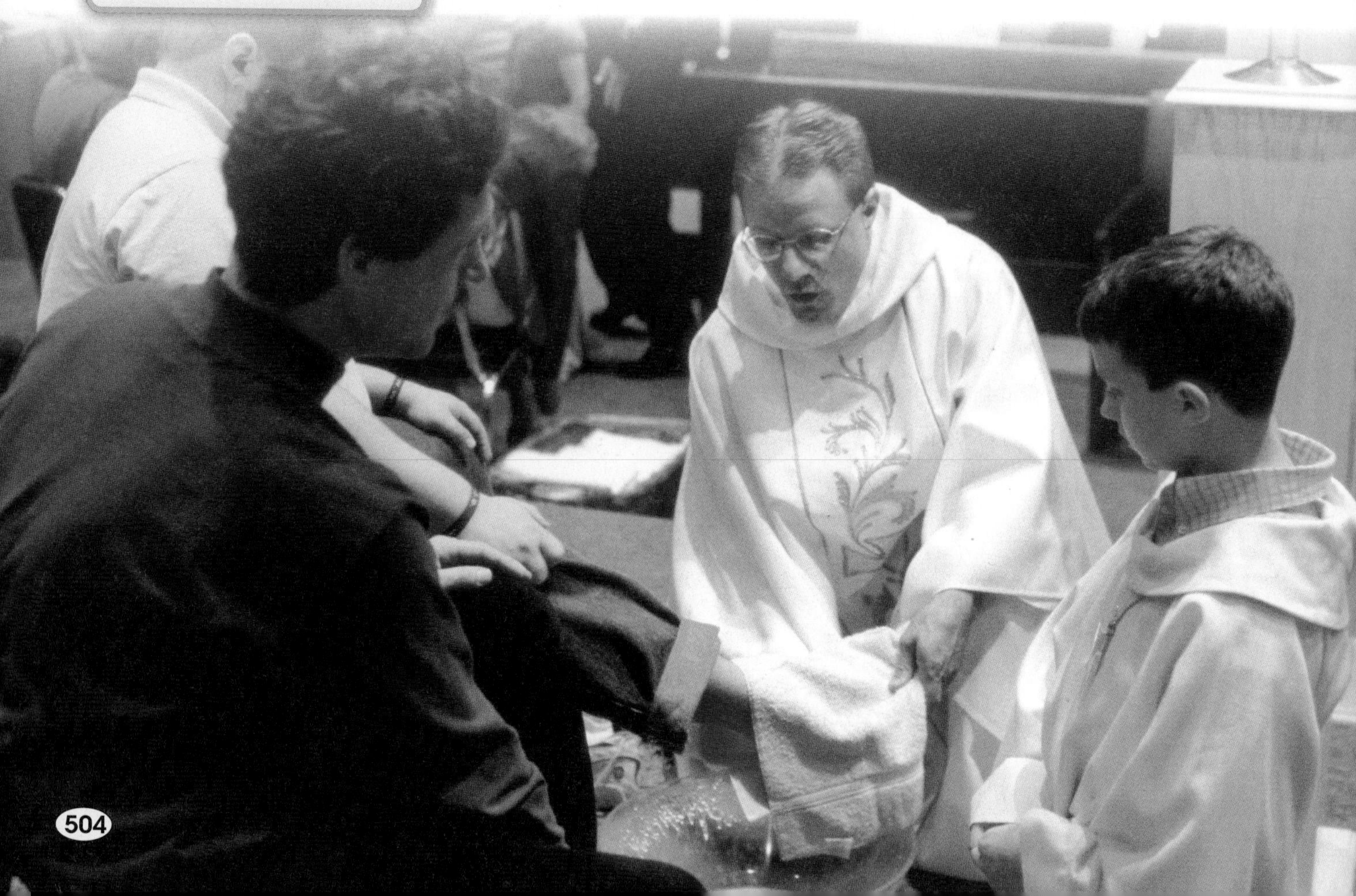

Holy Thursday

The three days just before Easter Sunday are one big celebration. They are called the Easter Triduum. The word *triduum* means "three days."

The celebration of the Easter Triduum begins on Holy Thursday with the evening Mass of the Lord's Supper. The Church remembers the first time that Jesus took bread and wine and said, "This is my body," and "This is my blood." We remember that Jesus gave us the Eucharist.

The Gospel reading for Holy Thursday tells us that Jesus washed the feet of his disciples at the Last Supper. The washing of the disciples' feet shows us that Jesus served others. All of us who share in the Body and Blood of Christ Jesus are also to serve others as Jesus did.

Faith Focus

What do we celebrate at the Mass of the Lord's Supper?

The Word of the Lord

Choose one of the Scripture readings for Holy Thursday. Read and discuss it with your family.

First Reading
Exodus 12:1–8, 11–14

Second Reading
1 Corinthians 11:23–26

Gospel
John 13:1–15

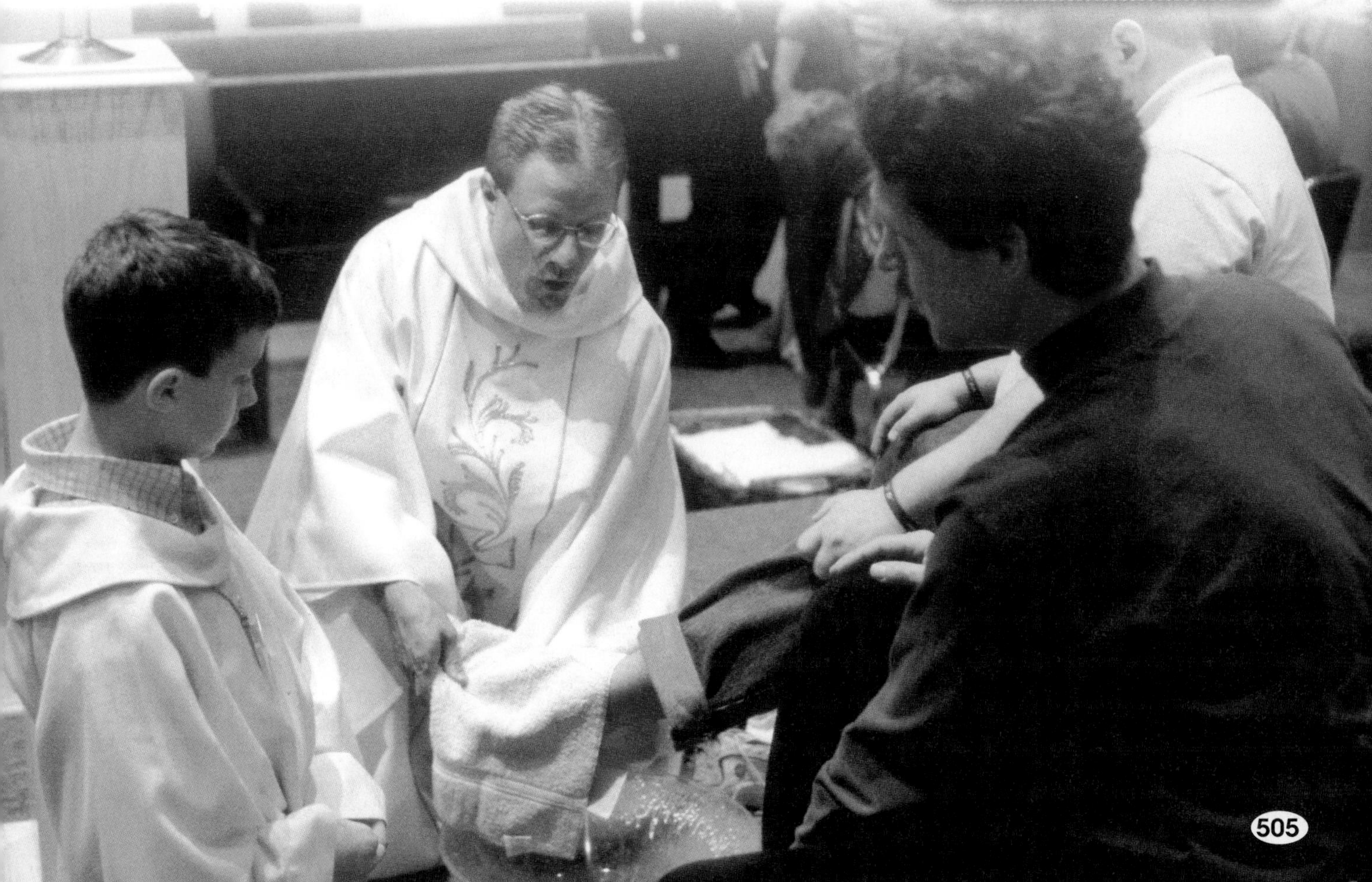

Manos para servir

Piensa en maneras de servir usando tus manos. Escríbelas en los renglones en blanco. Luego digan juntos la siguiente oración.

Lector 1 Cuando mis manos consuelan a los demás,

Todos **Dios está allí.**

Lector 2 Cuando mis manos ayudan a los demás,

Todos **Dios está allí.**

Lector 3 Cuando mis manos se abren y cierran en oración,

Todos **Dios está allí.**

Lector 4 Cuando mis manos abrazan con fuerza,

Todos **Dios está allí.**

Lector 5 Cuando ______________________________________

______________________________________,

Todos **Dios está allí.**

Esta semana seguiré el ejemplo de servicio de Jesús. Yo voy a

____

______________________________________.

Reza: "Ayúdanos a servir a los demás en memoria tuya, Señor. Amén".

Hands to Serve

Think of ways to serve using your hands. Write them on the lines provided. Then say this prayer together.

Reader 1 When my hands comfort others,

All **God is truly here.**

Reader 2 When my hands help others,

All **God is truly here.**

Reader 3 When my hands open and close in prayer,

All **God is truly here.**

Reader 4 When my hands hold on tight,

All **God is truly here.**

Reader 5 When ______________________________

______________________________________,

All **God is truly here.**

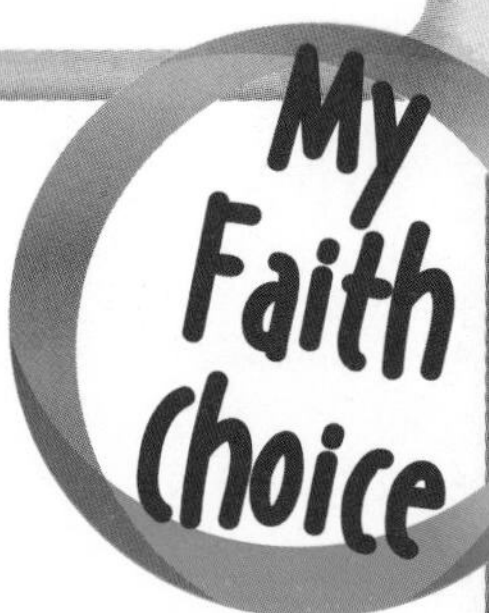

This week I will follow Jesus's example of service. I will

____

______________________________________.

Pray, "Help us to serve others in your memory, Lord. Amen."

Enfoque en la fe
¿Qué recordamos el Viernes Santo?

Palabra de Dios
Elige una de las lecturas de la Sagrada Escritura para el Viernes Santo. Léela y coméntala con tu familia.

Primera lectura
Isaías 52:13–53:12

Segunda lectura
Hebreos 4:14–16, 5:7–9

Evangelio
Juan 18:1–19:42

Viernes Santo

El Viernes Santo recordamos que Jesús murió en la Cruz porque nos amaba a todos. Cuando se condena a alguien a muerte en una cruz, se llama crucifixión.

Jesús fue acusado de delincuente. Aun cuando era inocente, algunas personas querían que, de todos modos, muriera en la Cruz. Gritaban: "¡Crucifíquenlo!". Los soldados se llevaron a Jesús. Hicieron que Él arrastrara su Cruz por el camino hacia el lugar donde se sacrificaban a los delincuentes.

Antes de que Jesús muriera, perdonó a quienes lo lastimaron. También le rezó a su Padre para que los perdonara.

"Padre, perdónalos, porque no saben lo que hacen".

LUCAS 23:34

Cada vez que vemos una cruz o un crucifijo, le damos gracias a Dios por amarnos tanto. Recordamos perdonar a aquellos que nos han herido.

Crucifixión, de Laura James, 2002 (acrílico sobre tela)

Good Friday

On Good Friday we remember that Jesus died on the Cross because he loved all of us. When someone is put to death on a cross, it is called a crucifixion.

Jesus was accused of being a criminal. Even though he was innocent, some people wanted him to die on the Cross anyway. They shouted, "Crucify him!" The soldiers took Jesus away. They made Jesus carry his Cross along the road to the place where criminals were put to death.

Before Jesus died, he forgave those who hurt him. He prayed to his Father to do so, too.

> *"Father, forgive them, for they know not what they do."*
>
> BASED ON LUKE 23:34

Whenever we see a cross or a crucifix, we thank God for loving us so much. We remember to forgive those who have hurt us.

Faith Focus
What do we remember on Good Friday?

The Word of the Lord
Choose one of the Scripture readings for Good Friday. Read and discuss it with your family.

First Reading
Isaiah 52:13–53:12

Second Reading
Hebrews 4:14–16, 5:7–9

Gospel
John 18:1–19:42

Crucifixion by Laura James 2002 (acrylic on canvas)

¡Gracias, Jesús!

Escribe o dibuja algo que puedas hacer este Viernes Santo para agradecer a Jesús por dar su vida por ti.

Mi elección de fe

Por este día, seguiré el ejemplo de perdón de Jesús. Yo voy a

____

____.

Reza: "Jesús, a través de tu muerte en la Cruz, trajiste vida al mundo. Amén".

Thank You, Jesus

Write or draw something you can do this Good Friday to thank Jesus for giving his life for you.

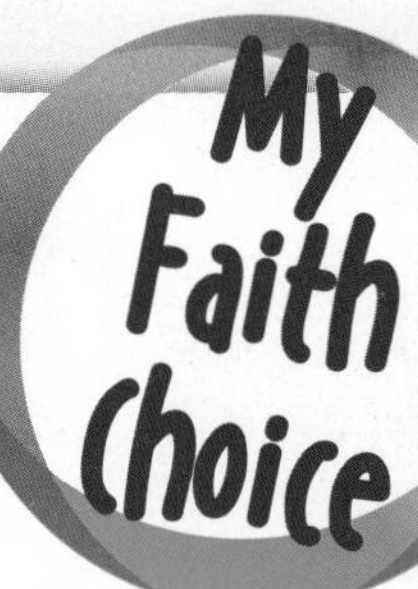

For this day I will follow Jesus' example of forgiveness. I will

____

____.

Pray, "Jesus, through your death on the Cross, you brought life to the world. Amen."

Enfoque en la fe
¿Por qué los cristianos se sienten especialmente felices en Pascua?

Palabra de Dios
Elige la lectura del Evangelio de este año para el Domingo de Pascua. Léela y coméntala con tu familia.

Año A
Juan 20:1-9, Mateo 28:1-10 o Lucas 24:13-35

Año B
Juan 20:1-9, Marcos 16:1-7 o Lucas 24:13-35

Año C
Juan 20:1-9, Lucas 24:1-12 o Lucas 24:13-35

Domingo de Pascua

Piensa en un momento en que te sucedió algo maravilloso y te sentiste verdaderamente feliz. ¿Querías cantar, gritar o saltar de gozo? ¿Qué palabras de felicidad te vinieron a la mente? Para los cristianos, aleluya es una palabra de felicidad. Aleluya significa "¡Alabemos al Señor!".

Somos el pueblo de la Pascua. Aleluya es nuestra canción. Somos el pueblo de la Resurrección.

Todos los domingos alabamos y agradecemos a Dios por la nueva vida de la Resurrección. El Salmo responsorial que se canta en Pascua nos recuerda:

> *¡Este es el día que ha hecho el Señor, gocemos y alegrémonos en él!*
>
> Salmo 118:24

Cantamos Aleluya una y otra vez durante los cincuenta días de la estación de la Pascua. Alabamos a Dios porque estamos renovados en el Señor. Caminamos a la luz del nuevo día de la Resurrección.

Easter Sunday

Think of a time when something wonderful happened and you were really happy. Did you want to sing or shout or jump for joy? What happy words came to you? For Christians, alleluia is a happy word. Alleluia means "Praise the Lord!"

We are Easter people. Alleluia is our song. We are people of the Resurrection.

Every Sunday we praise and thank God for the new life of the Resurrection. The Responsorial Psalm sung on Easter reminds us,

> *This is the day the Lord has made; let us rejoice and be glad.*
>
> Psalm 118:24

During the fifty days of the Easter season, the Church sings Alleluia over and over. We praise God because we are new in the Lord. We walk in the light of the new day of the Resurrection.

Faith Focus

Why are Christians especially happy at Easter?

The Word of the Lord

Choose this year's Gospel reading for Easter Sunday. Read and discuss it with your family.

Year A
John 20:1–9 or
Matthew 28:1–10
or Luke 24:13–35

Year B
John 20:1–9
or Mark 16:1–7
or Luke 24:13–35

Year C
John 20:1–9
or Luke 24:1–12
or Luke 24:13–35

Alabemos al Señor. ¡Aleluya!

Separe a la clase en dos grupos. Organícelos uno frente al otro para que se turnen en rezar los versos de este salmo.

Todos **¡Aleluya!**

Grupo 1 Alaben al Señor desde los cielos, alábenlo en las alturas,

Grupo 2 alábenlo todos sus ángeles, alábenlo todos sus ejércitos.

Todos **¡Aleluya!**

Grupo 1 Alábenlo el sol y la luna, alábenlo todos los astros de luz;

Grupo 2 alábenlo cielos de los cielos y las aguas por encima de los cielos...

Todos **¡Aleluya!**

Grupo 1 ... las montañas y todas las colinas, árboles frutales y todos los cedros;

Grupo 2 animales salvajes y domésticos,... reyes de la tierra, todas las naciones.

Todos **Alabemos al Señor. ¡Aleluya!**

SALMO 148:1-3, 7-11

Esta semana cantaré Aleluya en todos mis actos. Yo voy a

____

____.

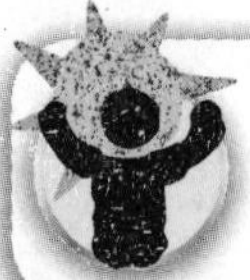

Reza: "El Señor ha resucitado, Aleluya. ¡Alabemos a Dios! Amén".

Praise the Lord. Alleluia!

Divide into two groups. Face each other and take turns praying the verses of this psalm.

All **Alleluia!**

Group 1 Praise the Lord from the heavens; give praise in the heights.

Group 2 Praise him, all you angels; give praise, all you hosts.

All **Alleluia!**

Group 1 Praise him, sun and moon; give praise, all shining stars.

Group 2 You lightning and hail, snow and clouds, storm winds that fulfill his command;

All **Alleluia!**

Group 1 You mountains and all hills, fruit trees and all cedars;

Group 2 You animals wild and tame, you kings of the earth and all peoples.

All **Praise the Lord. Alleluia!**

Psalm 148:1–3, 7–11

This week I will sing Alleluia through my actions. I will

____

____.

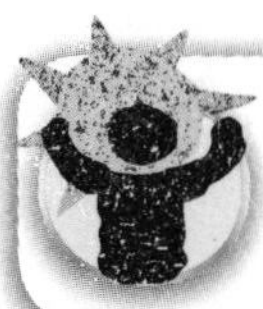

Pray, "The Lord has risen, alleluia. Praise God! Amen."

Enfoque en la fe
¿Cómo preparó Jesús a los Apóstoles para su regreso con su Padre en el Cielo?

Palabra de Dios
Esta es la Primera lectura para la Ascensión del Señor. Pide a tu familia que la lea contigo. Comenta con ellos la lectura.

Primera lectura
Hechos 1:1–11

La Ascensión

Después de la Pascua, Jesús resucitado se apareció a los Apóstoles. Les habló acerca de su sufrimiento y su muerte. Los ayudó a entender el significado de su Resurrección. Les dijo que su misión era hacer discípulos de todas las naciones. Jesús les recordó la promesa de Dios de enviar al Espíritu Santo como un maestro especial. El Espíritu Santo les daría a los Apóstoles la sabiduría y el valor para predicar la Buena Nueva en todas las naciones.

Jesús dijo:

"... Recibirán la fuerza del Espíritu Santo cuando venga sobre ustedes, y serán mis testigos en Jerusalén, en toda Judea, en Samaría y hasta los extremos de la tierra".

HECHOS 1:8

Luego, Jesús ascendió al Cielo y regresó a su Padre. La Iglesia celebra la Ascensión del Señor con un día de fiesta especial, cuarenta días después de la Pascua.

The Ascension

After Easter, the Risen Jesus appeared to the Apostles. He talked to them about his suffering and his death. He helped them understand the meaning of his Resurrection. He told them that their mission was to make disciples of all nations. Jesus reminded them of God's promise to send the Holy Spirit as a special teacher. The Holy Spirit would give the Apostles the wisdom and courage to preach the Good News to all nations.

Jesus said,

"[Y]ou will receive power when the holy Spirit comes upon you, and you will be my witnesses in Jerusalem, throughout Judea and Samaria, and to the ends of the earth."

Acts 1:8

Then Jesus ascended into Heaven and returned to his Father. The Church celebrates the Ascension of the Lord with a special feast day, forty days after Easter.

Faith Focus
How did Jesus prepare the Apostles for his return to his Father in Heaven?

The Word of the Lord
This is the First Reading for the Ascension of the Lord. Ask your family to read it with you. Talk about the reading with them.

First Reading
Acts 1:1–11

Seguidores de Cristo

Desde el día de nuestro Bautismo, nos convertimos en discípulos de Jesucristo. Seguimos su ejemplo para amar a Dios y servir a los demás. Sigue a Jesús por el laberinto hasta el Cielo. Escribe en los renglones en blanco debajo del laberinto una manera en la que puedes mostrar tu amor por Dios.

____

____

Esta semana continuaré con la obra de Jesús en el mundo. Yo voy a

____

____.

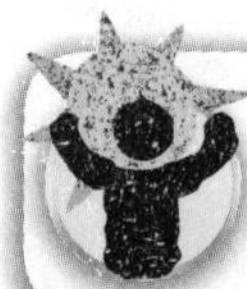

Reza: "Señor, muéstranos el camino al Cielo. Amén".

Followers of Christ

From the day of our Baptism, we become disciples of Jesus Christ. We follow his example to love God and to serve others. Follow Jesus through the maze into Heaven. On the lines below the maze, write one way you can show your love for God.

____

____

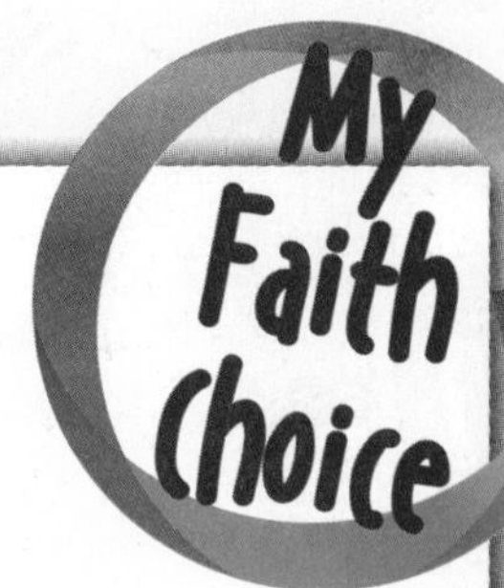

This week I will continue Jesus' work in the world. I will

____

____.

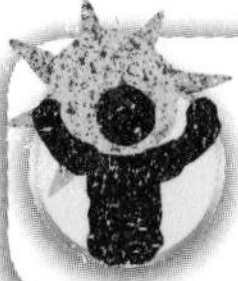

Pray, "Show us the way to Heaven, Lord. Amen."

Enfoque en la fe

¿Cómo ayuda el Espíritu Santo a la Iglesia?

Palabra de Dios

Elige la lectura del Evangelio de este año para Pentecostés. Léela y coméntala con tu familia.

Año A
Juan 20:19–23

Año B
Juan 15:26–27, 16:12–15

Año C
Juan 14:15–16, 23–26

Pentecostés

Cuando tenemos dificultades con lo que debemos hacer, el Espíritu Santo nos ayuda. Podemos depender del Espíritu Santo. Podemos crecer en la fe, la esperanza y la caridad con la ayuda del Espíritu Santo.

El día de Pentecostés, los discípulos estaban reunidos en Jerusalén. Mientras rezaban, oyeron el sonido de un viento fuerte. Lenguas de fuego se posaron suavemente sobre sus cabezas. Llenos del Espíritu Santo, valientemente proclamaron al Señor resucitado.

Pedro se puso de pie delante de las personas. Todos entendieron sus palabras aun cuando ninguno hablaba el mismo idioma que Pedro. Les habló acerca de la vida de Jesús, su Muerte y Resurrección. Quería que todos supieran que el Jesús resucitado era el Mesías y el Señor. Muchas personas se hicieron seguidores de Jesús. Aquellos que fueron bautizados recibieron el Espíritu Santo. Crecieron en el Pueblo de Dios que siguió al Señor resucitado. El Pueblo de Dios es otra manera de nombrar a la Iglesia.

Pentecost

When we have difficult things to do, the Holy Spirit helps us. We can depend on the Holy Spirit. We can grow in faith, hope, and love with the help of the Holy Spirit.

On the day of Pentecost, the disciples were gathered in Jerusalem. As they prayed together, they heard the sound of a great wind. Flames gently settled over their heads. Filled with the Holy Spirit, they boldly proclaimed the Risen Lord.

Peter stood in front of the people. Everyone understood his words even though everyone did not speak the same language as Peter. He told them about Jesus' life, Death, and Resurrection. He wanted everyone to know that the Risen Jesus was Messiah and Lord. Many people became followers of Jesus. Those who were baptized received the Holy Spirit. They grew into the People of God who followed the Risen Lord. The People of God is another name for the Church.

Faith Focus
How does the Holy Spirit help the Church?

The Word of the Lord
Choose this year's Gospel reading for Pentecost. Read and discuss it with your family.

Year A
John 20:19–23

Year B
John 15:26–27, 16:12–15

Year C
John 14:15–16, 23–26

¡Ven, Espíritu Santo!

El Espíritu Santo vive dentro de nosotros. Reza esta oración al Espíritu Santo.

Grupo 1 El Espíritu del Señor reposará sobre nosotros: espíritu de sabiduría y entendimiento,

Grupo 2 espíritu de buen juicio y valor,

Grupo 3 espíritu de ciencia, reverencia, y admiración y veneración.

Todos **Ven, Espíritu Santo, llena el corazón de tus fieles.**

Niño 1 Yo soy David. Cuando era un pequeño niño pastor, Samuel me ungió con aceite. El Espíritu del Señor se apoderó de mí. Soy fiel.

Niño 2 Yo soy María. El ángel me dijo que el Espíritu Santo vendría a mí y sería la madre de Jesús. Soy fiel.

Todos **También nosotros tenemos fe. Ven, Espíritu Santo. Enciende en nosotros el fuego de tu amor.**

Esta semana recordaré que el Espíritu Santo está conmigo. Yo voy a

____.

Reza: "Señor, tu Espíritu llena el mundo entero. Amén".

Come, Holy Spirit!

The Holy Spirit lives within us. Pray this prayer to the Holy Spirit.

Group 1	The spirit of the Lord shall rest upon us: a spirit of wisdom and of understanding,
Group 2	A spirit of right judgment and courage,
Group 3	A spirit of knowledge, reverence, and wonder and awe.
All	**Come, Holy Spirit, fill the hearts of your faithful.**
Child 1	I am David. When I was a young shepherd boy, Samuel anointed me with oil. The spirit of the Lord rushed upon me. I am faithful.
Child 2	I am Mary. The angel told me the Holy Spirit would come upon me. I would be Jesus' mother. I am faithful.
All	**We are faithful, too. Come, Holy Spirit. Fill us with the fire of your love.**

This week I will remember that the Holy Spirit is with me. I will

____.

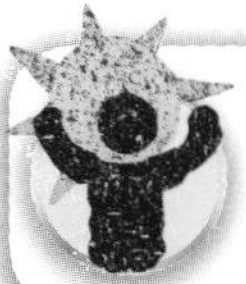

Pray, "Lord, your Spirit fills the whole world. Amen."

Oraciones y prácticas católicas

Señal de la Cruz
En el nombre del Padre
y del Hijo
y del Espíritu Santo.
Amén.

Padre Nuestro
Padre nuestro, que estás en el cielo,
santificado sea tu Nombre;
venga a nosotros tu reino;
hágase tu voluntad
en la tierra como en el cielo.
Danos hoy nuestro pan de cada día;
perdona nuestras ofensas,
como también nosotros perdonamos a los que nos ofenden;
no nos dejes caer en la tentación,
y líbranos del mal.
Amén.

Gloria al Padre (Doxología)
Gloria al Padre
y al Hijo
y al Espíritu Santo.
Como era en el principio,
ahora y siempre,
por los siglos de los siglos. Amén.

Ave María
Dios te salve, María, llena eres de gracia;
el Señor es contigo.
Bendita Tú eres entre todas las mujeres,
y bendito es el fruto de tu vientre, Jesús.
Santa María, Madre de Dios,
ruega por nosotros, pecadores,
ahora y en la hora de nuestra muerte.
Amén.

Signum Crucis
In nómine Patris,
et Fílii,
et Spíritus Sancti. Amen.

Pater Noster
Pater noster, qui es in cælis:
sanctificétur nomen tuum;
advéniat regnum tuum;
fiat volúntas tua, sicut in cælo, et in terra.
Panem nostrum cotidiánum da nobis hódie;
et dimítte nobis débita nostra,
sicut et nos dimíttimus debitóribus nostris;
et ne nos indúcas in tentatiónem;
sed líbera nos a malo. Amen.

Gloria Patri
Glória Patri
et Fílio
et Spirítui Sancto.
Sicut erat in princípio,
et nunc et semper
et in sæcula sæculórum. Amen.

Ave, Maria
Ave, María, grátia plena,
Dóminus tecum.
Benedícta tu in muliéribus,
et benedíctus fructus ventris tui, Iesus.
Sancta María, Mater Dei,
ora pro nobis peccatóribus,
nunc et in hora mortis nostræ.
Amen.

Catholic Prayers and Practices

Sign of the Cross

In the name of the Father,
and of the Son,
and of the Holy Spirit. Amen.

Signum Crucis

In nómine Patris,
et Fílii,
et Spíritus Sancti. Amen.

Our Father

Our Father, who art in heaven,
hallowed be thy name;
thy kingdom come,
thy will be done
on earth as it is in heaven.
Give us this day our daily bread,
and forgive us our trespasses,
as we forgive those who trespass
against us;
and lead us not into temptation,
but deliver us from evil.
Amen.

Pater Noster

Pater noster, qui es in cælis:
sanctificétur nomen tuum;
advéniat regnum tuum;
fiat volúntas tua, sicut
in cælo, et in terra.
Panem nostrum cotidiánum
da nobis hódie;
et dimítte nobis débita nostra,
sicut et nos dimíttimus
debitóribus nostris;
et ne nos indúcas in tentatiónem;
sed líbera nos a malo. Amen.

Glory Be (Doxology)

Glory be to the Father
and to the Son
and to the Holy Spirit,
as it was in the beginning
is now, and ever shall be
world without end. Amen.

Gloria Patri

Glória Patri
et Fílio
et Spirítui Sancto.
Sicut erat in princípio,
et nunc et semper
et in sæcula sæculórum. Amen.

The Hail Mary

Hail, Mary, full of grace,
the Lord is with thee.
Blessed art thou among women
and blessed is the fruit
of thy womb, Jesus.
Holy Mary, Mother of God,
pray for us sinners,
now and at the hour of our death.
Amen.

Ave, Maria

Ave, María, grátia plena,
Dóminus tecum.
Benedícta tu in muliéribus,
et benedíctus fructus ventris tui, Iesus.
Sancta María, Mater Dei,
ora pro nobis peccatóribus,
nunc et in hora mortis nostræ.
Amen.

El Credo de los Apóstoles
(tomado del Misal Romano)

Creo en Dios, Padre Todopoderoso,
Creador del cielo y de la tierra.
Creo en Jesucristo, su único Hijo,
Nuestro Señor,

(En las palabras que siguen, hasta María Virgen, *todos se inclinan.)*

que fue concebido por obra y gracia del Espíritu Santo,
nació de santa María Virgen,
padeció bajo el poder de Poncio Pilato,
fue crucificado, muerto y sepultado,
descendió a los infiernos,
al tercer día resucitó de entre los muertos,
subió a los cielos
y está sentado a la derecha de Dios, Padre todopoderoso.
Desde allí ha de venir a juzgar a vivos y muertos.
Creo en el Espíritu Santo,
la santa Iglesia católica,
la comunión de los santos,
el perdón de los pecados,
la resurrección de la carne
y la vida eterna.
Amén.

El Credo de Nicea
(tomado del Misal Romano)

Creo en un solo Dios,
Padre Todopoderoso, Creador del cielo y de la tierra, de todo lo visible y lo invisible.
Creo en un solo Señor, Jesucristo, Hijo único de Dios,
nacido del Padre antes de todos los siglos:
Dios de Dios, Luz de Luz,
Dios verdadero de Dios verdadero,
engendrado, no creado,
de la misma naturaleza del Padre,
por quien todo fue hecho;
que por nosotros, los hombres,
y por nuestra salvación bajó del cielo,

(En las palabras que siguen, hasta se hizo hombre, *todos se inclinan.)*

y por obra del Espíritu Santo
se encarnó de María, la Virgen, y se hizo hombre;
y por nuestra causa fue crucificado
en tiempos de Poncio Pilato,
padeció y fue sepultado,
y resucitó al tercer día, según las Escrituras,
y subió al cielo, y está sentado a la derecha del Padre;
y de nuevo vendrá con gloria
para juzgar a vivos y muertos,
y su reino no tendrá fin.
Creo en el Espíritu Santo, Señor y dador de vida,
que procede del Padre y del Hijo,
que con el Padre y el Hijo
recibe una misma adoración y gloria,
y que habló por los profetas.
Creo en la Iglesia,
que es una, santa, católica y apostólica.
Confieso que hay un solo bautismo
para el perdón de los pecados.
Espero la resurrección de los muertos
y la vida del mundo futuro.
Amén.

Apostles' Creed

(from the Roman Missal)

I believe in God,
the Father almighty,
Creator of heaven and earth,
and in Jesus Christ, his only Son,
our Lord,

(At the words that follow, up to and including the Virgin Mary, *all bow.)*

who was conceived by the Holy Spirit,
born of the Virgin Mary,
suffered under Pontius Pilate,
was crucified, died and was buried;
he descended into hell;
on the third day he rose again
from the dead;
he ascended into heaven,
and is seated at the right hand of God
the Father almighty;
from there he will come to judge
the living and the dead.

I believe in the Holy Spirit,
the holy catholic Church,
the communion of saints,
the forgiveness of sins,
the resurrection of the body,
and life everlasting. Amen.

Nicene Creed

(from the Roman Missal)

I believe in one God,
the Father almighty,
maker of heaven and earth,
of all things visible and invisible.

I believe in one Lord Jesus Christ,
the Only Begotten Son of God,
born of the Father before all ages.
God from God, Light from Light,
true God from true God,
begotten, not made, consubstantial
with the Father;
through him all things were made.
For us men and for our salvation
he came down from heaven,

(At the words that follow, up to and including and became man, *all bow.)*

and by the Holy Spirit was incarnate
of the Virgin Mary,
and became man.
For our sake he was crucified under
Pontius Pilate,
he suffered death and was buried,
and rose again on the third day
in accordance with the Scriptures.
He ascended into heaven
and is seated at the right hand
of the Father.
He will come again in glory
to judge the living and the dead
and his kingdom will have no end.

I believe in the Holy Spirit, the Lord,
the giver of life,
who proceeds from the Father and
the Son,
who with the Father and the Son is
adored and glorified,
who has spoken through the prophets.

I believe in one, holy, catholic and
apostolic Church.
I confess one Baptism for the
forgiveness of sins
and I look forward to the resurrection
of the dead
and the life of the world to come.
Amen.

Oración de la mañana

Querido Dios,
al comenzar este día,
guárdame en tu amor y cuidado.
Ayúdame hoy a vivir como hijo tuyo.
Bendíceme a mí, a mi familia y mis amigos en todo lo que hagamos.
Mantennos junto a ti. Amén.

Oración antes de comer

Bendícenos, Señor, junto con estos dones que vamos a recibir de tu generosidad, por Cristo Nuestro Señor.
Amén.

Acción de gracias después de comer

Te damos gracias por todos tus dones, Dios todopoderoso, Tú que vives y reinas ahora y siempre.
Amén.

Oración vespertina

Querido Dios,
te doy gracias por el día de hoy.
Mantenme a salvo durante la noche.
Te agradezco por todo lo bueno que hice hoy.
Y te pido perdón por hacer algo que está mal.
Bendice a mi familia y a mis amigos.
Amén.

Oración por las vocaciones

Dios, sé que me llamarás
para darme una tarea especial en mi vida.
Ayúdame a seguir a Jesús cada día
y a estar listo para responder a tu llamado.
Amén.

Invocación al Espíritu Santo

Ven, Espíritu Santo,
llena los corazones de tus fieles,
y enciende en ellos el fuego de tu amor.
Envía tu Espíritu Creador
y renueva la faz de la tierra.
Amén.

Oración del Penitente

Dios mío, me arrepiento de todo corazón de todo lo malo que hecho y de todo lo bueno que he dejado de hacer, porque pecando te he ofendido a ti, que eres el sumo bien y digno de ser amado sobre todas las cosas.
Propongo firmemente, con tu gracia, cumplir la penitencia, no volver a pecar y evitar las ocasiones de pecado.
Perdóname, Señor, por los méritos de la pasión de nuestro Salvador Jesucristo.
Amén.

Morning Prayer

Dear God,
as I begin this day,
keep me in your love and care.
Help me to live as your child today.
Bless me, my family, and my friends
in all we do.
Keep us all close to you. Amen.

Grace Before Meals

Bless us, O Lord,
and these thy gifts,
which we are about to receive
from thy bounty,
through Christ our Lord.
Amen.

Grace After Meals

We give thee thanks,
for all thy benefits, almighty God,
who lives and reigns forever.
Amen.

Evening Prayer

Dear God,
I thank you for today.
Keep me safe throughout the night.
Thank you for all the good I did today.
I am sorry for what I have chosen
to do wrong.
Bless my family and friends. Amen.

A Vocation Prayer

God, I know you will call me
for special work in my life.
Help me follow Jesus each day
and be ready to answer your call.
Amen.

Prayer to the Holy Spirit

Come, Holy Spirit, fill the hearts
of your faithful.
And kindle in them the
fire of your love.
Send forth your Spirit and
they shall be created.
And you will renew the
face of the earth. Amen.

Act of Contrition

My God,
I am sorry for my sins
with all my heart.
In choosing to do wrong
and failing to do good,
I have sinned against you,
whom I should love above all things.
I firmly intend, with your help,
to do penance,
to sin no more,
and to avoid whatever leads me to sin.
Our Savior Jesus Christ
suffered and died for us.
In his name, my God, have mercy.
Amen.

Las Bienaventuranzas

"Felices los que tienen el espíritu del pobre,
porque de ellos es el Reino de los Cielos.
Felices los que lloran,
porque recibirán consuelo.
Felices los pacientes,
porque recibirán la tierra en herencia.
Felices los que tienen hambre y sed de justicia,
porque serán saciados.
Felices los compasivos,
porque obtendrán misericordia.
Felices los de corazón limpio,
porque verán a Dios.
Felices los que trabajan por la paz,
porque serán reconocidos como hijos de Dios.
Felices los que son perseguidos por causa del bien,
porque de ellos es el Reino de los Cielos".

MATEO 5:3–12

Ángelus

Líder: El ángel del Señor anunció a María.

Respuesta: Y concibió por obra y gracia del Espíritu Santo.

Todos: **Dios te salve, María...**

Líder: He aquí la esclava del Señor.

Respuesta: Hágase en mí según tu palabra.

Todos: **Dios te salve, María...**

Líder: Y el Verbo de Dios se hizo carne.

Respuesta: Y habitó entre nosotros.

Todos: **Dios te salve, María...**

Líder: Ruega por nosotros,
Santa Madre de Dios,

Respuesta: para que seamos dignos de alcanzar las promesas de Jesucristo.

Líder: Oremos.
Infunde, Señor,
tu gracia en nuestras almas,
para que, los que hemos conocido, por el anuncio del Ángel,
la Encarnación de tu Hijo Jesucristo,
lleguemos por los Méritos de su Pasión y su Cruz,
a la gloria de la Resurrección.
Por Jesucristo Nuestro Señor.
Amén.

Todos: **Amén.**

The Beatitudes

"Blessed are the poor in spirit,
for theirs is the kingdom of heaven.
Blessed are they who mourn,
for they will be comforted.
Blessed are the meek,
for they will inherit the land.
Blessed are they who hunger
and thirst for righteousness,
for they will be satisfied.
Blessed are the merciful,
for they will be shown mercy.
Blessed are the clean of heart,
for they will see God.
Blessed are the peacemakers,
for they will be called children
of God.
Blessed are they who are persecuted for
the sake of righteousness,
for theirs is the kingdom of heaven."

MATTHEW 5:3–12

The Angelus

Leader: The Angel of the Lord declared unto Mary,

Response: And she conceived of the Holy Spirit.

All: **Hail, Mary . . .**

Leader: Behold the handmaid of the Lord,

Response: Be it done unto me according to your Word.

All: **Hail, Mary . . .**

Leader: And the Word was made flesh,

Response: And dwelt among us.

All: **Hail, Mary . . .**

Leader: Pray for us, O holy Mother of God,

Response: That we may be made worthy of the promises of Christ.

Leader: Let us pray. Pour forth, we beseech you, O Lord, your grace into our hearts: that we, to whom the Incarnation of Christ your Son was made known by the message of an Angel, may by his Passion and Cross be brought to the glory of his Resurrection. Through the same Christ our Lord. Amen.

All: **Amen.**

Los Diez Mandamientos

1. Yo soy el Señor, tu Dios. No tendrás otros dioses fuera de mí.
2. No tomes en vano el nombre del Señor, tu Dios.
3. Acuérdate del Día del Señor, para santificarlo.
4. Respeta a tu padre y a tu madre.
5. No mates.
6. No cometas adulterio.
7. No robes.
8. No digas mentiras.
9. No codicies la mujer de tu prójimo.
10. No codicies nada que sea de tu prójimo.

BASADO EN ÉXODO 20:2-3, 7-17

Preceptos de la Iglesia

1. Oír misa entera los domingos y demás fiestas de precepto y no realizar trabajos serviles.
2. Confesar los pecados mortales al menos una vez al año.
3. Recibir el Sacramento de la Eucaristía al menos por Pascua.
4. Abstenerse y ayunar en los días establecidos por la Iglesia.
5. Ayudar a la Iglesia en sus necesidades, cada uno según su posibilidad.

El Gran Mandamiento

"Amarás al Señor tu Dios con todo tu corazón, con toda tu alma y con toda tu mente.
Amarás a tu prójimo como a ti mismo".

MATEO 22:37, 39

La Ley del Amor

"Este es mi mandamiento: que se amen unos a otros como yo los he amado".

JUAN 15:12

Obras de Misericordia Corporales

Dar de comer al hambriento.
Dar de beber al sediento.
Vestir al desnudo.
Visitar a los presos.
Dar techo a quien no lo tiene.
Visitar a los enfermos.
Enterrar a los muertos.

Obras de Misericordia Espirituales

Corregir al que yerra.
Enseñar al que no sabe.
Dar buen consejo al que lo necesita.
Consolar al triste.
Sufrir con paciencia los defectos de los demás.
Perdonar las injurias.
Rogar a Dios por vivos y difuntos.

The Ten Commandments

1. I am the LORD your God: you shall not have strange gods before me.
2. You shall not take the name of the LORD your God in vain.
3. Remember to keep holy the LORD's Day.
4. Honor your father and your mother.
5. You shall not kill.
6. You shall not commit adultery.
7. You shall not steal.
8. You shall not lie.
9. You shall not covet your neighbor's wife.
10. You shall not covet your neighbor's goods.

BASED ON EXODUS 20:2–3, 7–17

Precepts of the Church

1. Participate in Mass on Sundays and holy days of obligation, and rest from unnecessary work.
2. Confess sins at least once a year.
3. Receive Holy Communion at least during the Easter season.
4. Observe the prescribed days of fasting and abstinence.
5. Provide for the material needs of the Church, according to one's abilities.

The Great Commandment

"You shall love the Lord,
your God, with all your
heart, with all your soul,
and with all your mind. . . .
You shall love your neighbor as
yourself."

MATTHEW 22:37, 39

The Law of Love

"This is my commandment:
love one another as I love you."

JOHN 15:12

Corporal Works of Mercy

Feed people who are hungry.
Give drink to people who are thirsty.
Clothe people who need clothes.
Visit people who are in prison.
Shelter people who are homeless.
Visit people who are sick.
Bury people who have died.

Spiritual Works of Mercy

Help people who sin.
Teach people who are ignorant.
Give advice to people who have doubts.
Comfort people who suffer.
Be patient with other people.
Forgive people who hurt you.
Pray for people who are alive and for those who have died.

El Rosario

Los católicos rezan el Rosario para honrar a María y recordar los sucesos importantes en la vida de Jesús y María. Hay veinte misterios del Rosario. Sigue los pasos del 1 al 5.

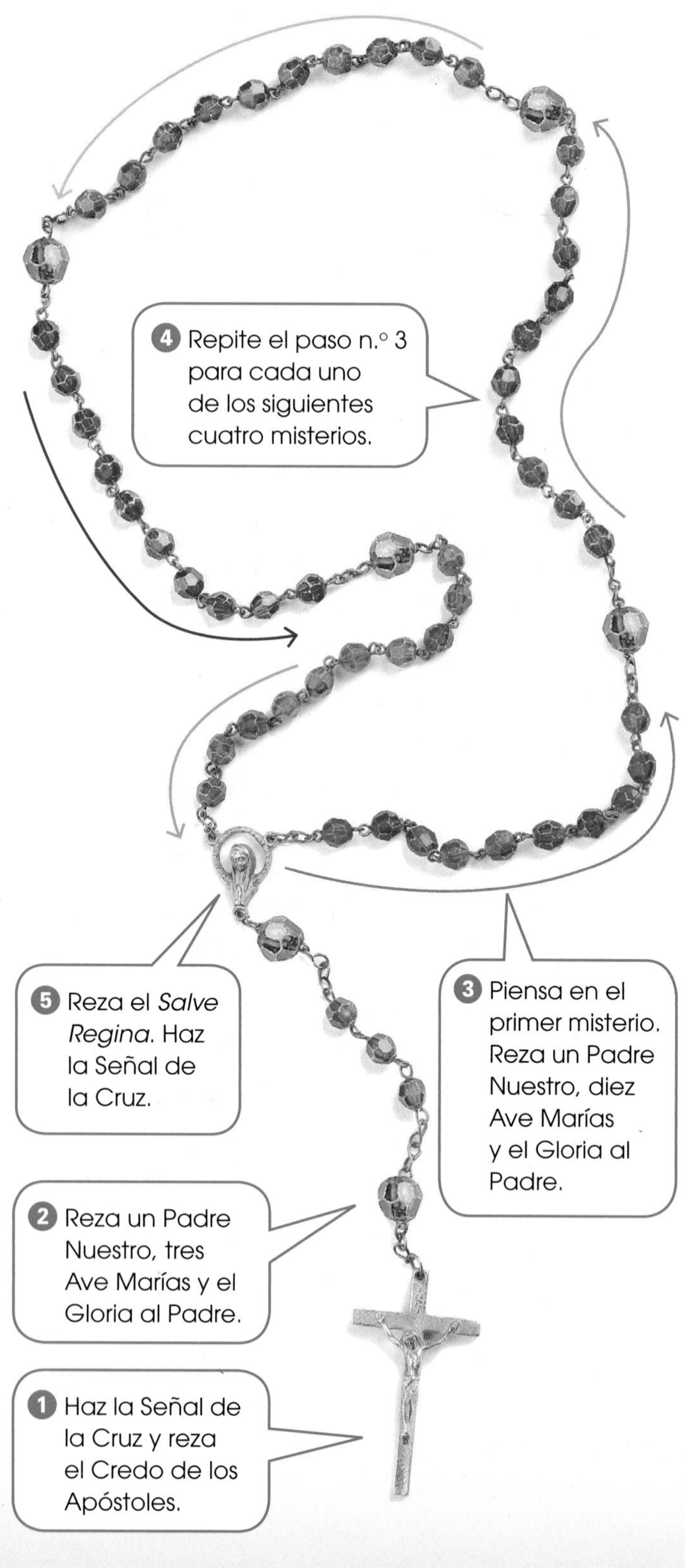

4 Repite el paso n.º 3 para cada uno de los siguientes cuatro misterios.
5 Reza el *Salve Regina*. Haz la Señal de la Cruz.
3 Piensa en el primer misterio. Reza un Padre Nuestro, diez Ave Marías y el Gloria al Padre.
2 Reza un Padre Nuestro, tres Ave Marías y el Gloria al Padre.
1 Haz la Señal de la Cruz y reza el Credo de los Apóstoles.

Misterios gozosos

1. La Anunciación
2. La Visitación
3. La Natividad
4. La Presentación
5. El hallazgo de Jesús en el Templo

Misterios luminosos

1. El Bautismo de Jesús en el río Jordán
2. El milagro de Jesús en la boda de Caná
3. La proclamación del Reino de Dios
4. La transfiguración
5. La institución de la Eucaristía

Misterios dolorosos

1. La agonía en el Huerto
2. La flagelación en la columna
3. La coronación de espinas
4. La Cruz a cuestas
5. La Crucifixión

Misterios gloriosos

1. La Resurrección
2. La Ascensión
3. La venida del Espíritu Santo
4. La Asunción de María
5. La Coronación de María

Salve Regina

Dios te salve, Reina y Madre
de misericordia,
vida, dulzura y esperanza nuestra;
Dios te salve.
A ti llamamos los desterrados
hijos de Eva;
a ti suspiramos, gimiendo y llorando
en este valle de lágrimas.
Ea, pues, Señora, abogada nuestra,
vuelve a nosotros esos tus
ojos misericordiosos;
y después de este destierro,
muéstranos a Jesús,
fruto bendito de tu vientre.
¡Oh, clementísima, oh piadosa, oh
dulce Virgen María!

Rosary

Catholics pray the Rosary to honor Mary and remember the important events in the lives of Jesus and Mary. There are twenty mysteries of the Rosary. Follow the steps from 1 to 5.

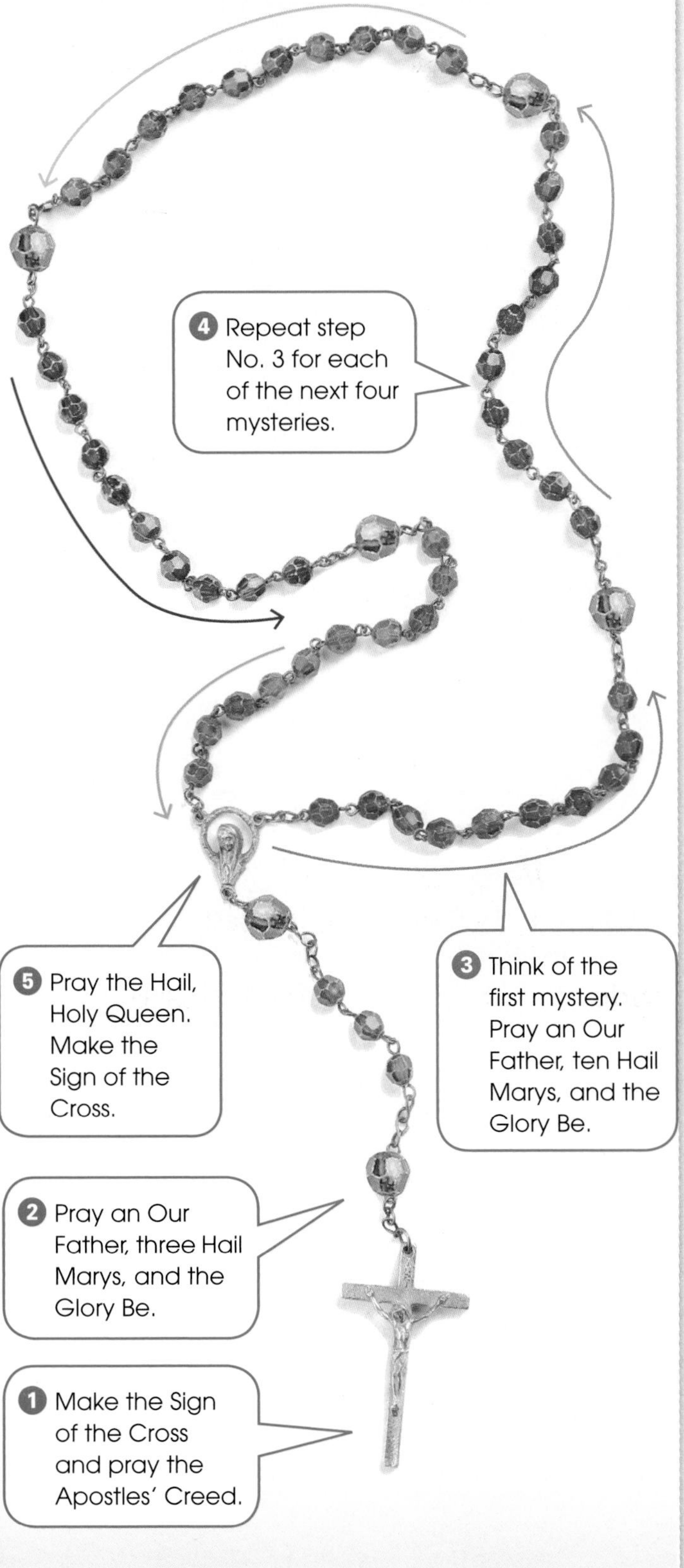

4 Repeat step No. 3 for each of the next four mysteries.
5 Pray the Hail, Holy Queen. Make the Sign of the Cross.
3 Think of the first mystery. Pray an Our Father, ten Hail Marys, and the Glory Be.
2 Pray an Our Father, three Hail Marys, and the Glory Be.
1 Make the Sign of the Cross and pray the Apostles' Creed.

Joyful Mysteries

1. The Annunciation
2. The Visitation
3. The Nativity
4. The Presentation in the Temple
5. The Finding of the Child Jesus After Three Days in the Temple

Luminous Mysteries

1. The Baptism at the Jordan
2. The Miracle at Cana
3. The Proclamation of the Kingdom and the Call to Conversion
4. The Transfiguration
5. The Institution of the Eucharist

Sorrowful Mysteries

1. The Agony in the Garden
2. The Scourging at the Pillar
3. The Crowning with Thorns
4. The Carrying of the Cross
5. The Crucifixion and Death

Glorious Mysteries

1. The Resurrection
2. The Ascension
3. The Descent of the Holy Spirit at Pentecost
4. The Assumption of Mary
5. The Crowning of the Blessed Virgin as Queen of Heaven and Earth

Hail, Holy Queen

Hail, holy Queen, Mother of mercy:
Hail, our life, our sweetness
and our hope.
To you do we cry, poor banished
children of Eve.
To you do we send up our sighs,
mourning and weeping in this valley
of tears.
Turn then, most gracious advocate,
your eyes of mercy toward us;
and after this our exile show unto us
the blessed fruit
of your womb, Jesus.
O clement, O loving, O sweet
Virgin Mary.

Estaciones de la Cruz

1. Jesús es condenado a muerte.

2. Jesús acepta la Cruz.

3. Jesús cae por primera vez.

4. Jesús se encuentra con su Madre.

5. Simón el Cirineo ayuda a Jesús a llevar la Cruz.

6. Verónica limpia el rostro de Jesús.

7. Jesús cae por segunda vez.

8. Jesús se encuentra con las mujeres de Jerusalén.

9. Jesús cae por tercera vez.

10. Jesús es despojado de sus vestiduras.

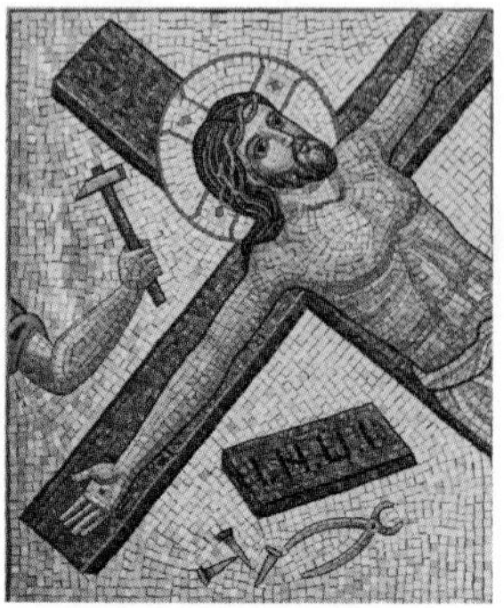

11. Jesús es clavado en la cruz.

12. Jesús muere en la cruz.

13. Jesús es bajado de la cruz.

14. Jesús es enterrado en el sepulcro.

(Algunas parroquias terminan las Estaciones de la Cruz con una reflexión acerca de la Resurrección de Jesús.)

Stations of the Cross

1. Jesus is condemned to death.

2. Jesus accepts his cross.

3. Jesus falls the first time.

4. Jesus meets his mother.

5. Simon helps Jesus carry the cross.

6. Veronica wipes the face of Jesus.

7. Jesus falls the second time.

8. Jesus meets the women.

9. Jesus falls the third time.

10. Jesus is stripped of his clothes.

11. Jesus is nailed to the cross.

12. Jesus dies on the cross.

13. Jesus is taken down from the cross.

14. Jesus is buried in the tomb.

(The Stations are often concluded with a 15th Station, the Resurrection of Jesus.)

Los Siete Sacramentos

Jesús le dio a la Iglesia los Siete Sacramentos. Los Sacramentos son los signos litúrgicos más importantes de la Iglesia. Hacen que esté presente entre nosotros el Misterio Pascual de Jesús, quien es el principal celebrante de cada Sacramento. Nos hacen partícipes de la obra de salvación de Cristo y de la vida de la Santísima Trinidad.

Los Sacramentos de la Iniciación Cristiana

Bautismo

A través del Bautismo, nos unimos a Cristo y nos hacemos miembros del Cuerpo de Cristo, la Iglesia. Renacemos como hijos adoptivos de Dios y recibimos el don de Espíritu Santo. Se nos perdonan el Pecado Original y todos los pecados personales.

Confirmación

La Confirmación completa el Bautismo. En este Sacramento, el don del Espíritu Santo nos fortalece para vivir nuestro Bautismo.

Eucaristía

Participar de la Eucaristía nos une más plenamente a Cristo y a la Iglesia. Participamos del sacrificio único de Cristo. El pan y el vino se convierten en el Cuerpo y la Sangre de Cristo a través del poder del Espíritu Santo y las palabras del sacerdote. Recibimos el Cuerpo y la Sangre de Cristo.

Sacramentos de Curación

Penitencia y Reconciliación

A través del ministerio del sacerdote, recibimos el perdón de Dios por los pecados que cometimos después del Bautismo. Necesitamos confesar todos nuestros pecados mortales.

Unción de los Enfermos

La Unción de los Enfermos fortalece la fe y confianza en Dios de quienes están gravemente enfermos, debilitados por su edad avanzada o de los moribundos.

Sacramentos al Servicio de la Comunidad

Orden Sagrado

Por medio del Orden Sagrado, un hombre bautizado es consagrado para servir a toda la Iglesia como obispo, sacerdote o diácono en el nombre de Cristo. Los obispos, que son los sucesores de los Apóstoles, reciben este Sacramento más plenamente. Se los consagra para enseñar el Evangelio, dirigir a la Iglesia en la adoración de Dios y guiar a la Iglesia para vivir vidas santas. Para hacer su trabajo, los obispos reciben la ayuda de sus colegas, los sacerdotes, y de los diáconos.

Matrimonio

El Matrimonio une a un hombre bautizado y a una mujer bautizada en un acuerdo mutuo de toda la vida de amarse fielmente para honrarse siempre y de aceptar el don de Dios de los hijos. En este Sacramento, la pareja casada se consagra para ser un signo del amor de Dios por la Iglesia.

The Seven Sacraments

Jesus gave the Church the Seven Sacraments. The Sacraments are the main liturgical signs of the Church. They make the Paschal Mystery of Jesus, who is always the main celebrant of each Sacrament, present to us. They make us sharers in the saving work of Christ and in the life of the Holy Trinity.

Sacraments of Christian Initiation

Baptism

Through Baptism, we are joined to Christ and become members of the Body of Christ, the Church. We are reborn as adopted children of God and receive the gift of the Holy Spirit. Original Sin and all personal sins are forgiven.

Confirmation

Confirmation completes Baptism. In this Sacrament, the gift of the Holy Spirit strengthens us to live our Baptism.

Eucharist

Sharing in the Eucharist joins us most fully to Christ and to the Church. We share in the one sacrifice of Christ. The bread and wine become the Body and Blood of Christ through the power of the Holy Spirit and the words of the priest. We receive the Body and Blood of Christ.

Sacraments of Healing

Penance and Reconciliation

Through the ministry of the priest, we receive forgiveness of sins committed after our Baptism. We need to confess all mortal sins.

Anointing of the Sick

The Anointing of the Sick strengthens our faith and trust in God when we are seriously ill, dying, or weak because of old age.

Sacraments at the Service of Communion

Holy Orders

Through Holy Orders, a baptized man is consecrated to serve the whole Church as a bishop, priest, or deacon in the name of Christ. Bishops, who are the successors of the Apostles, receive this Sacrament most fully. They are consecrated to teach the Gospel, to lead the Church in the worship of God, and to guide the Church to live holy lives. Bishops are helped in their work by priests, their co-workers, and by deacons.

Matrimony

Matrimony unites a baptized man and a baptized woman in a lifelong bond of faithful love to honor each other always and to accept the gift of children from God. In this Sacrament, the married couple is consecrated to be a sign of God's love for the Church.

Celebramos la Misa

Los Ritos Iniciales

Recordamos que somos la comunidad de la Iglesia.
Nos preparamos para escuchar la Palabra de Dios y celebrar la Eucaristía.

La entrada

Nos ponemos de pie mientras el sacerdote, el diácono y otros ministros entran a la asamblea. Cantamos un canto de entrada. El sacerdote y el diácono besan el altar. Luego el sacerdote va hacia una silla, desde donde preside la celebración.

Saludo al altar y al pueblo congregado

El sacerdote nos guía para hacer la Señal de la Cruz. El sacerdote nos saluda y respondemos:

"Y con tu espíritu".

El Acto Penitencial

Admitimos nuestras culpas y clamamos a Dios por su misericordia.

El Gloria

Alabamos a Dios todo lo bueno que Él ha hecho por nosotros.

La colecta

El sacerdote nos guía para rezar la oración de colecta o la oración inicial. Respondemos: **"Amén".**

We Celebrate the Mass

The Introductory Rites

We remember that we are the community of the Church. We prepare to listen to the Word of God and to celebrate the Eucharist.

The Entrance

We stand as the priest, deacon, and other ministers enter the assembly. We sing a gathering song. The priest and deacon kiss the altar. The priest then goes to the chair where he presides over the celebration.

Greeting of the Altar and of the People Gathered

The priest leads us in praying the Sign of the Cross. The priest greets us, and we say,

"And with your spirit."

The Penitential Act

We admit our wrongdoings. We bless God for his mercy.

The Gloria

We praise God for all the good that he has done for us.

The Collect

The priest leads us in praying the Collect. We respond, **"Amen."**

La Liturgia de la Palabra

Dios habla con nosotros hoy.
Escuchamos y respondemos a la Palabra de Dios.

La primera lectura de la Sagrada Escritura

Nos sentamos y escuchamos mientras el lector lee del Antiguo Testamento o de los Hechos de los Apóstoles. El lector termina diciendo: "Palabra de Dios". Respondemos:

"Te alabamos, Señor".

El Salmo Responsorial

El líder de canto nos guía para cantar un salmo.

La segunda lectura de la Sagrada Escritura

El lector lee del Nuevo Testamento pero no lee de los cuatro Evangelios. El lector termina diciendo: "Palabra de Dios". Respondemos:

"Te alabamos, Señor".

La aclamación

Nos ponemos de pie para honrar a Cristo, presente con nosotros en el Evangelio. El líder de canto nos guía para cantar el "Aleluya" u otra canción durante la Cuaresma.

El Evangelio

El diácono o el sacerdote proclama: "Lectura del santo Evangelio según san (nombre del escritor del Evangelio)". Respondemos:

"Gloria a ti, Señor".

Proclama el evangelio y al finalizar dice: "Palabra del Señor". Respondemos:

"Gloria a ti, Señor Jesús".

La homilía

Nos sentamos. El sacerdote o el diácono predica la homilía. Ayuda a que el pueblo entienda la Palabra de Dios oída en las lecturas.

La profesión de fe

Nos ponemos de pie y profesamos nuestra fe. Todos juntos rezamos el Credo de Nicea.

La Oración de los Fieles

El sacerdote nos guía para rezar por la Iglesia y sus líderes, por nuestro país y sus líderes, por nosotros y por los demás, por los enfermos y por quienes han muerto. Podemos responder a cada oración de diferentes maneras. Una manera de responder es:

"Te rogamos, Señor".

The Liturgy of the Word

God speaks to us today.
We listen and respond to God's Word.

The First Reading from Scripture

We sit and listen as the reader reads from the Old Testament or from the Acts of the Apostles. The reader concludes, "The word of the Lord." We respond,

"Thanks be to God."

The Responsorial Psalm

The cantor leads us in singing a psalm.

The Second Reading from Scripture

The reader reads from the New Testament, but not from the four Gospels. The reader concludes, "The word of the Lord." We respond,

"Thanks be to God."

The Acclamation

We stand to honor Christ, present with us in the Gospel. The song leader leads us in singing **"Alleluia, Alleluia, Alleluia,"** or another chant during Lent.

The Gospel

The deacon or priest proclaims, "A reading from the holy Gospel according to (name of Gospel writer)." We respond,

"Glory to you, O Lord."

He proclaims the Gospel. At the end he says, "The Gospel of the Lord." We respond,

"Praise to you, Lord Jesus Christ."

The Homily

We sit. The priest or deacon preaches the homily. He helps the people gathered to understand the Word of God spoken to us in the readings.

The Profession of Faith

We stand and profess our faith. We pray the Nicene Creed together.

The Prayer of the Faithful

The priest leads us in praying for our Church and her leaders, for our country and its leaders, for ourselves and others, for those who are sick and those who have died. We can respond to each prayer in several ways. One way that we respond is,

"Lord, hear our prayer."

La Liturgia Eucarística

Nos unimos a Jesús y al Espíritu Santo
para agradecer y alabar a Dios Padre.

La preparación de los dones

Nos sentamos mientras se prepara la mesa de altar y se recibe la colecta. Compartimos nuestras bendiciones con la comunidad de la Iglesia y en especial con los necesitados. El líder de canto puede guiarnos en un canto. Se llevan al altar los dones del pan y el vino.

El sacerdote alza el pan y bendice a Dios por todos nuestros dones. Reza: "Bendito seas, Señor Dios del universo…". Respondemos:

"Bendito seas por siempre, Señor".

El sacerdote alza la copa y reza: "Bendito seas, Señor Dios del universo…". Respondemos:

"Bendito seas por siempre, Señor".

El sacerdote nos invita:

"Oremos, hermanos,
para que este sacrificio, mío y suyo,
sea agradable a Dios, Padre todopoderoso".

Nos ponemos de pie y respondemos:

"El Señor reciba de tus manos este sacrificio,
para alabanza y gloria de su nombre,
para nuestro bien
y el de toda su santa Iglesia".

La Oración sobre las Ofrendas

El sacerdote nos guía para rezar la Oración sobre las Ofrendas. Respondemos: **"Amén".**

The Liturgy of the Eucharist

We join with Jesus and the Holy Spirit
to give thanks and praise to God the Father.

The Preparation of the Gifts

We sit as the altar is prepared and the collection is taken up. We share our blessings with the community of the Church and especially with those in need. The song leader may lead us in singing a song. The gifts of bread and wine are brought to the altar.

The priest lifts up the bread and blesses God for all our gifts. He prays, "Blessed are you, Lord God of all creation . . ." We respond,

"Blessed be God for ever."

The priest lifts up the cup of wine and prays, "Blessed are you, Lord God of all creation . . . " We respond,

"Blessed be God for ever."

The priest invites us,

"Pray, brothers and sisters,
that my sacrifice and yours
may be acceptable to God,
the almighty Father."

We stand and respond,

**"May the Lord accept the
sacrifice at your hands
for the praise and glory of his
name,
for our good,
and the good of all his
holy Church."**

The Prayer over the Offerings

The priest leads us in praying the Prayer over the Offerings.
We respond, **"Amen."**

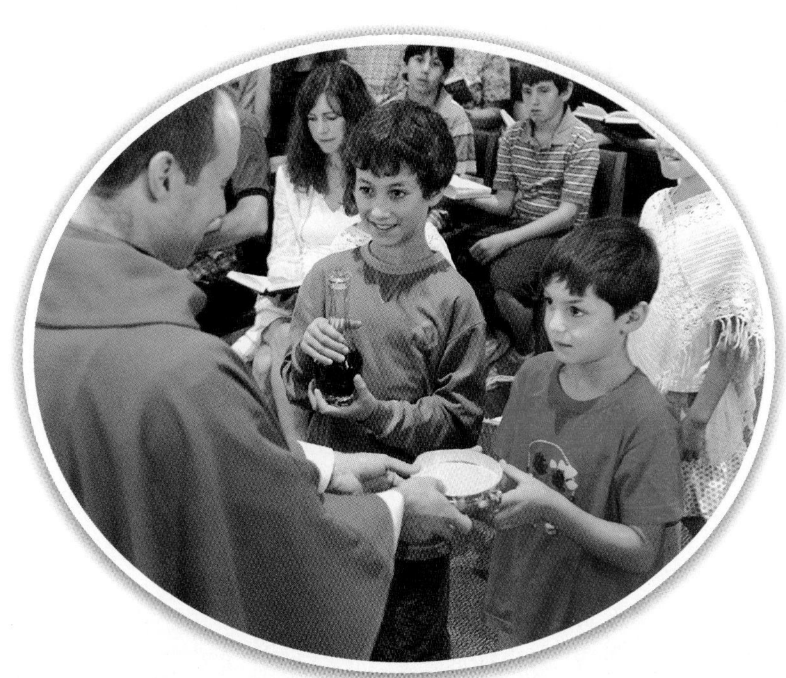

Prefacio

El sacerdote nos invita a unirnos para rezar la importante oración de la Iglesia de alabanza y acción de gracias a Dios Padre.

Sacerdote:	"El Señor esté con ustedes".
Asamblea:	**"Y con tu espíritu".**
Sacerdote:	"Levantemos el corazón".
Asamblea:	**"Lo tenemos levantado hacia el Señor".**
Sacerdote:	"Demos gracias al Señor, nuestro Dios".
Asamblea:	**"Es justo y necesario".**

Después de que el sacerdote canta o reza en voz alta el prefacio, nos unimos para proclamar:

"Santo, santo, santo es el Señor,
Dios del universo.
Llenos están el cielo y la tierra
de tu gloria.
Hosanna en el cielo.
Bendito el que viene en el
nombre del Señor.
Hosanna en el cielo."

La Plegaria Eucarística

El sacerdote guía a la asamblea para rezar la Plegaria Eucarística. Rogamos al Espíritu Santo para que santifique nuestros dones del pan y el vino y los convierta en el Cuerpo y la Sangre de Jesús. Recordamos lo sucedió en la Última Cena. El pan y el vino se convierten en el Cuerpo y la Sangre del Señor. Jesús está verdadera y realmente presente bajo la apariencia del pan y el vino.

El sacerdote canta o reza en voz alta el "Misterio de la fe". Respondemos usando esta u otra aclamación de la Iglesia:

"Anunciamos tu muerte,
proclamamos resurrección.
¡Ven, Señor Jesús!".

Luego el sacerdote reza por la Iglesia. Reza por los vivos y los muertos.

Doxología

El sacerdote termina de rezar la Plegaria Eucarística. Canta o reza en voz alta:

"Por Cristo, con él y en él,
a ti, Dios Padre omnipotente,
en la unidad del Espíritu Santo,
todo honor y toda gloria
por los siglos de los siglos".

Respondemos cantando: **"Amén".**

Preface

The priest invites us to join in praying the Church's great prayer of praise and thanksgiving to God the Father.

Priest: "The Lord be with you."
Assembly: "And with your spirit."
Priest: "Lift up your hearts."
Assembly: "We lift them up to the Lord."
Priest: "Let us give thanks to the Lord our God."
Assembly: "It is right and just."

After the priest sings or prays aloud the Preface, we join in acclaiming,

**"Holy, Holy, Holy Lord God of hosts.
Heaven and earth are full of your glory.
Hosanna in the highest.
Blessed is he who comes in the name of the Lord.
Hosanna in the highest."**

The Eucharistic Prayer

The priest leads the assembly in praying the Eucharistic Prayer. We call on the Holy Spirit to make our gifts of bread and wine holy and that they become the Body and Blood of Jesus. We recall what happened at the Last Supper. The bread and wine become the Body and Blood of the Lord. Jesus is truly and really present under the appearances of bread and wine.

The priest sings or says aloud, "The mystery of faith." We respond using this or another acclamation used by the Church,

**"We proclaim your Death, O Lord,
and profess your Resurrection
until you come again."**

The priest then prays for the Church. He prays for the living and the dead.

Doxology

The priest concludes the praying of the Eucharistic Prayer. He sings or prays aloud,

"Through him, and with him, and in him,
O God, almighty Father,
in the unity of the Holy Spirit,
all glory and honor is yours,
for ever and ever."

We respond by singing, **"Amen."**

El Rito de la Comunión

La Oración del Señor

Rezamos juntos el Padre Nuestro.

El Rito de la Paz

El sacerdote nos invita a compartir una señal de la paz diciendo: "La paz del Señor esté siempre con ustedes". Respondemos:

"Y con tu espíritu".

Compartimos una señal de la paz.

La Fracción del Pan

El sacerdote parte la hostia o pan consagrado. Cantamos o rezamos en voz alta:

"Cordero de Dios, que quitas el pecado del mundo,
ten piedad de nosotros.
Cordero de Dios, que quitas el pecado del mundo,
ten piedad de nosotros.
Cordero de Dios, que quitas el pecado del mundo,
danos la paz".

Comunión

El sacerdote alza la hostia y dice en voz alta:

"Éste es el Cordero de Dios,
que quita el pecado del mundo.
Dichosos los invitados a la cena del Señor".

Nos unimos a él y decimos:

"Señor, no soy digno
de que entres en mi casa,
pero una palabra tuya
bastará para sanarme".

El sacerdote recibe la Comunión. Luego, el diácono y los ministros extraordinarios de la Sagrada Comunión y los miembros de la asamblea reciben la Comunión.

El sacerdote, el diácono o el ministro extraordinario de la Sagrada Comunión alza la hostia. Nos inclinamos y el sacerdote, el diácono o el ministro extraordinario de la Sagrada Comunión dice: "El Cuerpo de Cristo". Respondemos: **"Amén."** Entonces recibimos la hostia consagrada en nuestras manos o sobre la lengua.

Si nos corresponde recibir la Sangre de Cristo, el sacerdote, el diácono o el ministro extraordinario de la Sagrada Comunión alza la copa que contiene el vino consagrado. Nos inclinamos y el sacerdote, el diácono o el ministro extraordinario de la Sagrada Comunión dice: "La Sangre de Cristo". Respondemos: **"Amén".** Tomamos la copa en las manos y bebemos de ella.

La Oración después de la Comunión

Nos ponemos de pie mientras el sacerdote nos invita a rezar, diciendo: "Oremos". Él reza la Oración después de la Comunión. Respondemos: **"Amen".**

The Communion Rite

The Lord's Prayer

We pray the Lord's Prayer together.

The Sign of Peace

The priest invites us to share a sign of peace, saying, "The peace of the Lord be with you always." We respond,

"And with your spirit."

We share a sign of peace.

The Fraction, or the Breaking of the Bread

The priest breaks the host, the consecrated bread. We sing or pray aloud,

"Lamb of God, you take away
the sins of the world,
have mercy on us.
Lamb of God, you take away
the sins of the world,
have mercy on us.
Lamb of God, you take away
the sins of the world,
grant us peace."

Communion

The priest raises the host and says aloud,

"Behold the Lamb of God,
behold him who takes away the sins of the world.
Blessed are those called to the supper of the Lamb."

We join with him and say,

"Lord, I am not worthy that you should enter under my roof, but only say the word and my soul shall be healed."

The priest receives Communion. Next, the deacon and the extraordinary ministers of Holy Communion and the members of the assembly receive Communion.

The priest, deacon, or extraordinary minister of Holy Communion holds up the host. We bow, and the priest, deacon, or extraordinary minister of Holy Communion says, "The Body of Christ." We respond, **"Amen."** We then receive the consecrated host in our hands or on our tongues.

If we are to receive the Blood of Christ, the priest, deacon, or extraordinary minister of Holy Communion holds up the cup containing the consecrated wine. We bow, and the priest, deacon, or extraordinary minister of Holy Communion says, "The Blood of Christ." We respond, **"Amen."** We take the cup in our hands and drink from it.

The Prayer after Communion

We stand as the priest invites us to pray, saying, "Let us pray." He prays the Prayer after Communion. We respond, **"Amen."**

El Rito de Conclusión

Se nos envía a hacer buenas obras, alabando y bendiciendo al Señor.

Saludo

Nos ponemos de pie. El sacerdote nos saluda mientras nos preparamos para irnos. Dice: "El Señor esté con ustedes". Respondemos:

"Y con tu espíritu".

Bendición final

El sacerdote o el diácono puede invitarnos diciendo:

"Inclinen la cabeza y oren para recibir la bendición de Dios".

El sacerdote nos bendice diciendo:

"La bendición de Dios todopoderoso,
Padre, Hijo y Espíritu Santo,
descienda sobre ustedes".

Respondemos: **"Amén".**

Despedida del pueblo

El sacerdote o el diácono nos despide, usando estas palabras u otras similares:

"Glorifiquen al Señor con su vida.
Pueden ir en paz".

Respondemos:

"Demos gracias a Dios".

Cantamos un himno.
El sacerdote y el diácono besan el altar. El sacerdote, el diácono y los otros ministros se inclinan ante el altar y salen en procesión.

The Concluding Rites

We are sent forth to do good works,
praising and blessing the Lord.

Greeting

We stand. The priest greets us as we prepare to leave. He says, "The Lord be with you." We respond,

"And with your spirit."

Final Blessing

The priest or deacon may invite us,

"Bow down for the blessing."

The priest blesses us, saying,

"May almighty God bless you,
the Father, and the Son,
and the Holy Spirit."

We respond, **"Amen."**

Dismissal of the People

The priest or deacon sends us forth, using these or similar words,

"Go in peace, glorifying the Lord
by your life."

We respond,

"Thanks be to God."

We sing a hymn. The priest and the deacon kiss the altar. The priest, deacon, and other ministers bow to the altar and leave in procession.

El Sacramento de la Penitencia y la Reconciliación

Rito individual

Saludo

"Cuando el penitente llega a confesar sus pecados, el sacerdote lo recibe amablemente y lo saluda con palabras afables" (*Ritual de la Penitencia* 41).

Lectura de la Escritura

"Por la Palabra de Dios, en efecto, el fiel recibe luz para conocer sus pecados, se siente llamado a convertirse y a confiar en la misericordia de Dios" (*Ritual de la Penitencia* 17).

Confesión de los pecados y aceptación de la penitencia

"[El sacerdote]… exhorta [al penitente] al arrepentimiento de sus pecados y le recuerda que el cristiano, por el sacramento de la Penitencia, muriendo y resucitando con Cristo, se renueva en el Misterio pascual" (*Ritual de la Penitencia* 44).

Oración del Penitente

"En los actos del penitente ocupa el primer lugar la contrición... La autenticidad de la penitencia depende de esta contrición del corazón" (*Ritual de la Penitencia* 6a).

Absolución

"La fórmula de la absolución indica que la reconciliación del penitente procede de la misericordia del Padre" (*Ritual de la Penitencia* 19).

Oración de cierre

"Recibido el perdón de los pecados, el penitente reconoce la misericordia de Dios y le da gracias… Luego el sacerdote lo despide en paz" (*Ritual de la Penitencia* 20).

Rito comunitario

Saludo

"Una vez que estén reunidos los fieles, al entrar el sacerdote (o los sacerdotes) a la iglesia, se canta, si se juzga conveniente, un salmo o una antífona o algún canto apropiado" (*Ritual de la Penitencia* 48).

Lectura de la Escritura

"[P]orque mediante [su Palabra] Dios llama a la penitencia y conduce a la verdadera conversión del corazón" (*Ritual de la Penitencia* 24).

Homilía

"La homilía... deberá mover a los penitentes a hacer el examen de conciencia y a conseguir la renovación de la vida" (*Ritual de la Penitencia* 52).

Examen de Conciencia

"Conviene que haya un tiempo suficiente…, para hacer el examen de conciencia ya suscitar la verdadera contrición por los pecados" (*Ritual de la Penitencia* 53).

Letanía de Contrición y el Padre Nuestro

"El diácono u otro ministro invita a los fieles a arrodillarse o a hacer una inclinación… [y entonces] dicen una fórmula de confesión general" (*Ritual de la Penitencia* 54).

Confesión individual y absolución

"[C]ada uno de los penitentes acude a uno de los sacerdotes… le confiesa sus pecados y, después de aceptar la satisfacción impuesta, recibe la absolución" (*Ritual de la Penitencia* 55).

Oración de cierre

"Después del cántico de alabanza o de la oración litánica [por la misericordia de Dios], el sacerdote concluye la oración comunitaria" (*Ritual de la Penitencia* 57).

The Sacrament of Penance and Reconciliation

Individual Rite

Greeting

"When the penitent comes to confess [his or her] sins, the priest welcomes [him or her] warmly and greets [the penitent] with kindness" (*Rite of Penance* 41).

Scripture Reading

"[T]hrough the word of God Christians receive light to recognize their sins and are called to conversion and to confidence in God's mercy" (*Rite of Penance* 17).

Confession of Sins and Acceptance of Penance

"[The priest] urges [the penitent] to be sorry for [his or her] faults, reminding [him or her] that through the sacrament of penance the Christian dies and rises with Christ and is renewed in the paschal mystery" (*Rite of Penance* 44).

Act of Contrition

"The most important act of the penitent is contrition...The genuineness of penance depends on [a] heartfelt contrition" (*Rite of Penance* 6a).

Absolution

"The form of absolution indicates that the reconciliation of the penitent comes from the mercy of the Father" (*Rite of Penance* 19).

Closing Prayer

"After receiving pardon for sin, the penitent praises the mercy of God and gives him thanks...Then the priest bids the penitent to go in peace" (*Rite of Penance* 20).

Communal Rite

Greeting

"When the faithful have assembled, they may sing a psalm, antiphon, or other appropriate song while the priest is entering the church" (*Rite of Penance* 48).

Scripture Reading

"[T]hrough his word God calls his people to repentance and leads them to a true conversion of heart" (*Rite of Penance* 24).

Homily

"The homily...should lead the penitents to examine their consciences and renew their lives" (*Rite of Penance* 52).

Examination of Conscience

"A period of time may be spent in making an examination of conscience and in arousing true sorrow for sins" (*Rite of Penance* 53).

Litany of Contrition, and the Lord's Prayer

"The deacon or another minister invites all to kneel or bow, and to join in saying a general formula for confession" (*Rite of Penance* 54).

Individual Confession and Absolution

"[T]he penitents go to the priests designated for individual confession, and confess their sins. Each one receives and accepts a fitting act of satisfaction and is absolved" (*Rite of Penance* 55).

Closing Prayer

"After the song of praise or the litany [for God's mercy], the priest concludes the common prayer" (*Rite of Penance* 57).

Enseñanzas claves de la Iglesia Católica

El Misterio de Dios

Revelación Divina

¿Quién soy?

Cada persona humana fue creada por Dios para que viva en amistad con Él tanto aquí en la Tierra como en el Cielo para siempre.

¿Cómo sabemos esto con respecto a nosotros mismos?

Lo sabemos porque cada la persona desea conocer y amar a Dios y desea que Dios la conozca y la ame. Lo sabemos también porque Dios nos habló acerca de nosotros y de Él.

¿Cómo nos lo dijo Dios?

En primer lugar, Dios nos lo dice por medio de todo lo que Él ha creado. La Creación refleja la bondad y la belleza de Dios y nos habla acerca de Él. En segundo lugar, Dios vino a nosotros y nos habló acerca de sí mismo. Él lo reveló más plenamente al enviar a su Hijo, Jesucristo, que se hizo uno de nosotros y vivió entre nosotros.

¿Qué es la fe?

La fe es un don sobrenatural de Dios. Nos permite conocer a Dios y en todo lo que Él ha revelado. También nos permite responder a Dios con todo nuestro corazón y nuestra mente.

¿Qué es un misterio de fe?

Las palabras *misterio de fe* significan que nunca podremos entender completamente a Dios ni su plan amoroso para nosotros. Solo sabemos quién es Dios y cuál es su plan para nosotros porque Él mismo nos lo ha dicho.

¿Qué es la Revelación Divina?

La Revelación Divina es el don de Dios de libremente darse a conocer a sí mismo. Dios nos ha hablado gradualmente acerca de sí mismo y de su plan divino para nosotros. Él ha hecho esto para que podamos vivir en amistad con Él y con los demás para siempre.

¿Qué es la Sagrada Tradición?

La palabra *tradición* significa "transmitir". La Sagrada Tradición es la transmisión de todo lo que Dios ha revelado a través de la Iglesia y del poder y la guía del Espíritu Santo.

Sagrada Escritura

¿Qué es la Sagrada Escritura?

Las palabras *sagrada escritura* provienen de dos términos latinos que significan "escritos santos". La Sagrada Escritura es la colección de todos los escritos que Dios ha inspirado a los autores para que escribieran en su nombre.

¿Qué es la Biblia?

La palabra *biblia* proviene de un término griego que significa "libro". La Biblia incluye los cuarenta y seis libros del Antiguo Testamento y los veintisiete libros del Nuevo Testamento. Estos son los libros identificados por la Iglesia como todos los escritos que Dios ha inspirado a los autores humanos para que escribieran en su nombre.

¿Qué significa decir que la Biblia fue inspirada?

Cuando decimos que la Biblia fue inspirada, queremos decir que el Espíritu Santo guió a los autores humanos de la Sagrada Escritura para que escribieran lo que Dios quiere decirnos fiel y exactamente.

¿Qué es el Antiguo Testamento?

El Antiguo Testamento es la primera parte principal de la Biblia, los cuarenta y seis libros inspirados por el Espíritu Santo, que fueron escritos antes del nacimiento de Jesús. Estos libros nos cuentan acerca de la Alianza entre Dios y su pueblo de Israel, y acerca de la promesa de Dios del Mesías, o Salvador. El Antiguo Testamento incluye el relato de la creación y de Adán y Eva. Nos cuenta la historia del pueblo hebreo. Incluye sus escritos santos, junto con los escritos de los profetas.

Key Teachings of the Catholic Church

The Mystery of God

Divine Revelation

Who am I?

Every human person was created by God to live in friendship with him both here on Earth and forever in Heaven.

How do we know this about ourselves?

We know this because every person wants to know and love God and wants God to know and love them. We also know this because God told us this about ourselves and about him.

How did God tell us?

First of all, God tells us this through all he has created. Creation reflects God's goodness and beauty and tells us about him. Second, God came to us and told us about himself. He revealed this most fully by sending his Son, Jesus Christ, who became one of us and lived among us.

What is faith?

Faith is a supernatural gift from God. It allows us to come to know God and all that he has revealed. It also allows us to respond to God with our whole hearts and minds.

What is a mystery of faith?

The words *mystery of faith* mean that we can never fully understand God and his loving plan for us. We only know who God is and his plan for us because he has told us about himself.

What is Divine Revelation?

Divine Revelation is God's free gift of making himself known to us. God has told us about himself and his divine plan for us gradually. He has done this so that we can live in friendship with him and with one another forever.

What is Sacred Tradition?

The word *tradition* means "to pass on." Sacred Tradition is the passing on of all that God has revealed through the Church by the power and guidance of the Holy Spirit.

Sacred Scripture

What is Sacred Scripture?

The words *sacred scripture* come from two Latin words meaning "holy writings." Sacred Scripture is the collection of all of the writings that God has inspired authors to write in his name.

What is the Bible?

The word *bible* comes from a Greek word meaning "book." The Bible includes the forty-six books of the Old Testament and the twenty-seven books of the New Testament. These are the books named by the Church as all of the writings that God has inspired human authors to write in his name.

What does it mean to say that the Bible is inspired?

When we say the Bible is inspired, we mean that the Holy Spirit guided the human authors of Sacred Scripture to record what God wants to tell us about himself, faithfully and accurately.

What is the Old Testament?

The Old Testament is the first main part of the Bible, the forty-six books inspired by the Holy Spirit, which were written before the birth of Jesus. These books tell us about the Covenant between God and the people of Israel, and God's promise of the Messiah, or Savior. The Old Testament includes the story of creation and of Adam and Eve. It tells the story of the Hebrew people. It includes their holy writings, including the writings of the prophets.

¿Qué es la Alianza?

La Alianza es el acuerdo solemne de fidelidad que Dios y su pueblo hicieron libremente. Se renovó y se completó en Jesucristo. La Iglesia llama a Jesús la Alianza nueva y eterna.

¿Qué son los escritos de los profetas?

La palabra *profeta* proviene de un término griego que significa "los que hablan delante de los demás". Los profetas de la Biblia eran personas que Dios eligió para que hablaran en su nombre. Hay dieciocho libros de los escritos de los profetas. Cuentan el mensaje de los profetas para el pueblo de Dios. Le recuerdan al pueblo de Dios la fidelidad sin fin de Dios hacia ellos y la responsabilidad que tienen de ser fieles a la Alianza.

¿Qué es el Nuevo Testamento?

El Nuevo Testamento es la segunda parte principal de la Biblia, son los veintisiete libros inspirados por el Espíritu Santo y escritos en la época de los Apóstoles. Estos libros se centran en Jesucristo y en su obra salvadora entre nosotros.

¿Qué son los Evangelios?

La palabra *evangelio* significa "buena nueva". El Evangelio relata la Buena Nueva del plan amoroso de Dios de la Salvación. Hay cuatro Evangelios: Mateo, Marcos, Lucas y Juan. Los cuatro Evangelios son el centro de la Biblia porque nos relatan la historia de Jesucristo.

¿Qué son las cartas de San Pablo?

Son los veintiuno (21) documentos del Nuevo Testamento llamados cartas. Tradicionalmente, se atribuyen catorce de estas cartas a San Pablo. Las cartas se hallan entre el Libro de los Hechos de los Apóstoles y el Apocalipsis. Generalmente, las cartas incluyen: un saludo, una oración de acción de gracias, una enseñanza de la Iglesia y un consejo práctico acerca de la vida cristiana. Muchas de las cartas de Pablo fueron escritas antes que los cuatro Evangelios, por lo que se las cuenta entre los primeros escritos de la época del Nuevo Testamento.

La Santísima Trinidad

¿Quién es el Misterio de la Santísima Trinidad?

La Santísima Trinidad es el misterio de un Dios en Tres Personas Divinas: Dios Padre, Dios Hijo y Dios Espíritu Santo. La Santísima Trinidad es el misterio principal de la fe cristiana.

¿Quién es Dios Padre?

Dios Padre es la Primera Persona de la Santísima Trinidad.

¿Quién es Dios Hijo?

Dios Hijo es Jesucristo, la Segunda Persona de la Santísima Trinidad. Él es el Hijo único del Padre, que se convirtió en uno de nosotros sin dejar de ser Dios.

¿Quién es Dios Espíritu Santo?

Dios Espíritu Santo es la Tercera Persona de la Santísima Trinidad, que procede del Padre y del Hijo. Es el Intérprete, o Protector, que el Padre nos envió en nombre de Jesús, su Hijo.

¿Cuáles son las obras de la Santísima Trinidad?

Dios obra como uno solo; sin embargo, relacionamos ciertas actividades con cada una de las Personas Divinas de la Santísima Trinidad. La obra de creación se asocia mayormente al Padre, la obra de Salvación se asocia al Hijo y la obra de santificación se asocia al Espíritu Santo.

Obra divina de la Creación

¿Qué quiere decir llamar a Dios el Creador?

La Creación significa que Dios da origen a todo y a todos, tanto lo visible como lo invisible. Dios hace esto por amor y sin ninguna ayuda.

¿Quiénes son los ángeles?

Los ángeles son seres espirituales que no tienen un cuerpo como el de los humanos. Los ángeles glorifican a Dios en todo momento. A veces sirven a Dios llevando su mensaje a las personas.

¿Por qué son especiales los seres humanos?

Cada persona humana es creada a imagen y semejanza de Dios. Dios nos llama a cada uno de nosotros a vivir en felicidad con Él.

What is the Covenant?

The Covenant is the solemn agreement of faithfulness that God and his people freely made. It was renewed and fulfilled in Jesus Christ. The Church calls Jesus the new and everlasting Covenant.

What are the writings of the prophets?

The word *prophet* comes from a Greek word meaning "those who speak before others." The prophets in the Bible were people whom God chose to speak in his name. There are eighteen books of the writings of the prophets. They tell the message of the prophets to God's people. They remind God's people of his unending faithfulness to them and of their responsibility to be faithful to the Covenant.

What is the New Testament?

The New Testament is the second main part of the Bible, the twenty-seven books inspired by the Holy Spirit and written during the time of the Apostles. These books center on Jesus Christ and his saving work among us.

What are the Gospels?

The word *gospel* means "good news." The Gospels tell the Good News of God's loving plan of Salvation. There are four Gospels: Matthew, Mark, Luke, and John. The four Gospels are the heart of the Bible because they tell the story of Jesus Christ.

What are letters of Saint Paul?

There are twenty-one documents in the New Testament that are called letters. Fourteen of these letters are traditionally attributed to Saint Paul. The letters appear between the Acts of the Apostles and the Book of Revelation. The letters usually include a greeting, a prayer of thanksgiving, Church teaching, and practical advice about Christian living. Many of the letters of Paul were written before the four Gospels, and so they are among the earliest writings in the New Testament era.

The Holy Trinity

Who is the Mystery of the Holy Trinity?

The Holy Trinity is the mystery of One God in Three Divine Persons—God the Father, God the Son, and God the Holy Spirit. The Holy Trinity is the central mystery of the Christian faith.

Who is God the Father?

God the Father is the First Person of the Holy Trinity.

Who is God the Son?

God the Son is Jesus Christ, the Second Person of the Holy Trinity. He is the only Son of the Father, who became one of us while still remaining God.

Who is God the Holy Spirit?

God the Holy Spirit is the Third Person of the Holy Trinity, who proceeds from the Father and Son. He is the Advocate, or Helper, sent to us by the Father in the name of his Son, Jesus.

What are the works of the Holy Trinity?

God works as one; however, we connect certain activities to each of the Divine Persons of the Trinity. The work of creation is connected mostly to the Father, the work of Salvation is connected to the Son, and the work of holiness is connected to the Holy Spirit.

Divine Work of Creation

What does it mean to call God the Creator?

Creation means that God brings into existence everything and everyone, both visible and invisible. God does this out of love and without any help.

Who are angels?

Angels are spiritual beings who do not have bodies as humans do. Angels give glory to God at all times. They sometimes serve God by bringing his message to people.

Why are human beings special?

Every human being is created in the image and likeness of God. God calls each of us to a life of happiness with him.

¿Qué es el alma?

El alma es la parte espiritual de una persona y que nunca morirá. Está en nuestro interior y lleva la imagen de Dios.

¿Qué es el libre albedrío?

El libre albedrío es el poder dado por Dios a cada uno de nosotros para elegir entre el bien y el mal y para acercarnos a Él.

¿Qué es el Pecado Original?

El Pecado Original es el pecado de Adán y Eva. Ellos eligieron al mal en vez de obedecer a Dios. Como resultado del Pecado Original, la muerte, el pecado y el sufrimiento llegaron al mundo.

Jesucristo, Hijo de Dios, Hijo de María

¿Qué es la Anunciación?

La Anunciación es el anuncio que el ángel Gabriel le dijo a María. El ángel le dijo que Dios la había elegido para ser la Madre de su Hijo, Jesús, por el poder del Espíritu Santo.

¿Qué es la Encarnación?

Encarnación significa que el Hijo de Dios, la segunda Persona de la Santísima Trinidad, se hizo verdaderamente humano mientras seguía siendo verdaderamente Dios. Jesucristo es verdadero Dios y verdadero hombre.

¿Qué significa que Jesús es el Señor?

La palabra *señor* significa "amo o soberano". Cuando llamamos "Señor" a Jesús, queremos decir que Jesús es verdaderamente Dios.

¿Qué es el Misterio Pascual?

El Misterio Pascual son los sucesos salvadores de la Pasión, Muerte, Resurrección y gloriosa Ascensión de Jesucristo. Es el paso de Jesús de la muerte a una nueva y gloriosa vida. Es el nombre que le damos al plan de Dios de Salvación en Jesucristo.

¿Qué es la Salvación?

La palabra *salvación* significa "salvar". Es salvar a todas las personas del poder del pecado y de la muerte a través de Jesucristo.

¿Qué es la Resurrección?

La Resurrección significa que Jesús resucitó de entre los muertos a nueva vida, después de su muerte en la Cruz y su sepultura en la tumba.

¿Qué es la Ascensión?

La Ascensión es el regreso del Cristo Resucitado en gloria a su Padre en el Cielo.

¿Qué significa la Segunda Venida de Cristo?

La Segunda Venida de Cristo significa que Cristo regresará en gloria al final de los tiempos para juzgar a los vivos y a los muertos. Es el cumplimiento del plan de Dios.

¿Qué significa que Jesús es el Mesías?

La palabra *mesías* significa "el ungido". Jesucristo es el Ungido, el Mesías, el que Dios prometió enviar para salvar a todas las personas. Jesús es el Salvador del mundo.

El Misterio de la Iglesia

¿Qué es la Iglesia?

La palabra *iglesia* significa "los llamados a reunirse". La Iglesia es el Cuerpo de Cristo en la Tierra, el pueblo que Dios Padre ha llamado a reunirse en Jesucristo por medio del poder del Espíritu Santo.

¿Qué hace la Iglesia?

La Iglesia proclama el Evangelio, o la Buena Nueva, de Jesucristo. Invita a todas las personas a conocer y a creer en Jesús y a seguirlo.

¿Qué es el Cuerpo de Cristo?

Cuando llamamos a la Iglesia el Cuerpo de Cristo, queremos decir que todos los miembros de la Iglesia son uno en Cristo, que es la Cabeza de la Iglesia. Cada miembro de la Iglesia tiene una función importante y único en continuar la obra de Jesús en el mundo.

What is the soul?

The soul is the spiritual part of who a person is that will never die. It is your very center, and bears the image of God.

What is free will?

Free will is the power given to each of us by God to choose between good and evil and turn toward God.

What is Original Sin?

Original Sin is the sin of Adam and Eve. They chose evil over obedience to God. As a result of Original Sin, death, sin, and suffering came into the world.

Jesus Christ, Son of God, Son of Mary

What is the Annunciation?

The Annunciation is the announcement by the angel Gabriel to Mary. The angel told her that God had chosen her to become the Mother of his Son, Jesus, by the power of the Holy Spirit.

What is the Incarnation?

Incarnation means that the Son of God, the Second Person of the Holy Trinity, truly became human while remaining truly God. Jesus Christ is true God and true man.

What does it mean that Jesus is Lord?

The word *lord* means "master or ruler." When we call Jesus "the Lord," we mean that Jesus is truly God.

What is the Paschal Mystery?

The Paschal Mystery is the saving events of the Passion, Death, Resurrection, and glorious Ascension of Jesus Christ. It is the passing over of Jesus from death into a new and glorious life. It is the name that we give to God's plan of Salvation in Jesus Christ.

What is Salvation?

The word *salvation* means "to save." It is the saving of all people from the power of sin and death through Jesus Christ.

What is the Resurrection?

The Resurrection means that Jesus was raised from the dead to new life after his death on the Cross and burial in the tomb.

What is the Ascension?

The Ascension is the return of the Risen Christ in glory to his Father in Heaven.

What is the Second Coming of Christ?

The Second Coming of Christ means that Christ will come again in glory at the end of time to judge the living and the dead. This is the fulfillment of God's plan.

What does it mean that Jesus is the Messiah?

The word *messiah* means "anointed one." Jesus Christ is the Anointed One, the Messiah, whom God promised to send to save all people. Jesus is the Savior of the world.

The Mystery of The Church

What is the Church?

The word *church* means "those who are called together." The Church is the Body of Christ on Earth, the people whom God the Father has called together in Jesus Christ through the power of the Holy Spirit.

What does the Church do?

The Church proclaims the Gospel, or Good News, of Jesus Christ. She invites all people to come to know and believe in him and to follow him.

What is the Body of Christ?

When we call the Church the Body of Christ, we mean that all of the members of the Church are one in Christ, who is the Head of the Church. Each member of the Church has a unique and important part to play to continue the work of Jesus in the world.

¿Quiénes son el Pueblo de Dios?

El Pueblo de Dios son aquellos a los que Dios Padre ha elegido y reunido en Cristo en la Iglesia. Todas las personas están invitadas a pertenecer al Pueblo de Dios y a vivir como una familia de Dios.

¿Qué es la Comunión de los Santos?

La Comunión de los Santos son las personas santas que forman parte de la Iglesia. Incluye a los que viven en la Tierra, los que han muerto y se están purificando, y los que disfrutan de la vida y la felicidad eterna con Dios.

¿Cuáles son los Atributos de la Iglesia?

Hay cuatro Atributos, o características principales, de la Iglesia. La Iglesia es una, santa, católica y apostólica.

¿Quiénes son los Apóstoles?

Los Apóstoles fueron aquellos discípulos que Jesús eligió y envió a predicar el Evangelio y a hacer discípulos de todos los pueblos. Sus nombres eran: Simón, llamado Pedro; su hermano Andrés; Santiago, hijo de Zebedeo; su hermano Juan; Felipe y Bartolomé; Tomás; Mateo, el recaudador de impuestos; Santiago, el hijo de Alfeo; Tadeo; Simón de Caná; y Judas Iscariote, quien traicionó a Jesús. El Apóstol Matías fue elegido después de la Ascensión de Jesús.

¿Qué es Pentecostés?

Pentecostés es el día en que el Espíritu Santo vino a la Iglesia como lo prometió Jesús. Este es el día en que comenzó la obra de la Iglesia.

¿Quiénes son el clero?

El clero son los obispos, sacerdotes y diáconos. Ellos han recibido el Sacramento del Orden Sagrado para servir a toda la Iglesia.

¿Cuál es el trabajo del Papa?

Jesucristo es la verdadera Cabeza de la Iglesia. El Papa y todos los obispos gobiernan la Iglesia en su nombre. El Papa es el obispo de Roma y el sucesor del Apóstol San Pedro. El Papa es un signo de unidad de la Iglesia entera. Cuando el Papa se dirige oficialmente a la Iglesia entera sobre cuestiones serias de la fe o de la moral, el Espíritu Santo lo guía para que hable sin cometer ningún error.

¿Cuál es el trabajo de los obispos?

Los obispos son los sucesores de los Apóstoles. Ellos enseñan y guían a la Iglesia en su propia diócesis. Cuando todos los obispos se reúnen con el Papa y toman decisiones sobre una cuestión seria de la fe o de la moral, el Espíritu Santo también los guía para que hablen sin cometer ningún error.

¿Qué es la vida religiosa?

Este es un estilo de vida que eligen algunos hombres y mujeres que dedican toda su vida a seguir a Jesús de una manera especial. Ellos prometen no casarse y dedicar toda su vida a continuar la obra de Jesús. Hacen promesas, llamadas votos, por las que llevarán vidas santas. Prometen vivir simplemente, compartiendo lo que tienen con los demás. Prefieren vivir en comunidades de hombres o mujeres en vez de quedarse con su familia. Prometen obedecer las reglas de su comunidad y a los líderes de la misma. Pueden llevar vidas sencillas de oración, o enseñar, o cuidar de los pobres o los enfermos.

¿Quiénes son los laicos?

Los laicos son todos los bautizados que no han recibido el Sacramento del Orden Sagrado y no son miembros de ninguna comunidad religiosa. Están llamados a ser testigos de Cristo en su vida cotidiana.

La Santísima Virgen María

¿Quién es María?

María es la mujer que Dios eligió para ser la madre de su único Hijo, Jesús. María tiene una función única en el plan de Dios de Salvación para la humanidad. Dado que Jesucristo es verdadero Dios y verdadero hombre, la Iglesia enseña que María es la Madre de Dios, la Madre de Cristo y la Madre de la Iglesia. Ella es la Santa más importante de la Iglesia.

¿Qué es la Inmaculada Concepción?

Inmaculada Concepción significa que desde el primer momento de su existencia María fue preservada de la mancha de todo pecado. Esta gracia especial perduró toda su vida.

Who are the People of God?

The People of God are those whom God the Father has chosen and gathered in Christ in the Church. All people are invited to belong to the People of God and to live as one family of God.

What is the Communion of Saints?

The Communion of Saints is all of the holy people that make up the Church. It includes those living on Earth, those who have died who are still becoming holier, and those who are enjoying everlasting life and happiness with God.

What are the Marks of the Church?

There are four Marks, or main characteristics, of the Church. The Church is one, holy, catholic, and apostolic.

Who are the Apostles?

The Apostles were those disciples chosen and sent by Jesus to preach the Gospel and to make disciples of all people. Their names are Simon called Peter; his brother Andrew; James, the son of Zebedee; his brother John; Philip and Bartholomew; Thomas; Matthew the tax collector; James, the son of Alphaeus; Thaddaeus; Simon from Cana; and Judas Iscariot, who betrayed Jesus. The Apostle Matthias was chosen after Jesus' Ascension.

What is Pentecost?

Pentecost is the day that the Holy Spirit came to the Church as promised by Jesus. This is the day on which the work of the Church began.

Who are the clergy?

The clergy are bishops, priests, and deacons. They have received the Sacrament of Holy Orders to serve the whole Church.

What is the work of the Pope?

Jesus Christ is the true Head of the Church. The Pope and all the bishops govern the Church in his name. The Pope is the bishop of Rome and the successor of Saint Peter the Apostle. The Pope is the sign of unity for the whole Church. When the Pope speaks officially to the entire Church on a serious matter of faith or morals, the Holy Spirit guides him to speak without error.

What is the work of the bishops?

The other bishops are the successors of the Apostles. They teach and lead the Church in their own dioceses. When all of the bishops gather together with the Pope and decide a serious matter of faith or morals, the Holy Spirit also guides them to speak without error.

What is religious life?

This is a way of life chosen by some men and women who dedicate their whole lives to following Jesus in a special way. They promise not to marry and to dedicate their whole lives to continuing Jesus' work. They make promises, called vows, that they will live holy lives. They promise to live very simply, sharing what they have with one another. They live in communities of men or women rather than with their families. They promise to obey the rules of their communities and to obey the community leaders. They may lead quiet lives of prayer, or teach, or take care of sick or poor people.

Who are lay people?

Lay people are all baptized people who have not received the Sacrament of Holy Orders and are not members of a religious community. They are called to be witnesses for Christ in their everyday lives.

The Blessed Virgin Mary

Who is Mary?

Mary is the woman whom God chose to be the mother of his only Son, Jesus. Mary has a unique role in God's plan of Salvation for humanity. Because Jesus Christ is truly God and truly man, the Church teaches that Mary is the Mother of God, the Mother of Christ, and the Mother of the Church. She is the greatest Saint of the Church.

What is the Immaculate Conception?

The Immaculate Conception means that from the first moment of her existence, Mary was preserved from the stain of all sin. This special grace continued throughout her life.

¿Qué es la Asunción de María?

Al final de su vida en la Tierra, la Santísima Virgen María fue llevada en cuerpo y alma al Cielo. María, Madre de la Iglesia, oye nuestras oraciones y le pide a su Hijo. Ella nos recuerda la vida que todos esperamos compartir cuando Cristo, su Hijo, venga de nuevo en su gloria.

Vida eterna

¿Qué es la vida eterna?

La vida eterna es la vida después de la muerte. En la muerte, el alma se separa del cuerpo y pasa a la vida eterna.

¿Qué es el Cielo?

El Cielo es la vida eterna y la comunión con la Santísima Trinidad. Es la felicidad de vivir con Dios para siempre, para lo cuál Él nos creó.

¿Qué es el Reino de Dios?

El Reino de Dios, o Reino de los Cielos, es la imagen que usó Jesús para describir a todas las personas y la creación viviendo en armonía con Dios. El Reino de Dios se realizará completamente cuando Cristo venga otra vez en gloria al final de los tiempos.

¿Qué es el Purgatorio?

El Purgatorio es la oportunidad después de la muerte de purificar y fortalecer nuestro amor por Dios antes de entrar en el Cielo.

¿Qué es el infierno?

El infierno es la separación inmediata y eterna de Dios y los Santos.

Celebración de la vida y el misterio cristianos

La liturgia y el culto

¿Qué es el culto?

El culto es la adoración y el honor que dirigimos a Dios. La Iglesia adora a Dios públicamente en la celebración de la liturgia.

¿Qué es la liturgia?

La liturgia es el culto de Dios de la Iglesia. Es la obra del Cristo entero, Cabeza y Cuerpo. En la liturgia, Cristo se hace presente por medio del poder del Espíritu Santo.

¿Qué es el año litúrgico?

El año litúrgico es el ciclo de tiempos y grandes fiestas que forman el año eclesiástico de culto. Los tiempos principales del año eclesiástico son: Adviento, Navidad, Cuaresma y Pascua. El Triduo Pascual son los tres días festivos importantes. Al resto del año litúrgico se lo llama Tiempo Ordinario.

Los Sacramentos

¿Qué son los Sacramentos?

Los Sacramentos son siete signos del amor de Dios y las principales celebraciones litúrgicas de la Iglesia. Nos hacen partícipes del Misterio Pascual de Cristo. Los Sacramentos fueron instituidos por Cristo y confiados a la Iglesia. Por medio de los Sacramentos, la vida divina se comparte con nosotros.

¿Cuáles son los Sacramentos de la Iniciación Cristiana?

Los Sacramentos de la Iniciación Cristiana son el Bautismo, la Confirmación y la Eucaristía. Estos tres Sacramentos son el fundamento de toda vida cristiana.

¿Qué es el Sacramento del Bautismo?

Por medio del Bautismo, nacemos a una nueva vida en Cristo. Nos unimos a Jesucristo, nos volvemos miembros de la Iglesia y volvemos a nacer como hijos de Dios. Recibimos el don del Espíritu Santo y se nos perdonan el Pecado Original y nuestros pecados personales. El Bautismo nos marca de manera indeleble y para siempre al pertenecer a Cristo. Debido a esto, el Bautismo se puede recibir solo una vez.

¿Qué es el Sacramento de la Confirmación?

La Confirmación fortalece las gracias del Bautismo y celebra el don especial del Espíritu Santo que nos da el poder para compartir plenamente la Buena Nueva de Jesucristo con los demás.

¿Qué es el Sacramento de la Eucaristía?

En la Eucaristía, los fieles se unen a Cristo para agradecer, honrar y glorificar al Padre a través del poder del Espíritu Santo.

What is the Assumption of Mary?

At the end of her life on Earth, the Blessed Virgin Mary was taken body and soul into Heaven. Mary, the Mother of the Church, hears our prayers and tells her Son. She reminds us of the life that we all hope to share when Christ, her Son, comes again in glory.

Life Everlasting

What is eternal life?

Eternal life is life after death. At death the soul is separated from the body and passes into eternal life.

What is Heaven?

Heaven is eternal life and communion with the Holy Trinity. It is the happiness of living with God forever, for which he created us.

What is the Kingdom of God?

The Kingdom of God, or Kingdom of Heaven, is the image used by Jesus to describe all people and creation living in harmony with God. The Kingdom of God will be fully realized when Christ comes again in glory at the end of time.

What is Purgatory?

Purgatory is the opportunity after death to purify and strengthen our love for God before we enter Heaven.

What is hell?

Hell is the immediate and everlasting separation from God and the Saints.

Celebration of the Christian Life and Mystery

Liturgy and Worship

What is worship?

Worship is the adoration and honor given to God. The Church worships God publicly in the celebration of the liturgy.

What is liturgy?

The liturgy is the Church's worship of God. It is the work of the whole Christ, Head and Body. In the liturgy, Christ is made present by the power of the Holy Spirit.

What is the liturgical year?

The liturgical year is the cycle of seasons and great feasts that make up the Church year of worship. The main seasons of the Church year are Advent, Christmas, Lent and Easter. The Easter Triduum is the three high holy days. The rest of the liturgical year is called Ordinary Time.

The Sacraments

What are the Sacraments?

The Sacraments are seven signs of God's love and the main liturgical actions of the Church. They make us sharers in the Paschal Mystery of Christ. The Sacraments were instituted by Christ and entrusted to the Church. Through the Sacraments, the divine life of grace is shared with us.

What are the Sacraments of Christian Initiation?

The Sacraments of Christian Initiation are Baptism, Confirmation, and the Eucharist. These three Sacraments are the foundation of every Christian life.

What is the Sacrament of Baptism?

Through Baptism we are reborn into new life in Christ. We are joined to Jesus Christ, become members of the Church, and are reborn as God's children. We receive the gift of the Holy Spirit, and Original Sin and our personal sins are forgiven. Baptism marks us indelibly and forever as belonging to Christ. Because of this, Baptism can be received only once.

What is the Sacrament of Confirmation?

Confirmation strengthens the graces of Baptism and celebrates the special gift of the Holy Spirit that empowers us in a fuller way to share the Good News of Jesus Christ with others.

What is the Sacrament of the Eucharist?

In the Eucharist, the faithful join with Christ to give thanksgiving, honor, and glory to the

A través del poder del Espíritu Santo y de las palabras del sacerdote, el pan y el vino se convierten en el Cuerpo y la Sangre de Cristo.

¿Cuál es nuestra obligación de participar en la Eucaristía?

Los católicos tienen la obligación de participar en la Eucaristía los domingos y los días de precepto. El domingo es el Día del Señor. El domingo, el día de la Resurrección del Señor, es el núcleo de todo el año litúrgico. Es necesario participar regularmente en la Eucaristía y recibir la Sagrada Comunión para la vida cristiana. En la Eucaristía recibimos el Cuerpo y la Sangre de Cristo.

¿Qué es la Misa?

La Misa es la celebración más importante de la Iglesia. La Misa tiene dos partes. En la primera parte, la Liturgia de la Palabra, nos reunimos para escuchar la Palabra de Dios. En la segunda parte, la Liturgia Eucarística, se nos hace partícipes de la Muerte y Resurrección salvadoras de Cristo, y alabamos y agradecemos al Padre.

¿Cuáles son los Sacramentos de Curación?

Los dos Sacramentos de Curación son el Sacramento de la Penitencia y de la Reconciliación, y el Sacramento de la Unción de los Enfermos. A través del poder del Espíritu Santo, se continúa la obra de Cristo de Salvación y curación de los miembros de la Iglesia.

¿Qué es el Sacramento de la Penitencia y de la Reconciliación?

El Sacramento de la Penitencia y de la Reconciliación es uno de los dos Sacramentos de Curación por el cual recibimos el perdón de Dios por los pecados que hemos cometido después del Bautismo.

¿Qué es la confesión?

La confesión es contarle nuestros pecados a un sacerdote en el Sacramento de la Penitencia y de la Reconciliación. La confesión es otro nombre del Sacramento de la Penitencia y de la Reconciliación.

¿Qué es la contrición?

La contrición es el arrepentimiento de los pecados. Incluye el deseo y el compromiso de reparar el daño que han causado nuestros pecados. También incluye la intención firme de no volver a pecar. La contrición es una parte necesaria del Sacramento de la Penitencia y de la Reconciliación.

¿Qué es una penitencia?

Una penitencia es una oración o acto de bondad que muestra que estamos verdaderamente arrepentidos por nuestros pecados. La penitencia que nos da el sacerdote nos ayuda a reparar el daño causado por nuestros pecados. Aceptar nuestra penitencia y hacerla es una parte necesaria del Sacramento de la Penitencia y de la Reconciliación.

¿Qué es la absolución?

La absolución es el perdón de los pecados por Dios a través del ministerio del sacerdote.

¿Qué es el Sacramento de la Unción de los Enfermos?

El Sacramento de la Unción de los Enfermos es uno de los dos Sacramentos de Curación. La gracia de este Sacramento fortalece la fe y la confianza en Dios de quienes están gravemente enfermos, debilitados por su edad avanzada o moribundos. Los católicos pueden recibir este Sacramento cada vez que estén gravemente enfermos o si su enfermedad empeora.

¿Cuáles son los Sacramentos al Servicio de la Comunidad?

Los dos Sacramentos al Servicio de la Comunidad son el Orden Sagrado y el Matrimonio. Estos Sacramentos dan a quienes lo reciben una obra particular, o misión, para servir y edificar el Pueblo de Dios.

¿Qué es el Sacramento del Orden Sagrado?

El Sacramento del Orden Sagrado es uno de los dos Sacramentos al Servicio de la Comunidad. Es el Sacramento por el cual los hombres bautizados se consagran como obispos, sacerdotes o diáconos para servir a toda la Iglesia en el nombre y la persona de Cristo.

¿Quién es un obispo?

Un obispo es un sacerdote que recibe la plenitud del Sacramento del Orden Sagrado. Es un sucesor de los Apóstoles que guía y sirve a una determinada diócesis confiada a él. Enseña, dirige el culto y gobierna la Iglesia como lo hizo Jesús.

Father through the power of the Holy Spirit. Through the power of the Holy Spirit and the words of the priest, the bread and wine become the Body and Blood of Christ.

What is our obligation to participate in the Eucharist?

Catholics have the obligation to participate in the Eucharist on Sundays and holy days of obligation. Sunday is the Lord's Day. Sunday, the day of the Lord's Resurrection, is the heart of the whole liturgical year. Regular participation in the Eucharist and receiving Holy Communion are necessary to the Christian life. In the Eucharist we receive the Body and Blood of Christ.

What is the Mass?

The Mass is the main celebration of the Church. The Mass has two parts. In the first part, the Liturgy of the Word, we gather to listen to the Word of God. In the second part, the Liturgy of the Eucharist, we are made sharers in the saving Death and Resurrection of Christ and give praise and thanksgiving to the Father.

What are the Sacraments of Healing?

The two Sacraments of Healing are the Sacrament of Penance and Reconciliation and the Sacrament of the Anointing of the Sick. Through the power of the Holy Spirit, Christ's work of Salvation and of healing the members of the Church is continued.

What is the Sacrament of Penance and Reconciliation?

The Sacrament of Penance and Reconciliation is one of the two Sacraments of Healing through which we receive God's forgiveness for the sins that we have committed after Baptism.

What is confession?

Confession is the telling of sins to a priest in the Sacrament of Penance and Reconciliation. Confession is another name for the Sacrament of Penance and Reconciliation.

What is contrition?

Contrition is sorrow for sins. It includes the desire and commitment to make up for the harm our sins have caused. It also includes our firm intention not to sin again. Contrition is a necessary part of the Sacrament of Penance and Reconciliation.

What is a penance?

A penance is a prayer or act of kindness that shows that we are truly sorry for our sins. The penance given to us by the priest helps to repair the damage caused by our sins. Accepting and doing our penance are necessary parts of the Sacrament of Penance and Reconciliation.

What is absolution?

Absolution is the forgiveness of sins by God through the ministry of the priest.

What is the Sacrament of the Anointing of the Sick?

The Sacrament of Anointing of the Sick is one of the two Sacraments of Healing. The grace of this Sacrament strengthens our faith and trust in God when we are seriously ill, weakened by old age, or dying. Catholics may receive this Sacrament each time that they are seriously ill or when an illness gets worse.

What are the Sacraments at the Service of Communion?

Holy Orders and Matrimony are the two Sacraments at the Service of Communion. These Sacraments give those who receive them a particular work, or mission, to serve and build up the People of God.

What is the Sacrament of Holy Orders?

The Sacrament of Holy Orders is one of the two Sacraments at the Service of Communion. It is the Sacrament in which baptized men are consecrated as bishops, priests, or deacons to serve the whole Church in the name and person of Christ.

Who is a bishop?

A bishop is a priest who receives the fullness of the Sacrament of Holy Orders. He is a successor of the Apostles who leads and serves a particular diocese entrusted to him. He teaches, leads worship, and governs the Church as Jesus did.

¿Quién es un sacerdote?
Un sacerdote es un hombre bautizado que ha recibido el Sacramento del Orden Sagrado. Los sacerdotes son los colaboradores de sus obispos. El sacerdote enseña sobre la fe; celebra la liturgia, principalmente la Eucaristía; y ayuda a guiar a la Iglesia.

¿Quién es un diácono?
Un diácono se ordena para ayudar a los obispos y los sacerdotes. No está ordenado para el sacerdocio sino para un ministerio de servicio a la Iglesia.

¿Qué es el Sacramento del Matrimonio?
El Sacramento del Matrimonio es uno de los dos Sacramentos al Servicio de la Comunidad. En el Sacramento del Matrimonio, un hombre bautizado y una mujer bautizada dedican su vida mutuamente y a la Iglesia en un vínculo para toda la vida de fiel amor dador de vida. En este Sacramento, reciben la gracia para ser un signo viviente del amor de Cristo por la Iglesia.

¿Qué son los sacramentales de la Iglesia?
Los sacramentales son signos sagrados instituidos por la Iglesia. Incluyen bendiciones, oraciones y ciertos objetos que nos preparan para participar de los Sacramentos. También nos hacen conscientes y nos ayudan a responder a la presencia amorosa de Dios en nuestra vida.

Vida en el Espíritu Santo

La vida moral

¿Por qué nos creó Dios?
Fuimos creados para honrar y glorificar a Dios y para vivir una vida de bienaventuranza con Dios aquí en la Tierra y para siempre en el Cielo.

¿Qué significa vivir una vida moral?
Los cristianos bautizados tienen una nueva vida en Cristo en el Espíritu Santo. Dios pone en nosotros un deseo de ser felices con Él. Respondemos a este don aceptando la gracia del Espíritu Santo de vivir el Evangelio. La liturgia y los Sacramentos nos alimentan para vivir la vida moral más plenamente.

¿Qué es el Gran Mandamiento?
El Gran Mandamiento es la enseñanza de Jesús de amar a Dios por sobre todas las cosas y a nuestro prójimo como a nosotros mismos. Es el camino a la felicidad. Es el resumen y la base de los Mandamientos y de toda la Ley de Dios.

¿Cuáles son los Diez Mandamientos?
Los Diez Mandamientos son las leyes de la Alianza que Dios reveló a Moisés y a los israelitas en el monte Sinaí. Nos enseñan cómo amar a Dios, a los demás y a nosotros mismos. La Biblia nos cuenta que los Mandamientos están escritos en el corazón de todas las personas.

¿Qué son las Bienaventuranzas?
Las Bienaventuranzas son las enseñanzas de Jesús que resumen el camino a la verdadera felicidad. Explican el significado del Reino de Dios, que es vivir en comunión y en amistad con Dios y con María y con todos los Santos. Las Bienaventuranzas nos guían para vivir como discípulos de Cristo al mantener nuestra vida centrada en Dios.

¿Qué son las Obras de Misericordia?
La palabra *misericordia* se refiere a la caridad y bondad incondicionales de Dios que obran en el mundo. Las obras humanas de misericordia son actos de bondad amorosa por los cuales nos acercamos a las personas por sus necesidades corporales y espirituales.

¿Qué son las Obras de Misericordia Corporales?
Algunas de las Obras de Misericordia son llamadas Obras de Misericordia Corporales. Hay siete maneras en las que vivimos el mandato de Jesús de ayudar a las personas a cuidar de sus necesidades corporales, o del cuerpo.

¿Qué son los preceptos de la Iglesia?
Los Preceptos de la Iglesia son cinco reglas de la Iglesia que nos ayudan como católicos a cumplir con nuestras responsabilidades de adorar a Dios y crecer en amor por Dios y por nuestro prójimo.

Santidad de vida y gracia

¿Qué es la santidad?
La santidad es la vida en comunión con Dios. Es la característica de una persona que lleva una relación correcta con Dios, con las personas y con la creación.

Who is a priest?

A priest is a baptized man who has received the Sacrament of Holy Orders. Priests are co-workers with their bishops. The priest teaches the faith; celebrates liturgy, above all the Eucharist; and helps to guide the Church.

Who is a deacon?

A deacon is ordained to assist bishops and priests. He is not ordained to the priesthood but to a ministry of service to the Church.

What is the Sacrament of Matrimony?

The Sacrament of Matrimony is one of the two Sacraments at the Service of Communion. In the Sacrament of Matrimony, a baptized man and a baptized woman dedicate their lives to the Church and to one another in a lifelong bond of faithful, life-giving love. In this Sacrament they receive the grace to be a living sign of Christ's love for the Church.

What are the sacramentals of the Church?

Sacramentals are sacred signs instituted by the Church. They include blessings, prayers, and certain objects that prepare us to participate in the Sacraments. They also make us aware of and help us respond to God's loving presence in our lives.

Life in the Spirit

The Moral Life

Why did God create us?

We were created to give honor and glory to God and to live a life of blessing with God here on Earth and forever in Heaven.

What does it mean to live a moral life?

Baptized Christians have new life in Christ in the Holy Spirit. God places in us the desire to be happy with him. We respond to this gift by accepting the grace of the Holy Spirit and living the Gospel. The liturgy and Sacraments nourish us to live the moral life more fully.

What is the Great Commandment?

The Great Commandment is Jesus' teaching to love God above all else and our neighbor as ourselves. It is the path to happiness. It is the summary and heart of the Commandments and all of God's Law.

What are the Ten Commandments?

The Ten Commandments are the laws of the Covenant that God revealed to Moses and the Israelites on Mount Sinai. They teach us how to love God, others, and ourselves. The Bible tells us that the Commandments are written on the hearts of all people.

What are the Beatitudes?

The Beatitudes are the teachings of Jesus that summarize the path to true happiness. They explain the meaning of the Kingdom of God, which is living in communion and friendship with God, with Mary, and with all of the Saints. The Beatitudes guide us in living as disciples of Christ by keeping our lives centered on God.

What are the Works of Mercy?

The word *mercy* refers to God's unconditional love and kindness at work in the world. Human works of mercy are acts of loving kindness by which we reach out to people in their physical and spiritual needs.

What are the Corporal Works of Mercy?

Some of the Works of Mercy are called the Corporal Works of Mercy. They are seven ways that we live Jesus' command to help people care for their bodily, or corporal, needs.

What are the precepts of the Church?

Precepts of the Church are five rules of the Church that help us as Catholics meet our responsibilities to worship God and grow in love of God and of our neighbor.

Holiness of Life and Grace

What is holiness?

Holiness is living in communion with God. It is the characteristic of a person who is in the right relationship with God, with people, and with all of creation.

¿Qué es la gracia?

La gracia es el don de Dios de compartir su vida y su amor con nosotros.

¿Qué es la gracia santificante?

La palabra *santificante* proviene de un término latino que significa "hacer santo". La gracia santificante es un don de Dios concedido libremente y dado por el Espíritu Santo.

¿Cuáles son los Dones del Espíritu Santo?

Los siete Dones del Espíritu Santo son las gracias que nos fortalecen para vivir nuestro Bautismo, o nuestra nueva vida en Cristo. Ellos son: sabiduría, entendimiento, buen juicio (o consejo), valor (o fortaleza), ciencia, reverencia (o piedad) y admiración y veneración (o temor de Dios).

Las virtudes

¿Qué son las virtudes?

Las virtudes son poderes espirituales o hábitos que nos ayudan a hacer el bien.

¿Cuáles son las Virtudes Teologales?

Las Virtudes Teologales son las tres virtudes de la fe, la esperanza y la caridad (amor). Estas virtudes son dones y poderes de Dios que nos ayudan a mantener nuestra vida centrada en Él.

¿Cuáles son las Virtudes Cardinales?

Las Virtudes Morales son aquellas acciones y hábitos que hacen posible que vivamos una vida moral. Las Virtudes Cardinales son las cuatro Virtudes Morales de la prudencia, la justicia, la fortaleza y la templanza. Se las llama virtudes *cardinales*, o de *quicio* o *eje*, porque todas las Virtudes Morales se relacionan con ellas y están agrupadas en torno a ellas.

¿Qué es la conciencia?

La conciencia es la parte de toda persona humana que nos ayuda a juzgar si un acto moral está en armonía con la Ley de Dios. Nuestra conciencia nos mueve a hacer el bien y a evitar el mal.

El mal y el pecado

¿Qué es el mal?

El mal es el daño que a propósito nos ocasionamos mutuamente y a la buena creación de Dios.

¿Qué es la tentación?

La tentación es todo lo que, dentro o fuera de nosotros, trata de alejarnos de hacer algo bueno y que nos lleva a hacer o decir algo que sabemos que está mal. La tentación nos aleja de vivir una vida santa.

¿Qué es el pecado?

El pecado es hacer o decir libremente y a sabiendas lo que está en contra de la voluntad de Dios. El pecado aparta nuestro corazón del amor de Dios.

¿Qué es el pecado mortal?

El pecado mortal es elegir a sabiendas y voluntariamente hacer algo que está gravemente en contra de la Ley de Dios. El resultado del pecado mortal es la pérdida de la gracia santificante.

¿Qué son los pecados veniales?

Los pecados veniales son pecados menos graves que un pecado mortal. Debilitan nuestro amor por Dios y por los demás y nos hacen menos santos.

Oración cristiana

¿Qué es la oración?

La oración es una conversación con Dios. Es hablarle y escucharlo, elevando nuestra mente y nuestro corazón hacia Dios Padre, Hijo y Espíritu Santo.

¿Qué es el Padre Nuestro?

La Oración del Señor, o el Padre Nuestro, es la oración de todos los cristianos. Es la oración que Jesús enseñó a sus discípulos y que dio a la Iglesia. Rezar el Padre Nuestro nos acerca más a Dios y a su Hijo, Jesucristo. Nos ayuda a ser como Jesús y a poner nuestra confianza en Dios Padre.

¿Qué es la oración vocal?

La oración vocal es una oración hablada o usando palabras dichas en voz alta o en el silencio de nuestro corazón.

¿Qué es la oración de meditación?

La meditación es una forma de oración en la que usamos nuestra mente, nuestro corazón, nuestra imaginación, nuestras emociones y nuestros deseos. La meditación nos ayuda a entender y a seguir lo que el Señor nos pide que hagamos.

¿Qué es la oración de contemplación?

La contemplación es una forma de oración que es, simplemente, estar con Dios.

What is grace?

Grace is the gift of God's sharing his life and love with us.

What is sanctifying grace?

The word *sanctifying* comes from a Latin word meaning "to make holy." Sanctifying grace is a free gift of God, given by the Holy Spirit.

What are the Gifts of the Holy Spirit?

The seven Gifts of the Holy Spirit are graces that strengthen us to live our Baptism, our new life in Christ. They are wisdom, understanding, right judgment (or counsel), courage (or fortitude), knowledge, reverence (or piety), and wonder and awe (or fear of the Lord).

The Virtues

What are the virtues?

The virtues are spiritual powers or habits that help us to do what is good.

What are the Theological Virtues?

The Theological Virtues are the three virtues of faith, hope, and charity (love). These virtues are gifts and powers from God that help us to keep him at the center of our lives.

What are the Cardinal Virtues?

Moral Virtues are those attitudes and habits that help make it possible for us to live a moral life. The Cardinal Virtues are the four Moral Virtues of prudence, justice, fortitude, and temperance. They are called the *Cardinal*, or *hinge*, virtues because all of the Moral Virtues are related to and grouped around them.

What is conscience?

Conscience is that part of every human person that helps us to judge whether a moral act is in harmony with God's Law. Our conscience moves us to do good and avoid evil.

Evil And Sin

What is evil?

Evil is the harm that we willingly inflict on one another and on God's good creation.

What is temptation?

Temptation is everything, either within us or outside us, that tries to move us from doing something good and to do or say something that we know is wrong. Temptation moves us away from living a holy life.

What is sin?

Sin is freely and knowingly doing or saying what we know is against the will of God. Sin turns our hearts away from God's love.

What is mortal sin?

A mortal sin is knowingly and willingly choosing to do something that is gravely contrary to the Law of God. The effect of mortal sin is the loss of sanctifying grace.

What are venial sins?

Venial sins are sins that are less serious than a mortal sin. They weaken our love for God and for one another and make us less holy.

Christian Prayer

What is prayer?

Prayer is conversation with God. It is talking and listening to him, raising our minds and hearts to God the Father, Son, and Holy Spirit.

What is the Our Father?

The Lord's Prayer, or Our Father, is the prayer of all Christians. It is the prayer that Jesus taught his disciples and gave to the Church. Praying the Lord's Prayer brings us closer to God and to his Son, Jesus Christ. It helps us to become like Jesus and to place our trust in God the Father.

What is vocal prayer?

Vocal prayer is spoken prayer, or prayer using words said aloud or in the quiet of one's heart.

What is the prayer of meditation?

Meditation is a form of prayer in which we use our minds, hearts, imaginations, emotions, and desires. Meditation helps us to understand and follow what the Lord is asking us to do.

What is the prayer of contemplation?

Contemplation is a form of prayer that is simply being with God.

Glosario

Ver página 574 para el glosario en ingles.

A

adorar [página 188]
Adorar a Dios es darle alabanza y honor.

Alianza [página 368]
La Alianza es el acuerdo solemne y la promesa de amistad hecha entre Dios y su pueblo.

Anunciación [página 56]
La Anunciación es el anuncio que el ángel Gabriel le dio a la Santísima Virgen María. El ángel le dijo a María que Dios la había elegido para ser la madre de Jesús, el Hijo de Dios.

Apóstoles [página 130]
Los Apóstoles fueron los primeros líderes de la Iglesia. Jesús los eligió para que bautizaran y enseñaran en su nombre.

B

benignidad [página 38]
La benignidad nos ayuda a elegir compartir con los demás. Los seguidores de Jesús ofrecen libremente su tiempo y sus talentos por el bien de los demás.

Bienaventuranzas [página 426]
Las Bienaventuranzas son las enseñanzas de Jesús acerca de cómo vivir y hallar la verdadera felicidad con Dios. Nos cuentan cómo seremos bendecidos por Dios y cómo seremos felices con Él en su Reino.

bondad [página 260]
La bondad es un Don del Espíritu Santo. Nos ayuda a tratar a los demás con gentileza. Pensamos en las necesidades de los demás más allá de las nuestras. Hacemos el bien porque somos buenos.

caridad [página 22]
La caridad es un don de Dios. Es la virtud que Dios nos da para amarlo por sobre todas las cosas y para amar a los demás debido a nuestro amor por Él.

castidad [página 276]
La raíz de la palabra castidad significa pureza. Jesús dice: "Felices los de corazón limpio". Cuando tenemos un corazón puro, hacemos lo que sabemos que está bien y es correcto. Cuando somos castos, mostramos nuestro amor por los demás adecuadamente en las maneras en que Dios quiere que mostremos nuestro amor.

Cielo [página 320]
El Cielo es la vida eterna, o vivir para siempre en felicidad con Dios después de la muerte.

ciencia [página 408]
La ciencia es un Don del Espíritu Santo. Este don nos ayuda a ver las cosas como Dios las ve. Cuando usamos el don de la ciencia, entendemos el significado de ser un hijo de Dios y la manera de vivir como un hijo de Dios.

codiciar [página 352]
Codiciar significa querer indebidamente algo que pertenece a otra persona.

Comunión de los Santos [página 146]
Todas las personas que han seguido fielmente a Jesús son la Comunión de los Santos. Esto incluye a todos los del Cielo y a los fieles en la Tierra y en el Purgatorio.

continencia [página 350]
La continencia nos ayuda a tomar buenas decisiones. Nos ayuda a pensar en nuestras decisiones antes de que las tomemos.

creación [página 40]
La creación es todo lo que Dios creó por amor y sin ninguna ayuda.

Credo de los Apóstoles [página 410]
El Credo de los Apóstoles es un resumen breve de la creencia de la Iglesia desde el tiempo de los Apóstoles.

credos [página 410]
Los credos son enunciados de lo que cree una persona o un grupo.

Diez Mandamientos [página 336]
Los Diez Mandamientos son las leyes que Dios le dio a Moisés en el Monte Sinaí. Nos enseñan a amar a Dios y a los demás como a nosotros mismos.

diligencia [página 186]
La diligencia es cuando nos concentramos y nos enfocamos en lo que nos comprometemos a hacer. La diligencia nos ayuda a hacer las cosas con cuidado.

Divina Providencia [página 40]
La Divina Providencia es el cuidado amoroso de Dios por toda su creación.

Encarnación [página 56]
La Encarnación es el hecho de que el Hijo de Dios se hace hombre sin dejar de ser Dios.

entendimiento [página 244]
El don espiritual del entendimiento nos ayuda a conocer el significado de la verdad de nuestra fe. El entendimiento nos ayuda a tomar decisiones sobre la manera de vivir como seguidores de Jesús.

esperanza [página 96]
Cuando tenemos esperanza, ponemos nuestra confianza en Dios. Sabemos que Dios mantiene siempre su palabra. Dios cumple siempre sus promesas.

Espíritu Santo [página 114]
El Espíritu Santo es la Tercera Persona de la Santísima Trinidad.

Eucaristía [página 262]
La Eucaristía es el Sacramento en el que la Iglesia agradece a Dios y participa del Cuerpo y la Sangre de Cristo.

fe [página 24]
La fe es un don de Dios. Nos ayuda a creer en Dios y en todo lo que Él nos ha revelado.

fidelidad [página 128]
Somos fieles cuando hacemos el bien que hemos prometido hacer. La fidelidad es un Fruto del Espíritu Santo. Somos fieles cuando mantenemos nuestra palabra. Dios siempre mantiene su palabra. Él es siempre fiel a nosotros.

gozo [página 112]
El gozo viene de saber que Dios está siempre con nosotros. Podemos sentir gozo incluso cuando sufrimos por cosas terribles. La Iglesia nombra al gozo como uno de los doce Frutos del Espíritu Santo.

gracia santificante [página 320]
La gracia de Dios es el don de Dios que nos hace partícipes de la vida de la Santísima Trinidad. También es la ayuda que Dios nos da para vivir una vida santa.

Gran Mandamiento [página 368]
El Gran Mandamiento nos enseña a amar a Dios y a amar a los demás como a nosotros mismos.

honrar [página 54]
Cuando honramos a alguien, le mostramos respeto. Cuando le pedimos ayuda a alguien, le mostramos respeto y los honramos.

humildad [página 144]
Las personas actúan con humildad cuando le agradecen a Dios por lo que pueden hacer. Saben que todas sus bendiciones son dones de Dios.

Iglesia [página 130]
La Iglesia es el Pueblo de Dios. Es el Templo del Espíritu Santo.

justicia [página 70]
La justicia es la virtud, o buen hábito, de tratar a todos imparcialmente con amor, cuidado y respeto.

L

liturgia [página 188]
La liturgia es el culto público a Dios por parte de la Iglesia. Es la obra de toda la Iglesia.

longanimidad [página 218]
Las personas con longanimidad tratan a los demás con respeto y cortesía. Sus palabras y acciones tratan a los demás de la manera en que los trata Dios. Tratan a las personas de la manera en que ellos quieren que los demás los traten.

M

mansedumbre [página 334]
Las personas mansas son gentiles y tiernas. Cuando somos gentiles, mostramos amor por las personas de la manera en que Jesús nos enseñó.

Matrimonio [página 278]
El Matrimonio es el Sacramento en el que un hombre bautizado y una mujer bautizada se hacen promesas para toda la vida de servir a la Iglesia como una pareja casada.

mesías [página 72]
La palabra mesías significa "ungido". Jesús es el Mesías. Él es el Ungido de Dios, el Salvador que Dios prometió enviar.

milagro [página 278]
Un milagro es un signo del poder en acción y de la presencia de Dios en el mundo.

misioneros [página 394]
Los misioneros católicos son seguidores de Jesús que son enviados a compartir su amor más allá de donde vivan. Siguen el mandato de Jesús de hacer discípulos a todos los pueblos. Los misioneros actúan como Jesús dondequiera que vayan.

Misterio Pascual [página 98]
El sufrimiento, La Muerte, Resurrección y Ascensión de Jesucristo se conoce como Misterio Pascual.

O

obedecer [página 352]
Obedecer significa seguir la guía de alguien que nos ayuda a vivir según las leyes de Dios.

obediencia [página 440]
Cuando obedecemos, seguimos la buena guía de nuestros padres o de alguien que tenga la responsabilidad de cuidarnos. Las personas que verdaderamente se preocupan por nosotros nos ayudan a seguir las Leyes de Dios. No nos piden hacer nada que sea incorrecto o que vaya en contra de las Leyes de Dios.

oraciones de intercesión [página 172]
Las oraciones de intercesión son plegarias en las cuales le pedimos a Dios que ayude a los demás.

oraciones de petición [página 172]
Las oraciones de petición son plegarias en las cuales le pedimos a Dios que nos ayude.

Orden Sagrado [página 294]
El Orden Sagrado es el Sacramento en el que un hombre bautizado se ordena como obispo, sacerdote o diácono para servir durante toda su vida a la Iglesia.

paciencia [página 170]
Cuando practicamos la virtud de la paciencia, podemos esperar por lo que vendrá. No actuamos sin pensar. Pensamos acerca de las consecuencias de nuestras acciones.

[página 424]
Cuando practicamos la virtud de la paciencia, podemos seguir haciendo nuestro trabajo sin importar cuán difícil sea.

parábola [página 246]
Las parábolas son relatos que Jesús contó para ayudar a las personas a entender y a vivir sus enseñanzas.

pecado [página 220]
El pecado es la elección libre de hacer o decir algo que sabemos que está en contra de la ley de Dios.

Pentecostés [página 114]
Pentecostés es el día en el que el Espíritu Santo descendió sobre los discípulos cincuenta días después de la Resurrección.

piedad [página 318]
La piedad es un signo de amor muy profundo. Es un signo de cuánto una persona ama a Dios y a los demás.

prudencia [página 366]
La prudencia nos ayuda a hacer buenas elecciones. La prudencia nos ayuda a diferenciar el bien del mal. Las decisiones prudentes nos ayudan a crecer en la vivencia de nuestra fe católica.

R

Reino de Dios [página 72]
El momento en el que todas las personas vivirán en paz y justicia con Dios y con los demás, y con toda la creación. El Reino de Dios vendrá cuando Cristo regrese en su gloria al final de los tiempos.

reverencia [página 392]
Cuando tenemos el don de la reverencia, mostramos honor y respeto por las personas y las cosas a nuestro alrededor. Entendemos y vemos cuánto las valora Dios. Cuando tratamos a alguien con reverencia, honramos su dignidad.

S

sabiduría [página 292]
Cuando tenemos el don espiritual de la sabiduría, podemos ver a Dios en nuestra vida y en el mundo a nuestro alrededor. Tratamos de ver a todos y a todo con los ojos de Dios, aparte de con los nuestros.

Sacramentos [página 204]
Los Sacramentos son los siete signos especiales que hacen que Jesús esté presente entre nosotros. Participamos de la vida de la Santísima Trinidad a través de estos Sacramentos.

Sacramentos de Curación [página 220]
Los dos Sacramentos de Curación son el Sacramento de la Penitencia y de la Reconciliación y el Sacramento de la Unción de los Enfermos.

Sacramentos de la Iniciación Cristiana [página 204]
Los Sacramentos de la Iniciación Cristiana son el Bautismo, la Confirmación y la Eucaristía. Estos tres Sacramentos establecen las bases para nuestra vida en Cristo.

sacrificio [página 98]
Dar a Dios, por amor, algo que valoramos.

santificado [página 442]
Santificado significa que honramos a algo como santo. El nombre de Dios es santificado.

Santísima Trinidad [página 24]
La Santísima Trinidad es el misterio de Un Dios en Tres Personas Divinas: Dios Padre, Dios Hijo y Dios Espíritu Santo.

Santísimo Sacramento [página 262]
El Santísimo Sacramento es el nombre dado a la Eucaristía, la Presencia Real del Cuerpo y la Sangre de Jesús bajo la apariencia del pan y el vino.

Santos [página 146]
Los Santos son personas que viven con Dios para siempre en el Cielo.

vida consagrada [página 294]
La vida consagrada es una manera de vivir el Evangelio. Las personas que prometen servir a la Iglesia como consagradas, viven una vida de servicio al pueblo de Dios.

Glossary

Annunciation [page 57]
The Annunciation is the announcement the angel Gabriel made to the Blessed Virgin Mary. The angel told Mary that God had chosen her to be the mother of Jesus, the Son of God.

Apostles [page 131]
The Apostles were the first leaders of the Church. Jesus chose them to baptize and teach in his name.

Apostles' Creed [page 411]
The Apostles' Creed is a brief summary of what the Church has believed from the time of the Apostles.

Beatitudes [page 427]
The Beatitudes are Jesus' teachings about how to live and find real happiness with God. They tell us how we will be blessed by God and happy with him in his kingdom.

Blessed Sacrament [page 263]
The Blessed Sacrament is a name given to the Eucharist, the Real Presence of the Body and Blood of Jesus under the appearance of bread and wine.

chastity [page 277]
The root word of chastity is pure. Jesus says, "Blessed are the pure of heart." When we are pure in heart, we do what we know is right and good. When we are chaste, we show our love for others appropriately in the ways God wants us to show our love.

Church [page 131]
The Church is the People of God. She is the Temple of the Holy Spirit.

Communion of Saints [page 147]
All people who have faithfully followed Jesus are called the Communion of Saints. This includes all those in Heaven, and the faithful on Earth and in Purgatory.

consecrated life [page 295]
The consecrated life is a way to live the Gospel. People who promise to serve the Church as a consecrated person live a life of service to God's people.

Covenant [page 369]
The Covenant is the solemn agreement and promise of friendship made between God and his people.

covet [page 353]
To covet means to wrongfully want something that belongs to someone else.

creation [page 41]
Creation is all that God has made out of love and without any help.

creeds [page 411]
Creeds are statements of what a person or a group believes.

diligence [page 187]
Diligence is when you concentrate and focus on what you commit yourself to do. Diligence helps you to be careful in what you do.

Divine Providence [page 41]
Divine Providence is God's caring love for all his creation.

Eucharist [page 263]
The Eucharist is the Sacrament in which the Church gives thanks to God and shares in the Body and Blood of Christ.

faith [page 25]
Faith is a gift from God. It helps us believe in God and all that he has revealed.

faithfulness [page 129]
You are faithful when you do the good that you promised to do. Faithfulness is a Fruit of the Holy Spirit. You are faithful when you keep your word. God always keeps his word. He is always faithful to us.

generosity [page 39]
Generosity helps you choose to share with others. Followers of Jesus offer their time and talents freely for the good of others.

gentleness [page 335]
Gentle people are kind and tender. When you are gentle, you show love to people the way Jesus taught us to do.

goodness [page 261]
Goodness is a Gift of the Holy Spirit. It helps us to treat others with kindness. We think of the needs of others beyond our own. We do good because we are good.

Great Commandment [page 369]
The Great Commandment teaches us to love God and to love our neighbors as ourselves.

hallowed [page 443]
Hallowed means to honor something as holy. God's name is hallowed.

Heaven [page 321]
Heaven is eternal life, or living forever in happiness with God after we die.

Holy Orders [page 295]
Holy Orders is the Sacrament in which a baptized man is ordained a bishop, priest, or deacon to serve the Church his whole life.

Holy Spirit [page 115]
The Holy Spirit is the Third Person of the Holy Trinity.

Holy Trinity [page 25]
The Holy Trinity is the mystery of One God in Three Divine Persons—God the Father, God the Son, and God the Holy Spirit.

honor [page 55]
When we honor someone, we show them respect. When we ask someone to help us, we show respect for and honor her or him.

hope [page 97]
When we hope, we place our trust in God. We know that God always keeps his word. God always keeps his promises.

humility [page 145]
People act with humility when they thank God for what they are able to do. They know that all their blessings are gifts from God.

Incarnation [page 57]
The Incarnation is the Son of God becoming a man and still being God.

joy [page 113]
Joy comes from knowing that God is always with us. Joy can be ours even when we suffer terrible things. The Church names joy as one of the twelve Fruits of the Holy Spirit.

justice [page 71]
Justice is the virtue, or good habit, of treating everyone fairly with love, care, and respect.

kindness [page 219]
People who are kind treat other people with respect and courtesy. Their words and actions treat other people the way that God treats them. They treat other people the way they want other people to treat them.

Kingdom of God [page 73]
The time when all people will live in peace and justice with God and with one another and with all creation. God's kingdom will come about when Christ returns in glory at the end of time.

knowledge [page 409]
Knowledge is a Gift of the Holy Spirit. This gift helps us to see things as God sees them. When you use the gift of knowledge, you come to understand what it means to be a child of God and how to live as a child of God.

liturgy [page 189]
The liturgy is the Church's public worship of God. It is the work of the whole Church.

love [page 23]
Love is a gift from God. It is the virtue that God gives us to love him above all else and to love other people because of our love for him.

Matrimony [page 279]
Matrimony is the Sacrament in which a baptized man and a baptized woman make lifelong promises to serve the Church as a married couple.

messiah [page 73]
The word messiah means "anointed one." Jesus is the Messiah. He is the Anointed One of God, the Savior God promised to send.

miracle [page 279]
A miracle is a sign of God's presence and power at work in our world.

missionaries [page 395]
Catholic missionaries are followers of Jesus who are sent to share his love beyond where they live. They follow Jesus' command to make disciples of all nations. Missionaries act as Jesus wherever they go.

obedience [page 441]
When we obey, we follow the good guidance of a parent or someone else who has the responsibility to care for us. People who truly care for us help us follow God's Laws. They do not ask us to do something that is wrong and against God's laws.

obey [page 353]
To obey means to choose to follow the guidance of someone who is helping us live according to God's Laws.

parables [page 247]
Parables are stories that Jesus told to help people understand and live what he was teaching.

Paschal Mystery [page 99]
The suffering, Death, Resurrection, and Ascension of Jesus Christ is known as the Paschal Mystery.

patience [page 171]
When we practice the virtue of patience, we are able to wait for what is ahead. We do not act without thinking. We think about the consequences of our actions.

[page 425]
When we practice the virtue of patience, we are able to keep doing our work, no matter how hard it might be.

Pentecost [page 115]
Pentecost is the day on which the Holy Spirit came to the disciples, fifty days after the Resurrection.

piety [page 319]
Piety is a sign of a very deep love. It is a sign of how much a person loves God and loves people.

prayers of intercession [page 173]
Prayers of intercession are prayers in which we ask God to help others.

prayers of petition [page 173]
Prayers of petitions are prayers in which we ask God to help us.

prudence [page 367]
Prudence helps us to make good choices. Prudence helps us to decide between good and bad. Prudent decisions help us grow in living our Catholic faith.

R

reverence [page 393]
When you have the gift of reverence, you show honor and respect to the people and things around you. You understand and see how much God values them. When you treat someone with reverence, you honor their dignity.

S

Sacraments [page 205]
The Sacraments are the seven special signs that make Jesus present to us. We share in the life of the Holy Trinity through these Sacraments.

Sacraments of Christian Initiation [page 205]
Baptism, Confirmation, and the Eucharist are the Sacraments of Christian Initiation. These three Sacraments lay the foundation for our life in Christ.

Sacraments of Healing [page 221]
The Sacrament of Penance and Reconciliation and the Sacrament of Anointing of the Sick are the two Sacraments of Healing.

sacrifice [page 99]
To give something that we value to God out of love.

Saints [page 147]
Saints are people who live with God forever in Heaven.

sanctifying grace [page 321]
God's grace is the gift of God making us sharers in the life of the Holy Trinity. It is also the help God gives us to live a holy life.

self-control [page 351]
Self-control helps us to make good decisions. It helps us think about our decisions before we make them.

sin [page 221]
Sin is freely choosing to do or say something that we know is against God's Law.

Ten Commandments [page 337]
The Ten Commandments are the laws God gave to Moses on Mount Sinai. They teach us to love God and love others as we love ourselves.

understanding [page 245]
The spiritual gift of understanding helps us to know the meaning of the truth of our faith. Understanding helps us to make decisions about how to live as followers of Jesus.

wisdom [page 293]
When we have the spiritual gift of wisdom, we are able to see God in our lives and in the world around us. We try to see everyone and everything with God's eyes, not just our own.

worship [page 189]
Worship is the adoration and honor we give to God.

Índice

O-P-Q

R-S-T-U

V-W-X-Y-Z

Index

P-Q

R-S-T-U

V-W-X-Y-Z

Créditos

Ilustración de la portada: Marcia Adams Ho

CRÉDITOS DE FOTOGRAFÍA

Introducción: Página 10, © Daniel Laflor/ Getty Images; 12, © courtyardpix/shutterstock.
Capítulo 1: Página 20, © Design Pics/Don Hammond/Getty Images; 24, © The Crosiers/ Gene Plaisted, OSC; 32, © Juriah Mosin/ shutterstock; 34, © Jose Luis Pelaez Inc/ Jupiterimages.
Capítulo 2: Página 36, © James Thew/ shutterstock; 38, © Courtesy of the Sisters of the Good Shepherd North America; 40, © Steve Allen/Jupiterimages; © Hanquan Chen/iStockphoto; © Design Pics/David Ponton/Jupiterimages; Ingram Publishing/ Jupiterimages; 42, © Ray Kachatorian/Getty Images; 44, © Nejron Photo/shutterstock; 48, © Astock/A Stock/Corbis; 50, © Corbis Bridge/Alamy.
Capítulo 3: Página 52, © Asia Images Group Pte Ltd/Alamy; 54, © Ted Foxx/Alamy; 64, © Stockbyte/Jupiterimages; 66 © Jose Luis Pelaez Inc/Jupiterimages.
Capítulo 4: Página 68, © Maskot Bildbyra AB/Alamy; 70, © The Crosiers/Gene Plaisted, OSC; 80, © Creatas Images/Jupiterimages; 82, © Polka Dot Images/Jupiterimages; 88, © Michael McGrath / © Bee Still Studio, beestill.com, 410.398.3057.
Capítulo 5: Página 94, © ableimages/Alamy; 96, © The Crosiers/Gene Plaisted, OSC; 106, © Myrleen Ferguson Cate/Photo Edit; 108, © Rob Melnychuk/Jupiterimages.
Capítulo 6: Página 112, © Photo courtesy of the Franciscan Sisters of Perpetual Adoration, www.fspa.org; 122, © Tim Pannell/Corbis; 124, © Design Pics Inc./Alamy.
Capítulo 7: Página 126, ©Ed Honowitz/ Getty Images; 128, ©Paul Haring / Catholic News Service; © Raphael GAILLARDE/ Gamma-Rapho via Getty Images; 132, © KidStock/Blend Images/Corbis; 134, © Westend61/Getty Images; 138, © Bill Wittman; 140, © View Stock/Alamy.
Capítulo 8: Página 142, © Michael Newman/ Photo Edit; 144, © Julie Lonneman/Trinity Stores; 146, © Kenneth Garrett/National Geographic/Getty Images; 148, © Henry Groskinsky//Time Life Pictures/Getty Images; © Louise Batalla Duran/Alamy; © The Crosiers/Gene Plaisted, OSC; 154, © Design Pics/Chris Futcher; 156, © Ariel Skelley/Jupiterimages; 162, © Tito Alarcon / Dreamstime.com.
Capítulo 9: Página 168, © GPI Stock/Alamy; 170, © Myrleen Ferguson Cate/Photo Edit; 172, © Bill Wittman; 180, © kali9/Getty Images; 182, © George Doyle/Jupiterimages.
Capítulo 10: Página 184, © KidStock/Getty Images; 186, © AP Photo/Lisa Wiltse; 188, © Westend61/Jupiterimages; 190, © Beth Schlanker/ZUMA Press/Corbis; © Bill Wittman; © Philip Laubner/CRS; 198, © Bill Wittman.
Capítulo 11: Página 200, © Ronnie Kaufman/Larry Hirshowitz/Blend Images/ Corbis; 204, © The Crosiers/Gene Plaisted, OSC; 206, © Bill Wittman; 208, © Bill Wittman; 212, © Bill Wittman; 214, © Michael Newman/Photo Edit.
Capítulo 12: Página 216, © Glowimages/ Jupiterimages; 220, © digitalskillet/ iStockphoto; 222, © Bill Wittman; 228, © Myrleen Ferguson Cate/Photo Edit; 230, © Flying Colours Ltd/Jupiterimages; 236, © A. Ramey/PhotoEdit.
Capítulo 13: Página 242, © Camille Tokerud/ Getty Images; 244, © AP Photo/Jim Mone; 248, © Brand X Pictures/Jupiterimages; © Jupiterimages; © SW Productions/Getty Images; 250, © Rick D'Elia/Corbis; 254, © M.T.M. Images/Alamy; 256, © Tony Freeman/Photo Edit.
Capítulo 14: Página 260, © Tony Freeman/ Photo Edit; 264, © Bob Daemmrich/Photo Edit; 270, © TongRo Images/Alamy; 272, © Radius Images/Getty Images.
Capítulo 15: Página 274, © asiaselects/ Corbis; 280 © Fuse/Getty Images; 282, © Chuck Mason/Alamy; 286, © Sipa via AP Images; 288, © Fuse/Jupiterimages.
Capítulo 16: Página 290, © Tim Pannell/ Corbis; 292, © Gabe Rogel/Getty Images; 296, © James Shaffer/Photo Edit; 298, © Penny Tweedie/Alamy; © Friedrich Stark/Alamy; © Philippe Lissac /Godong/ Corbis; 302, © Ant Strack/Corbis; 304, © Maria Spann/Getty Images; 310, © Michael McGrath / © Bee Still Studio, beestill.com, 410.398.3057.
Capítulo 17: Página 316, © Ciaran Griffin/ Jupiterimages; 322, © The Crosiers/Gene Plaisted, OSC; 328, © Myrleen Ferguson Cate/ Photo Edit; 330, © Blue Jean Images/Alamy.
Capítulo 18: Página 332, © Fuse/ Jupiterimages; 334, © OSSERVATORE ROMANO/Reuters/Corbis; 338, © Myrleen Ferguson Cate/Photo Edit; 344, © Marcin Jamkowski/Adventure Pictures/Alamy; 346, © Stockbyte/Thinkstock.
Capítulo 19: Página 348, © Radius Images/ Corbis; 350, © Keren Su/Corbis; © Jason Lindsey/Alamy; © Jason Lindsey/Alamy; 354, © Steve Skjold/Photo Edit; 356, © Cindy Charles/Photo Edit; © Radius Images/ Jupiterimages; © Laura Dwight/CORBIS; 362, © Big Cheese Photo/Jupiterimages.
Capítulo 20: Página 366, © HOANG DINH NAM/AFP/Newscom; © KHAM/Reuters/ Landov; 372, © Myrleen Pearson/Alamy; © Andrew Olney/Getty Images; 376, © Peter Mumford/Alamy; 378, © Ryan McVay/Getty Images; 384, © Ingrid Firmhofer/Getty.
Capítulo 21: Página 392, © Bettmann/ CORBIS; 398, © Borderlands/Alamy; © Borderlands/Alamy; 402, © Craig Dingle/iStockphoto; 404, © Sean Justice/ Jupiterimages.
Capítulo 22: Página 406, © Steve Debenport/ iStockphoto; 408, © Robert Harding Picture Library Ltd/Alamy; 410, © Joshua Hodge Photography/iStockphoto; 412, © Bill Wittman; 414, © The Crosiers/Gene Plaisted, OSC; 418, © paulaphoto/shutterstock; 420, © Somos Images/Alamy.
Capítulo 23: Página 422, © Andrea Thrussell/ Alamy; 426, © Jamie Grill Photography/Getty Images; 428, © Philippe Lissac /Godong/ Corbis; © Bill Wittman; 432, © Bill Wittman; © MIXA/Getty Images; 434, © WoodyStock/ Alamy; 436, © Somos Images/Alamy.
Capítulo 24: Página 440, © Ary Scheffer; 442, © Zurijeta/shutterstock; 444, © Kyu Oh/iStockphoto; 446, © Inspirestock Inc./ Alamy; © Ocean/Corbis; © Brand X Pictures/ Jupiterimages; 450, © Image Source/Alamy; 452, © Blend Images/Alamy; 458, © David Young-Wolff/Alamy.
Tiempos Litúrgicos: Página 460, © Bill Wittman; 462, © Art Directors & TRIP/ Alamy; 462, © The Crosiers/Gene Plaisted, OSC; 462, © ATTILA KISBENEDEK/ AFP/Getty Images; 462, © The Crosiers/ Gene Plaisted, OSC; 462, ©Bill Wittman; 464, © fotogiunta/shutterstock; 464, © The Crosiers/Gene Plaisted, OSC; 464, © The Crosiers/Gene Plaisted, OSC; 464, © The Crosiers/Gene Plaisted, OSC; 468, © The Crosiers/Gene Plaisted, OSC; 468, © IDAL/ shutterstock; 472, © Boltin Picture Library/ The Bridgeman Art Library International; 476, © Scott Goodno/Alamy; 484, © Private Collection/The Bridgeman Art Library International; 488, © Private Collection/The Bridgeman Art Library International; 488, © oriontrail/shutterstock; 492, © ATTILA KISBENEDEK/AFP/Getty Images; 496, © Stefanie Sudek/Getty Images; 496, © ERproductions Ltd/Getty Images; 500, © Robert Harding Picture Library Ltd/Alamy; 504, © The Crosiers/Gene Plaisted, OSC; 508, © Private Collection/The Bridgeman Art Library International; 512, © The Crosiers/ Gene Plaisted, OSC; 516 © The Crosiers/ Gene Plaisted, OSC; 520, © The Crosiers/ Gene Plaisted, OSC.
Apéndices: Página 524, © Jupiterimages; 536, © The Crosiers/Gene Plaisted, OSC; 540, © The Crosiers/Gene Plaisted, OSC; 542, © Bill Wittman; 544, © Bill Wittman; 546, © Bill Wittman; 548, © Bill Wittman; 552, © The Crosiers/Gene Plaisted, OSC.

CRÉDITOS DE ILUSTRACIONES

Capítulo 1: Página 22, 28, Linda Prater.
Capítulo 3: Páginas 56–60, Linda Prater.
Capítulo 4: Páginas 72–76, Linda Prater.
Capítulo 5: Páginas 98–102, Linda Prater.
Capítulo 6: Página 110, 116–118, Linda Prater.
Capítulo 7: Página 130, Linda Prater.
Capítulo 8: Página 150, Linda Prater.
Capítulo 9: Páginas 174–176, Linda Prater.
Capítulo 10: Página 196, Q2a Media.
Capítulo 11: Página 202, Kristin Sorra.
Capítulo 12: Página 218, Michele Noiset.
Capítulo 13: Página 246, Linda Prater.
Capítulo 14: Página 258, 262, Linda Prater.
Capítulo 15: Página 276, Fabio Leone; 278, Linda Prater.
Capítulo 16: Página 294, Linda Prater.
Capítulo 17: Página 318, Sue Williams; 324, Linda Prater.
Capítulo 18: Página 336, Linda Prater.
Capítulo 20: Página 364, 370, Linda Prater; 368, Sue Williams.
Capítulo 21: Página 390, 394–396, Linda Prater.
Capítulo 23: Página 424, Estudio Haus.
Capítulo 24: Página 438, Linda Prater.
Tiempos Litúrgicos: Página 478, Belinda Worsley; 480, Jenny Reynish; 490, Alexandria Turner; 518, Ivanke & Lola.

Credits

Cover Illustration: Marcia Adams Ho

PHOTO CREDITS

Frontmatter: Page 11, © Daniel Laflor/Getty Images; 13, © courtyardpix/shutterstock.
Chapter 1: Page 21, © Design Pics/Don Hammond/Getty Images; 25, © The Crosiers/Gene Plaisted, OSC; 33, © Juriah Mosin/shutterstock; 35, © Jose Luis Pelaez Inc/Jupiterimages.
Chapter 2: Page 37, © James Thew/shutterstock; 39, © Courtesy of the Sisters of the Good Shepherd North America; 41, © Steve Allen/Jupiterimages; © Hanquan Chen/iStockphoto; © Design Pics/David Ponton/Jupiterimages; Ingram Publishing/Jupiterimages; 43, © Ray Kachatorian/Getty Images; 45, © Nejron Photo/shutterstock; 49, © Astock/A Stock/Corbis; 51, © Corbis Bridge/Alamy.
Chapter 3: Page 53, © Asia Images Group Pte Ltd/Alamy; 55, © Ted Foxx/Alamy; 65, © Stockbyte/Jupiterimages; 67 © Jose Luis Pelaez Inc/Jupiterimages.
Chapter 4: Page 69, © Maskot Bildbyra AB/Alamy; 71, © The Crosiers/Gene Plaisted, OSC; 81, © Creatas Images/Jupiterimages; 83, © Polka Dot Images/Jupiterimages; 89, © Michael McGrath / © Bee Still Studio, beestill.com, 410.398.3057.
Chapter 5: Page 95, © ableimages/Alamy; 97, © The Crosiers/Gene Plaisted, OSC; 107, © Myrleen Ferguson Cate/Photo Edit; 109, © Rob Melnychuk/Jupiterimages.
Chapter 6: Page 113, © Photo courtesy of the Franciscan Sisters of Perpetual Adoration, www.fspa.org; 123, © Tim Pannell/Corbis; 125, © Design Pics Inc./Alamy.
Chapter 7: Page 127, ©Ed Honowitz/Getty Images; 129, ©Paul Haring / Catholic News Service; © Raphael GAILLARDE/Gamma-Rapho via Getty Images; 133, © KidStock/Blend Images/Corbis; 135, © Westend61/Getty Images; 139, © Bill Wittman; 141, © View Stock/Alamy.
Chapter 8: Page 143, © Michael Newman/Photo Edit; 145, © Julie Lonneman/Trinity Stores; 147, © Kenneth Garrett/National Geographic/Getty Images; 149, © Henry Groskinsky//Time Life Pictures/Getty Images; © Louise Batalla Duran/Alamy; © The Crosiers/Gene Plaisted, OSC; 155, © Design Pics/Chris Futcher; 157, © Ariel Skelley/Jupiterimages; 163, © Tito Alarcon / Dreamstime.com.
Chapter 9: Page 169, © GPI Stock/Alamy; 171, © Myrleen Ferguson Cate/Photo Edit; 173, © Bill Wittman; 181, © kali9/Getty Images; 183, © George Doyle/Jupiterimages.
Chapter 10: Page 185, © KidStock/Getty Images; 187, © AP Photo/Lisa Wiltse; 189, © Westend61/Jupiterimages; 191, © Beth Schlanker/ZUMA Press/Corbis; © Bill Wittman; © Philip Laubner/CRS; 199, © Bill Wittman.
Chapter 11: Page 201, © Ronnie Kaufman/Larry Hirshowitz/Blend Images/Corbis; 205, © The Crosiers/Gene Plaisted, OSC; 207, © Bill Wittman; 209, © Bill Wittman; 213, © Bill Wittman; 215, © Michael Newman/Photo Edit.
Chapter 12: Page 217, © Glowimages/Jupiterimages; 221, © digitalskillet/iStockphoto; 223, © Bill Wittman; 229, © Myrleen Ferguson Cate/Photo Edit; 231, © Flying Colours Ltd/Jupiterimages; 237, © A. Ramey/PhotoEdit.
Chapter 13: Page 243, © Camille Tokerud/Getty Images; 245, © AP Photo/Jim Mone; 249, © Brand X Pictures/Jupiterimages; © Jupiterimages; © SW Productions/Getty Images; 251, © Rick D'Elia/Corbis; 255, © M.T.M. Images/Alamy; 257, © Tony Freeman/Photo Edit.
Chapter 14: Page 261, © Tony Freeman/Photo Edit; 265, © Bob Daemmrich/Photo Edit; 271, © TongRo Images/Alamy; 273, © Radius Images/Getty Images.
Chapter 15: Page 275, © asiaselects/Corbis; 281 © Fuse/Getty Images; 283, © Chuck Mason/Alamy; 287, © Sipa via AP Images; 289, © Fuse/Jupiterimages.
Chapter 16: Page 291, © Tim Pannell/Corbis; 293, © Gabe Rogel/Getty Images; 297, © James Shaffer/Photo Edit; 299, © Penny Tweedie/Alamy; © Friedrich Stark/Alamy; © Philippe Lissac /Godong/Corbis; 303, © Ant Strack/Corbis; 305, © Maria Spann/Getty Images; 311, © Michael McGrath / © Bee Still Studio, beestill.com, 410.398.3057.
Chapter 17: Page 317, © Ciaran Griffin/Jupiterimages; 323, © The Crosiers/Gene Plaisted, OSC; 329, © Myrleen Ferguson Cate/Photo Edit; 331, © Blue Jean Images/Alamy.
Chapter 18: Page 333, © Fuse/Jupiterimages; 335, © OSSERVATORE ROMANO/Reuters/Corbis; 339, © Myrleen Ferguson Cate/Photo Edit; 345, © Marcin Jamkowski/Adventure Pictures/Alamy; 347, © Stockbyte/Thinkstock.
Chapter 19: Page 349, © Radius Images/Corbis; 351, © Keren Su/Corbis; © Jason Lindsey/Alamy; © Jason Lindsey/Alamy; 355, © Steve Skjold/Photo Edit; 357, © Cindy Charles/Photo Edit; © Radius Images/Jupiterimages; © Laura Dwight/CORBIS; 363, © Big Cheese Photo/Jupiterimages.
Chapter 20: Page 367, © HOANG DINH NAM/AFP/Newscom; © KHAM/Reuters/Landov; 373, © Myrleen Pearson/Alamy; © Andrew Olney/Getty Images; 377, © Peter Mumford/Alamy; 379, © Ryan McVay/Getty Images; 385, © Ingrid Firmhofer/Getty.
Chapter 21: Page 393, © Bettmann/CORBIS; 399, © Borderlands/Alamy; © Borderlands/Alamy; 403, © Craig Dingle/iStockphoto; 405, © Sean Justice/Jupiterimages.
Chapter 22: Page 407, © Steve Debenport/iStockphoto; 409, © Robert Harding Picture Library Ltd/Alamy; 411, © Joshua Hodge Photography/iStockphoto; 413, © Bill Wittman; 415, © The Crosiers/Gene Plaisted, OSC; 419, © paulaphoto/shutterstock; 421, © Somos Images/Alamy.
Chapter 23: Page 423, © Andrea Thrussell/Alamy; 427, © Jamie Grill Photography/Getty Images; 429, © Philippe Lissac /Godong/Corbis; © Bill Wittman; 433, © Bill Wittman; © MIXA/Getty Images; 435, © WoodyStock/Alamy; 437, © Somos Images/Alamy.
Chapter 24: Page 441, © Ary Scheffer; 443, © Zurijeta/shutterstock; 445, © Kyu Oh/iStockphoto; 447, © Inspirestock Inc./Alamy; © Ocean/Corbis; © Brand X Pictures/Jupiterimages; 451, © Image Source/Alamy; 453, © Blend Images/Alamy; 459, © David Young-Wolff/Alamy.
Liturgical Seasons: Page 461, © Bill Wittman; 463, © Art Directors & TRIP/Alamy; 463, © The Crosiers/Gene Plaisted, OSC; 463, © ATTILA KISBENEDEK/AFP/Getty Images; 463, © The Crosiers/Gene Plaisted, OSC; 463, ©Bill Wittman; 465, © fotogiunta/shutterstock; 465, © The Crosiers/Gene Plaisted, OSC; 465, © The Crosiers/Gene Plaisted, OSC; 465, © The Crosiers/Gene Plaisted, OSC; 469, © The Crosiers/Gene Plaisted, OSC; 469, © IDAL/shutterstock; 473, © Boltin Picture Library/The Bridgeman Art Library International; 477, © Scott Goodno/Alamy; 485, © Private Collection/The Bridgeman Art Library International; 489, © Private Collection/The Bridgeman Art Library International; 489, © oriontrail/shutterstock; 493, © ATTILA KISBENEDEK/AFP/Getty Images; 497, © Stefanie Sudek/Getty Images; 497, © ERproductions Ltd/Getty Images; 501, © Robert Harding Picture Library Ltd/Alamy; 505, © The Crosiers/Gene Plaisted, OSC; 509, © Private Collection/The Bridgeman Art Library International; 513, © The Crosiers/Gene Plaisted, OSC; 516 © The Crosiers/Gene Plaisted, OSC; 521, © The Crosiers/Gene Plaisted, OSC.
Back Matter: Page 525, © Jupiterimages; 537, © The Crosiers/Gene Plaisted, OSC; 541, © The Crosiers/Gene Plaisted, OSC; 543, © Bill Wittman; 545, © Bill Wittman; 547, © Bill Wittman; 549, © Bill Wittman; 553, © The Crosiers/Gene Plaisted, OSC.

ILLUSTRATION CREDIT

Chapter 1: Page 23, 29, Linda Prater.
Chapter 3: Pages 57–61, Linda Prater.
Chapter 4: Pages 73–77, Linda Prater.
Chapter 5: Pages 99–103, Linda Prater.
Chapter 6: Page 111, 117–119, Linda Prater.
Chapter 7: Page 131, Linda Prater.
Chapter 8: Page 151, Linda Prater.
Chapter 9: Pages 175–177, Linda Prater.
Chapter 10: Page 197, Q2a Media.
Chapter 11: Page 203, Kristin Sorra.
Chapter 12: Page 219, Michele Noiset.
Chapter 13: Page 247, Linda Prater.
Chapter 14: Page 259, 263, Linda Prater.
Chapter 15: Page 276, Fabio Leone; 279, Linda Prater.
Chapter 16: Page 295, Linda Prater.
Chapter 17: Page 319, Sue Williams; 325, Linda Prater.
Chapter 18: Page 337, Linda Prater.
Chapter 20: Page 365, 371, Linda Prater; 369, Sue Williams.
Chapter 21: Page 391, 395–397, Linda Prater.
Chapter 23: Page 425, Estudio Haus.
Chapter 24: Page 439, Linda Prater.
Liturgical Season: Page 479, Belinda Worsley; 481, Jenny Reynish; 491, Alexandria Turner; 519, Ivanke & Lola.